LES FILLES DU DOGE

EDWARD CHARLES

LES FILLES DU DOGE

Traduit de l'anglais par
Daniel Lauzon

Catalogage avant publication de Bibliothèque et Archives nationales du Québec et Bibliothèque et Archives Canada

Charles, Edward, 1941-
    Les filles du doge
    Traduction de : Daughters of the Doge.
    ISBN 978-2-89647-105-8
    1. Venise (Italie) - Histoire - 16ᵉ siècle - Romans, nouvelles, etc. I. Lauzon, Daniel, 1980- . II. Titre.
PR6103.H37D3814 2009   823'.92   C2008-942275-9

La traduction de cet ouvrage a été rendue possible grâce à une aide financière du Conseil des Arts du Canada et du ministère du Patrimoine canadien par l'entremise du Programme d'aide au développement de l'industrie de l'édition.

Les Éditions Hurtubise HMH bénéficient du soutien financier des institutions suivantes pour leurs activités d'édition :

- Conseil des Arts du Canada
- Gouvernement du Canada par l'entremise du Programme d'aide au développement de l'industrie de l'édition (PADIÉ)
- Société de développement des entreprises culturelles du Québec (SODEC)
- Programme de crédit d'impôt pour l'édition de livres du gouvernement du Québec

Illustration de la couverture : Polygone Studio
Maquette de la couverture : Geai Bleu Graphique
Mise en page : Folio infographie

Copyright © 2007, Edward Charles
Édition originale publiée
par Macmillan New Writing, une division de Macmillan Publisher Ltd.
Copyright © 2008, Éditions Hurtubise HMH ltée
Pour la traduction en langue française.

Éditions Hurtubise HMH ltée
1815, avenue De Lorimier
Montréal (Québec) H2K 3W6

DISTRIBUTION EN FRANCE :
Librairie du Québec / DNM
30, rue Gay-Lussac
75005 Paris
www.librairieduquebec.fr

ISBN : 978-2-89647-105-8

Dépôt légal : 1ᵉʳ trimestre 2009
Bibliothèque et Archives nationales du Québec
Bibliothèque et Archives du Canada

Imprimé au Canada
www.hurtubisehmh.com

Liste des personnages

Le recours à cette liste des principaux personnages historiques du roman sera précieux pour le lecteur qui serait peu familier de cette période de l'histoire de l'Angleterre et de l'Italie, particulièrement fertile en rebondissements et durant laquelle liens de parenté et alliances stratégiques jouent des rôles primordiaux. Certains des personnages de cette liste n'apparaissent que *Dans l'ombre de Lady Jane*, premier tome des aventures de Richard Stocker, mais leurs noms étant fréquemment cités dans *Les Filles du doge*, il nous a paru utile de rafraîchir la mémoire du lecteur.

Personnages fictifs

Ahmed, Ayham : arabe et musulman, marchand d'épices originaire d'Espagne.

Ahmed, Yasmine : fille d'Ayham, elle dirige l'atelier du Tintoret, où Richard fera sa connaissance.

Contarini, sœur Faustina : sœur cloîtrée, descendante du cardinal Gasparo Contarini, elle occupe la fonction de dépensière au couvent de Sant'Alvise.

Felicità : sœur converse, amie de sœur Faustina.

Stocker, Richard : protestant, fils d'un humble paysan de Colyton, en Angleterre, il a été intendant et secrétaire sous les ordres de Lord Henry Grey avant de suivre la fille aînée de celui-ci, Lady Jane Grey, à la Tour de Londres, pour la soutenir jusqu'à son exécution, en 1554. Après la mort de sa protectrice, il préfère quitter l'Angleterre pour sa sécurité personnelle et met le cap sur le continent.

Personnages historiques

Badoer, Frederico : ambassadeur vénitien en Angleterre.

Barbaro, Marc'Antonio : ambassadeur vénitien à la cour de France, dans les années 1560.

Basano, Gentile dit Michel-Ange : apprenti sous les ordres du Tintoret.

Caliari, Paolo dit Véronèse : peintre maniériste né et mort à Vérone, il constitua avec le Titien et le Tintoret la trinité des peintres vénitiens de la Renaissance tardive. Il fut reconnu comme un grand coloriste et un maître du trompe-l'œil.

Carew, Sir Peter : aventurier, membre du parlement, shérif, cet homme à tout faire œuvrera aussi pour le compte Élizabeth 1re. Il deviendra une figure controversée dans la reconquête de l'Irlande par les Tudor.

Cheke, John : homme d'état anglais et protestant, tuteur d'Édouard VI, roi d'Angleterre, et secrétaire de Lady Jane lors des neuf jours de son règne.

Contarini, Gasparo : diplomate et cardinal italien. Considéré comme un homme sensé et raisonnable, il fut l'un des seuls à tenter de rapprocher les catholiques et les protestants lors de la diète de Ratisbonne, en 1540.

Courtenay, Edward : fils unique de Henry Courtenay, premier marquis d'Exeter, il fut emprisonné avec ses parents à l'âge de 11 ans pour être libéré en 1553 par Marie 1re Tudor, qui le nommera premier comte de Devon. Soupçonné de fomenter contre elle une révolte, il sera de nouveau emprisonné l'année suivante puis libéré en 1555 avant d'être exilé en Europe. Ses pérégrinations le mèneront jusqu'à Venise, où il ne tardera pas à devenir *persona non grata*.

Édouard VI : roi d'Angleterre et d'Irlande, de 1547 à 1553, dernier descendant masculin des Tudor ; fils du roi Henri VIII d'Angleterre et de sa dernière épouse, Jane Seymour. Signa avant sa mort un testament par lequel il dépossédait ses deux sœurs, les futures Marie Ire Tudor et Élizabeth Ire, de leurs droits à la Couronne, au profit de Lady Jane Grey.

Franco, Veronica : célèbre courtisane et poétesse vénitienne. Cultivée et racée, elle n'en fit pas moins commerce de ses charmes. Modèle, elle posa à l'atelier du Titien, puis à celui du Tintoret. Elle fut la maîtresse du roi Henri III de France.

Grey, Lady Catherine : deuxième fille de Lord Henry Grey et de Lady Frances.

Grey, Lady Frances : femme de Lord Henry Grey, mère de Jane, Catherine et Mary ; petite-fille du roi Henri VII ; fille de Charles Brandon, premier duc de Suffolk, et de Marie Tudor, reine de France (à ne pas confondre avec Marie 1re Tudor, reine d'Angleterre et d'Irlande). Marquise de Dorset, elle devint la duchesse de Suffolk, puis épousa en secondes noces Adrian Stokes, écuyer de Bradgate Park, en 1554.

Grey, Lady Jane : protestante, fille aînée de Lord Henry Grey et de Lady Frances. Épousa Lord Guilford Dudley et devint, à son corps défendant, reine d'Angleterre pendant neuf jours. Son exécution fut ordonnée par Marie 1re Tudor en 1553 et eut lieu l'année suivante.

Grey, Lord Henry : père de Jane, Catherine et Mary Grey ; marquis de Dorset, il fut fait duc de Suffolk et fut décapité en 1554 pour haute trahison en raison de son implication dans le couronnement de sa fille au détriment de Marie 1re Tudor.

Marwood, Thomas : formé à Padoue, en Italie, il fut un médecin célèbre et recherché, exerçant même sa pratique à la cour de Londres, où il devint le protégé d'Élizabeth Ire. Il accompagna le comte de Devon dans son voyage de Bruxelles à Venise, en 1555 et 1556.

Mason, sir John : homme d'état, il servit Marie 1re Tudor ainsi qu'Élizabeth 1re. Il fut tour à tour trésorier, membre du conseil, puis ambassadeur.

Philippe II d'Espagne : prince espagnol de la lignée des Habsbourg, il sera roi d'Espagne de 1556 à 1598. Fils de Charles Quint et d'Isabelle du Portugal, il épousa Marie 1re Tudor en 1554.

Pole, Reginald : prélat anglais, puis cardinal de l'Église catholique romaine. Il fut également le dernier archevêque de Canterbury durant la contre-réforme de l'Église anglaise.

Élizabeth, Princesse : demi-sœur du roi Édouard VI et de Marie Tudor ; fille du roi Henri VIII et de sa deuxième épouse Anne Boleyn. Deviendra reine d'Angleterre et d'Irlande, de 1558 à 1603, sous le nom d'Élizabeth Ire. Sera la dernière représentante de la maison des Tudor à occuper le trône d'Angleterre.

Priuli, Lorenzo : quatre-vingt-deuxième doge de la république de Venise, de 1556 à 1559. Homme cultivé et de belle prestance, son doganat sera marqué par quelques épidémies et montées des eaux. Fera savoir au comte Courtenay qu'il est *persona non grata* à Venise.

Robusti Jacopo dit le Tintoret : peintre vénitien de la Renaissance. Élève du Titien, il fut réputé pour avoir dépassé son maître au niveau de la maîtrise des couleurs et des ombres ainsi que du rendu de la matière.

Sansovino, Jacopo : architecte et sculpteur, il exécuta les travaux de réaménagement de la place Saint-Marc.

Throckmorton, Michael : agent du cardinal Reginald Pole.

Trevisani, Marcantonio : quatre-vingtième doge de la république de Venise, de 1553 à 1554.

Tudor, Marie 1re : fille du roi Henri VIII et de sa première épouse Catherine D'Aragon, demi-sœur du roi Édouard VI et cousine de Lady Frances. Elle devint reine d'Angleterre et d'Irlande de 1553 à 1558 et fut surnommée la « reine sanglante » en raison des persécutions qu'elle mena contre les protestants. Elle ordonna l'exécution de Lady Jane Grey en 1554.

Vannes, Peter : diplomate anglais et ambassadeur d'Angleterre à la république de Venise, qui œuvra tour à tour pour Henri VIII, Édouard VI et Marie 1re Tudor. Il offre l'hospitalité vénitienne au comte de Devon. Il engagea des tueurs à gages pour supprimer sir Peter Carew et John Cheke.

Vecellio, Tiziano dit le Titien : peintre vénitien considéré comme l'un des plus grands portraitistes de son époque.

Venier, Francesco : quatre-vingt-unième doge de la république de Venise, de 1554 à 1556. Déjà vieux et malade lors de son élection, il ne marqua l'administration de la Sérénissime que par un étalage éhonté de luxe et ne fut guère regretté des Vénitiens.

Walsingham, Francis : fils d'une famille protestante de petite noblesse du comté de Kent, il devint connu comme le maître-espion d'Élizabeth 1re. Il participa au couronnement de Lady Jane Grey ainsi qu'à la révolte de Wyatt. L'accession au trône de Marie 1re Tudor le poussa à fuir sur le continent, où il poursuivit des études de droit à Padoue.

Carte de Venise en 1555

Lieux importants cités dans le roman

1. Ca' d'Oro
2. Ca' da Mosto
3. Ca' Foscari
4. Ca' Grande
5. Calle Larga dei Botteri
6. Campo Ghetto Nuovo (site de la Scola Canton)
7. Canal de la Brenta
8. Canal du Cannareggio
9. Canal San Marco
10. Cannaregio (quartier du)
11. Castello (quartier du)
12. Couvent Sant'Alvise
13. Église San Salvatore
14. Église San Sebastiano
15. Fondaco dei Tedeschi
16. Fondamenta della Misericordia
17. Fondamenta della Sensa
18. Fondamenta di Cannaregio (site de l'auberge *Di Leon Bianco*)
19. Fondamente dei Mori (site de la maison du Tintoret)
20. Fondamente Nuove
21. Grand Canal
22. Île de Chioggia
23. Île de Murano
24. Île de San Michele et son cimetière
25. Île de Torcello
26. L'Arsenal
27. La Giudecca
28. Laguna Veneta
29. Mestre
30. Oratorio dei Crociferi
31. Palazzo des Doges
32. Palazzo Foscarini-Contarini
33. Palazzo Gritti
34. Palazzo Loredan
35. Piazza San Marco
36. Pont du Rialto
37. Riva degli Schiavoni
38. Sacca della Misericordia
39. San Giorgio Maggiore
40. San Samuele
41. San Marco (quartier de)
42. Trattoria *La Sensazione*

13

*À Sheila, qui comprend lorsque mes yeux s'égarent
et que je pars pour l'Angleterre des Tudor
ou la Venise renaissante.*

PREMIÈRE PARTIE

Vers l'inconnu

Chapitre 1

29 octobre 1555
Wilmington, dans le Devon, en Angleterre

Le calme régnait quand nous arrivâmes à l'auberge de l'Ours, accueillis par l'incessant murmure des conversations et l'odeur réconfortante du pain chaud et des gens rassemblés autour d'un pot de bière. Mais cela ne devait pas durer. Aussitôt qu'il nous vit, l'homme se mit à crier.

— Ne me coupez pas la jambe! Mon Dieu, je vous en supplie! De grâce, ne me coupez pas la jambe!

L'homme était étendu au pied des escaliers, du haut desquelles il avait dû tomber: sa jambe avait une allure grotesque. Mon compagnon s'agenouilla à ses côtés et posa une main rassurante sur son front.

— Ne vous inquiétez pas. Vous ne perdrez pas votre jambe. Restez allongé calmement et dites-moi votre nom.

— Sam, Monsieur. Sam Darkstone. Je suis marchand.

Il nous implora tous les deux du regard, l'un après l'autre.

— De grâce, Messieurs! Si je perds ma jambe, je ne pourrai plus faire mon travail. J'ai une femme et six enfants à nourrir.

— Eh bien, Sam, je m'appelle Tom, Thomas Marwood, et je suis médecin. Voici mon assistant, Richard Stocker. Ensemble nous allons vous aider, sitôt qu'on nous laissera un peu de place et un peu d'air.

Mon bon ami et mentor se tourna vers la cohue de gens rassemblés dans le couloir, tous vêtus de leurs habits de travail. Les hommes, silencieux mais agités, observaient avec stupéfaction la scène horrible qui se déroulait devant eux.

— Restez en arrière ! Laissez-le respirer un peu.

Cette démonstration d'autorité se révéla plus ou moins efficace. À contrecœur, ceux de devant s'efforcèrent de reculer, mais la foule qui se pressait derrière les en empêchait.

Le patient se trouvait étendu dans une position inconfortable, le dos arqué contre la dernière marche. Sa jambe droite était fléchie dans un angle qui paraissait invraisemblable. Sa culotte s'était défaite à la hauteur du genou et ses chausses étaient déchirées, exposant la partie inférieure de la jambe, laquelle était dominée par une bosse blanche et dure, de la grosseur de mon poing, bien que plus plate. La peau tout autour était tendue à son maximum. Au-dessus, à l'endroit où se trouvait normalement le genou, la chair était étrangement plissée.

Thomas leva les yeux vers moi, accroupi auprès du patient.

— Vois-tu ce qui s'est passé, Richard ?

— Est-ce l'os du genou ? demandai-je avec hésitation.

— C'est exact. La rotule. À présent, si nous sommes chanceux, et avec la collaboration de Sam, nous pourrons remédier au problème.

Il se tourna de nouveau vers le patient affolé.

— Sam, je dois maintenant vous demander de me faire confiance. Je sais que votre jambe est douloureuse, et vous aurez encore un peu mal avant que nous ayons terminé, mais il faut que je vous déplace pour pouvoir vous guérir. Faites simplement ce que je vous dis et ne me résistez pas. Bien compris ? À présent, ne faites plus attention à la douleur, essayez de vous détendre et faites en sorte que votre jambe soit au repos.

La sueur ruisselait sur le front du marchand. Hésitant, il donna son accord d'un signe de tête, les yeux écarquillés de terreur.

— Richard, tenez-le par les aisselles afin que son corps ne puisse pivoter.

Je fis ce qui m'était demandé et observai. Thomas redressa lentement les jambes du patient, lequel gémit sous la douleur. Lorsque Sam fut étendu de tout son long, Thomas, s'agenouillant, leva la jambe droite jusqu'à ce que le talon reposât sur sa propre épaule gauche. Sam gémit de nouveau, mais n'osa pas crier.

— Tout doux ! On ne bouge pas.

Soutenant la jambe étendue avec son épaule, Thomas pressa fermement le creux de sa main contre la rotule et appuya avec insistance.

Un claquement sonore fit sursauter les spectateurs, qui poussèrent des exclamations. Puis leurs mâchoires tombèrent, car ils virent que la bosse anormale avait disparu et que le genou avait repris sa place.

— Regardez-moi donc ça ! C'est un sacré miracle, y a pas de doute ! s'écria un fermier au visage rubicond qui se tenait devant. Un sacré miracle ! Regardez sa jambe, elle est revenue en place !

Le patient, toujours immobile, n'osait pas regarder sa jambe, attendant les prochaines instructions du médecin.

— Allons, Sam, donnez-moi votre main et levez-vous, car je crois bien que vous pouvez marcher, à présent.

Le patient secoua la tête. Il ne pouvait croire que tout était rentré dans l'ordre.

— Allons, mon bon ami, c'est fait. Laissez-moi vous aider à vous remettre debout.

Doucement mais fermement, en prenant soin de ne pas altérer le bien qu'il venait de faire à son patient, Thomas l'aida à se relever. Sam fit quelques pas hésitants et incrédules en direction des curieux, qui reculèrent devant lui comme un troupeau de jeunes bouvillons craintifs.

— Tiens, Sam. Prends ça! s'écria l'aubergiste. Il lui tendit un pot de bière débordant de mousse, que le marchand stupéfait vida d'un seul trait.

— Est-ce la première fois que tu pratiques cette intervention, Thomas?

L'excitation avait laissé place au calme, et nous nous étions installés dans un coin tranquille de l'auberge, à côté du feu et loin des courants d'air. Devant nous sur la table se trouvaient du bon pain, du fromage du pays, des marinades fortes préparées par la femme de l'aubergiste, et deux pots de bière d'un excellent brassage. Mon ami secoua la tête et sourit.

— Non, je n'avais jamais fait cela avant, Richard, ni même assisté à une telle manœuvre.

— Dans ce cas, comment as-tu pu?...

Il tendit le bras de mon côté de la table. Ses yeux pétillaient de plaisir et l'ombre d'un sourire flottait au coin de sa bouche. Je lui connaissais bien cette expression, et j'étais sûr qu'il s'apprêtait alors à me prodiguer ses enseignements.

— Passe-moi ton calepin.

Je plongeai la main dans mon sac pour y prendre l'objet, qu'il m'avait dit de transporter avec moi en tout temps. Il hocha la tête et se mit à le feuilleter; puis il le retourna vers moi sur la table en désignant l'une des pages.

— Là. Que voit-on sur ce dessin?

Il s'agissait d'une jambe – un dessin très réussi, pensai-je –, prise en haut du genou jusqu'à la pointe du pied. J'étais fier de ce dessin, et le seul fait de le revoir me ramenait en mémoire les souvenirs du patient à qui appartenait ce membre. Je me rappelais le soin que j'avais mis, sous un éclairage plutôt mauvais, à reproduire les contours des os, des articulations et des muscles.

— C'est une jambe, celle de mon frère John Stocker, que j'ai dessinée alors qu'il était allongé sur la table de cuisine, dans sa ferme, à Lower Halstock de l'autre côté de la vallée. On voit ici la jambe saine. Celle qui est cassée se trouve à la page suivante.

Thomas hocha la tête.

— Vois-tu comment tu as réussi à rendre les contours du genou ? En 1533, quand j'apprenais la médecine à Padoue, j'ai eu l'occasion d'assister à la dissection d'une jambe comme celle-ci par l'un des professeurs. Le fait d'avoir vu cette articulation lentement et soigneusement démontée sous mes yeux est un avantage appréciable. Depuis toutes ces années, je peux encore m'en souvenir, car j'en avais fait un dessin moi aussi, que j'avais annoté. J'ai encore le calepin à la maison. Que dit-on qu'il faut faire ?

— Observer, dessiner et annoter.

Je connaissais ce refrain par cœur.

— Exactement. C'est uniquement de cette façon que j'ai pu, à l'époque, mémoriser cette leçon d'anatomie dans le détail. Au cours des vingt-deux ans qui se sont écoulés depuis, j'ai maintes fois réexaminé ce dessin afin de me rafraîchir la mémoire. C'est ainsi que nous apprenons. Nous observons, nous dessinons ce que nous voyons, et nous prenons des notes : condition, couleur, et ainsi de suite. Quand nous rentrerons, je te prêterai ce vieux calepin, et tu pourras recopier le dessin en question pendant que le souvenir de l'opération est encore frais. Ainsi tu n'oublieras pas.

— Mais comment as-tu fait pour déterminer la manière de procéder ? Et comment pouvais-tu savoir que la jambe se remboîterait ?

Thomas haussa les épaules.

— Je me suis simplement dit que, si elle s'était déboîtée sous l'effet d'une pression sans que la peau ne soit déchirée, alors il suffirait d'appliquer une pression dans la bonne direction pour que, avec un peu de chance et en faisant très attention, tous les morceaux reprennent leur place.

Quand le repas fut terminé, nous poursuivîmes notre conversation en retournant aux événements du soir précédent.

Au cours des dix-huit derniers mois, depuis mon retour de Londres au mois de juin 1554, Thomas avait commencé à m'enseigner l'art et la science de la médecine. Il se montrait bon pour moi à un moment de ma vie où je me remettais lentement des terribles événements du mois de février précédent.

Mes trois années de service au sein de la famille Grey s'étaient brutalement terminées lorsque, en un coup fatal porté sous mes yeux, le bourreau avait mis fin aux jours de Lady Jane, pour qui j'avais conçu, tout au long des sept mois passés en sa compagnie dans la Tour de Londres, beaucoup de respect et d'amour. J'étais également présent dix jours plus tard lorsque son père, mon employeur, le duc de Suffolk, avait été décapité sur la Colline de la Tour. Et entre ces deux dates, j'avais finalement perdu l'amour de ma vie, la sœur de Jane, Lady Catherine, rappelée à la cour par la reine Marie elle-même. En un mois, ma vie s'était écroulée.

Thomas Marwood, le médecin local, mon voisin et ami, avait pris sur lui de la reconstruire pour moi.

Depuis ce temps-là, l'Angleterre était devenue, si la chose était possible, un endroit encore plus dangereux ; et même si dans le Devon je me trouvais bien loin des pires persécutions et atrocités, la vie demeurait précaire pour l'ardent protestant que j'étais devenu. Au cours des six derniers mois seulement, cinquante-quatre protestants avaient péri sur le bûcher, disait-on. Entre-temps, ma vie dans le Devon avec le docteur Marwood n'était pas désagréable. J'apprenais un métier important, et je me sentais utile à la communauté que nous servions, à Honiton et dans les vallées environnantes. Mais chaque jour, l'idée de ces persécutions me tenaillait et, comme il n'était pas dans ma nature de reculer devant le conflit, je vivais de plus en plus dans l'inquiétude d'être un jour mis à l'épreuve et de devoir défendre ma foi, peut-être avec ma vie.

Thomas comprenait et acceptait ma position, malgré les profondes convictions qui le liaient à la foi catholique.

La vie n'était pas facile pour lui non plus à cette époque. L'année avait été marquée par d'abondantes pluies, lesquelles avaient détruit les cultures partout dans le pays, et l'échec de la récolte avait conduit à la famine et à un affaiblissement général de la population dans nombre de comtés. Thomas s'en inquiétait et disait que cet affaiblissement rendait les gens vulnérables à la maladie. Plus d'une fois au cours du mois dernier l'avais-je entendu dire : « Je ne serais pas surpris si nous avions bientôt une nouvelle épidémie de peste sur les bras, ou quelque chose de semblable. » Semaine après semaine, nous attendions. Puis, au milieu de tous ces malheurs, une chance avait fini par se présenter à nous.

La lettre nous était venue de Edward Courtenay, le comte de Devon. Nous le connaissions tous les deux, pour des raisons différentes. Je l'avais rencontré pour la première fois durant mon confinement à la Tour de Londres avec Lady Jane Grey. Bien que soumis à des fouilles chaque fois que j'y entrais ou que j'en sortais, j'avais la permission de me rendre occasionnellement à l'extérieur. C'est ainsi que je visitai le comte à plusieurs reprises pour lui apprendre l'art de monter à cheval. Lui aussi avait été prisonnier dans la Tour, et après sa libération par la reine Marie lors de son accession au trône, cet éminent seigneur s'était retrouvé, au terme de quinze ans d'emprisonnement, incapable de se mettre en selle, position inacceptable pour une personne de son rang. Comme j'avais été moi-même second écuyer du duc de Suffolk, on m'avait recommandé à lui.

Thomas, quant à lui, le connaissait en sa qualité de médecin, ayant été de ceux que l'on avait envoyés pour évaluer, quelques jours avant sa libération, l'état de santé de Courtenay durant sa seconde incarcération, plus brève, cette fois par la reine Marie à Kenninghall. Étant tous deux des hommes du Devon, ils étaient immédiatement devenus amis. Une fois libéré, le comte avait été envoyé à Bruxelles, à la cour du souverain du Saint Empire romain, Charles Quint ; mais il s'y trouvait malheureux et songeait depuis des mois à s'échapper vers des contrées plus ensoleillées, et à passer quelque temps à Venise. Il en avait discuté avec Thomas à plusieurs occasions par le passé, et confirmait dans sa lettre que le voyage était imminent ; il invitait également Thomas à le rejoindre de toute urgence, avec un compagnon.

Thomas avait sauté sur l'occasion, lui qui souhaitait depuis longtemps revoir Padoue (une autre ville de la république de Venise) où il avait acquis, des années plus tôt, sa science de la médecine. Après une longue discussion avec Dorothy, son indulgente épouse, Thomas avait répondu au comte par l'intermédiaire d'un marchand navigant jusqu'à

Anvers depuis Bridport, en acceptant de le rencontrer le 18 novembre à Louvain.

Et moi, dans tout cela ? En vérité, les raisons qui m'incitaient à accepter étaient en partie négatives. Devenu un protestant convaincu sous l'influence de Lady Jane, j'habitais désormais un pays gouverné par une reine catholique surnommée Marie la Sanglante, dont le règne se caractérisait par une intolérance et une sévérité sans cesse grandissantes. Je ne savais guère encore où se trouvait mon avenir, et cet exil temporaire qui me permettrait d'explorer la plus grande cité d'Europe représentait une chance en or. Thomas disait que ce serait également l'occasion de visiter l'université de Padoue afin de voir si je pourrais m'inscrire à la faculté de médecine, comme il m'avait si souvent recommandé de le faire, et d'entreprendre ma propre carrière de médecin ; mais en cela je demeurais hésitant, et plus il essayait de me pousser dans cette direction, plus je lui résistais. Non pas que la profession me parût peu attrayante, bien au contraire ; mais à vingt ans, je voulais décider moi-même de ce que serait ma vie plutôt que de la voir dictée par mon entourage.

Ainsi, après plusieurs mois de conversations décousues quant aux vagues possibilités que laissait entrevoir un tel voyage, nous commençâmes enfin nos préparatifs de départ.

Chapitre 2

Exceptionnellement, ma mère ne semblait pas prête à me voir partir, elle, qui pourtant m'avait toujours incité à relever tous les défis qui m'aideraient à me tailler une place dans le monde, elle, qui avait insisté pour que mon frère John et moi jouissions d'une éducation complète.

— Dieu sait que tu iras te mêler à tous ces étrangers ! s'écria-t-elle depuis la laiterie.

Comme à son habitude, chaque fois que quelque chose l'embarrassait ou la bouleversait, elle me tournait le dos et s'adressait à moi en criant par-dessus son épaule.

— Combien de temps ce voyage va-t-il durer ? Et la femme du docteur Marwood, que va-t-elle faire pendant son absence ? Pauvre petite ! Avec tous ces enfants à sa charge…

— Voyons, mère, n'allez pas vous faire du mauvais sang pour la femme du docteur. Elle a deux sœurs à Honiton qui peuvent l'aider à prendre soin des enfants, et elle est bien pourvue. De toute manière, elle sait combien il est important pour Thomas de revoir ses vieux amis à Padoue. Nous ne serons partis que trois mois environ.

— Ha !

Précédé de ses trois chiens, mon père fit irruption dans la pièce, comme il arrivait toujours lorsque ma mère me sermonnait. Il avait dû surprendre les derniers mots de notre conversation, car il renchérit sur ce que disait ma mère, tandis que les chiens essayaient tous trois de monter sur mes cuisses.

— Tu ne seras pas de retour avant Noël de l'année prochaine, je parie. Tout ce chemin à parcourir pour aller là-bas ! Et qu'est-ce qui arrivera quand tu seras à Venise, entouré de toutes ces demoiselles ? Tu te feras encore embobeliner, pas vrai ? Comme c'est arrivé à Londres, avec cette Lady Catherine qui t'a fait fondre avec ses beaux yeux, et Lady Jane qui te bourrait le crâne avec ses sornettes sur la Réforme. Juste au moment où le bon docteur t'a remis la tête sur les épaules.

— Tu ne vas pas commencer avec ces histoires de religion, John, dit ma mère. Le choix de Richard ne regarde que lui, même si ça semble un peu étrange, pour dire vrai.

Se tournant à présent pour prendre ma défense, elle aperçut mon père dans ses bottes maculées de boue.

— John Stocker ! Combien de fois t'ai-je dit de garder tes bottes crasseuses hors de ma cuisine ? Et ces chiens-là ! Leur place est dehors.

Les chiens, qui connaissaient les règles aussi bien que ma mère, et qui aimaient être pris en chasse, eurent l'air de sourire en s'enfuyant dans la cour. Je m'adossai contre la cheminée en riant. Tout cela m'était si familier : les animaux, la chaleur du foyer, l'odeur de la cuisine de maman et du lard de cette année, que l'on faisait fumer dans la cheminée au-dessus de moi. Qu'il était doux d'être de nouveau chez soi. Rien ne changeait jamais.

— Et puis, ajouta ma mère en retournant dans la laiterie, continuant à murmurer par-dessus son épaule, au moins Richard est revenu de Londres en homme riche ! Regarde de quoi il a l'air maintenant : à vingt ans, il mesure six pieds et plus, et il est déjà nanti. C'est ce que j'appelle faire du chemin.

Comme mon père, elle avait trouvé difficile d'accepter mon histoire d'amour avec Lady Catherine Grey, et l'influence de Lady Jane sur mon éducation et mes croyances religieuses. Cela me paraissait encore tout aussi étrange. Ils avaient insisté pour que je me consacre à mon éducation et que je réussisse : ainsi, j'avais fait ma propre vie à la cour auprès du duc de Suffolk et de la famille Grey ; mais quand j'étais revenu avec des idées différentes des leurs, ils avaient été passablement déconcertés, même fâchés.

Au cours des derniers mois, ma mère avait soigneusement évité les questions d'éducation et de religion, choisissant plutôt de discuter de la très grosse somme d'argent que j'avais reçue en vendant l'étalon espagnol et la selle à dorures dont le roi Édouard m'avait fait cadeau. Je n'avais pas touché à cet argent, que j'avais confié à un banquier de Londres en attendant de trouver un bon placement ; mais ma mère prenait plaisir à rappeler à ses amis de Colyton que : « Notre Richard s'est très bien tiré d'affaire : c'est maintenant un homme riche, vous savez. »

Mon père était soupçonneux parce que je n'avais pas immédiatement acheté une ferme près de chez nous (c'était bien la seule forme de placement qu'il comprenait), et croyait que ma décision de laisser l'argent à Londres signifiait que je reprendrais bientôt mes voyages. Peut-être avait-il raison, car bien que je fusse heureux à Honiton avec le docteur Marwood, en mon for intérieur je sentais que la vie me réservait encore autre chose, avant que je décide de m'installer pour de bon.

Mon père avait compris que j'évoluerais dans l'entourage très proche de Edward Courtenay pendant peut-être de nombreux mois, et me demanda si je croyais pouvoir bien m'entendre avec lui. Courtenay était tenu en grande estime dans cette partie du Devon, quoique de loin. Non seulement il était le comte de Devon, propriétaire de vastes domaines allant de Tiverton et Exeter jusqu'à Colcombe Castle, dans notre vallée, mais en tant que dernier représentant de la lignée des Plantagenêt, il incarnait aux yeux du peuple une maison royale établie depuis longtemps, laquelle, bien que remplacée par les Tudor maintes générations auparavant, tenait encore une place importante dans l'histoire du pays.

— Vous avez raison, père. Ce sera une étape décisive pour nous tous, car le comte essaie de trouver son rôle et sa position, lui qui semble avoir été fourvoyé par la reine Marie et son époux.

— Maudit Espagnol ! pesta mon père. Néanmoins, tâche de rester à ta place, car souviens-toi, le comte est ton suzerain.

Je hochai la tête indifféremment, car je n'étais pas certain de devoir quoi que ce soit à cet homme. Je me disais que la loyauté devait se mériter, qu'elle ne pouvait être simplement revendiquée de droit. La notion de suzerain était d'arrière-garde ; nous étions entrés dans l'époque moderne, l'époque des Tudor.

— Et c'est un bon catholique ! trancha mon père d'un ton insistant, comme si cette remarque mettait un terme à toute discussion.

Pour ma part, c'était tout le contraire, car si je savais que je pouvais compter sur la tolérance du docteur Marwood en matière de religion, j'avais l'impression que Edward Courtenay, pour ce que j'en savais, se montrerait nettement moins conciliant.

Ainsi, même si je ne doutais pas qu'il était grand temps de quitter l'Angleterre, je savais également que les mois à venir seraient, d'une manière ou d'une autre, une épreuve pour nous tous.

Chapitre 3

12 novembre 1555
Port de Lyme, dans le Dorset

— Il faudra que le vent tourne un peu plus à l'ouest, si nous voulons passer Portland Bill en toute sécurité.

Nous étions debout sur la muraille de Cobb à Lyme, fléchissant sous l'assaut du vent et observant les lames houleuses qui s'enflaient au nord-est, loin dans la baie vers la plage de Charmouth à environ un mille devant nous.

— Si nous levons l'ancre maintenant, c'est exactement là que nous échouerons.

Le capitaine désigna la plage d'un geste de la main et cracha au vent avec violence, comme pour appuyer ses dires.

Nos bagages étaient embarqués depuis plusieurs heures, mais tout navire quittant le port de Lyme par un vent pareil se serait échoué sur les rochers bien avant d'atteindre le large.

Le capitaine remonta à bord et Thomas et moi décidâmes de nous abriter derrière le grand mur de pierre pour discuter. À entendre le sifflement du vent au-dessus de nos têtes, l'endroit nous semblait presque confortable. Nous songions à quel point l'arrivée fatidique de la lettre du comte avait transformé nos vies. Mais pendant longtemps, le voyage lui-même, malgré que Thomas et le comte en eussent discuté souventes fois dans leur correspondance, avait paru incertain.

Avant sa libération, le comte avait appris qu'il serait envoyé à la cour de Charles Quint, censément à titre d'ambassadeur, et la reine avait semblé tenir promesse, car Son Excellence avait quitté l'Angleterre sept mois auparavant et s'était rendu à Bruxelles. Au début, la vie de cour avait semblé lui plaire. Dans sa correspondance avec Thomas, il décrivait sa position comme semblable à celle d'un diplomate, et laissait entrevoir de grands espoirs de contracter un mariage satisfaisant parmi les personnes éminentes de la cour impériale. Dès lors, le voyage à Venise semblait compromis.

Mais au cours de l'été, le ton de ses lettres avait changé. D'abord, les discussions concernant son mariage éventuel avec Christine, la duchesse douairière de Lorraine, n'avaient mené à rien ; puis, de semblables négociations avec Élizabeth d'Angleterre furent, dit-on, rejetées ; enfin, la reine Marie et son nouvel époux, Philippe d'Espagne, finirent par signifier clairement au comte qu'il lui était interdit de rentrer en Angleterre. À ce moment-là, Courtenay comprit que sa position n'était pas du tout celle d'un ambassadeur, mais d'un exilé. La visite à Venise devint de nouveau un objectif, perçu non plus comme un agréable séjour de diplomate, mais comme un moyen d'échapper à l'influence de l'Angleterre, d'où il était effectivement banni. Thomas, m'ayant choisi comme compagnon, soumit sa décision à l'approbation du comte, en lui rappelant les charges que j'avais occupées au service du duc de Suffolk, dont celle de secrétaire particulier, et les enseignements que j'avais reçus de Lady Jane et de ses tuteurs, qui m'avaient appris la langue italienne. Ma candidature fut acceptée, ainsi Thomas et moi voyagerions à titre de médecin et de secrétaire particulier du comte, respectivement.

Notre situation dans cette entreprise était clairement énoncée. Nous ne voyagerions pas en qualité de serviteurs mais bien de compagnons, le comte se chargeant de pourvoir à toutes nos dépenses.

Sa lettre disait qu'il prévoyait quitter Bruxelles pour Louvain très bientôt, et qu'après avoir réglé quelques affaires personnelles, il entreprendrait le voyage vers le sud, autour du 20 novembre. Cela nous laissait bien peu de temps pour les derniers préparatifs, mais Thomas, qui avait été prévenu, se tenait déjà à moitié prêt. Quant à moi, qui possédais très peu de choses, et encore moins d'attaches dans le pays, je n'eus pas beaucoup à faire.

À présent, nous étions sur le point de partir. Relevant le col de mon manteau pour me protéger contre la pluie, je regardai mon ami avec le sourire. Sous son chapeau tiré à la hauteur de ses yeux, il observait tranquillement le mouvement des vagues, cherchant à discerner un changement dans la direction du vent.

Je l'enviais. Jamais je n'avais connu quelqu'un qui fût, plus que lui, en paix avec le monde et avec lui-même. Sa sérénité, je le savais, lui venait d'un profond sentiment de confiance. Confiance en son Dieu, d'abord et avant tout, et en la religion catholique qui Le représentait. Mais il était également sûr de ses habiletés de médecin, tout en acceptant les limites concrètes inhérentes à sa profession. Enfin, il entretenait dans son cœur une croyance tranquille en ce qu'il appelait l'«ordre des choses», voulant que, quoi qu'il arrive, la société telle qu'il la connaissait trouvât le moyen de surmonter toutes les infortunes du monde (guerres, pestes, schismes religieux, révolutions) et d'y survivre.

C'était un homme de contradictions. D'un côté, malgré son âge (il était au milieu de la quarantaine), Thomas adoptait une approche très moderne de la médecine, qui lui avait été inculquée par ses professeurs de l'école de Padoue. Le docteur Vesalius, un professeur de médecine qui y enseignait à l'époque, l'avait particulièrement influencé. Vesalius prônait une approche pragmatique fondée sur l'observation des faits et la découverte ; il désapprouvait ses collègues qui se contentaient de lire les ouvrages des Anciens et de les enseigner à leur tour. Les disciples de Galen avaient droit à son plus grand mépris, et il manifestait son désaccord à l'égard de leurs méthodes, ce qui avait profondément divisé l'opinion médicale dans toute l'Europe.

Au cours des six derniers mois, je m'étais également rendu compte que Thomas était un humaniste, selon ce courant de pensée que l'on appelait, dans les États italiens, *rinascita* ou « Renaissance ». Il était d'accord pour dire que le culte de Dieu n'avait pas besoin d'être aussi lugubre que ce que nombre de prêtres voulaient encore en faire, et que l'on devait porter admiration à sa Création et en particulier au joyau de celle-ci : l'humanité. Thomas aimait beaucoup les gens, surtout les gens ordinaires, et prenait plaisir à comprendre leurs motivations et à partager leurs réussites.

En cela, j'étais de tout cœur avec lui. Mais pour le reste, je ne lui concédais rien, car après tant d'années à débattre et à analyser aux côtés de Lady Jane, je n'arrivais pas à comprendre son entêtement et sa loyauté apparemment inconditionnelle envers ce que les correspondants calvinistes de Lady Jane appelaient péjorativement « les piliers adjacents de la société traditionnelle » : le Roi (désormais la Reine) et l'Église.

J'avais assisté de trop près à l'odieuse tentative visant à mettre Lady Jane sur le trône d'Angleterre, contre son gré et ses convictions, pour croire encore aveuglément au « droit divin » des monarques. Ayant pu constater le tort irréparable que la succession du roi Édouard (que j'aimais) par la reine Marie (que j'avais appris à détester) avait causé, j'étais désormais incapable de me convaincre que les rois ou les reines pussent détenir des pouvoirs divins, ou qu'ils pussent avoir toujours raison. Après tout, le roi Édouard et la reine Marie, qui semblaient entretenir des opinions diamétralement opposées sur à peu près tous les sujets, ne pouvaient être tous deux dans le vrai.

Il en allait de même pour l'Église. En tant que protestant convaincu, j'étais profondément troublé par la rigidité dogmatique de la foi catholique, et scandalisé de toutes les persécutions infligées à ceux qui ne partageaient pas cette foi. Une autre question me préoccupait : si la situation devait changer, si le pouvoir des catholiques s'affaiblissait et qu'ils devenaient minoritaires, me montrerais-je aussi tolérant envers eux que j'aurais voulu qu'ils le soient envers moi ? En vérité, je ne le savais pas.

Alors que nous bravions le vent et la pluie en attendant l'heure du départ, ces pensées me troublaient encore. Thomas semblait vouer tout le respect du monde à Edward Courtenay simplement parce qu'il était comte. Mais durant cette courte période où je lui avais servi de professeur d'équitation, cet homme m'avait inspiré de profondes réserves. Une chose était certaine : le voyage allait mettre nos allégeances et nos amitiés à rude épreuve.

Chapitre 4

18 novembre 1555
Hôtel *De Blauwe Zalm*, à Louvain, en Flandres

Quand nous arrivâmes à Louvain, les rafales continuaient de nous souffleter. Il n'avait pas cessé de pleuvoir depuis que nous avions enfin levé l'ancre et traversé la baie de Lyme. Le vent avait tourné à l'ouest et s'était maintenu pendant trois jours, et nous avions vogué devant lui en déployant huniers et focs dans un nuage d'embruns, laissant traîner des cordes à l'arrière afin qu'une vague rebelle ne nous fasse virer lof pour lof.

Bien que les eaux eussent été très agitées la première journée, nous finîmes par nous habituer aux soulèvements du navire sous la houle et à ses plongeons nauséeux lorsque nous passions dans un creux, de sorte que le voyage nous sembla tout à fait exaltant.

Le deuxième jour, le vent s'était quelque peu modéré, et nous avions pris ce que le capitaine appelait «un grand largue», à moitié en travers du vent du sud-ouest qui soufflait sans relâche. Le navire gîtait constamment du côté droit tandis que nous progressions vers le nord-est puis le nord, remontant la Manche. Ce furent de bonnes journées, qui nous auraient paru tout à fait agréables si la pluie avait pu cesser un peu, car le pont n'offrait que très peu d'abri et la visibilité était sérieusement réduite par les intempéries. Il n'empêche que, quand notre petit navire eut passé le cap Gris-Nez et que nous fîmes voile vers Flessingue, Thomas et moi eurent tous deux l'impression d'être de vrais marins, à tel point que la dernière partie du voyage jusqu'à Anvers, tranquille et sans incident, nous déçut quelque peu.

Le terrain boueux qui séparait Anvers de Louvain fut sans contredit la pire étape de notre voyage, car nos chevaux, encore affligés du mal de mer, peinaient d'un air malheureux sur le chemin glissant ; les charrettes s'embourbaient dans les ornières et perdaient leurs roues avec une constance désarmante. Ce fut donc un cortège pitoyable qui arriva enfin à Louvain d'un pas lourd ; et s'il restait encore un pan de nos vêtements qui ne fût pas couvert de boue, c'était que la pluie avait achevé de le nettoyer. Puis, sitôt que nous entrâmes dans la ville, l'averse cessa enfin.

Tandis que nous avancions dans les rues mornes et détrempées, les nuages menaçants continuaient de filer à toute allure au-dessus de nos têtes, mais au moins pouvions-nous regarder devant nous sans que la pluie vienne fouetter nos visages. Sans surprise, notre accent du Devon ne sembla pas enthousiasmer les habitants du coin ; et il apparut vite que nous étions, quant à nous, tout à fait incapables de saisir ce qu'ils disaient. Ainsi, il nous fallut quelque temps avant de trouver l'auberge où le comte nous avait donné rendez-vous.

Nous finîmes par la trouver, *De Blauwe Zalm*, un hôtel bien chauffé, au sec, avec de bonnes écuries, de grands âtres chaleureux et une atmosphère accueillante ; le verre de brandy et la présence d'un aubergiste parlant couramment l'anglais furent un luxe inattendu. Il manquait cependant une chose, soit une trace quelconque de celui qui devait nous y rejoindre : Edward Courtenay.

Puis l'aubergiste se souvint :

— Ah oui, le comte anglais de Devon est venu ici. Oui, on nous a dit qu'il devrait revenir très bientôt, et sa chambre l'attend.

Mais il n'en savait pas plus. Nous décidâmes de nous mettre à l'aise, le temps qu'on nous prépare un bain chaud, et que nos vêtements soient séchés et brossés ; après quoi nous nous retrouverions pour dîner deux heures plus tard. Il fallut que Thomas se décide à donner son nom une seconde fois, en prenant soin de préciser *docteur* Marwood, pour que l'aubergiste finisse par le reconnaître.

— Ah, le docteur anglais, bien sûr, que je suis bête ; le docteur Marlwood. Le comte anglais m'a prévenu de votre arrivée et m'a prié de vous remettre cette lettre.

Thomas fronça les sourcils en entendant son nom ainsi écorché, mais il saisit la lettre sans mot dire et l'ouvrit. Adressée à l'intention de « Thomas Marwood, médecin », elle avait été écrite une semaine plus tôt et confirmait que le comte était parti pour Anvers, mais qu'il comptait être de retour à Louvain le 18 ou le 19. Il espérait que notre traversée s'était bien déroulée, se disait sûr que nous apprécierions, avec nos chevaux, cette chance de nous reposer et de nous sécher un peu avant de reprendre notre voyage.

Enfin, tous les morceaux trouvaient leur place, et nous nous retirâmes chacun dans notre chambre afin de nous rafraîchir avant le dîner. D'ailleurs, les odeurs qui montaient des cuisines laissaient présager un excellent repas.

Chapitre 5

19 novembre 1555
Louvain

Le lendemain après-midi, le comte arriva enfin en grande pompe, accompagné de deux gentlemans et d'une véritable armée de serviteurs. Il paraissait très différent du jeune homme maigrichon de vingt-sept ans, totalement dépourvu d'assurance, que j'avais rencontré exactement deux ans auparavant, et à qui j'avais appris l'équitation. Il avait pris du poids – des muscles, non de la graisse – et me paraissait plus fort et plus grand qu'avant.

— Docteur Marwood, quel plaisir de vous revoir! Et Richiard, mon garçon, vous avez encore grandi! Vous nous dépassez tous d'une tête. Permettez-moi de vous présenter mes conseillers juridiques, James Bassett et le docteur Thomas Martyn.

Il se tourna vers ses compagnons.

— Messieurs, voici les deux hommes qui m'accompagneront lors de notre voyage dans le sud: permettez-moi de vous présenter le docteur Thomas Marwood et Richiard Stocker.

Avais-je mal entendu? Non, il l'avait dit deux fois: Richiard! Je jetai un regard du côté de Thomas, qui de toute évidence avait remarqué, mais qui eut un hochement de tête presque imperceptible, me faisant signe de me taire.

— James et Thomas m'ont été d'une aide inesti-
mable depuis que je suis arrivé à Bruxelles. La cour de
l'empereur est un endroit des plus complexes, et c'est
avec une habileté et une constance irréprochables qu'ils
ont su me guider à travers chiacune de ses vicissitudes et
tribulations.

Je m'inclinai devant les deux avocats. J'en profitai pour
ravaler la boule qui me serrait la gorge. D'où lui venait
ce tic ridicule? Il ne parlait pas de cette façon quand je
lui donnais mes leçons d'équitation dans sa demeure de
Londres. Sa personnalité avait changé également. Quand
nous nous étions rencontrés pour la première fois, il m'avait
traité avec beaucoup de respect : quoique bien conscient du
sang royal qui coulait dans ses veines et de sa situation
privilégiée, il ne me traitait pas moins comme l'un de ses
pairs. À présent, il paraissait tout à fait imbu de lui-même,
et en plus de se donner une attitude excessivement guindée
(il semblait devoir tenir les bras dans les airs en laissant
tomber mollement les poignets chaque fois qu'il ouvrait la
bouche), il semblait désormais incapable de prononcer le
son *ch*.

Mon cœur se serra. S'il jouait la comédie, simplement
pour se faire remarquer, c'était ridicule ; mais si, par ailleurs,
il n'avait pas conscience de ce tic et qu'il le conservait en
permanence, j'allais, pour ma part, me lasser très facilement
de sa compagnie.

Les conseillers s'affairèrent autour de lui pendant une
heure encore, presque comme si Thomas et moi n'existions
pas. Je remarquai que les deux avocats avaient adopté
une forme de discours qui rejetait tout le fardeau de la
responsabilité sur le comte, tandis que la plupart de leurs
recommandations débutaient par « Ce qu'il vous faut faire
maintenant, Votre Grâce, c'est... »

Thomas l'avait remarqué lui aussi, et lorsque nous eûmes la chance de parler sans que l'on nous entende, il se pencha vers moi et murmura :

— On dirait qu'ils ne manquent pas de conseils à lui donner.

Je n'étais pas sûr d'être d'accord, aussi je fronçai les sourcils. Thomas se mit à rire et se pencha de nouveau vers moi.

— Des conseils qui font tout sauf l'aider, s'entend.

Ce fut à mon tour de sourire, mais ce faisant, je commençai à entrevoir une méthode derrière la folie apparente des deux avocats, me disant qu'ils avaient peut-être une raison de construire ainsi leurs phrases. Il devint vite évident, par la manière dont il s'adressait aux autres, qu'au cours des deux années passées à la cour depuis sa sortie de prison, Edward Courtenay en était venu à s'imaginer que tout le monde devait se plier à sa volonté : il s'attendait à ce que son entourage satisfasse à tous ses caprices sans espérer de remerciements ou de témoignages de reconnaissance, comme si l'honneur de servir un si grand homme était amplement suffisant. Il semblait peu probable que lui et moi puissions faire long feu ensemble.

Ce fut à ce moment-là qu'un messager arriva avec une dépêche pour le comte, qui s'avança à la fenêtre afin de mieux la lire.

Quelle qu'en fût la teneur, l'attitude du comte se transforma en un éclair. Finis les bras en l'air, le torse bombé, les déplacements ostentatoires de part et d'autre de la pièce, les tics de prononciation. Il parut sombrer dans le désespoir et se tourna vers ses conseillers comme un enfant perdu.

— La lettre nous vient d'Angleterre, de sir William Petre. Ils ont refusé mes fonds. Ils disent qu'il y a des difficultés administratives et qu'il y aura des retards. Voilà qui pourrait bien anéantir tous nos projets. Comment voyager sans argent, sans nourriture ni équipement ? Et les chevaux ? Il nous faut plus de chevaux. Aucune chance sinon. Petre n'est pas digne de confiance. Je me suis toujours méfié de lui.

Je restai assis et observai la scène. Nous assistions à une remarquable transformation, et je savais que nous aurions l'occasion d'y assister de nouveau au cours de notre voyage. « Chevaux » ? « Chance » ? Soudainement, le son *ch* avait retrouvé sa juste valeur dans la bouche de Courtenay. C'était comme s'il y avait deux hommes différents dans le même corps.

Les avocats finirent par prendre congé et le comte, Thomas et moi dînâmes ensemble. Un sentiment d'abattement pesait encore sur les épaules du comte, mais j'avais du moins retrouvé mon véritable nom, car le comte était désormais parfaitement capable de le prononcer.

Nous étions tous fatigués de cette journée, et le manque de gaieté à la table nous força à nous retirer très tôt dans nos chambres. Quand nous eûmes pris congé du comte et fûmes monté à l'étage, je tirai Thomas par la manche afin de lui glisser un mot.

— Thomas, j'ai le sentiment horrible que nous avons commis une grave erreur, et qu'en nous liant à cet homme, nous risquons de nous attirer des difficultés. De plus, je ne suis pas sûr de pouvoir endurer ses sautes d'humeur très longtemps. Ce voyage ne s'annonce pas très plaisant.

Comme toujours, Thomas me calma.

— Tu ne l'as pas vu à son meilleur. C'est un grand homme, mais il se trouve actuellement soumis à de graves contraintes. Cela peut jouer sur le tempérament de quelqu'un. Avec de la persévérance, je suis sûr que tout finira par fonctionner. De toute manière, préférerais-tu retourner en Angleterre et défendre sa cause auprès de Petre ?

Je frissonnai.

— Je te concède que non. Bonne nuit, Thomas.

Chapitre 6

20 novembre 1555
Hôtel *De Blauwe Zalm*, à Louvain

Malgré les efforts du personnel de l'établissement, mes vêtements étaient encore humides quand je m'éveillai. Mon humeur mélancolique ne m'avait pas quitté, et elle semblait avoir gagné Thomas au cours de la nuit, car nous déjeunâmes en silence, espérant tous deux terminer ce morne repas avant que l'arrivée du comte ne vienne ajouter à notre abattement.

Son Excellence nous rejoignit comme prévu, dans un débraillé qui ne faisait pas honneur à son titre. Cela n'avait rien d'encourageant, mais nous pouvions difficilement quitter la table alors qu'il arrivait, aussi nous nous calâmes dans nos chaises en pignochant dans nos assiettes tandis qu'il prenait son déjeuner.

Il avait terminé et nous étions sur le point de nous lever de table quand la porte s'ouvrit et qu'un messager à l'air farouche fit irruption dans la pièce.

— Êtes-vous, Monsieur, le comte anglais, celui de Devon, s'entend?

Son anglais était maladroit, mais compréhensible.

Courtenay se leva et fit mine de s'incliner dans sa direction.

— Lui-même. Avez-vous un message pour moi?

L'homme poussa un soupir de soulagement.

— *Danke Gott!* Vos provisions sont à l'entrepôt, Monsieur, et vous y attendent depuis cinq jours. Nous vous avons cherché partout, mais vous êtes resté introuvable. J'ai également une lettre pour vous, Monsieur.

Il se hâta de remettre entre les mains du comte un mince pli recouvert de toile imperméable. Courtenay ramassa un petit couteau et l'ouvrit avec empressement. Nerveusement il se mit à lire, l'air agité, mais tandis qu'il parcourait la lettre, son dos se redressa peu à peu, et lorsqu'il eut terminé, ses joues avaient repris leur couleur et il paraissait plus grand. Il brandit la lettre triomphalement.

— Mes amis, tout va bien. Nos messages ont dû se croiser sur la Manche et Petre a probablement cru que j'étais en quête de fonds supplémentaires. Tout est là, comme je l'avais demandé : des espèces sonnantes, de l'orfèvrerie, toutes les provisions nécessaires, et du crédit en hébergement à Padoue et à Venise quand nous arriverons. Tout va bien. Dieu merci !

Thomas et moi fîmes le signe de la croix. Ce faisant, nous sentions que l'atmosphère continuait de s'alléger dans la pièce.

Une fois les serviteurs rassemblés, nous nous rendîmes sur-le-champ à l'entrepôt, craignant, même alors, que nos espoirs soient déçus. Les provisions s'y trouvaient bel et bien comme le messager nous l'avait dit, et nous examinâmes l'équipement et les vivres avec enthousiasme, convaincus, peut-être pour la première fois, que nous étions sur le point d'entreprendre un voyage excitant et réussi.

Le reste de la journée fut très occupé, le comte s'affairant à nous dire ce qui devait être fait, pendant que Thomas et moi étions occupés à le faire. En début de soirée nous fûmes présentés à Niccolò Berzi, qui devait nous accompagner durant le voyage, puis Thomas et moi demandâmes congé afin d'effectuer nos propres préparatifs. Le comte en était alors à dicter une lettre par trop exubérante à James Bassett, adressée à son agent de Londres, lui demandant de remercier en son nom les commissaires, et en particulier le contrôleur, lequel avait autorisé et organisé le transport des marchandises dont nous allions bénéficier.

Ce soir-là, nous rejoignîmes Son Excellence et Niccolò pour le souper et discutâmes de l'itinéraire à emprunter. Thomas était d'avis de rejoindre le Rhin aussitôt que possible afin d'en remonter le cours jusqu'à Bâle, en Suisse, où il savait pouvoir trouver un certain nombre de livres qu'il souhaitait se procurer. Courtenay hocha la tête d'un air absent et dit qu'il étudierait cette possibilité ; mais bientôt il changea de sujet, et j'eus la nette impression qu'aucun engagement n'avait été pris.

Seul le temps nous le dirait.

Chapitre 7

23 novembre 1555
Cologne

L'air de Cologne était glacial. Même les flocons de neige n'osaient s'y risquer. Nous étions heureux malgré la fatigue, car nous nous apprêtions à découvrir le grand Rhin, qui marquerait une étape importante de notre voyage. Je fus abasourdi quand je le vis. Incroyablement large, il enserrait entre ses rives une quantité d'eau jamais vue. Le fleuve montait jusqu'à ses berges et rien ne flottait à sa surface sauf parfois de malheureuses bêtes noyées, vaches ou cochons.

Niccolò observa les eaux en grimaçant.

— Espérons que le fleuve se sera calmé quand nous arriverons à Spire, murmura-t-il.

Je compris qu'il nous faudrait un jour traverser ce grand fleuve. Dans les circonstances actuelles, cela paraissait tout à fait impossible, mais je supposais que le fleuve se rétrécirait vers Spire et qu'un pont nous permettrait de le franchir plus loin. Je jetai un regard en direction du petit cortège de charrettes qui nous suivait lentement. Les charretiers semblaient s'ennuyer autant que les bêtes. Je me demandai si le pont, quand viendrait le temps de traverser, saurait résister à une telle charge.

Nous fûmes accueillis à Cologne par Hermann Ringe, lequel avait été recommandé au comte par sir Thomas Chamberlayne, ambassadeur de Marie, reine de Hongrie.

Ringe s'occupa de nous avec beaucoup de gentillesse, nous aidant à dénicher deux ou trois articles supplémentaires auxquels nous avions pensé après notre départ de Louvain, et surtout, promettant de nous présenter un autre guide susceptible de nous aider dans notre voyage.

— Eckhardt Danner est un Allemand qui parle l'anglais, qui exerce le métier de guide et qui a fait du voyage sa profession : il gagne sa vie en accompagnant les voyageurs sur leur chemin. Vous lui trouverez sans doute un grand souci d'exactitude, plutôt dénué d'humour… Mais chaque fois que vous lui poserez une question, il vous fournira, j'en suis sûr, une réponse très directe et très exhaustive, et saura vite gagner votre confiance.

Cette description s'avéra, car Eckhardt nous plut immédiatement, et bien qu'il interprétât trop littéralement la plupart des questions et remarques que nous lui adressions, il ne se montra nullement dépourvu d'humour. En effet, lorsque le comte entreprit de se hisser sur un cheval dont la sangle n'était pas convenablement attachée et qu'il glissa lentement, avec la selle et le reste, dans une haie à proximité, ce fut Eckhardt qui rit le plus fort. Courtenay lui lança un regard furieux, peu habitué à servir ainsi de délassement aux autres. Sa monture, entre-temps, attendit patiemment à ses côtés, arborant ce que nous prîmes pour un air de pitié.

Eckhardt s'exprimait dans un anglais précis et fort intelligible, et lorsque j'appris qu'il était partisan de la Réforme et luthérien de surcroît, je commençai à m'entretenir régulièrement avec lui à ce propos. Courtenay, Thomas et Niccolò, tous de fervents catholiques, se gardèrent bien de prendre part à nos discussions, mais eurent l'habitude de hâter l'allure de leur monture afin de nous laisser un peu d'intimité et la chance de développer un lien d'amitié. Je confiai à Eckhardt à quel point je trouvais rassurant de sentir que j'allais enfin en un pays où les gens pensaient comme moi, un pays où je ne me sentirais aucunement menacé.

— En effet, répondit-il, c'est non seulement rassurant mais important. Un jour, notre message sera entendu partout dans le monde, j'en suis certain, car notre doctrine n'est pas que juste, elle est éminemment sensée et doit par conséquent être vraie. Vous trouverez une atmosphère semblable pendant une bonne partie de votre voyage, bien que les gens des montagnes, en Bavière et dans les contrées d'Autriche, soient très arriérés et demeurent farouchement catholiques.

Je lui demandai à quoi je devais m'attendre à Venise. Il laissa échapper un gros rire qui, même rare, n'en était pas moins contagieux.

— Venise ? C'est une tout autre histoire ! Les Vénitiens disent : « Nous sommes vénitiens d'abord, puis chrétiens ensuite. »

Il marqua une pause. Je vis qu'il réfléchissait.

— De toute manière, religion et politique sont indissociables, poursuivit-il. La richesse de Venise repose sur son indépendance, et elle a toujours cherché à la maintenir vis-à-vis de Rome. Celle-ci est d'autant plus forte de nos jours que la papauté soutient l'Espagne et le Portugal catholiques et que, depuis que les Portugais ont découvert la voie maritime permettant de rejoindre l'Orient en contournant l'Afrique, il y a une cinquantaine d'années, une part de plus en plus importante du commerce jadis sous l'emprise de Venise et de l'Empire byzantin passe dorénavant par Lisbonne et Cadix. Ils ne peuvent permettre à Rome de saper leur pouvoir davantage : leur survie en dépend désormais.

Son cheval trébucha sur une pierre, et il s'arrêta.

— La religion est encore présente, mais le pain quotidien de la religion, diriez-vous je pense en Angleterre, est beurré d'une généreuse couche de mercantilisme.

Il sourit, laissant voir un peu de la satisfaction personnelle que l'on ressent quand on réussit à trouver l'expression juste dans une langue qui n'est pas la sienne.

— On dit autre chose à Venise : si l'affaire est profitable, occupe-t'en aujourd'hui ; sinon, elle peut attendre à demain.

J'étais surpris.

— Et la damnation éternelle ? N'ont-ils aucune crainte de cela ?

Eckhardt rit de nouveau.

— À Venise, on croit que le chemin le plus sûr vers la damnation éternelle est de ne pas gagner assez d'argent quand on est jeune. Réduit à la pauvreté, on s'assure d'être damné avant même de mourir.

Je ris intérieurement. Ce raisonnement d'une agréable simplicité, bien qu'assez blasphématoire, me souriait ; et je me dis que je pourrais fort bien me plaire à Venise, quand nous arriverions enfin là-bas.

Chapitre 8

5 décembre 1555
Spire, dans la vallée du Rhin

Nous avions passé les grandes portes de la ville et chevauchions avec fracas le long de la grand-rue, surplombée
de chaque côté par une rangée de maisons en bois. Sans
doute les rues débordaient-elles d'activité les jours de
marché, mais cet après-midi-là, elles semblaient étrangement désertes. Devant nous s'élançaient les grandes flèches
de la cathédrale qui donnaient son nom à la ville[1].

— Messieurs, nous sommes arrivés. Vingt-six ans trop
tard pour y changer quoi que ce soit, mais au moins nous
sommes là.

Eckhardt me fit un clin d'œil; mais les autres, qui
n'avaient pas eu l'occasion de discuter récemment de la diète
de Spire, le regardèrent sans comprendre. Eckhardt, toutefois, n'allait pas laisser filer cette chance si facilement.

— En effet, Messieurs, il y a vingt-six ans, cette ville fut
le théâtre d'une décision et d'une déclaration des plus
honteuses faites par les évêques réunis en conseil. C'est ici
également que commencèrent les protestations contre cette
décision, et que se forma le mouvement protestant qui n'a
cessé de gagner du terrain depuis ce jour.

---

1. *Spire* signifie en anglais « flèche, aiguille », terme d'architecture
(*N. D. T.*).

Thomas et le comte se regardèrent en roulant les yeux. Leur visage en disait long, car bien que notre guide leur semblât digne de confiance en ce qui avait trait à notre voyage, ses vues concernant la religion leur paraissaient fautives, dangereuses et déplacées.

— La peste soit de vos opinions, Monsieur.

Courtenay s'était levé sur sa selle, ayant manifestement décidé d'exercer son autorité.

Je promenai les yeux d'un camp à l'autre. Eckhardt et moi avions suffisamment débattu ces questions au cours des derniers jours : il ne s'attendrait pas à ce que je m'élève contre le comte et mon mentor. Je décidai par conséquent de ne pas provoquer la dispute, car il nous faudrait tous nous endurer mutuellement pendant encore quelques semaines et il eût été idiot d'empoisonner l'atmosphère inutilement.

Niccolò vint à la rescousse.

— Je crains, Votre Grâce, que vos paroles ne contiennent plus de vérité que vous l'espériez. Regardez les portes des maisons !

L'aspect désert des rues ne tarda pas à s'expliquer : bon nombre de portes étaient barbouillées du symbole de la peste. Voilà qui était fort inquiétant pour nous, car non seulement nous nous trouvions exposés à cette terrible maladie, mais les étrangers étaient toujours considérés avec suspicion lors d'une épidémie de peste. C'était le milieu de l'après-midi et nous avions prévu de nous arrêter pour la nuit ; mais la vue des portes barbouillées rendait toute discussion futile : il nous fallait passer notre chemin.

— Où se trouve le pont ? demanda Thomas.

— Il n'y a pas de pont ! répondit Eckhardt, l'œil mauvais. Nous devrons traverser en bateau.

Cette idée ne nous souriait guère, car le Rhin était large et ses eaux semblaient puissantes.

— Dans ce cas, avant de prendre une décision, j'aimerais que nous parlions de notre itinéraire, dit Thomas. Pour ma part, je préférerais voyager vers le sud, jusqu'à Bâle, car il s'y trouve un certain nombre de livres que j'aimerais acquérir. J'avais cru que nous pourrions nous y rendre d'ici par bateau, mais dans les circonstances actuelles cela me paraît hors de question. Néanmoins, il me ferait plaisir d'en discuter.

Thomas semblait reconnaître que, s'il voulait nous mettre tous d'accord pour prendre la route du sud, c'était sa dernière chance de nous convaincre.

Tandis qu'il parlait, nous continuâmes à chevaucher vers le fleuve. Comme il fallait s'y attendre, nous y trouvâmes la plupart des embarcations tirées loin sur la berge, à bonne distance des eaux. Il demeurait cependant un grand bac à fond plat, assez grand pour nous faire traverser tous, y compris les chevaux et les deux charrettes. Eckhardt entreprit donc de conclure un marché avec le passeur revêche. Sans surprise, celui-ci ne se montra guère enthousiaste. Ce n'était pas, expliqua-t-il, la traversée qui l'inquiétait (chacun d'entre nous devrait se munir d'une rame afin de pouvoir manœuvrer sans danger), mais le voyage de retour. Six jeunes gaillards bien charpentés s'appuyaient paresseusement contre la façade d'une auberge non loin. L'affaire était claire : il se refuserait à tout accord à moins que nous payions ses amis pour effectuer avec lui la traversée du retour. Ce n'était sans doute pas la première fois qu'ils usaient de ce petit manège, et j'aurais été tenté d'accepter leur prix, aussi exorbitant fût-il. Courtenay, cependant, décida de ne pas lâcher prise.

— Dites à ce péquenaud qu'il se conduit en escroc et que nous paierons un prix raisonnable, pas un sou de plus. Et faites savoir à la racaille qui continue de se prélasser contre le mur là-bas que s'ils ne nous prêtent pas assistance immédiatement, je m'adresserai aux autorités pour les faire battre à coups de fouet.

Bien qu'elle ne comprît pas son anglais, la « racaille » saisit parfaitement son attitude et formula sa réponse avec une éloquence toute germanique. Deux d'entre eux firent voler un crachat en notre direction, et un autre se leva pour uriner, sans quitter Son Excellence des yeux, visiblement prêt à se battre.

Les événements nous tirèrent cependant de ce mauvais pas, car une horde de paysans armés de gourdins et de serpettes franchirent les portes de la ville et s'avancèrent vers nous d'un pas décidé. Il était clair qu'en temps de peste, on se méfiait des visiteurs, et force était de constater que nous n'étions pas les bienvenus. Courtenay perdit immédiatement son sang-froid.

— Venez, ce n'est plus le temps de discuter. Dites-lui que nous sommes d'accord.

Sans plus attendre, il dirigea sa monture vers le bac et monta à bord, faisant signe aux charretiers de faire claquer leurs fouets. En quelques instants, nous étions devenus la racaille ; et nous embarquâmes pêle-mêle tandis que la foule approchait. La bande de l'auberge monta à bord à la dernière minute, affectant l'indolence calculée des bateliers de métier. Comme nous nous lancions dans le courant et quittions le rivage, je ne pus m'empêcher de penser que tout cela ressemblait drôlement à une mascarade, malgré que je me sois gardé de le clamer haut et fort devant la foule en colère.

Bien que rapides, les eaux du fleuve se révélèrent calmes. L'embarcation avait été spécialement conçue pour la traversée et le savoir-faire des bateliers s'était développé à la perfection au fil des générations. Nous traversâmes en diagonale, emportés par le courant, mais ne dérivâmes que de cinq cents pieds tout au plus. Je ne voyais pas pour l'instant comment ils feraient pour regagner la rive gauche ; mais tandis que nous approchions de l'autre côté, je vis qu'on avait installé de grands poteaux en amont, sur lesquels étaient fixées de longues cordes. Dès lors je compris mieux leur intention : nous accosterions un peu en aval de notre point de départ sur l'autre rive ; mais en attachant les cordes à l'embarcation vide, les bateliers sauraient remonter les eaux peu profondes en tirant dessus, jusqu'à ce qu'ils atteignent un point en amont où des passagers désirant traverser dans l'autre direction les attendaient déjà.

Leur plan était habile, et fonctionnerait tant et aussi longtemps que la poussée du courant ne nous emporterait pas si loin que nous manquerions le dernier jalon, là où les cordes étaient laissées à l'eau.

Quelle que fût l'habileté des bateliers, le fleuve n'en était pas moins puissant, et tandis que nous approchions de la rive je m'aperçus que Thomas, tout comme moi, tentait d'évaluer l'angle de notre progression par rapport à l'extrémité de la corde la plus longue, qui traînait dans l'eau à quelque vingt pieds du rivage. Comme nous la dépassions, Thomas se pencha loin au-dehors de l'embarcation pour attraper le bout de la corde, s'accrochant au nœud de toutes ses forces.

Il ne manqua, dans cette manœuvre, ni de jugement ni de force ; mais son poids minuscule n'avait pu résister à l'élan d'une embarcation chargée, et c'est avec horreur que nous le vîmes rapidement passer par-dessus bord. L'embarcation continua sur son erre et Thomas, à présent derrière nous, en amont, s'accrochait désespérément à la corde. Les bateliers accostèrent en sécurité sur une berge de sable, mais il devenait évident que Thomas était à bout de forces et que, pis encore, la lame d'étrave que créaient ses épaules face à la pression des eaux l'empêchait de respirer normalement. Il commençait à se noyer. À mes côtés se trouvait enroulée une longue corde mince, et, sans réfléchir, je la passai deux fois autour d'un étançon en criant à Niccolò de tenir fermement le nœud; puis je sautai par-dessus bord. Sur la pointe de sable, les eaux m'encerclaient jusqu'à la taille. Je courus vers les profondeurs.

— Thomas, tu peux lâcher prise! Je suis là, devant toi! lui criai-je.

Miraculeusement, il m'entendit.

Ses bras furent projetés vers le haut lorsqu'il se laissa aller. Libéré de la lame d'étrave qui le suffoquait, il aspira une grande bouffée d'air. Il ne lui fallut pas plus de quelques secondes avant de parvenir à moi. Je l'agrippai furieusement et lui passai la corde autour du torse, tout en me cramponnant à l'épaisseur de son justaucorps. Nous fûmes projetés violemment sur le rivage et je sentis le sable rugueux érafler mes genoux. De puissants bras nous ramenèrent sur la pointe de sable et nous restâmes étendus là à tousser, exténués, tandis que l'eau glaciale ruisselait de nos corps transis.

Thomas se retourna sur lui-même et leva les yeux vers Eckhardt, qui l'observait d'un air inquiet. Le sang dégouttait sur le visage du médecin. La corde lui avait entamé le front. Ses mains s'étaient déchirées à force de serrer. Il toussa, et un filet d'eau brune dégoulina sur sa joue.

— Ainsi je présume que nous ne passerons pas par Bâle?

La question ne semblait pas appeler de réponse. Chacun fut secoué d'un rire de soulagement.

Nous avions des vêtements secs dans notre chargement, aussi nous nous déshabillâmes au bord du fleuve, sans gêne aucune, pour les revêtir. Voyant cela, la file de passagers dans l'attente de traverser sur l'autre rive parut s'inquiéter des conditions de voyage habituelles sur l'embarcation du passeur.

Ce fut tard dans la soirée que nous arrivâmes, fatigués mais soulagés, à l'auberge de Rheinhausen. Nous profitâmes d'un dîner copieux, bien mérité et bien arrosé (en effet, on abusa quelque peu du vin de la région), pour décider de la route à emprunter.

Le lieu de notre prochaine halte nous fut révélé : nous passerions par Pforzheim avant de prendre vers l'est ; puis, nous éloignant du fleuve, nous atteindrions la ville universitaire de Tubingue à temps pour Noël. Cette période de repos nous serait précieuse, car, comme Niccolò et Eckhardt le laissaient désormais entendre, le chemin parcouru jusqu'alors ne représentait rien : le pire était encore à venir.

Chapitre 9

Noël 1555
Université de Tubingue, duché de Wurtemberg

— *Fröhliche Weihnacht überall!*

Le professeur de médecine Leonhard Fuchs leva son verre et nous nous souhaitâmes un joyeux Noël. Son amabilité et sa générosité ne connaissaient aucune limite. J'avais toujours cru que les pays étrangers me paraîtraient uniformément distants et leurs habitants, d'un abord difficile; mais notre expérience au cours de ce voyage m'avait détrompé, ici plus qu'à tout autre endroit, en ce haut lieu d'érudition ayant traversé les siècles.

Herr Professor Doktor Fuchs (comme on pouvait lire sur sa porte) nous avait fait bon accueil, nous donnant accès aux bâtiments de l'université et à sa bibliothèque. Mais lorsqu'il avait appris que nous envisagions de suspendre notre voyage et de nous reposer pendant Noël, il avait insisté pour que notre compagnie le rejoigne dans sa demeure, située aux confins de l'enceinte universitaire. Ce qui rendait la chose encore plus agréable était que l'offre n'avait pas été officiellement adressée « au duc et à son entourage », comme simple geste diplomatique entre deux hommes soucieux de politique, mais « au docteur Thomas Marwood et à son entourage ». C'était l'invitation d'un savant lancée à un autre savant.

Niccolò et Eckhardt s'étaient excusés en prétextant devoir profiter de leur séjour dans la région pour rendre visite à leurs nombreux amis, eux qui voyageaient fréquemment par cette route. Ainsi, Thomas, Son Excellence et moi-même nous trouvions réunis autour d'une table bien garnie, dans l'encorbellement du premier étage d'une vaste demeure médiévale, dont les murs, portes, fenêtres et plafonds de bois nous enchâssaient comme un grand navire. Le rôti d'oie trônait au milieu d'un assortiment de plats traditionnels, et si l'Angleterre souffrait de famine cette année-là, le Wurtemberg semblait plus qu'épargné. L'appréciation des habitants pour les plats nourrissants, servis à profusion et avec largesse, était légendaire.

— À l'endroit idéal pour un Noël parfait. Santé et longue vie à notre hôte et à sa charmante épouse.

Le comte leva son verre et nous bûmes en l'honneur de nos amis. Cet environnement lui seyait à merveille : après de longues années d'emprisonnement, il aimait la compagnie, et l'atmosphère chaleureuse et familiale nous procurait un sentiment de sécurité.

Son Excellence avait raison. La ville était idéale pour se reposer durant les fêtes. La veille au soir, nous avions flâné sur la grand-place du marché, entièrement illuminée de chandelles et de lampes à mèche de jonc. Les nombreux étals nous avaient donné l'occasion de goûter à beaucoup de nourriture et de vin. Puis nous avions marché tranquillement au bord de la rivière, le long de la Gartenstrasse, une large promenade dans de calmes jardins très prisée des habitants de la ville. Déjà nous nous sentions revigorés, prêts à affronter avec courage le voyage qui nous attendait.

Thomas, plus que quiconque, paraissait dans son élément. Il m'avait invité à l'accompagner dans bon nombre de discussions fascinantes avec le professeur Fuchs, qui n'eut aucun mal à faire honneur à sa réputation d'érudit.

Thomas me renseigna sur son passé et ses réalisations. À vingt-trois ans, il était sorti de l'université d'Ingolstadt avec une maîtrise en lettres et un doctorat en médecine, poursuivant son étude de cette science pendant de nombreuses années encore. Ce faisant, il en était venu à s'inquiéter de l'ignorance crasse de nombreux médecins quant aux remèdes qu'ils prescrivaient et aux plantes dont provenaient ceux-ci, et s'était engagé à corriger la situation.

De Historia Stirpium avait été sa contribution : un ouvrage sur les herbes et les remèdes à base de plantes, où les illustrations, créées et imprimées à partir de blocs de bois, revêtaient une telle importance qu'il nomma et remercia le peintre, le dessinateur et le graveur qui les avaient élaborées. C'était l'un des livres que Thomas avait prévu acheter à Bâle, où l'ouvrage avait fait l'objet de sa première impression en 1542 : la joie de Thomas fut donc telle qu'il en perdit la parole lorsque l'auteur lui-même lui offrit un exemplaire dédicacé.

Comme Thomas, Fuchs se réclamait de la méthode pragmatique de Vesalius et, comme lui, refusait de suivre Galen et les autres en acceptant les préceptes des livres anciens sans s'être assuré lui-même de leur véracité, par l'observation et l'analyse. Son livre témoignait du soin avec lequel il abordait son sujet d'étude.

Il en était à nous expliquer son approche : « observer, interpréter, dessiner, annoter », qui nous arracha un sourire. Fuchs n'y vit rien d'amusant, encore moins lorsque je dis à Thomas, blague à part, que l'approche du professeur était plus compliquée que la sienne. Thomas dut lui expliquer que « observer, dessiner, annoter » était une sorte de maxime récurrente entre nous, et que, par conséquent, nous étions surpris de l'entendre dans la bouche d'un étranger. Fuchs lui, n'était pas surpris :

— Vesalius employait souvent cette formule, et c'est de lui que je l'ai apprise au cours d'une visite à Padoue. Je crois que vous y avez vous-même séjourné pendant quelque temps.

Thomas répondit par l'affirmative, mais lui demanda pourquoi il avait ajouté un mot de son cru.

— « Interpréter » ? Oui, c'est moi qui l'ai ajouté. Lorsque j'enseignais, il m'a paru nécessaire de faire réfléchir mes étudiants sur ce qu'ils voyaient avant de le dessiner. Il faut nous questionner tant sur la forme observée, que sur le pourquoi de cette forme, en se demandant pour quelles raisons Dieu l'a faite ainsi.

Thomas et moi nous regardâmes en hochant la tête. Il fut immédiatement décidé d'ajouter ce mot supplémentaire à notre maxime. Le professeur Fuchs eut un sourire bienveillant. Nous avions appris une bonne leçon et gagné un bon ami.

Chapitre 10

30 décembre 1555
Augsbourg, en Bavière

Le 28 décembre, nous quittâmes Tubingue le cœur lourd et pénétrâmes en Bavière. Leonhard Fuchs nous avait si bien accueillis durant notre séjour qu'il nous était difficile de prendre congé de lui, mais sitôt qu'Eckhardt et Niccolò nous eurent rejoints, nous sûmes qu'il était temps de poursuivre notre route.

Nos guides commencèrent alors à nous jouer sur les nerfs. Non seulement ils prenaient plaisir à nous rappeler la hauteur colossale des montagnes que nous nous apprêtions à franchir, mais ils ne cessaient de nous dire qu'une surprise nous attendait, tout en refusant obstinément de nous donner quelque indice sur ce dont il s'agissait. Peut-être aurions-nous dû nous douter de quelque chose en voyant l'affluence sur les routes à mesure que nous approchions d'Augsbourg : chaque heure passant, le nombre de voyageurs à nos côtés grandissait, et même si les quelques jours entre Noël et le jour de l'An étaient généralement considérés comme une période de répit, les routes étaient presque bondées.

Nous pensâmes d'abord que nos compagnons de voyage devaient être des pèlerins, mais cette idée fut vite démentie par leur comportement. Ni pieux ni pauvres, ces voyageurs tenaces et aguerris connaissaient bien la route et manifestaient un empressement qui ne se rencontrait guère chez des gens en pèlerinage. La vérité ne mit pas longtemps à se faire jour, car nous approchions d'Augsbourg, l'une des grandes cités d'Europe, nommée ainsi en l'honneur de César Auguste qui l'avait fondée en l'an 15 avant Jésus-Christ, aux confins nord de l'Empire romain.

À présent, cette ville libre impériale servait d'autres buts. Abritant les trois grandes familles marchandes des Fugger, Rem et Welser, elle était devenue le principal centre bancaire de l'Europe méridionale, finançant le commerce et les activités marchandes depuis la Chine et les Indes orientales jusqu'à la province de Caracas au Venezuela, et partout en Europe jusqu'à Londres même. Nous entrions dans les sphères des hommes les plus riches d'Europe, et ce fut là et là seulement que nos guides décidèrent de révéler leur secret.

Loin d'être un petit chemin de montagne solitaire et désolé qu'il nous faudrait franchir seulement avec leur aide, la route qui s'étirait devant nous à travers le col du Brenner jusqu'aux États italiens était une grande voie de commerce : une route imposante, plus fréquentée et beaucoup plus importante que la fameuse route de la Soie qui faisait l'objet de tant d'histoires sensationnelles ; car elle transportait dans le nord de l'Europe la plupart des soieries, épices et autres marchandises exotiques en provenance de la route de la Soie, en plus de celles qui passaient par l'Empire byzantin et arrivaient par bateau à Venise.

Bien que la soirée fût passablement avancée quand nous arrivâmes, la ville fourmillait de gens de toutes nationalités, et nous nous pressâmes à travers les foules afin de trouver un logement pour la nuit. Non pas que cela nous parût indispensable, car le spectacle que la ville offrait à la vue, à l'ouïe et à l'odorat paraissait si excitant qu'il était hors de question de se mettre au lit de bonne heure : nous pourrions toujours dormir dans la charrette le lendemain.

～

Nous nous levâmes assez tôt, histoire de se faire une meilleure idée d'Augsbourg avant d'entreprendre la prochaine étape de notre voyage. C'était vraiment une ville exceptionnelle : en plus des marchands et des négociants, les rues grouillaient de diplomates et d'ecclésiastiques, tant catholiques que luthériens, nombre d'entre eux s'y trouvant apparemment depuis février dernier, à l'occasion de la Diète de l'Empire. Celle-ci s'était réunie afin de s'attaquer aux divisions grandissantes qui séparaient les deux groupes, lesquelles s'étaient accentuées à tel point que Charles Quint, le souverain du Saint Empire, avait rassemblé les factions pour en arriver à un accord de paix. Après des mois de lutte et de disputes acharnées, on avait fini par signer la paix d'Augsbourg, le 25 septembre 1555. Depuis lors, on n'avait pas cessé de contester l'interprétation de l'accord de paix, et s'il fallait en juger par la présence continue des parties intéressées dans la ville, ces discussions se poursuivraient encore un bon bout de temps.

Eckhardt me décrivit la teneur de l'accord. Celui-ci ne reconnaissait officiellement que deux autorités religieuses, me dit-il : catholique et luthérienne. Des conditions étaient posées afin de s'assurer que les deux coexistent pacifiquement.

Une belle théorie. En pratique, chaque État de l'Empire ne reconnaissait qu'une seule confession, et la religion choisie par le prince régnant était donc imposée à tous ses sujets. Cet accord, selon Eckhardt, avait cours dans la plupart des États germanophones, mais c'était une paix fragile.

Comme toujours, semblait-il, il y avait une loi pour les pauvres et une autre pour les riches. Ici, comme dans d'autres villes libres impériales, les citoyens avaient le droit, en théorie, de pratiquer la religion comme ils l'entendaient. La réalité était tout autre. À Augsbourg, les grandes familles catholiques jouissaient d'un pouvoir et d'une fortune considérables. L'encre de l'accord de paix n'était pas encore sèche qu'ils s'empressèrent de l'ignorer, et bientôt le harcèlement contre les luthériens reprit de plus belle. Malgré sa richesse et sa puissance, Augsbourg ne comptait pas que des heureux.

Je secouai la tête.

— Dans quel monde vivons-nous ? Pourquoi ne serait-il pas possible de coexister pacifiquement avec son prochain ? De tolérer les opinions divergentes et d'accepter le désaccord, tout en continuant de travailler ensemble ?

Eckhardt acquiesça. C'était difficile à comprendre et encore plus à accepter.

— À Venise, on voit les choses avec du recul. Vous l'apprécierez sans doute.

Jetant un dernier regard vers la ville «libre» impériale que nous quittions, j'espérais vivement que ce soit vrai. Je ne tarderais pas à l'apprendre.

Chapitre 11

9 janvier 1556
Bolzano, dans le haut Adige

Chers parents,

Il s'est passé tant de choses depuis la dernière fois où j'ai eu la chance d'écrire.

Nous avons traversé toute l'Allemagne, conduits par un nouveau guide, un Allemand appelé Eckhardt Danner qui a rejoint notre expédition à Cologne. Le temps s'est montré clément envers nous, et le peuple allemand, de manière générale, serviable et amical.

Nous avons passé Noël à Tubingue, une belle ville ancienne, siège d'une vénérable et prestigieuse université. Le professeur Fuchs, célèbre médecin de l'université et grand spécialiste des remèdes à base de plantes, nous a reçus.

Puis nous sommes partis pour Augsbourg, une grande ville, peut-être plus grande que Londres, et assurément beaucoup plus riche. C'est là que demeure la famille Fugger, composée de richissimes marchands qui financent le commerce partout dans le monde, mais surtout entre Venise et le nord de l'Europe. Nous avons quitté Augsbourg le 2 janvier et entrepris l'ascension des montagnes au sein d'une plus grande troupe de voyageurs. Acceptant la suggestion de notre nouveau guide chez les Fugger, nous avons modifié nos charrettes afin de les faire tirer par du bétail. Son Excellence croyait que les bœufs nous ralentiraient, mais c'était sans compter leur remarquable capacité à maintenir une vitesse constante, même dans les pentes abruptes. Ainsi, à Garmisch-Partenkirchen, nous étions satisfaits du changement.

Sur cette route, la plupart des marchandises voyagent vers le nord, aussi bon nombre de charrettes en direction du sud reviennent à moitié vides. Nous sommes donc montés dans l'une d'elles, et nos chevaux ont pu nous suivre sans fardeaux ni cavaliers, à l'allure dictée par les bœufs, ce qui a facilité la traversée des montagnes pour eux autant que pour nous.

Quand nous avons rejoint les Fugger, notre groupe comptait au moins une trentaine d'étrangers. Lentement, nous avons commencé à nous parler, et puisque nous n'avons rien d'autre à faire que de regarder les charrettes avancer, nous sommes devenus comme une vraie famille, chacun d'entre nous trouvant sa place à l'intérieur du groupe. Parmi nos compagnons de voyage se trouvent une prieure, deux nonnes, un moine et quelques autres religieux dont la plupart se rendent à Rome.

Thomas est bien sûr le médecin du groupe, prodiguant ses conseils et soignant tous les maux de notre compagnie, bien qu'ils fussent plutôt rares jusqu'à maintenant. Son Excellence, toutefois, ne voyage pas avec nous dans les charrettes. Il a coutume de chevaucher devant nous quand la journée se termine et que nous approchons de notre destination, se chargeant ainsi d'organiser l'hébergement et l'alimentation. Je ne crois pas qu'il fasse confiance à quiconque à part lui-même pour veiller sur ses intérêts, et il semble toujours avoir la meilleure chambre quand nous nous arrêtons pour la nuit. Certains des Anglais de notre compagnie l'ont baptisé « le Chevalier », car il aime porter des pièces de son armure par-dessus ses vêtements lorsqu'il prend la route. Je crois qu'il s'imagine que cela le distingue du reste d'entre nous. Chose certaine, son air chevaleresque s'est attiré les regards d'une femme mariée de Baden-Baden, laquelle se rend à Vérone pour y rejoindre son mari.

De nombreux voyageurs sont des marchands qui parcourent de grandes distances partout à travers l'Europe jusque dans l'Empire byzantin. Ce sont des durs à cuire, d'esprit indépendant, mais qui racontent des choses fort intéressantes lorsque l'envie les en prend. Nous avons aussi quelques marins : l'un d'entre eux me dit qu'il a traversé l'Atlantique et visité un endroit appelé Caracas. Il dit que les Fugger ont financé le voyage qui a permis de le découvrir et qu'ils en sont maintenant propriétaires. Difficile d'imaginer que des gens puissent être propriétaires d'un pays, mais après avoir constaté la richesse d'une ville comme Augsbourg, je suis prêt à croire n'importe quoi.

Autour du 4 janvier, je me suis dit que nous avions franchi les hautes montagnes, car nous avons commencé à descendre dans une magnifique vallée appelée Seefeld. Puis nous avons suivi un chemin escarpé jusque dans une vallée encore plus grande, et rejoint la ville d'Innsbruck. C'est à ce moment-là que je compris mon erreur, en voyant les hauts sommets enneigés qui se dressaient encore devant nous. Les deux jours suivants, nous avons payé le prix de notre descente, puisqu'il nous fallait remonter, cette fois beaucoup plus haut. Étonnamment, la route est magnifique. Je ne saurais dire comment les montagnards s'y sont pris pour tracer une route si large et si bonne, mais ayant réussi cet exploit, ils en récoltent les fruits. Nous avons dû leur verser une somme rondelette pour chaque bête, chaque charrette et chaque guide tout au long du chemin, sans compter l'hébergement.

Enfin, l'après-midi du 7 janvier, nous avons atteint le sommet, connu sous le nom de Passo di Brenna. C'était comme si la terre s'était dérobée sous nos pieds. Mais les guides ne voulaient pas que nous nous reposions, et ils nous poussaient en avant avec une énergie renouvelée. Nous avons donc pénétré dans la vallée du fleuve Adige et l'avons descendue, descendue et descendue encore, passant par Chiusa avant d'arriver enfin à Bolzano.

Même ici, nous ne sommes pas complètement descendus sur la plaine d'en bas, mais le pays commence à s'aplanir et nous pouvons enfin dire sans craindre de nous tromper que les montagnes sont derrière nous. La dernière semaine fut une expérience des plus miraculeuses et j'ai eu l'immense bonheur, quand nous nous sommes arrêtés la nuit passée, de rencontrer un marchand, un économe, qui voyageait dans l'autre direction – jusqu'à Londres – après avoir terminé ses achats à Venise. Il a gentiment accepté de prendre cette lettre avec lui, aussi j'espère qu'elle finira par vous parvenir. D'ici là, nous serons arrivés à destination. Le temps nous paraît déjà plus doux.

Il me reste une anecdote amusante à vous raconter avant de remettre ce pli à notre porteur. Hier soir, j'étais en promenade au marché local pour acheter du pain et m'étirer les jambes. J'ai décidé d'exercer mon italien, et le boulanger m'a demandé si j'étais vénitien. Il trouvait que j'avais l'accent de Venise ! Après mûre réflexion, je me suis rappelé que Lady Jane exerçait souvent son italien à la cour avec l'ambassadeur vénitien. Étrange ; mais c'eût été encore plus étrange, je suppose, si ce boulanger de Bolzano m'avait trouvé un accent du Devon !

Le porteur attend : je dois donc terminer. Ne vous inquiétez pas pour moi. Je vais bien, et Thomas également. Ayez la gentillesse de transmettre ce message à sa famille, au cas où sa lettre (qui voyage également avec l'économe) ne se rendrait pas aussi bien que celle-ci. Je vous réécrirai à notre arrivée.

Votre fils tout dévoué,

Richard

DEUXIÈME PARTIE

L'arrivée

Chapitre 12

— *Padova, la bellissima !*

Jetant un regard vers Thomas, je fus surpris de le trouver les larmes aux yeux. Peut-être était-ce une manifestation de soulagement, me dis-je, car cela faisait plus de cinquante jours que nous avions quitté Louvain, et mis à part nos quatre journées de halte durant les fêtes, nous n'avions cessé de voyager d'un endroit à l'autre pendant plus de sept semaines. Mais je compris bientôt qu'il était transporté de joie à l'idée de revoir cette magnifique ville qui, comme il me l'avait dit à maintes reprises, lui avait procuré quatre ans de bonheur du temps où il étudiait la médecine.

— Quel plaisir de vous revoir !

Thomas s'était appuyé sur le pommeau de sa selle et contemplait la plaine gelée, égaré dans ses souvenirs ; doucement il parlait aux murs de la ville comme s'il s'agissait de vieux amis.

Son retour n'aurait pu se faire dans de meilleures conditions, car malgré un ciel dégagé, le vent restait muet. Le soleil baissait derrière nous sur la droite : nous pouvions presque sentir sa chaleur émanant des murailles. Leur rougeoiement intense se colorait de pourpre tandis que le soleil s'enfonçait derrière le bleu pastel des monts euganéens, à présent dressés sur la plaine comme une rangée de tasses renversées, à seulement quelques milles au sud-ouest.

— Je ne pense pas avoir jamais été aussi heureux qu'ici.

Thomas respirait la joie et l'allégresse tandis que nous chevauchions ensemble vers les grandes portes.

— Nous étions jeunes, en pleine forme, et désireux d'apprendre. Nous travaillions dur, nous nous amusions comme des fous et profitions de nos temps libres avec tout l'enthousiasme de la jeunesse. Et un jeune homme comme moi pouvait trouver ici de quoi combler tous ses désirs.

Il jeta un regard de côté et me fit un clin d'œil.

— Oui, tous. Je n'étais pas marié, à l'époque, et même si je manquais toujours d'argent, c'était la belle vie.

Je fus surpris d'entendre une pointe de regret dans sa voix, car je l'avais toujours connu comme un époux dévoué, aimant la vie de famille.

— Allons, Thomas, tu ne regrettes pas sérieusement d'être retourné en Angleterre, de t'être consacré à la médecine et au mariage ?

Il rit.

— Pas du tout, mais le fait de revenir ici me ramène plus de vingt ans en arrière, avec tous mes espoirs et mon enthousiasme d'alors. Si seulement j'avais pu savoir ce que je sais maintenant, avec l'énergie que j'avais à l'époque.

Ce fut à mon tour de sourire.

— C'est peut-être le fait d'avoir appris tant de choses qui t'a vidé de ton énergie ?

Je plaisantais, car même au milieu de la quarantaine, Thomas ne manquait pas de vitalité et possédait l'endurance d'un cheval de trait. Il sourit, se tournant sur sa selle pour s'assurer que nos compagnons ne traînaient pas trop loin derrière.

Le temps demeurait doux et il faisait encore jour quand, une heure plus tard, nous arrivâmes enfin à l'Albergo *Il Bo*, sous une enseigne représentant un bœuf. Tout autour se voyaient des signes de richesse et de confiance en l'avenir : de nouveaux édifices se construisaient et des gens occupés respiraient confort et assurance. Avant de nous quitter à Bolzano, Niccolò m'avait promis que je sentirais le niveau de vie augmenter à mesure que nous approcherions de Venise. Je le voyais désormais, c'était certain.

— Voici la faculté de médecine de l'université devant nous ! s'exclama Thomas d'un air enjoué.

Je le vis replonger dans le passé tandis qu'il posait les yeux de l'autre côté de l'étroite rue pavée, sur une façade de plâtre jaune et une sombre arche de pierre sous laquelle il avait dû passer des milliers de fois dans son jeune temps. Tentant de percer les ténèbres du portail, j'aperçus un flot de lumière se déversant dans la cour au-delà.

Soudain, c'était comme si je comprenais le but de nos interminables errances. Le plus gros de notre voyage était terminé : nous étions arrivés à notre toute première destination.

Eckhardt nous fit alors ses adieux, car il comptait aller retrouver des amis dans la ville. Son Excellence, Thomas et moi entrâmes dans l'auberge afin de voir s'il leur restait de quoi nous contenter. Par chance, l'auberge ne manquait pas de place et nous pûmes nous installer rapidement, sans devoir passer par le rituel ordinaire du comte, essayant de manipuler la conversation pour s'assurer d'obtenir la meilleure chambre. En toute justice, c'était lui qui payait les comptes à la fin du séjour, mais il m'arrivait de souhaiter qu'il se garde de nous signifier aussi souvent sa position dans notre petit groupe.

Nous venions tout juste de descendre de nos chambres et étions à la recherche de nourriture dans la salle commune, quand un cri s'éleva. Un homme dans la cinquantaine, peut-être plus vieux, assis près du feu crépitant avec un verre de vin, semblait avoir reconnu le comte. Il l'interpella en anglais :

— Votre Grâce ! Quelle heureuse rencontre ! Venez, Monsieur, asseyez-vous, avec vos compagnons.

Je sus immédiatement que j'avais déjà rencontré cet homme. Mais qui était-ce ? Sa voix finit par le ramener à ma mémoire. Je me souvins de John Cheke, celui qui, pendant les neuf terribles jours de son triste règne, avait été secrétaire d'État de la « reine » Jane. Je l'avais vu lui tourner autour et lui chuchoter des cajoleries afin qu'elle signe les documents qu'il avait en main. Jane lui faisait confiance, tout comme moi, car nous nous souvenions tous deux de son tutorat auprès du roi Édouard VI et le croyions honnête et digne de confiance, acquis aux idées de la Réforme. On nous avait dit qu'il s'était rendu à Padoue pour sa santé et qu'il enseignait le grec à l'université afin de gagner sa vie. À présent, il prenait la peine de se lever pour saluer le comte.

— Courtenay ! Vous venez sûrement tout juste d'arriver, de Bruxelles peut-être, car je vous ai vu là-bas… à quel moment était-ce ? L'été dernier, je crois ?

Son Excellence se transforma alors en parfait courtisan, dans l'instant et sans effort.

— Cheke, mon cher ami ! Nous sommes effectivement arrivés tout à l'heure. Permettez-moi de vous présenter Thomas Marwood, médecin dans mon comté du Devon, et Richard Stocker, qui fut au service du duc de Suffolk jusqu'à sa mort et m'a aidé lorsque j'ai regagné le monde des vivants au terme de mon incarcération.

Autrefois, le comte se serait bien gardé de faire allusion à son emprisonnement dans la Tour ; mais j'avais remarqué que, hors des frontières de l'Angleterre, il brandissait cet épisode de sa vie comme s'il s'agissait d'un insigne honorifique.

Il se tourna vers nous.

— Messieurs, voici sir John Cheke, un homme d'une grande distinction qui ne demande sans doute aucune présentation de ma part.

— Et voici, si je ne m'abuse, le docteur Giovanni Carluccio, qui m'a enseigné la médecine ici même il y a plusieurs années.

La voix de Thomas Marwood avait interrompu les présentations. Un homme d'allure distinguée se dirigeait vers notre table en tendant la main, pendant que Thomas, qui avait dû le reconnaître de l'autre bout de la pièce, s'avançait vers lui de la même manière. Le nouveau venu donna à Cheke une tape sur l'épaule lorsqu'il le croisa – une marque d'amitié entre collègues, sans doute – et inclina la tête de façon outrancière.

— Dottore *professore* Carluccio, désormais.

Il frotta son ventre bombé.

— Il y a eu développement. Ce sont les années, Thomas. On donne des médailles à ceux qui survivent, ici ! À propos, avez-vous mangé ?

— Un souper à Padoue !

Thomas s'emballa de nouveau, bien qu'il parlât en anglais et non en italien.

Le professeur se mit aussitôt à parler dans l'autre langue.

— Ah, Thomas, Thomas… Ta mémoire commence à faiblir.

Le professeur Carluccio agita l'index au visage de son ami, tout sourire.

— Je croyais que nous t'avions inculqué les mœurs civilisées des Italiens, mais tu nous as désertés. Je crois que le soir, il faudrait dire un «dîner», Thomas, et peut-être également à la mi-journée, mais plus petit. Tu te rappelles?

Thomas lui rendit son large sourire.

— J'avais oublié. Nous sommes maintenant en pays civilisé, où la chaleur du soleil change nos habitudes alimentaires. *Pranzo* le soir, et *pranzo a mezzogiorno* à la mi-journée.

Courtenay suivait la conversation avec intérêt, car son italien était très bon, quoique largement appris des livres.

— Quand donc trouvez-vous le temps de prendre le souper, dans ce cas, professeur?

Carluccio réfléchit, cherchant à traduire langue et culture.

— Le souper? Nous l'appellerions *cena*. Et quand?

Il lança un clin d'œil à Thomas.

— Peut-être après une rencontre amoureuse, quand il vous prend un petit creux de fin de soirée?

Il se tourna face à nous, craignant d'avoir offensé certaines gens de notre compagnie.

— Ou, bien sûr, lorsqu'on voyage.

Thomas s'inclina légèrement, comme pour déclarer partie nulle; l'honneur était sauf et nous nous dirigeâmes tous ensemble dans la salle à dîner afin de partager le souper.

Je regardai autour de moi. Déjà la fin du voyage, avec seulement un court trajet à faire; une habitation confortable, un bon feu, une odeur de nourriture capable de vous inspirer des vers, et la perspective d'un repas en bonne compagnie. Que pouvais-je demander de mieux?

La promesse d'un repas succulent fut honorablement tenue ; celle d'une agréable compagnie fut surpassée. Nous restâmes longtemps (et parfois bruyamment) assis à table, la chaleur du vin ajoutant à notre contentement, et discutâmes de sujets variés : le voyage, la médecine, les hommes et la politique, les défis posés à chacun de nous par les aléas d'un monde changeant.

Vers la fin de la soirée, je demandai d'être excusé et, me dirigeant vers les toilettes, je m'aperçus que Cheke me suivait. Quand nous fûmes hors de portée de voix, il parla, plus discrètement qu'à son habitude et de façon plus précipitée.

— Richard ! Qu'il est bon de vous revoir en ces temps troublés. Pendant le repas, je me suis rappelé les fois où nous nous sommes rencontrés. Vous étiez avec le roi, lors de sa visite à Portsmouth, n'est-il pas vrai ?

Je lui confirmai ma présence en cette occasion. Cheke nous avait rejoints pendant que le roi inspectait le port et discutait des améliorations à apporter aux fortifications.

— Vous a-t-il récompensé un jour d'avoir retrouvé son bijou de perle ?

— Oui, il l'a fait, et avec beaucoup de générosité. Il m'a fait cadeau d'un étalon espagnol, incluant une selle estampée d'or.

— Ventura ? Il vous a donné Ventura ? C'était sa monture préférée.

Je hochai la tête, ce souvenir encore frais à ma mémoire.

— Je le sais. Il sentait qu'il mourrait bientôt et voulait s'assurer qu'elle serait bien traitée.

— L'avez-vous encore ?

Je m'attendais à cette question, que j'espérais pouvoir éviter.

— Non. Après avoir vu Lady Jane mourir, puis Lord Henry, j'ai voulu m'échapper, laisser cet univers derrière moi, et commencer une nouvelle vie. Ventura a été vendu à un bon maître, et à son juste prix. Il me manque, parfois. C'était un animal unique.

Mon interlocuteur se montra compréhensif.

— Lady Jane vous tenait en haute estime. Elle m'a parlé de vous comme du seul ami fidèle qu'elle ait connu, le seul qui l'ait traitée comme une personne et non purement comme un symbole d'autorité.

Mes yeux se remplirent de larmes et ma gorge se serra au point que je crus étouffer.

— Je l'aimais tendrement, comme une vraie amie. Elle m'a tant appris.

Cheke me prit le bras.

— C'était une période malheureuse, et le règne du malheur se poursuit sous la reine Marie. Il se produit des événements abominables dans notre pays. Des choses que l'on ne peut tolérer plus longtemps.

J'acquiesçai d'un signe de tête.

— Que pouvons-nous faire ? Avec Philippe à ses côtés, l'Inquisition espagnole risque fort de prendre les rênes du pays.

Cheke promena lentement les yeux autour de lui avant de répondre.

— J'ai quelqu'un à vous présenter. Mais seulement à vous. N'en parlez pas à Marwood ou à Courtenay. Ce sont de fervents catholiques : impossible de leur faire confiance.

Je me portai à la défense de Thomas mais Cheke ne voulut rien entendre.

— C'est un risque que nous ne pouvons nous permettre. Si vous êtes incapable de séparer votre vie de la sienne, du moins à l'occasion, alors je vous demanderais d'oublier notre conversation et de vous retirer.

Je secouai la tête à mon tour.

— Non, John. Cette séparation n'est pas impossible : je savais qu'un jour il me faudrait peut-être y consentir. Je vais voyager avec le docteur, et nous demeurerons amis, mais je me garderai de divulguer votre secret.

Cheke parut satisfait.

— Dans ce cas, trouvez un prétexte et rendez-vous à l'université demain à midi. Présentez-vous au département des études grecques et demandez à me voir. Vous serez attendu.

Nous terminâmes nos petits besoins et retournâmes à la table séparément. Je me demandais ce que demain apporterait.

Chapitre 13

15 janvier 1556
Département d'études grecques,
Université de Padoue

Ce fut encore une matinée froide, annonçant une autre journée fraîche mais ensoleillée. Après avoir passé huit semaines ensemble, c'était comme si nous avions conclu un accord tacite, et discrètement nous partîmes chacun de notre côté, cherchant peut-être la solitude qui nous avait été interdite depuis notre départ de Louvain.

Thomas déjeuna de bonne heure et se rendit à l'université de l'autre côté de la rue, dans l'intention d'y débusquer de vieux amis. Il était peu probable que nous le revoyions ce jour-là. Le comte, pour sa part, avait appris que l'ambassadeur anglais dans la république de Venise, Peter Vannes, était en visite à Padoue et qu'il attendait son arrivée. Il partit à sa rencontre peu de temps après le départ de Thomas.

Après un déjeuner copieux, je commençai mon exploration dans les rues de la ville. Par la via San Canziano, je débouchai dans l'espace ouvert de la piazza delle Erbe, bondée et résonnant des cris enthousiastes du marché aux légumes. Je me frayai un chemin à travers les étals pour m'asseoir au soleil, contre la loggia du palazzo della Ragione situé en face, où siégeaient, me dit-on, les cours de justice.

Il n'y avait aucun vent, et les murs tout autour semblaient avoir conservé la chaleur du soleil de la veille, car malgré l'heure matinale, on ne sentait pas le froid ; pourtant, à notre arrivée le jour précédent, les champs à l'extérieur des enceintes étaient recouverts de glace. Je sentais le soleil hivernal pénétrer en moi et me redonner vie. C'est alors que je songeai à Venise. Est-ce qu'elle ressemblait à cela, me demandai-je : le soleil, l'architecture, l'activité frénétique mais enjouée, l'impression générale de bien-être ? Ayant échappé aux rigueurs du climat anglais et au joug de la reine Marie, j'attendais beaucoup de ce séjour au cœur du monde civilisé, sans pourtant savoir de combien de temps je disposais.

Puis mes réflexions me conduisirent à la rencontre prévue avec Cheke, et tout sentiment de légèreté me déserta. Je songeai que, d'une manière ou d'une autre, ce rendez-vous me ramènerait vers le conflit au lieu de m'en éloigner. J'avais confiance en John Cheke, en son honnêteté, sa compétence et son jugement ; mais je ne savais pas qui d'autre serait présent lors de cette rencontre, ni quel en serait le sujet de discussion. C'était à la fois excitant et troublant, et je sentis de nouveau le besoin de marcher.

Contournant par la gauche l'édifice qui se trouvait derrière moi, je passai devant la haute tour du Palazzo communale, abritant les bureaux de la ville. Son portail ressemblait à l'entrée d'une fourmilière, théâtre d'incessantes allées et venues : chacun semblait investi d'une importante mission et nul n'hésitait, mais tous se pressaient d'un pas décidé vers leur destination. Je décidai que cette ville me plaisait : peu à peu, je commençais à comprendre pourquoi Thomas avait autant eu l'impression de rentrer au bercail quand nous étions arrivés la veille.

Je continuai ma promenade, prenant de nouveau à gauche, traversant la piazza dei Frutti jusqu'à la piazza dei Signori. Devant moi se dressait le Corte Capitaniato, un autre édifice imposant, où résonnait dans l'air du matin la suave mélodie d'un luth. Même le brouhaha des gens affairés autour de moi ne suffisait pas à gâcher la beauté de cette musique : au contraire, il la rehaussait, comme si un oiseau solitaire chantait au-dessus de la place, dans l'attente d'un morceau de nourriture laissé tombé avec insouciance.

À ma gauche se trouvait la Loggia della Gran Guardia, un édifice tout à fait récent qui, me dit-on, servait de lieu de rencontre au Conseil des Nobles. Ici encore, la maçonnerie était d'un jaune doré et la toiture d'une teinte chaude et ocreuse, comme un champ de blé en été surmonté d'un feuillage automnal, malgré l'hiver tout autour. J'admirais la façon dont ces gens menaient leur existence. Il n'était pas surprenant que la richesse se développât dans cette partie du monde et que, à l'exception de Hans Holbein, les grands peintres fussent tous dans les États italiens : à Rome, à Florence et à Venise.

Il y avait ici beaucoup de choses à voir et à vivre, mais pour moi le monde de la peinture était peut-être ce qui comptait le plus. Thomas avait gravé en moi la nécessité de reproduire avec exactitude ce que nous observions dans notre profession, et j'avais pris l'habitude d'apporter avec moi en tout temps un petit cahier de croquis. Mais lorsque j'avais vu pour la première fois une peinture de Hans Holbein accrochée dans l'une des salles du palais de Westminster, je m'étais aussitôt émerveillé devant l'habileté de l'artiste : celle qui permettait, non seulement de produire une image reconnaissable du visage d'une personne, mais aussi de faire ressortir la personnalité du sujet (ou du moins la personnalité que le sujet voulait montrer au reste du monde). À présent, je le savais, j'aurais l'occasion d'étudier le savoir-faire du peintre jusqu'à satiété, et qui sait, peut-être même de rencontrer un jour l'un des peintres dont les noms faisaient la réputation de la république de Venise à l'étranger.

La cloche retentit dans la tour et je sus qu'il me restait une heure avant mon rendez-vous : il était temps de faire demi-tour et de commencer à marcher vers l'université. Je pris à gauche et encore à gauche, jusqu'à ce que je pus voir l'édifice universitaire tout au bout de la rue, de l'autre côté de la piazza.

J'arrivai à l'avance, comme à mon habitude, et demandai le département des études grecques. Un large escalier de pierre me mena à destination et je me retrouvai au fond d'une grande pièce au plafond voûté et aux murs couverts de fresques. Mes pas résonnaient sur le sol de pierre et j'avais l'impression de perturber la tranquillité de ce lieu d'érudition.

Entendant des voix dans la pièce voisine, je me dirigeai vers elles le plus discrètement possible. Elles conversaient dans une langue qui m'était inconnue, mais quelques mots çà et là me rappelaient distinctement mes études médicales. Je crus reconnaître la voix de Cheke. La conversation prit fin et il y eut un raclement de chaises sur le plancher, puis un murmure grandissant de voix plus jeunes. Une douzaine d'étudiants défilèrent alors devant moi, transportant avec eux des plumes et des calepins, puis le silence revint.

Je demeurai cloué sur place, seul et en silence, nettement mal à l'aise, ne sachant pas si ma présence était une intrusion ou si j'étais attendu dans la pièce voisine. J'entendis un autre bruit de pas, ceux d'une seule personne cette fois, et restai pétrifié, souhaitant avoir attendu l'heure convenue. Il y eut encore des pas, et Cheke, l'air vieilli et fatigué, s'avança dans la pièce en traînant le pied. Il me vit et son visage s'éclaira.

— Bonjour, Richard. Juste à l'heure, comme convenu. Suivez-moi jusqu'à mon bureau, nous rencontrerons les autres.

Nous gravîmes d'autres escaliers, et Cheke dut s'arrêter pour souffler, mais refusa toute assistance de ma part. Bientôt nous parvînmes à une petite mansarde aux murs couverts de livres. Deux hommes nous tournaient le dos, désignant quelque chose par la fenêtre donnant sur la cour. Ils se retournèrent à notre arrivée et nous accueillirent avec un sourire. Cheke me présenta au premier des deux.

— Richard Stocker, voici sir Peter Carew : un autre de vos hommes du Devon, je crois bien.

Un homme court et trapu d'environ quarante ans se tenait devant moi, la main tendue en guise de salutation. Il avait le teint hâlé, les cheveux et la barbe courts et sombres ; dans ses yeux paraissait la dureté lointaine de ceux qui ont connu les pires atrocités du monde. Bref, il ressemblait à un soldat.

Je le connaissais de réputation, car il avait été shérif du Devonshire huit ans auparavant et était devenu membre du Parlement pour le Devon, il n'y avait guère plus de trois ans. Même si nous ne nous étions jamais rencontrés, son nom était gravé dans ma mémoire, car c'était l'un des députés qui s'étaient opposés à Northumberland lorsque celui-ci avait proposé Lady Jane pour la succession. Je ne lui avais pas pardonné, me disant que cela faisait de lui un catholique déguisé ; et bien qu'il eût changé de camp lorsque la reine Marie avait épousé Philippe d'Espagne et qu'il fût un acteur important dans la rébellion de Wyatt, je n'étais pas prêt à le compter parmi mes amis. Ceux qui changent leur fusil d'épaule sont susceptibles de recommencer, pensai-je.

86

Il me serra la main comme s'il avait conscience de mes réserves à son endroit, puis recula pour laisser la place à son compagnon.

— Et voici Francis Walsingham.

Walsingham était plus jeune que Carew, mais néanmoins plus vieux que moi : peut-être avait-il vingt-cinq ans. Il portait l'uniforme des étudiants de l'université, mais son visage n'était pas celui d'un étudiant : en effet, les yeux qui brillaient derrière ce nez aquilin étaient ceux d'un avocat expérimenté, qui voient tout et ne se laissent pas deviner. Il me serra la main d'une poigne solide, mais n'esquissa pas l'ombre d'un sourire, et j'étais certain qu'il attendait son heure pour mieux juger de moi.

— Sir Peter nous arrive avec de bonnes références, Richard, car comme vous, il a accepté de s'exiler par acquit de conscience. À la différence que vous, Richard, avez fui une menace *hypothétique* mettant votre bien-être en péril ; mais sir Peter fut pourchassé et s'estime heureux d'avoir pu en réchapper.

Cheke poursuivit dans cette veine, essayant visiblement de créer des liens de confiance et d'amitié entre nous. Il nous vanta le français et l'italien de Carew, sa passion pour les mathématiques et l'architecture. Celui-ci souhaitait se rendre à Venise, comme moi, mais il se méfiait de Peter Vannes, l'ambassadeur anglais, et me conseilla d'en faire autant.

— Mais mon compagnon, Edward Courtenay, est supposé rencontrer l'ambassadeur aujourd'hui même, lançai-je sans réfléchir.

Ce fut Walsingham qui répondit.

— Exactement. Nous nous y attendions. Nous savions que Vannes avait l'intention de se présenter au comte et de l'inviter à une cérémonie à Venise le mois prochain. Je ne

puis que vous conseiller d'être sur vos gardes, car la reine
Marie et son époux (je constatai qu'il ne voulait pas dire *le
roi Philippe*) considèrent que le comte agit en franc-tireur
et qu'il vaudrait mieux le faire disparaître. N'ayez pas la
faiblesse de croire que « l'ennemi de votre ennemi est votre
ami », car votre compagnon n'est qu'un blanc-bec sans
cervelle et votre association avec lui vous met en danger.

Je frissonnai. Mon expérience à Venise ne serait peut-être
pas, en fin de compte, le séjour agréable dont j'avais rêvé.

Cheke rejoignit la conversation.

— Walsingham a raison. Vous devez lui faire entièrement
confiance. Je connais Francis depuis qu'il s'est présenté au
King's College de Cambridge il y a neuf ans, alors qu'il en
avait seize. J'étais président à ce moment-là et même
alors j'ai su reconnaître son potentiel. Il ne vantera pas ses
propres mérites, non par modestie, mais parce que, plus
qu'aucun homme que je connaisse, il est prudent. Francis
vous dira : « Ne prenez jamais de risque inutile », et il a raison.
Ayez confiance en lui et ne négligez pas ses conseils, car ce
pourrait bien être votre plus grand ami, en définitive.

C'étaient là de grands éloges. Je posai les yeux sur l'intéressé : il demeurait impassible.

— À présent, Messieurs, il est temps de vous donner
les raisons qui m'incitent à vous recommander Richard
Stocker.

Cheke avait repris les rênes de la discussion. Il nous
désigna des fauteuils confortables et poursuivit.

— Richard se présente devant nous avec deux recommandations, et non des moindres. La première est celle de
feu le roi Édouard, qui a côtoyé Richard alors qu'il était au
service du duc de Suffolk, et qui plus tard a pu témoigner
de sa profonde honnêteté et la récompenser avec largesse.
Son second répondant nous a également été enlevé, car la

recommandation nous vient de nulle autre que de Lady Jane Grey. Richard a étudié auprès de Lady Jane, et si vous vous lanciez dans une discussion rhétorique avec lui, vous reconnaîtriez sans doute le style de sa préceptrice. Vous admettrez qu'il eût été difficile de passer trois ans en compagnie de Lady Jane sans subir son influence. Je vous recommande donc ce jeune homme. Je me porte garant de ses intentions, de sa compétence, de son honnêteté, et, s'il faut en arriver là, de sa bravoure. Bien qu'encore jeune, il a connu une longue existence, et des plus mouvementées.

Entendant ces bonnes paroles dans la bouche de John Cheke, je ne pus qu'en conclure que Lady Jane et le roi lui avaient chanté mes louanges à un moment ou à un autre. Je n'étais pas certain de pouvoir me montrer à la hauteur, mais vu l'identité de mes deux protecteurs, j'étais d'autant plus déterminé à le tenter.

Puis Walsingham se leva et reprit la parole :

— Messieurs, comme vous le savez, nous traversons une époque difficile, et bien que chacun d'entre nous ait quitté le pays à sa manière, nous nous sommes tous exilés essentiellement pour les mêmes raisons. Étant donné la toute-puissance de Philippe d'Espagne, lequel élargit chaque jour son emprise sur les territoires de l'empire de son père Charles Quint, il nous semble interdit de songer à organiser un soulèvement contre lui ou la reine Marie. Mais leur mariage est un échec. Philippe a quitté l'Angleterre et n'y reviendra pas, je pense, tant et aussi longtemps qu'il lorgnera les Pays-Bas. La reine Marie, pendant ce temps, est stérile : nous pouvons considérer qu'elle le restera, et cela ne signifie qu'une seule chose pour nous.

Chacun d'entre nous acquiesça à ces mots, car bien que la plupart des hommes fussent d'avis qu'une reine n'était qu'un piètre substitut à un roi, la princesse Élizabeth était l'héritière présomptive et si la couronne lui revenait, cela laissait présager un retour à la religion que nous avions choisie. Pour chacun d'entre nous, l'idée de réparer les torts causés par l'avènement de Marie Tudor constituait notre plus grand espoir pour l'avenir de notre pays, et nous étions prêts à nous battre pour la concrétiser.

— Ce sera une bataille de longue haleine, Messieurs, un long labeur qui se terminera par la déconfiture de nos ennemis et la ruine de leurs desseins, et l'accession de la princesse Élizabeth au trône d'Angleterre. Sir John, nous devons tous accepter le fait que votre santé n'est plus ce qu'elle était et tâcher de ne pas vous accabler de responsabilités. Votre rôle sera d'influencer les nombreux étudiants anglais qui seront de passage sur les bancs de cette vénérable institution, et aussi de convaincre nos voisins étrangers qu'une telle issue signifierait paix et prospérité pour nous tous.

Cheke hocha tristement la tête, visiblement chagriné de se voir rappeler son piètre état de santé, mais néanmoins résigné à accepter la réalité des faits.

— Sir Peter, vous vous rendrez quant à vous à Venise et saurez, j'en suis certain, amener bon nombre de personnages influents là-bas à reconnaître les mérites de notre cause. Le doge Venier constitue un obstacle probable, car il est vieux et ses vues sont bien arrêtées. C'est aussi un fervent catholique et il fait confiance à sir Peter Vannes. Néanmoins, vous devrez faire tout ce que vous pourrez.

Sir Peter Carew leva une main soldatesque. Il avait l'habitude de recevoir des instructions et de les suivre, et si la tâche exigeait courage, énergie et détermination, c'était l'homme qu'il fallait.

— Richard, votre mission sera difficile, car vous aurez la compagnie d'un indépendant pendant votre séjour à Venise.

Edward Courtenay n'a jamais eu beaucoup d'atouts dans son jeu et a connu, durant sa courte existence, plus d'épreuves et de solitude qu'il est possible d'en imaginer ou d'en endurer pour la plupart des gens. Cela dit, depuis sa libération, il s'est fait la réputation d'un homme vaniteux, facile à mener en laisse, sans force de caractère. Sa participation au mouvement de Wyatt contre la reine Marie en 1554, avec sir Peter ici présent, n'a apporté aucune contribution valable, et sitôt que Gardiner l'a interrogé, il a déballé toute l'histoire, en donnant des noms, dont celui de sir Peter. Son incapacité à retenir sa langue a bien failli coûter la vie à sir Peter, et vous ne serez pas surpris d'apprendre qu'ils ne sont plus des amis.

Je me tournai vers Carew, qui hocha sagement la tête en guise de confirmation.

— Depuis lors, il semble être devenu encore plus fanfaron et plus sot. C'est un homme dangereux qui ne peut recevoir aucune confidence, aussi insignifiante soit-elle. Richard, je crains que vos liens avec lui, au bout du compte, ne se révèlent préjudiciables pour vous. Le docteur Marwood nous est moins bien connu. Nous savons que c'est un ardent catholique et il ne s'en cache pas, mais ce seul fait ne saurait être retenu contre lui, et ce que j'ai entendu dire à son sujet me laisse croire que c'est un homme bon et peut-être digne de confiance. Mais le chemin que nous nous apprêtons à suivre est long et potentiellement dangereux, et pour ma part je n'oserais risquer la vie des autres dans le seul but de préserver une amitié. Vous avez décrit le docteur comme un « honnête catholique ». Tout ce que je puis vous répondre est que, selon mon expérience, cette combinaison ne me dit rien qui vaille et que, s'il y a un type qui doit nous inspirer méfiance dans le monde où nous vivons aujourd'hui, c'est bien celui-là. Je me méfie de la plupart des catholiques, mais les plus dangereux sont ceux qui se croient honnêtes, car en agissant sans malice (ni même, dans la plupart des cas qui me viennent à l'esprit, sans libre arbitre), ils sont susceptibles de divulguer les informations les plus dommageables au nom de la «vérité». Je n'ai rien contre le docteur, et je ne vous demanderais pas de renier votre amitié pour lui, mais par égard pour nous tous, nous devons vous demander de ne pas lui souffler mot concernant notre rencontre et la teneur de nos discussions. Êtes-vous d'accord ?

Je n'avais pas le choix, et même si j'étais convaincu qu'ils penseraient autrement s'ils connaissaient mieux Thomas Marwood, je pouvais comprendre leurs inquiétudes.

— Je suis d'accord et j'y consens. Thomas est pour moi un bon ami et un mentor depuis que j'ai huit ans, et j'espère qu'il le demeurera ; mais le risque est effectivement trop important. Je ne lui révélerai rien de tout cela. Quant au comte, je partage entièrement votre opinion. Je n'ai aucune confiance en lui, ni en ses intentions, ni en sa compétence. Je suis lié à son entourage pour l'instant, mais si j'ai l'occasion de m'extirper de cette situation, je n'hésiterai pas à le faire.

Ils parurent satisfaits de ma réponse et nous poursuivîmes la discussion. Il y avait peu d'actions à entreprendre à ce stade : seulement rester loyaux, garder la communication ouverte, et essayer d'influencer les événements en Angleterre à mesure qu'ils se présentaient. C'était, comme Walsingham l'avait dit, une bataille de longue haleine, et j'espérais pouvoir faire preuve d'autant d'habileté qu'il en montrait lui-même.

Il me restait une chose à apprendre.

— Il nous faudra communiquer entre nous à l'aide d'un code.

Walsingham ne blaguait pas.

— Il est un code dont je veux vous faire part, mais vous devez me dire d'abord quels sont les livres que vous transportez avec vous.

Je lui dis que, contrairement à Thomas, je possédais très peu de livres. J'avais toutefois un exemplaire du traité de Bullinger, *De la doctrine chrétienne dans sa pureté*, un cadeau de Lady Jane elle-même.

— J'espérais vous l'entendre dire. Il nous sert désormais de texte commun, la clef de nos communications secrètes. Sir John en possède un exemplaire juste ici. Maintenant, regardez.

Il se saisit d'un bout de papier et écrivit dessus : 12 4 7 36 374 66 8 2 72 8

— Voilà. Qu'est-ce que ça veut dire ?

Je le regardai d'un air ébahi. Je n'en avais aucune idée.

Walsingham fit signe à John Cheke de sa main ouverte, les doigts tendus. Cheke sourit, prit son livre et se mit à le feuilleter. De temps à autre il s'arrêtait pour noter un mot sur la feuille.

DIEU SOIT AVEC NOUS

— Comment avez-vous fait ?

Walsingham sourit.

— C'est un code variable, et très puissant. On peut le modifier en incluant des mots codés dans la lettre de couverture. Dans le cas présent, il faut savoir qu'il s'agit de cinq nombres, en alternance. Montrez-lui, John.

John Cheke retourna à son livre et dit :

— Page 12, ligne 4, mot 7...

Il chercha le mot en question.

— « Dieu ». Page 36, mot 374 : « soit ». Page 66, ligne 8, mot 2 : « avec ». Page 72, mot 8 : « nous ».

— Et voilà !

Je demeurai perplexe.

— Je ne vous suis toujours pas.

Walsingham me prit le bras.

— Nous utilisons un code à forme variable. S'il est à deux nombres, nous spécifions la page, puis le mot ; s'il est à trois nombres, nous utilisons la page, la ligne et le mot ; à cinq, nous alternons entre trois et deux, et ainsi de suite. Ainsi les briseurs de codes ne peuvent le déchiffrer aisément, même s'ils connaissent le livre de référence. Sans celui-ci, c'est impossible.

— Laissez-moi essayer.

Je m'emparai du livre et déchiffrai le code, groupe de nombres après groupe de nombres. C'était laborieux, mais cela fonctionnait.

— Que faites-vous si vous avez besoin d'un mot qui ne figure pas dans le livre, ou que vous ne le trouvez pas ?

Walsingham lança un clin d'œil à Cheke.

— Il s'améliore. Je crois qu'il fera l'affaire.

Il se tourna vers moi.

— Vous trouvez un mot de remplacement qui vous semble intelligible. Il vous faudra à l'occasion épeler le mot, et glisser des indices dans une lettre de couverture que vous enverrez avec la feuille codée. C'est ce que nous avons coutume de faire, car les gens ordinaires ont tendance à considérer seulement la lettre, sans se préoccuper des petits gribouillis qui l'accompagnent. Mais pour vous, ou pour moi, ce sont ces gribouillis qui transmettent l'essentiel du message.

— Que faut-il faire pour séparer les groupes de nombres ?

— Rien. Le déchiffreur saura les séparer lui-même.

Cela paraissait si compliqué.

— Est-il vraiment nécessaire de se donner toute cette peine ?

Walsingham sourit.

— Attendez qu'ils soient sur vos traces. À ce moment-là, oui, ce sera nécessaire. Seule une petite partie du message devra être chiffrée, habituellement sur une feuille à part. Vous pouvez vous servir du code pour transmettre un message secret, ou bien pour donner des indications qui serviront à interpréter la lettre de couverture, non chiffrée. Avec de la pratique, vous y arriverez !

Tandis que je prenais congé, quelque temps plus tard, la voix de Walsingham me retint sur le pas de la porte.

— Richard ?

Je m'arrêtai et me retournai.

— Ne perdez pas le livre !

~

Je quittai mes interlocuteurs avec des sentiments partagés. Même si j'étais heureux de mériter leur confiance et de faire partie de leurs futurs desseins, je me demandais tout de même dans quoi je m'embarquais. Pourquoi les choses devaient-elles se passer ainsi ? Pourquoi ce monde d'intrigues, de mensonges, de faux-fuyants ?

Je poursuivis ma promenade dans les rues de la ville. Durant la première demi-heure, je me surpris à regarder par-dessus mon épaule afin de voir si j'étais suivi ; mais bientôt je décidai que c'était ridicule et m'abstins d'être sur mes gardes.

Je songeai à la discussion que nous avions eue. D'abord, je ne niais pas que le règne de la reine Marie fût un désastre pour notre pays, et je souhaitais faire le nécessaire pour renverser la situation. De plus, j'étais d'accord pour dire que la princesse Élizabeth était la personne qu'il nous fallait pour remplacer la reine Marie, et je savais qu'il faudrait probablement attendre que celle-ci décède d'une mort naturelle pour qu'un changement s'opère.

Je savais également que ma participation à une lutte aussi grave était périlleuse et que, bien que ma vie ne fût pas sérieusement en danger tant et aussi longtemps que je me trouvais à l'étranger, le fait de prendre part à cette affaire (était-ce un «complot», ou un «arrangement»?) m'exposait à de plus grands risques.

Je savais que Courtenay n'était pas fiable du tout, et bien qu'il m'eût été tout à fait impossible de critiquer Thomas Marwood, je devais admettre qu'il aurait été imprudent de le mettre dans la confidence.

Dans ce cas, pourquoi me sentais-je si mal à l'aise?

Un vent froid commençait à souffler et je décidai d'aller me mettre à l'abri dans la basilique Saint-Antoine. Le calme de l'intérieur me permit de réfléchir. En bout de ligne, je ne parvins qu'à une seule conclusion: mon esprit savait reconnaître la logique de tout ce dont nous avions discuté. C'était mon cœur qui s'inquiétait à l'idée de garder des secrets, de vivre dans le mensonge.

Je sortis dans la piazza del Duomo, ayant résolu une partie du casse-tête. Je savais maintenant ce qui me troublait. À présent, que faire pour y remédier? Encore incertain, je commençai à retourner vers l'université et notre auberge. Et Lady Jane, qu'aurait-elle dit? Je n'eus pas à marcher bien longtemps avant que sa réponse me rattrape: «Vous savez ce qu'est le bien, et il est de votre devoir de vous battre pour lui.»

Je souris intérieurement. À quoi bon poser la question? Sur un enjeu aussi fondamental, elle n'aurait toléré aucun compromis. Et quid de ce malaise à l'idée de vivre dans le mensonge?

— Apprenez à vivre avec le malaise. Ce sont les désagréments de l'âge adulte. Vous êtes un homme, maintenant. Pensez en homme. Vivez en homme.

Je levai les yeux vers l'azur, clair et lumineux. «Merci», pensai-je en hochant la tête. Était-elle là à me regarder? En vérité, je ne le savais pas, mais comme Walsingham l'avait dit ce jour-là, pourquoi prendre un risque inutile? J'acceptai le conseil de Lady Jane, comme je l'avais toujours fait.

Chapitre 14

26 janvier 1556
Canal de la Brenta et Laguna Veneta

Au terme d'interminables pérégrinations, notre séjour à Padoue avait été merveilleux. Thomas s'était pratiquement volatilisé à la faculté de médecine de l'université, renouant avec de vieux amis, empruntant des livres et assistant à des conférences. Les rares fois où il nous avait rejoints pour souper, il donnait l'impression d'avoir rajeuni. Quel plaisir de le voir ainsi !

Courtenay semblait passer le plus clair de son temps avec la diplomatie locale et développer une solide amitié avec Peter Vannes. Après l'avertissement de Walsingham, je n'étais pas rassuré. Je n'avais aucune confiance dans le jugement du comte, ni aucune difficulté à l'imaginer en train de se faire tirer les vers du nez par un diplomate aguerri. Cela ne me concernait pas directement, car j'avais toujours pris soin de lui cacher mes activités et mes opinions personnelles, mais je me demandais tout de même si Vannes avait bel et bien reçu, comme Walsingham l'avait laissé entendre lors de notre entretien, des instructions de Londres l'incitant à garder un œil sur Courtenay.

J'avais eu l'occasion de revoir Cheke une ou deux fois après notre première rencontre. La plupart de nos conversations se limitaient à des évocations du bon vieux temps. C'était toujours avec joie que je parlais de Lady Jane, mais je me sentais un certain abattement après de telles conversations. Le souvenir était encore trop proche, trop vif.

Néanmoins, il était temps d'aller de l'avant. Aucun d'entre nous ne voulait quitter Padoue, mais puisque nous n'avions pas le choix, nous avions décidé que le plus tôt serait le mieux. Par conséquent, il n'était pas plus de neuf heures du matin, et le gel nocturne frappait encore sévèrement, quand nous arrêtâmes nos charrettes à Fusina, tout au bout de la route, à une douzaine de milles de Padoue.

Le chemin depuis la ville était tout à fait plat, longeant le canal de la Brenta, et en temps normal nous aurions pu tout embarquer sur une barge à Padoue et prendre nos aises. Mais le temps n'avait rien de normal ce jour-là. Le canal était gelé. Le conseil des bateliers s'était accompagné d'un haussement d'épaules :

— Qu'est-ce qui vous presse tant ? Nous aurons bien une averse d'ici quelques jours ; l'eau fera fondre les glaces et le canal s'ouvrira. Il n'y a qu'à attendre.

Ils ne semblaient connaître aucune urgence.

Mais une fois parvenus si loin, nous étions tenus par l'honneur de poursuivre le voyage jusqu'au bout, et la destination convenue était Venise. À présent, la route se trouvait derrière nous, et seules les eaux de la lagune nous séparaient de la cité insulaire.

— La voici. Venise. La Sérénissime. Notre voyage s'achève.

Je sentais que Thomas prendrait plaisir à nous servir de guide. Déjà, sa main tendue nous invitait à la découverte.

Nous répondîmes par un hochement de tête satisfait tandis que nos montures soufflaient dans l'air froid du matin.

— Comment traverser ?

Thomas, l'esprit toujours pratique, s'était empressé de dire à voix haute ce que nous pensions tout bas. Nous avions réussi à nous convaincre que, même si les eaux intérieures du canal étaient gelées, les eaux salées de la lagune demeuraient ouvertes à la navigation.

Mais la lagune semblait elle aussi complètement gelée, sa surface blanc sale ne laissant aucunement deviner l'eau sombre qui stagnait en dessous. La couverture de glace paraissait assez épaisse pour être franchie à pied, et des traces indiquaient que l'on avait fait traverser des charrettes les jours précédents. C'était une chose de présumer qu'il était possible de passer en toute sécurité; c'en était une autre que de s'aventurer avec sa monture et ses effets personnels, dans une charrette lourdement chargée, sur cette vaste étendue de glace… Nous attendîmes, hésitants.

Derrière nous, sur le chemin désert, deux jeunes garçons apparurent, conduisant un mulet et une petite charrette. Ils nous saluèrent d'un air amusé, voyant bien que nous nous demandions que faire. Ils commencèrent à décharger de petites boîtes en bois de leur charrette et à les empiler au bord du chemin. Nous les observions d'un air perplexe. Conscients d'être au centre de l'attention, les deux garçons poursuivirent leur travail jusqu'à ce que la charrette fût vide. Puis le plus jeune des deux, qui avait remarqué nos vêtements et notre accent étrangers, s'adressa à nous :

— Vous ne pouvez pas vous servir des chevaux. Ils vont glisser et paniquer. Vous ne pouvez pas traverser comme ça.

Nous lui demandâmes, dans ce cas, comment tirer nos charrettes.

— Avec du bétail. Vous devez dételer les chevaux et laisser les bœufs tirer la charrette. C'est la seule manière de les faire marcher sur la glace : en suivant les charrettes.

Nous acquiesçâmes d'un signe de tête, et le garçon, du haut de ses six ans, se gonfla d'orgueil, content d'étaler sa science.

— Mais où trouver des bœufs ? demanda Thomas d'un ton bienveillant.

L'autre garçon s'empressa de répondre, soucieux de ne pas laisser le plus jeune mobiliser toute notre attention. Il leva le pouce par-dessus son épaule.

— Ils arrivent, regardez.

En effet, une douzaine de charrettes tirées par du bétail s'avançaient lourdement vers nous, suivies d'une autre douzaine de têtes sans attelage. Lentement ils ralentirent et s'arrêtèrent devant nous.

— Ces messieurs réclament des bêtes de trait ! s'écria le plus jeune d'un ton important.

Le charretier qui conduisait en tête haussa les épaules, comme si cette nouvelle ne signifiait rien pour lui.

— Et des chopines ! cria le plus vieux, et tous les deux se mirent à rire.

— Pourquoi avons-nous besoin de chopines ? demandai-je.

Je me rappelais que Lady Jane avait dû porter ces chaussures de liège à semelles épaisses le jour de son investiture, afin de paraître plus grande.

— Pour les chevaux, répondit le plus jeune. Il faut leur en mettre pour éviter que leurs sabots glissent. Regardez, je vais vous montrer.

Il courut vers l'une des charrettes immobilisées et en sortit un sac énorme, qu'il passa sur son épaule. Malgré sa taille, il n'avait aucune difficulté à le porter : le contenu, quoique volumineux, était donc léger. Il le déversa sur le chemin devant nous. C'étaient comme des bottes, faites de toile grossière, assez larges pour couvrir un sabot de cheval et munies d'un cordon d'attache. Un dispositif simple mais ingénieux.

Le garçon inventoria nos chevaux et se mit à compter les chaussures. Lorsqu'il en eut empilé un nombre suffisant, il remballa le reste. Il compta nos charrettes : cinq en tout.

— Cela fait vingt chevaux de trait et sept montures, ce qui donne en tout cent huit chopines. Dix roues de charrettes, chacune nécessitant la location d'un traîneau ; et il vous faudra louer dix têtes de bétail. Ce qui revient à... – il compta sur ses doigts et nous regarda attentivement – vingt-deux *grossi*.

Je vis, rien qu'un instant, le regard de surprise qui parut sur le visage de l'autre garçon, et sus que nous étions en train d'être escroqués. Usant de mon meilleur accent vénitien, je rétorquai :

— C'est du vol ; nous vous en donnerons quinze.

Le garçon me tapa deux fois dans la main.

— Marché conclu. Et nous exigerons une caution de deux ducats pour dommages et intérêts.

Je lui donnai une tape à mon tour.

— Un ducat de caution seulement, et je tiens à ce qu'il me soit retourné s'il n'y a pas de dommages.

Il me serra la main.

— C'est d'accord. Donnez-moi l'argent et j'irai chercher le bétail.

— Combien est-ce qu'il demande ? s'écria le comte.

— Quinze *grossi*, répondis-je, irrité, car, à tort ou à raison, j'avais déjà conclu un accord.

— Combien cela vaut-il ? demanda le comte.

Thomas vint à la rescousse.

— Les choses ont peut-être changé depuis, mais du temps où j'habitais Padoue, on comptait trente-deux *piccoli* pour un *grosso* et douze *grossi* pour un *soldo*. Après, il fallait vingt *soldi* pour faire une lire. En fait, c'est le même principe qu'en Angleterre, seulement les pence s'appellent *grossi*; les shillings, *soldi*; et les livres sont plutôt des lires.

Le comte demeura perplexe et secoua la tête.

— Et les ducats? répondit-il, de plus en plus agacé.

— Un ducat vaut deux *soldi* ou un dixième de lire. On s'en sert pour les actes juridiques, tels les dots ou les testaments.

— Un peu comme nos florins? avançai-je.

Thomas me fit un clin d'œil et hocha la tête.

— Oui, mais combien cela *vaut-il*? demanda Courtenay, toujours aussi perplexe.

— Difficile de comparer. Si je me rappelle bien, la dernière fois que je suis venu, les prix et les salaires étaient quatre fois plus élevés qu'en Angleterre.

Courtenay interpella le garçon d'un geste brusque.

— Nous refusons de payer. Votre prix est exorbitant.

Le garçon haussa les épaules en faisant la moue.

— À votre aise. Vous n'avez pas le choix, à moins de rebrousser chemin jusqu'à Padoue, ou d'attendre le dégel d'ici trois semaines.

Courtenay remonta en selle comme pour rentrer à Padoue, mais nous nous gardâmes de l'imiter. Il nous lança un regard furieux, puis finit par redescendre, fâché de constater que nous n'avions pas suivi automatiquement son exemple.

— Très bien, j'abandonne, mais seulement parce que vous avez déjà conclu un marché, Richard. Je pense encore que vous vous êtes fait rouler, et moi aussi.

J'acquiesçai sagement, cherchant à contenir mon irritation. S'il croyait pouvoir obtenir un meilleur arrangement, il n'avait qu'à négocier lui-même. Le garçon se tourna vers moi et je lui donnai mon approbation. Il sourit et s'en alla chercher le bétail. Nous dételâmes les chevaux et les remplaçâmes par les bœufs, qui se soumirent à l'exercice avec calme. Pour eux il s'agissait d'une forme de routine : visiblement, ils avaient l'habitude de la glace. Il n'en allait pas de même pour nos chevaux, et nous eûmes beaucoup de difficulté à fixer les chopines à leurs sabots.

Il nous fallut bien près d'une heure pour nous préparer. Quand nous eûmes terminé, les autres s'étaient déjà aventurés sur la glace et avaient presque franchi la lagune. Nous pouvions également discerner au loin des charrettes se dirigeant vers nous, et le trajet que nous devions emprunter sur la glace se précisait de minute en minute. Les bœufs tirèrent les charrettes jusqu'au bord de la glace, où des caisses avaient été placées. Quand les roues des voitures s'emboîtèrent dans les caisses, celles-ci agirent comme une sorte de traîneau, distribuant le poids des roues et glissant facilement sur la glace.

Nous partîmes alors, comme on nous l'avait dit, un à un, marchant derrière une charrette et conduisant les chevaux à la file. Le comte suivait la première charrette de très près, s'accrochant au hayon arrière pour mieux garder l'équilibre. Je le suivais derrière la seconde charrette. Thomas fermait la marche en gardant ses distances, veillant au bon déroulement de notre traversée.

Nous devions avoir franchi les deux tiers du trajet quand le conducteur d'une charrette arrivant en sens inverse décida d'en remontrer à son collègue d'en face. Il fouetta soudainement ses bêtes pour les faire aller au trot, debout sur sa plateforme en criant comme un perdu. Les deux bêtes s'agitèrent et se mirent à patiner, battant des pieds pour se stabiliser. Une large fissure s'ouvrit à la surface de la glace. Sous la roue droite de la première voiture, le traîneau se fendit ; la roue, à son tour, commença d'entamer la glace, et la charrette, lentement mais sûrement, pencha dangereusement vers la droite.

Dans la voiture de tête, le chargement remuait. La boîte contenant la plupart de mes affaires, y compris l'ouvrage de Bullinger, *De la doctrine chrétienne dans sa pureté*, se mit à glisser vers l'eau. Si je perdais ce livre, je ne pourrais plus envoyer ou recevoir de messages chiffrés. Des vies seraient peut-être mises en danger.

Tout juste devant moi, le second charretier, voyant ce qui se préparait, tourna à gauche en forçant l'allure, tandis que je me lançais en avant pour récupérer mon précieux livre, patinant sur la surface glissante. La charrette pencha encore un peu plus, et quand j'arrivai auprès du comte, celui-ci glissa tête première dans l'eau. Instinctivement, je lui saisis l'épaule et fus entraîné avec lui dans les eaux froides. Je levai les yeux, priant pour que la charrette ne se renverse pas sur nous. Elle continua de basculer mais s'arrêta dans un angle impossible. Sitôt que j'étirai les jambes sous moi, je touchai le fond ; je me trouvais donc plongé dans l'eau glaciale jusqu'à la taille. J'aidai le comte à reprendre pied, et nous pûmes ensuite grimper sur la roue du chariot afin de remonter sur la glace.

Heureusement, le charretier à l'origine de l'incident se montra serviable et rangea sa charrette vide à côté de la nôtre. Ainsi nous pûmes décharger la plupart de nos affaires et les transférer dans l'autre charrette, tout en veillant à ne pas précipiter notre voiture dans l'eau. En s'aidant de traîneaux supplémentaires, nous fûmes capables de la tirer hors de l'eau et loin de la fissure, où la couverture de glace commençait déjà à se reformer.

Le froid nous obligeait désormais à faire vite, et les autres s'empressèrent de gagner le rivage tandis que je rassemblais les chevaux que je devais conduire. Ils étaient terrifiés. Quand j'eus rejoint le reste de la compagnie, les charrettes étaient déjà montées sur le quai en bordure du canal, et le comte cherchait des vêtements secs. Malgré le froid qui l'incommodait, il m'accueillit chaleureusement.

— Richard! Vous avez fait preuve de beaucoup de courage. Nous aurions pu nous noyer tous les deux ou être écrasés par la voiture. Je ne l'oublierai pas.

L'ayant remercié avec un sourire, je tentai moi aussi de dénicher mes vêtements secs. Je n'avais pas le cœur de lui dire que je ne cherchais qu'à sauver mes livres de la catastrophe, et que lui-même ne m'intéressait pas. Mais s'il éprouvait de la gratitude, je n'aurais su le lui reprocher.

Une fois de plus, je dus changer de vêtements en public, pour la plus grande distraction des passants qui nous observaient d'un air franchement amusé. Bien qu'insensible à leurs regards, je ne partageais pas leur gaieté.

Le temps de reprendre nos esprits, on s'était déjà occupé de dételer les bêtes. À présent, on s'affairait à les conduire vers d'autres charrettes pour le voyage de retour. Le plus jeune des deux garçons, étant passé derrière nous, ramassait les chopines (je n'ai jamais pu découvrir leur véritable nom) et les fourrait dans un sac.

— Hé! m'écriai-je. Où est notre caution?

Le jeune garçon sourit et haussa les épaules, comme s'il ne pouvait rien y faire.

— Vous l'avez perdue. Tous ces dommages… Cela nous coûtera une fortune pour tout réparer! Vous avez brisé nos traîneaux, et perdu cinq chopines. Il a fallu confisquer votre caution.

Je lui lançai un regard furieux.

— C'est votre abruti de conducteur qui a causé l'accident! Demandez-lui de payer. Rendez-moi ma caution d'un ducat ou je vous dénoncerai aux magistrats.

Le sourire disparut de son visage mais il conserva un air de défi.

— Les *provveditori* ne me font pas peur. De toute façon, nous, on meurt de faim : chaque *piccolo* est précieux et on compte bien garder ce qui nous revient. Mais voici ce qu'on va faire : je vous en donne la moitié, douze *grossi* – et c'est mon dernier mot.

Je le regardai durement, mais en vérité je n'avais plus l'énergie de me battre. Encore trempé sous mes vêtements secs, j'avais très froid, et nous n'avions toujours pas trouvé d'hébergement dans cette ville inconnue.

— Marché conclu.

Je lui serrai la main et il laissa glisser douze pièces déjà chaudes au creux de la mienne. Il avait tout prévu à l'avance.

⁓

Il était difficile de nous rappeler à présent quelles avaient été nos espérances lorsque, deux mois et demi auparavant, Thomas et moi nous étions embarqués à Lyme Regis au début de notre voyage ; mais je pense qu'aucun d'entre nous n'avait envisagé notre arrivée à Venise de cette manière. Épuisés, désorientés, nous nous sentions seuls au monde.

Nous avions touché terre non loin de la Fondamenta di Cannaregio et ne savions guère où nous nous trouvions, encore moins par où aller et où trouver un hébergement pour la nuit.

Contrairement à son habitude, et contre toutes mes attentes et préjugés, Son Excellence vint à notre secours en interpellant le premier marchand bien vêtu que nous rencontrâmes, lui demandant où se trouvait le meilleur hôtel de la ville. Il nous indiqua le chemin de l'Albergo *di Leon Bianco*, l'« auberge du Lion blanc », établissement que nous trouvâmes sans problème et qui nous parut de toute première catégorie.

Il nous fut beaucoup plus difficile de transporter nos affaires avec nous, cependant; car la ville était conçue pour les déplacements sur l'eau, et même si nous pouvions marcher le long de la Fondamenta di Cannaregio et y conduire nos chevaux, les nombreux petits ponts qu'il fallait traverser pour enjamber les canaux ne convenaient pas aux charrettes. En fin de compte, il fallut nous résigner à laisser nos voitures ainsi que plusieurs de nos chevaux dans une étable, et charger nos affaires sur des mulets.

Si ces complications nous contrariaient, les habitants de la ville, eux, étaient positivement malheureux. C'était comme si toute la vie urbaine était paralysée par la glace. Chacun se lamentait sur le gel en espérant qu'un redoux surviendrait bientôt. Mais pour nous, l'arrivée constituait un enchantement, et nous fûmes heureux, pendant au moins un jour ou deux, du seul fait de nous trouver là.

Nous étions arrivés sains et saufs. Il n'y avait qu'à remercier Dieu.

Chapitre 15

Matin du 4 février 1556
Albergo *di Leon Bianco*, dans Cannaregio

— Est-ce qu'il boude encore ?

Debout sur le ponton de l'hôtel, j'attendis la réponse de Thomas, qui finit par me confirmer que Courtenay ne prendrait pas la gondole avec nous.

Depuis notre arrivée à Venise, le comte avait attendu une invitation du doge pour son accueil officiel dans la Sérénissime, et chaque jour ses espoirs avaient été déçus. Cela faisait désormais quatre jours qu'il boudait, Thomas et moi avions alors conclu que la meilleure façon de gérer la situation était de le laisser à lui-même et d'explorer la ville sans lui. Mais la veille au soir, l'invitation lui était enfin parvenue et tout avait changé : nous étions invités à rejoindre le comte pour assister à la cérémonie d'accueil, aujourd'hui à trois heures.

— Il dit que nous devrions partir sans lui. Non, il ne boude plus, mais il veut se préparer pour la cérémonie de cet après-midi. Je l'ai assuré que nous serions revenus à temps, mais il voulait être sûr que ses habits seraient brossés, et prendre le temps de mettre ses déclarations par écrit. Enfin, je lui ai dit que nous le retrouverions là-bas, devant la porte du Palais des Doges, quelques minutes avant l'heure.

Thomas me rejoignit sur le ponton et nous descendîmes doucement dans la gondole. Quelle transformation depuis notre arrivée ! Au cours de la semaine précédente, le temps avait considérablement changé : jour et nuit, le ciel déversait des torrents d'eau, le froid tranchant ayant laissé place à une chaleur collante. La glace, qui enserrait tout dans son étau le jour de notre arrivée, avait pratiquement disparu, et très tôt ce matin-là, à notre lever, un soleil ardent était apparu qui achevait de tout faire fondre.

Avec ce changement de température, Venise s'était réveillée. Délivrée de ses entraves de glace, elle retournait à la vie normale. Désormais, nous étions à même d'explorer la ville comme elle se devait de l'être : en prenant tout notre temps, et au gré des canaux.

— Où va-t-on d'abord ?

Le gondolier s'appuya sur sa longue rame en attendant nos instructions.

— Jusqu'à l'extrémité ouest du Grand Canal, près de San Geremia, puis nous reviendrons et continuerons jusqu'à la mer, dans le bassin de Saint-Marc, où se tiennent les grandes fêtes navales.

Thomas goûtait pleinement son retour dans la ville, qu'il avait visitée à plusieurs reprises durant son séjour à Padoue. Je constatais déjà tout le plaisir qu'il retirait à me présenter « sa ville » ; et c'était merveilleusement reposant de rester assis à attendre que tout se dévoile à mon regard.

La gondole s'avança au milieu des eaux du Grand Canal, laissant derrière nous la Ca' da Mosto, et prit à droite devant un édifice énorme, récent, auquel des ouvriers s'affairaient encore à mettre la dernière main.

— Impressionnant, n'est-ce pas ?

Thomas pencha la tête en arrière et leva la main à la hauteur de ses yeux pour les protéger du soleil matinal, tandis que nous examinions ce nouveau chef-d'œuvre architectural de Venise s'avançant majestueusement au détour du canal.

— C'est le nouveau marché, construit par Sansovino. Il vient d'être inauguré. Il ne s'y trouvait pas quand je suis venu, à l'époque. Cela me plaît beaucoup.

L'édifice, comme tant d'autres autour de nous, était effectivement magnifique. Je regardai à gauche et à droite. On trouvait partout des *palazzi*, leurs façades offrant au monde un témoignage de la richesse de Venise, un gage éternel de la puissance et de la réussite commerciale de la république. Le spectacle était, en un mot, époustouflant, et dépassait mes espérances les plus folles.

— Thomas ! Cet endroit est tout simplement incroyable. Quelle ville magnifique !

Le gondolier s'appuya sur sa rame avec aisance et nous remontâmes prestement le courant, laissant le marché aux poissons sur notre gauche, puis, manifestement, ce qui ne pouvait être que la Ca' d'Oro à notre droite. C'était un autre édifice remarquable. Sur sa façade dorée se détachaient d'innombrables fenêtres, enchâssées dans de minces faisceaux de marbre tissés comme de la guipure. Cela produisait l'effet d'une aile de papillon, un papillon qui, néanmoins, aurait déjà traversé un long été chaud.

Thomas me donna une petite tape sur l'épaule, pointant du doigt.

— Je ne voudrais pas refroidir d'aucune façon ton enthousiasme pour cette majestueuse ville, Richard, mais je te conseillerais d'exercer un brin de retenue dans ton jugement…

Je le regardai avec surprise, et il leva de nouveau le doigt en l'air, vers l'immeuble que nous étions sur le point de dépasser.

— Cela en dit long sur la ville que nous sommes en train de visiter, Richard.

Thomas, comme moi, regardait à présent la façade dorée.

— À l'époque de sa construction, cet édifice était recouvert de feuilles d'or. Oui, de l'or véritable ; ce n'était pas de la peinture. Mais déjà, tu peux voir que l'or s'effrite par endroits, surtout, tu le remarqueras peut-être, vers le bas, là où les gens sans scrupules peuvent tendre le bras et gratter la feuille d'or en menant tranquillement leur barque, la nuit. Cela symbolise la réalité de cette ville et l'empire sur lequel elle est fondée. Venise pourrait durer pendant des siècles, mais son déclin, si lent soit-il, est inexorable.

Ces paroles m'étonnèrent, car nous avions devant nous une ville incomparable, riche d'édifices pouvant égaler et même surpasser ce que les palais de Nonsuch, Whitehall ou Hampton Court avaient de plus beau à offrir.

— Pourquoi évoques-tu tout cela de manière aussi pessimiste ?

Ses dires ne cadraient pas avec la magnificence étalée tout autour de moi. L'agitation reliée au commerce et aux affaires, les bateaux de pêche déposant leur chargement devant le marché aux poissons, les gens bien vêtus déambulant sur les *fondamente* : tout cela était la marque d'un succès perdurable.

Thomas leva les mains vers le ciel.

— Cette ville ne mourra jamais ; elle demeurera prospère, j'en suis sûr, mais seulement dans la mesure où d'autres villes sont prospères. Ce sont la richesse et l'opulence extravagantes du moment qui finiront par s'amenuiser, et avec elles la grande route que nous avons parcourue depuis Augsbourg. Pourquoi ? Parce que toute cette richesse est générée par la maîtrise de la seule route praticable pour le commerce, qui se voit ainsi enserré dans l'étau vénitien. Mais sitôt qu'un autre chemin sera découvert, et que cet étau se desserrera, les effets du ressentiment seront palpables, et la majeure partie du commerce déguerpira aussi vite que possible. Tu verras !

J'étais surpris de l'entendre dire de pareilles choses, mais aussi de le savoir en possession d'informations aussi capitales.

— Comment es-tu au courant de tout cela, Thomas ?

— J'ai eu l'occasion de parler à mes savants amis quand nous étions à Padoue, et ils m'ont tout expliqué. Le monde se transforme rapidement, l'argent des Fugger sort des confins d'Europe : on investit dans de nouvelles routes commerciales, par-delà l'océan Atlantique, vers de nouveaux pays, et en contournant les côtes méridionales de l'Afrique jusqu'aux Indes, Cathay et Chipango. Évidemment, certains sont d'avis que ces nouvelles routes représentent exactement ce dont Venise a besoin pour éloigner le péril turc. Depuis qu'ils ont repris Constantinople, il y a un siècle, ceux-ci menacent les voies commerciales terrestres, l'Empire vénitien et même l'Europe de l'Ouest. N'oublie pas que vingt ans seulement se sont écoulés depuis le sac de Marseille par Barberousse, et pas plus d'une douzaine depuis ses assauts sur les côtes italiennes. Ainsi la menace est toujours là, bien tangible. Mais mes amis padouans croient que, en dernière analyse, la position géographique restera primordiale pour la maîtrise du commerce maritime : les ports de Cadix, Lisbonne, et même les ports anglais devraient donc un jour avoir le dessus. Ce ne sera pas aujourd'hui, ni demain, mais lentement les choses vont changer.

Il releva les yeux vers les façades lumineuses qui défilaient devant nous, en hochant tristement la tête, comme si tout était perdu. C'en était trop.

— En attendant, nous sommes ici, dans cette ville florissante, et pour ma part, j'ai bien l'intention d'en profiter!

Je sentais que les sombres prédictions de Thomas menaçaient de gâcher cette magnifique journée. Il me regarda, hocha la tête avec un sourire, puis s'installa confortablement sur les coussins moelleux afin d'admirer la vue; mais je pouvais encore lire une vague mélancolie sur son visage, comme s'il se souvenait d'un proche depuis longtemps disparu, mais qui néanmoins lui manquait cruellement.

Nous continuâmes notre progression sur le canal. Le gondolier maniait sa rame de manière experte et propulsait l'embarcation vers l'avant sans aucun effort apparent, tout en nous désignant chacun des palais et en déclinant les noms des grandes familles qui les avaient construits: Morosini, Rezzonico, Foscarini, et plus loin, le palais de la famille Este, les ducs de Ferrare. Tout cela était-il vraiment au bord du déclin? Cela paraissait si improbable.

— As-tu réussi à éclaircir le mystère?

Thomas semblait faire un effort pour se défaire de son humeur morose.

— Quel mystère?

— Comment le gondolier réussit à nous conduire en parfaite ligne droite en ne s'aidant que d'une seule rame.

Thomas ne put attendre que je trouve moi-même la réponse. Il me la donna sur-le-champ.

— Elle n'est pas symétrique, la gondole; les deux côtés sont de forme différente, et elle dévie d'un côté, ce qui compense pour le déplacement de la rame.

Observant le gondolier, je vis bientôt ce qu'il voulait dire. C'était fort ingénieux. Qui, me demandai-je, avait eu cette idée à l'origine? Chacun sait que, pour construire une embarcation, il faut commencer avec une quille bien droite, et construire une charpente symétrique de chaque côté. Ce genre de casse-tête me procurait une étrange satisfaction, et j'observai, fasciné, le gondolier nous démontrant l'efficacité du stratagème. Celui-ci savait à présent que nous parlions de lui, et commença à faire étalage de son savoir-faire.

— Comme tout le reste à Venise, c'est un art plus subtil et plus complexe qu'il n'y paraît au premier abord. C'est ce qui fait, en partie, le charme de cet endroit, Richard. Regarde les palais, leur aspect varié : on y trouve de l'architecture arabe, des éléments d'architecture juive, des façades byzantines, des fenêtres gothiques... et de nos jours, ce qu'on appelle maintenant le « nouveau style Renaissance ». La fine fleur de tout ce qui se fait ailleurs, quémandée, empruntée ou bien volée. Il y a dans cette ville une énergie qui vous transporte. On peut dire la même chose de ses habitants. Ici, on rencontre tout le monde : des commerçants chinois, des marchands de soie mongols, des cordonniers allemands, des épiciers maures, des peintres italiens, de talentueux souffleurs de verre de Murano, et des dentelliers de Burano qui peuvent presque rivaliser d'habileté avec ceux de Honiton. Et au milieu d'une telle variété, il devient possible de se familiariser avec les textures, les couleurs, les odeurs et les sons du monde entier. Tu vas adorer cette ville, Richard. Profites-en bien : tu la connaîtras peut-être à son apogée.

J'étais content. Thomas perdait rarement sa bonne humeur et il n'était pas raisonnable de se laisser aller au désespoir par une si belle matinée, pensai-je, alors qu'un soleil printanier nous inondait de ses chaleureux rayons. Passant le Palazzo Gritti, nous poursuivîmes notre chemin jusqu'à l'embouchure du canal, non loin de l'endroit où nous avions débarqué, une semaine auparavant.

N'apercevant plus que des champs de boue devant nous, nous fîmes demi-tour devant le Palazzo Foscarini-Contarini, résidence d'un célèbre doge du siècle dernier.

Ainsi, désormais tournés vers les rayons du soleil, nous remontâmes les méandres du canal jusqu'à notre point de départ et continuâmes jusqu'au Rialto. Là, un pont délabré était suspendu de manière précaire au-dessus de nos têtes : tout le parapet s'était effondré dans l'eau d'un côté de la structure. Thomas dit que l'on discutait d'un concours pour l'élaboration d'un nouveau pont de pierre, mais que pendant ce temps, on continuait de jouer les acrobates sur le vieux pont de bois pour y fixer des planches, afin d'assurer un passage temporaire, et en apparence très hasardeux, au-dessus de l'eau.

Ici, le Grand Canal s'orientait au sud-ouest et alignait une longue suite de palais, comme pour réfuter les sombres prédictions de Thomas. Devant un défilé aussi somptueux, il devenait difficile d'apprécier la magnificence de chaque édifice, et je m'aperçus que je commençais à faire la fine bouche : je ne recherchais plus que le meilleur, le plus beau, et me concentrais uniquement sur cela jusqu'à ce que la gondole s'en éloigne. Au détour suivant du canal, cette fois vers le sud, la Ca' Foscari retint mon attention. Ici, le soleil vint frapper directement nos paupières engourdies par l'hiver.

Il faisait bon, après tant de semaines d'effort, s'allonger tranquillement et écouter le doux clapotis de l'eau contre la mince paroi de la gondole. Après avoir traversé ce qui m'avait semblé l'hiver le plus long de ma vie, la chaleur du soleil inondant ma poitrine me convainquit de l'arrivée imminente du printemps. Il m'était arrivé si souvent, au cours de notre voyage, alors que le froid et l'humidité se succédaient avec une constance obstinée, de rêver de Venise ;

et dans chacun de ces songes, il y avait un soleil chaleureux, une douce brise, et, toujours, le murmure de l'onde.

Une chose, cependant, n'était pas prévue : c'était la puanteur. Je me demandai bientôt comment on faisait pour éliminer les eaux usées de tous ces gens. Lentement, je compris que les canaux eux-mêmes servaient de système de vidange et que, en ce moment même, nous étions transportés sur le plus grand égout de la ville. Instinctivement, je retirai ma main de l'eau où je l'avais laissée traîner, et reniflai l'odeur de mes doigts.

— Thomas ? Comment fait-on ici pour s'approvisionner en eau fraîche ? Je ne puis croire que l'on ose s'abreuver ou même se laver à même l'eau des canaux !

Thomas avait remarqué mon geste de dégoût et se mit à rire.

— Tu n'as pas tort, bien que l'on enlève la plupart des ordures à l'aide d'embarcations spéciales qui les étalent dans les champs de la lagune. C'est pourquoi il y pousse de si bons légumes. Mais pour ce qui est de l'eau potable, la plupart des maisons sont construites autour d'une cour commune, chacune d'entre elles équipée d'une *cisterna* : c'est un puits servant à amasser l'eau de pluie, et dont on peut tirer de l'eau potable.

Soulagé, je portai de nouveau mon attention vers l'architecture, en me gardant bien de mettre la main dans l'eau. Nous passâmes le Palazzo Loredan et commençâmes à tourner vers l'est, la brise devenant plus fraîche tandis que nous approchions de la mer. L'air marin vint assaillir nos narines et la gondole se mit à tanguer pour la première fois, sous l'action de petites vagues. L'ombre du Palazzo Contarini nous priva de lumière, mais rien qu'un court instant ; puis, nous retrouvâmes les puissants rayons du soleil et passâmes la Ca' Grande, rencontrant des vagues toujours plus grandes à mesure que nous approchions des eaux libres.

Enfin, le canal s'élargit, et tandis que nous atteignions la mer, nous pûmes apercevoir le campanile de San Marco haut dans le ciel à notre gauche. Cela signifiait, je l'avais appris lors d'une promenade dans les environs quelques jours auparavant, que nous approchions du Palais des Doges. Nous nous apprêtâmes à descendre. La gondole nous déposa sur le quai du Molo San Marco, et quand nous mîmes pied à terre, les cloches du campanile sonnèrent deux heures : nous étions en avance, et disposions d'une heure avant la présentation du comte devant le doge.

Nous trouvâmes une petite taverne non loin de la place Saint-Marc, et ayant commandé du poisson, du pain et du vin, nous attendîmes. Une question revenait sans cesse me hanter depuis le début de la matinée, et à présent, il fallait que je la pose.

— Thomas, c'est peut-être une question stupide, après avoir voyagé si longtemps pour se rendre ici, mais combien de temps crois-tu rester avec Son Excellence ? Que te figures-tu que nous allons faire ici ?

Thomas avait un sourire particulier qu'il adoptait lorsqu'il s'efforçait de répondre à mes questions les plus idiotes, et de fait, c'était celui-là qu'il arborait à présent.

— À vrai dire, Richard, je ne sais pas. Quand Edward Courtenay m'a fait part de son intention de se rendre ici, je me suis mis à penser à tous ces gens savants que j'avais rencontrés lors de mon séjour précédent dans la région – surtout à l'université de Padoue – et j'ai ressenti une forte envie de les revoir une fois dans ma vie, et de renouveler mes connaissances, pendant qu'il me restait encore de l'énergie pour effectuer le voyage. De retour dans le Devon, j'en ai parlé à Dorothy, et à mon grand étonnement, elle s'est montré favorable à l'idée. Elle était d'accord pour me laisser partir si c'était là ce que je voulais, mais elle m'a demandé, si possible, de ne pas quitter le foyer pendant plus de six mois. Je lui ai dit que ce serait difficile, que je ferais de mon mieux, en lui promettant que d'aucune façon je ne m'éloignerais de la maison pendant plus d'un an. En ce qui concerne notre emploi du temps, eh bien, tu as toute la liberté voulue. Je sais que le comte souhaite accepter une invitation qui lui a été lancée il y a longtemps par le duc Ercole d'Este à Ferrare, et il sait que je souhaiterai passer quelque temps encore à Padoue avant de rentrer en Angleterre. Cela mis à part, nous n'avons aucun engagement spécifique l'un envers l'autre. Pour ton propre avancement, il me ferait plaisir de te présenter aux nombreux amis qu'il me reste encore à l'université de Padoue, au cas où tu déciderais de suivre mon exemple et de te porter candidat à la faculté de médecine. Je crois toujours que tu as ce qu'il faut pour exercer ma profession, et comme tu me l'as souvent entendu dire, je pense qu'il n'y pas meilleur endroit au monde pour l'apprendre qu'à Padoue.

Le repas nous fut servi et nous commençâmes à manger. Thomas poursuivit, entre deux bouchées.

— Je pense que le comte continuera de payer nos dépenses importantes tant et aussi longtemps que nous demeurerons avec lui ; mais quand le temps viendra de nous séparer (parce qu'il en aura décidé ainsi, ou bien à notre propre instigation), nous serons laissés à nous-mêmes et il faudra nous débrouiller. Penses-tu à quelque chose de précis, Richard ?

Je secouai la tête tranquillement.

— Non, rien. Quand nous avons quitté l'Angleterre, j'avais un but. C'était, je suppose, en grande partie un désir de fuite : l'envie d'échapper à l'oppression grandissante que je percevais dans notre société et d'aller respirer ailleurs l'air frais de la liberté. Je rêvais de Padoue et de Venise, mais sinon que d'aspirer à la découverte d'un nouveau pays regorgeant de soleil (et d'eau, dans le second cas), je ne m'étais fixé aucun objectif particulier, sauf celui de m'y rendre. Maintenant, nous y sommes, et je ne sais que faire de moi-même. Comme si... comme si quelque chose me démangeait.

— Te démangeait ?

— Je me sens perturbé. J'aime savoir où je suis et où je me dirige, alors qu'actuellement, je n'en ai pas la moindre idée. Qui plus est, je ne sais pas vers qui ou quoi me tourner afin de trouver une réponse à ces questions. En théorie, je suis le secrétaire particulier du comte, mais puisque toutes ses lettres semblent être en anglais et qu'il préfère les rédiger lui-même, je ne me sens d'aucune utilité.

Thomas nettoya son assiette avec son dernier morceau de pain.

— Donne-toi un mois, puis nous en reparlerons. Nous ne serons pas ici pour longtemps, et quand nous partirons tu regretteras de ne pas avoir pleinement profité de ta visite alors que tu en avais l'occasion. Il y a beaucoup à voir et je suis convaincu que tu ne tarderas pas à rencontrer bon nombre de gens intéressants. D'ici là, s'il te prend l'envie de retourner à Padoue, je t'accompagnerai. Entre-temps, profitons de notre séjour. Nous ne sommes pas à plaindre : le doge lui-même nous attend dans moins d'une demi-heure.

Il avait raison, bien entendu, et nous regagnâmes le soleil de la piazza à la rencontre de notre compagnon pour son rendez-vous avec le doge.

Chapitre 16

— Il semble que Courtenay et Peter Vannes soient devenus bons amis, ne trouves-tu pas ?

Le comte avait été traité comme un roi, car le doge Francesco Venier, un frêle vieillard aux yeux pétillant d'intelligence, avait parlé de Edward Courtenay comme du « dernier des rois anciens et puissants de la lignée des Plantagenêt », tandis que le Conseil des Dix l'avait accueilli avec tous les honneurs. La cérémonie, qui avait duré une heure, avait été pour lui une joie de tous les instants ; et désormais, son amour-propre se portait à merveille. Quand, à l'heure du départ, Thomas avait fait remarquer à quel point le Conseil des Dix et le doge l'avaient bien reçu, Courtenay lui avait répondu :

— Pas plus qu'il ne sied à mon rang.

Nous assistions au retour de l'autre Courtenay. « Va-t-il recommencer à m'appeler "Richiard" ? » me demandai-je.

Enfin, notre compagnon avait choisi de prendre le repas du soir avec Vannes, aussi Thomas et moi décidâmes de rentrer tranquillement à l'auberge, profitant de la quiétude du soir. Prenant vers le nord à travers les rues étroites de San Marco, nous parvînmes au Fondaco dei Tedeschi, un énorme entrepôt non loin du Rialto où les commerçants allemands logeaient et travaillaient, et où nous pensions pouvoir trouver un peu de cette nourriture allemande qui nous avait tant plu au cours de notre voyage. La chance étant de notre côté, nous pûmes nous attabler, pour la seconde fois ce jour-là, devant un délicieux repas arrosé de vin. Cette fois-ci, la conversation ne manquait pas.

Quand nous eûmes traversé l'une de ses grandes arches, la structure et la fonction de l'immeuble s'étaient révélées immédiatement à nos yeux, car au centre se trouvait une immense cour d'environ cent cinquante pieds de large qui servait manifestement d'espace de commerce durant le jour. À présent, le soir tombait, les bonnes affaires étaient conclues, et l'intérieur était rempli de tables où les marchands exténués et leur clientèle non moins épuisée dressaient les comptes de la journée en prenant un verre et une bouchée.

Assis à table, nous regardions tout autour de nous. Les murs de la cour à l'intérieur du Fondaco étaient recouverts de fresques, dont deux, nous dit le serveur, étaient de Giorgione, et une autre du Titien. En face, dans un encadrement temporaire, se trouvait une œuvre d'un tout autre aspect, une peinture à l'huile sur panneau de bois intitulée *Notre-Dame du rosaire*. Elle représentait Notre-Dame, et l'enfant en train d'offrir des couronnes de roses à des dignitaires de l'Église et de l'État. C'était une image très forte, aussi nous l'examinions avec attention en attendant notre repas.

— Vous aimez ce tableau ?

Un marchand allemand, impeccablement vêtu, se tenait à nos côtés, considérant l'œuvre d'art avec une fierté non dissimulée.

— Son histoire est intéressante. Il fut réalisé il y a cinquante ans par un peintre allemand, Albrecht Dürer, qui voulait montrer comment la communauté allemande de cette ville représente un avant-poste du Saint Empire romain. On peut y voir le pape Jules II aux côtés de l'empereur Maximilien Ier. C'était une commande du secrétaire de l'Empire, cet homme-là, en bleu : un Croate du nom de Jakob Bannissuus Dalmata. Quel tableau extraordinaire, n'est-ce pas ? Il doit servir de retable dans l'église allemande de Saint-Barthélemy, mais on l'entrepose ici en attendant que les travaux soient achevés là-bas. Je prends plaisir à rappeler aux Vénitiens que les bons peintres ne sont pas italiens.

Nous lui serrâmes la main, reconnaissant qu'il s'agissait d'une œuvre de grande qualité.

— Herr Dürer n'est pas le seul grand peintre allemand que nous connaissons, lançai-je avec un brin de malice.

— Ah non ?

Son intérêt piqué au vif, l'Allemand attendait des explications.

— Je précise que nous sommes anglais et non italiens : nous connaissons donc les portraits de Johannes Holbein.

Notre ami bomba le torse à la mention de ce nom.

— Holbein ! Ah oui, un autre digne fils d'Augsbourg. Vous y êtes allés ?

Nous lui sourîmes.

— En effet, notre voyage depuis l'Angleterre nous y a amenés. Une ville des plus remarquables, des plus riches aussi.

Il eut un hochement de tête satisfait.

— Avez-vous visité la Fuggerei ?

Nous répondîmes par la négative.

— C'est, je crois, le meilleur exemple de la pensée sociale allemande, qui montre bien comment nous devrions utiliser notre richesse pour le mieux-être de la communauté. Il s'agit d'une grande résidence, construite par la famille Fugger, où les pauvres peuvent demeurer moyennant un loyer annuel fixe. Il faut que vous la visitiez quand vous repasserez par Augsbourg.

Son invitation ressemblait davantage à une injonction. L'ayant remercié, nous transportâmes notre attention vers la table, car le repas arrivait.

— Vous aimez également la cuisine allemande? dit-il. Des hommes de goût, pas de doute. Je vous dis bonsoir, Messieurs, et *Mahlzeit!*

Il se pencha en avant pour plus d'emphase.

— Autrement dit, *good appetite!*

L'étranger s'éloigna, visiblement très fier de ses rudiments d'anglais, et nous nous attablâmes devant notre repas. Il me tardait de savoir ce que Thomas avait pensé de la cérémonie de cet après-midi-là. Mon ami semblait tout aussi impatient de discuter des événements de la journée.

— Eh bien, commença-t-il, qu'as-tu pensé de l'accueil qu'ils ont réservé à Courtenay?

C'était précisément la question que je voulais lui poser.

— J'ai trouvé que le décor était magnifique. S'il existe un modèle à suivre quand il s'agit de mettre l'architecture au service de la diplomatie, le Palais des Doges en est sûrement le meilleur exemple. Tout était merveilleusement orchestré, comme une danse: chacun connaissait sa place et jouait son rôle à la perfection. Je n'ai rien à leur reprocher à cet égard; mais ayant moi-même vécu dans les coulisses du pouvoir, à l'époque où le roi Édouard tentait d'impressionner les ambassadeurs français, avec mon maître à mes côtés pour m'expliquer chacune des étapes tout au long des cérémonies, j'ai trouvé que c'était beau-coup trop chorégraphié, au point de manquer cruellement de sens et de sincérité. J'ai fini par me désintéresser complètement de toutes leurs flagorneries diplomatiques et leurs éloges outranciers… Fanfaronnades que tout cela! Plutôt que de les écouter, j'ai commencé à regarder la carte qui se trouvait sur le mur, derrière le doge. Je ne sais pas si tu l'as vue : celle qui représentait toute la mer Méditerranée.

Thomas éclata de rire, sa voix résonnant bruyamment entre les murs de la cour, de sorte que bon nombre de marchands levèrent la tête pour voir ce qui prêtait à rire.

— Oui, je le sais : je pensais la même chose, et je regardais la même carte. Je ne pouvais m'empêcher de songer, en l'examinant, que le monde du commerce est en totale métamorphose.

— Tout comme celui de la religion.

Fallait-il mettre cela sur le compte de l'ambiance luthérienne qui régnait dans l'enclave allemande ? Toujours est-il que ces mots jaillirent de ma bouche sans que j'eusse pris le temps d'y réfléchir. Thomas posa les yeux sur moi avec gravité. Je savais qu'il ne partageait pas mes vues sur l'inéluctabilité du bouleversement religieux qui balayait l'Europe tout entière.

— Je ne suis pas sûr que tu aies raison, Richard, mais histoire de faciliter ma digestion, revenons donc à nos moutons.

J'étais mal à l'aise, et navré d'avoir laissé échapper cette réflexion épineuse.

— Tout à fait d'accord. Parmi les choses qui ont changé, il y a aussi l'attitude du Conseil des Dix à l'égard de Courtenay. Au départ, l'arrivée du comte avait été scrupuleusement ignorée. Il semble impossible d'arriver dans cette ville sans que le Conseil n'en soit avisé, à plus forte raison lorsqu'un personnage de haut rang cherche logis au *Leon Blanco*. C'est pourquoi je pense qu'ils ont délibérément choisi d'ignorer son arrivée.

Thomas prit le temps de mastiquer sa nourriture et, au bout d'un moment, acquiesça d'un signe de tête. Je poursuivis avec plus d'assurance :

— Mais aujourd'hui, leur attitude envers le comte a radicalement changé. Pourquoi, à ton avis ? Il a dû se passer quelque chose qui les a fait bouger depuis notre arrivée. Pourtant, nous n'avons été mêlés à rien et n'avons pas causé d'ennuis ici. Par conséquent, le changement a dû être provoqué par l'arrivée de renseignements venus de l'extérieur. Tu es d'accord ?

Thomas haussa les épaules d'un air indifférent, mais je vis dans son regard qu'il m'écoutait toujours.

— Bon. Dans ce cas, la source de tels renseignements est nécessairement un émissaire ou un ambassadeur.

À ces mots, Thomas me considéra plus attentivement.

— Veux-tu dire Peter Vannes, l'ambassadeur anglais ici à Venise ?

J'acquiesçai d'un signe de tête, tout en essayant de ne rien divulguer de ce que Francis Walsingham avait pu me confier.

— Oui, ou Federico Badoer, l'ambassadeur vénitien en Angleterre.

Thomas balaya mes propos d'un hochement de tête, et retrouva son air indifférent.

— Je n'en ai pas la moindre idée. Je ne l'ai jamais rencontré.

Ses vues politiques semblaient se limiter aux gens qu'il avait vus de ses yeux ; quant à moi, qui avais déjà fréquenté la cour anglaise, je connaissais les intrigues qui se tissaient chaque jour tandis que les puissants jouaient des coudes pour se tailler la part du lion. Ce n'était pas une discussion stérile : au contraire, ces questions pouvaient un jour

influencer nos vies. Malgré le manque d'intérêt apparent
de mon interlocuteur, je continuai:

— Bien entendu, il y a aussi l'ambassadeur vénitien à la
cour impériale de Bruxelles, Giovanni Michiel. Il connaît
bien le comte et n'est sans doute pas indifférent à tout cela.

À ce stade, Thomas ne sembla plus me porter aucun
intérêt, et se concentra exclusivement sur son repas.

— Quelle importance de savoir qui a pu influer sur la
politique vénitienne? En quoi cela nous concerne-t-il?

Je ne comprenais pas son aveuglement. Walsingham
aurait vu clair dans tout cela, mais je ne me serais pas risqué
à mentionner son nom.

— Au contraire, c'est très important, car en le sachant,
nous sommes en mesure de deviner leurs objectifs, et ainsi
de prendre les mesures qui s'imposent afin de protéger nos
arrières. J'ai appris cela en observant l'attitude du roi
Édouard à l'égard des ambassadeurs étrangers: il les traitait
comme ses plus grands amis lorsqu'il les côtoyait, mais à
vrai dire, aucun d'entre eux n'avait sa confiance. Il se passe
quelque chose. La démonstration d'amitié à laquelle nous
avons assisté cet après-midi était trop doucereuse, trop
calculée, bref, tout à fait sournoise à mon avis. Je n'ai pas
la moindre idée de l'opinion de l'empereur au sujet de
Courtenay; il n'aura certainement pas essayé de le garder
chez lui à la cour de Bruxelles. Selon moi, tout laisse croire
à une intervention de l'Angleterre.

Thomas se contenta de terminer son repas. J'étais désormais abandonné à mes réflexions; mais d'une certaine façon,
ce n'était plus à lui que je m'adressais, mais à moi-même.
Il m'importait de replacer toutes ces idées dans un semblant
d'ordre logique.

— Le seul pays où le nom de Courtenay exerce un
poids quelconque serait bien sûr l'Angleterre, où il a

déjà servi à maintes reprises dans les cercles réfractaires à l'autorité de la reine Marie. Aussitôt qu'elle a écarté toute possibilité de l'épouser, et ainsi de rattacher les Tudor à la vieille lignée des Plantagenêt, il est devenu pour elle une menace. En conséquence, son nom a souvent été évoqué en relation avec celui de la princesse Élizabeth, comme mari éventuel.

— Cette viande est vraiment délicieuse.

Non seulement mon ami s'était complètement désintéressé de mon raisonnement, mais il commençait à s'indigner de mon intrusion soutenue dans la tranquillité de son repas. Je poursuivis néanmoins :

— Il ne peut y avoir aucun doute : Venise a reçu un message d'Angleterre, soit par son ambassadeur ou par le nôtre (ou les deux) et en conséquence, ils ont décidé de faire bonne mine à Courtenay. Oui, c'est cela.

Satisfait de cette conclusion, je reportai mon attention sur le contenu de mon assiette – à moitié refroidi – avec le contentement que l'on éprouve lorsqu'un problème est résolu et qu'il devient possible de ne plus s'en soucier.

Thomas continua de dévorer son repas et je fus laissé à mes propres réflexions. Je considérai mon ami de l'autre côté de la table, enfournant la nourriture avec entrain et insouciance. Les remous du monde politique et religieux ne semblaient pas le préoccuper autant que moi. Peut-être était-ce ce qui arrivait quand on prenait de l'âge, me dis-je. Peut-être que le désir de changer le monde s'effaçait avec les années, et que l'on se réfugiait dans le confort, ou simplement la fatalité du monde qui est le nôtre. Était-ce cela, vieillir ? Le fait de jeter l'éponge ?

Thomas continuait de manger. Je l'observai pendant un instant : une autre réflexion se fit jour dans mon esprit. Notre relation était en train de changer. Depuis que je le connaissais, Thomas avait agi avec moi comme un mentor, et je le considérais avec admiration. Mais ce jour-là, pour la première fois, nos rôles habituels étaient renversés et c'était *moi* qui lui expliquais quelque chose, à *lui* – bien qu'il m'ait écouté distraitement.

D'une certaine manière, cette constatation me fit peur, mais en même temps, j'en retirai un sentiment de maturité. Je me taillai un morceau de viande. «Je dois être en train de grandir», pensai-je.

Chapitre 17

11 février 1556
Sur les marches des *provveditori*,
au Palais des Doges

— Ne l'attendons pas, Thomas. Partons ensemble : tu sais comme moi qu'il peut rester à discuter pendant des heures.

Compte tenu des événements de la semaine dernière, Thomas et moi décidâmes de prendre congé de Courtenay, et nous descendîmes ensemble les escaliers devant les nouveaux bureaux du gouvernement.

— Cela me chagrine de devoir te le dire, Thomas, mais il semble que je ne me sois pas complètement trompé.

Thomas n'avait pas reparlé de ma théorie concernant l'engouement soudain du gouvernement vénitien à l'égard de Courtenay, mais j'étais de plus en plus convaincu que mon intuition avait été juste.

Tout avait commencé le 6 février, seulement deux jours après notre conversation au Fondaco dei Tedeschi, quand la rumeur d'une tentative de meurtre contre un anglais, perpétrée par des *bravi* – des bandits du coin – s'était mise à circuler. En soi, cette nouvelle ne signifiait pas grand-chose, car bien qu'il y eût moins d'Anglais que d'Allemands à Venise, les compatriotes n'étaient pas rares dans la ville. Le nom évoqué était plus inquiétant : Carew. En ce sens, l'événement ne m'était pas aussi étranger que je l'aurais souhaité.

Le lendemain matin, un messager s'était présenté à l'auberge avec une note, qu'il devait me remettre en main propre. Je l'ouvris avec une certaine appréhension. Elle ne contenait qu'un bout de papier où figurait une suite de nombres écrite d'une main tremblante. Immédiatement, je craignis le pire. Je remontai à ma chambre et, fermant la porte à clef, j'ouvris mon exemplaire du livre *De la doctrine chrétienne dans sa pureté*.

Lentement et soigneusement, je m'employai à déchiffrer la série de nombres.

DANGER MORTEL. DOIS REGAGNER LA TERRE FERME.

ÉMISSAIRE DE MARIE INDIGNE DE CONFIANCE. PETER.

Ce devait être un message de Peter Carew. De toute évidence, il était sain et sauf, mais il semblait craindre pour sa vie et envisageait de regagner le continent où il pourrait se cacher chez des amis – probablement à Padoue, me dis-je. L'«émissaire de Marie» était sans doute Peter Vannes. Comme il avait dû chercher pour trouver les mots nécessaires dans les pages de notre texte commun! Si mes déductions (ou mes préjugés) s'avéraient, l'ambassadeur anglais était donc impliqué, ce qui voulait dire que l'attaque avait été orchestrée depuis Londres. À présent, Thomas comprendrait peut-être pourquoi je tenais tant à faire la lumière sur la bienveillance soudaine du Conseil à l'égard du comte. Dans quel petit monde mesquin nous vivions!

Courtenay avait entendu la rumeur au sujet de Carew et s'en inquiétait, car les deux hommes se connaissaient bien. Il posa bien des questions, mais je n'osai pas mentionner la note que j'avais reçue, à lui ou à Thomas.

Les événements s'accélérèrent le 8 février, lorsque le Conseil envoya une lettre à Courtenay pour l'avertir que sa vie était en danger. La situation apparaissait désormais au grand jour, et il n'était plus possible de prétendre que tout allait bien ; mais personne ne put nous dire pourquoi leurs politiques avaient changé aussi radicalement, ni ce qui avait incité le Conseil à lui envoyer cette dépêche. Tout cela était très inquiétant et bien inadéquat. Le 10 février, leur position s'était officialisée, et le Conseil délivra une licence autorisant le comte et « jusqu'à quinze de ses serviteurs » à porter des armes dans la ville. Le comte ne disposait pas d'une telle suite, mais une douzaine d'hommes en livrée lui avaient été fournis, ce qui lui assurait pratiquement de ne pas être attaqué par des *bravi*. Néanmoins, la situation demeurait inconfortable.

Courtenay avait commencé à prendre la menace au sérieux et s'imaginait qu'il serait assassiné dans son lit pendant que la garde dormait. Manifestement, les hommes ne pouvaient veiller jour et nuit, et il avait demandé plus de gardes, travaillant en rotation, afin de lui fournir une protection continue.

Aujourd'hui, le 11, le palais ducal nous avait fait savoir que la licence avait été accrue à vingt-cinq hommes, et qu'un lieutenant serait à la tête d'une garde de huit, changée trois fois par jour. Pour témoigner de leur bonne foi, un fonds de cent ducats avait été alloué. Courtenay avait dû se présenter à l'arrière du palais ducal afin de rencontrer le responsable en question.

— Comment interprètes-tu la situation à présent, Richard ?

Thomas semblait s'en remettre à moi pour ce genre de questions, et désormais il prêtait l'oreille à mes hypothèses.

— D'abord, je ne puis souscrire à l'opinion du comte selon laquelle la garde étoffée et les fonds débloqués pour en assurer le fonctionnement reflètent sa position importante ici à Venise. Je crois que l'argent et la nouvelle garde lui ont été fournis parce que le gouvernement voit en lui un problème potentiel et une source d'embarras. Ils se fichent qu'il vive ou qu'il meure, du moment qu'il le fait en dehors de leur juridiction. Cependant, il paraîtrait mal de le mettre à la porte en temps de crise, c'est pourquoi ils ont décidé, à court terme, de lui témoigner soutien et protection.

Nous avions tourné à gauche après le palais ducal, et marchions sur le bord de l'eau, le long des larges quais de la Riva degli Schiavoni. L'air marin nous éclaircit les idées, et nous eûmes l'occasion de réfléchir à ce que nous pouvions faire pour échapper à cette situation oppressante.

— Les espions et les informateurs du gouvernement connaissent sûrement l'origine de la menace, tu ne penses pas ?

Je savais que Thomas ne manquait pas de courage, mais la menace grandissante pesait lourdement sur nos cœurs. Non pas que nous ressentissions nous-mêmes un danger, les autorités avaient clairement spécifié que le péril visait spécifiquement le comte ; mais il ne pouvait manquer de déteindre sur nous, et nous nous efforcions d'emprunter les rues les plus larges et d'éviter les ruelles étroites qui nous avaient tant attirés lors de nos errances à travers la ville.

— Vraisemblablement, Thomas. Ce n'est qu'une question de temps avant qu'ils s'organisent. Cependant, je ne serais pas surpris si l'on tentait de suggérer au comte – subtilement et en douceur, cela va de soi – d'aller visiter des amis dans d'autres villes pendant ses vacances.

Thomas sourit.

— Drôles de vacances ! Mais oui, tu as raison. Déjà, il parle de répondre à l'invitation du duc Ercole d'Este, à Ferrare.

— Tu comptes y aller avec lui ? demandai-je à Thomas.

Je compris soudainement que le train-train quotidien de ma vie risquait bientôt d'être bousculé.

— Probablement, mais ce ne sera qu'une excuse pour aller à Padoue, soit en chemin, ou, plus probablement, au retour. Viendras-tu, si tu es invité ?

Je considérai ma réponse. Je me sentais mal à l'aise dans la situation présente : comme un homme banni. Les nouvelles d'Angleterre étaient très mauvaises. L'immolation des prétendus hérétiques se poursuivait. De plus, le responsable du Conseil nous avait dit que la peste s'était de nouveau déclarée en Angleterre et qu'elle se répandait comme l'éclair. Ni Thomas ni moi ne craignions pour nos proches à la maison, car la plupart des épidémies tendaient à rester circonscrites alentour des ports. Bristol, Londres, Poole et Southampton étaient toutes des régions sensibles, mais le Devon rural ne risquait pas d'être affecté de façon significative. Néanmoins, ce n'était pas le genre de nouvelles qui donnait l'envie de rentrer au pays sans plus attendre.

Cela dit, j'avais du mal à me concevoir un avenir ici à Venise, si attirante que me parût cette ville. Le comte, en pratique, n'avait pas besoin d'un secrétaire, et je me retrouvais le plus souvent à flâner de-ci de-là, sans savoir quoi faire. Je ne connaissais personne, et passais mes journées à errer sans but, attendant qu'un événement survienne dans la vie de Courtenay et que la mienne en subisse le contre-coup. Tout cela n'avait rien de bien satisfaisant. Entre-temps, je n'arrivais pas à m'enflammer à l'idée d'aller rendre visite à cet autre duc avec le comte, et n'ayant aucune idée de ce que Ferrare avait à offrir, j'avais très peu envie de m'y rendre, même si j'étais invité.

Peut-être était-ce chez moi un manque de diplomatie, mais jour après jour ma piètre estime du comte n'avait fait que s'aggraver, et je paraissais incapable de cacher mes sentiments, avec pour résultat la crispation grandissante de nos relations. Néanmoins, puisque ni lui ni moi n'avions développé des amitiés ailleurs dans la ville, nous nous trouvions constamment réunis, et une atmosphère de coexistence fragile persistait entre nous.

— Non, je ne pense pas, Thomas. Si le choix m'était offert, je crois que je préférerais rester ici et explorer la ville tout seul. Il me plairait peut-être de t'accompagner à Padoue plus tard au printemps, mais pour l'instant, je pense que nous nous sentirions mieux, le comte et moi, si nous nous séparions, au lieu de rester ensemble.

Ayant fait halte, nous nous tournâmes tous les deux vers la lagune. Le soleil brillait sur l'eau d'un éclat remarquable, pour un mois de février, et il nous fallait plisser très fort les yeux pour apercevoir San Giorgio Maggiore sur l'autre rive, et les longues îles basses qui, au loin, gardaient la lagune de la puissance des eaux.

— Ce n'est pas facile pour lui non plus, tu sais, dit Thomas.

Je soupirai, car nous avions régulièrement la même discussion.

— Je sais, je sais. Mais je me demande ce qu'il y a de pire : sa morosité et son découragement lorsqu'il est déprimé, ou l'enflure de son amour-propre lorsqu'il a un regain de confiance. N'a-t-il aucun juste milieu ? Pourquoi ne peut-il se comporter comme le commun des mortels ?

Thomas me prit le bras et commença à me guider vers San Marco.

— Essaie de te montrer un peu plus tolérant, Richard. Il a passé plus de la moitié de sa vie dans une geôle, et

malgré son sang royal, il ne lui a pas été donné de se préparer adéquatement à la position prestigieuse qu'il occupe
aujourd'hui. Lui aussi est en train d'apprendre, mais ceux
qui le côtoient répondent principalement à son titre, plutôt
qu'à l'homme lui-même, et cela n'a rien pour l'aider à
devenir ce que tu considères comme une personne normale.
En tout cas, les choses s'améliorent. Le comte me dit que
l'on nous offre une résidence plus vaste, dans la Ca' da
Mosto, la demeure d'un noble. Cet espace supplémentaire,
j'en suis sûr, facilitera les choses pour nous tous. Nous ne
serons plus empilés les uns sur les autres comme par le
passé. Néanmoins, je te suggère d'explorer la ville et d'essayer de te faire des amis de ton âge. Ton italien est excellent, et de plus, tu sembles avoir développé quelques notions
de dialecte vénitien. Tu ne devrais donc pas avoir de problèmes.

C'est à ce moment-là que je pris une décision : je me
libérerais du comte et je continuerais à explorer Venise par
moi-même.

TROISIÈME DARTIE

Découvertes

Chapitre 18

14 février 1556
Ca' da Mosto, dans Cannaregio

Thomas avait eu raison, comme c'était si souvent le cas. À la Ca' da Mosto, située tout près de notre auberge et donnant sur le Grand Canal, l'espace supplémentaire avait vite amoindri les tensions.

Le fait d'avoir une demeure à nous comportait un autre avantage : nous pouvions désormais compter sur nos propres domestiques. Encore mieux, la Ca' da Mosto disposait déjà d'un personnel régulier : nos vies se trouvaient donc facilitées par une petite armée d'assistants. L'aide la plus importante, à ne pas négliger, était la cuisinière. Personne ne nous dit jamais son nom ; elle se faisait simplement appeler Cuoca, c'est-à-dire « la cuisinière », et semblait contente de son sort. Son mari, un homme à tout faire, avait reçu un sobriquet semblable : son travail se disait *tuttofare*, ainsi nous l'appelions Tutto. Leur fils suivait son père dans tous ses déplacements, apprenant de lui une multitude de choses. Andrea avait environ neuf ans, mais tandis que son père était mince comme un fil, lui-même bénéficiait visiblement des talents de sa mère et paraissait fort comme un bœuf. Ses parents l'appelaient Bimbo et ce nom gagna bientôt notre faveur à tous.

La présence d'une famille de serviteurs bienveillants nous libéra, Thomas et moi, de bien des petites corvées dont il avait fallu s'occuper pour le bien-être du comte; et les conseils qu'ils purent bientôt nous prodiguer en tant que résidants du coin nous permirent de gagner notre indépendance, et chacun de nous fut vite capable de trouver son chemin par lui-même dans la ville.

La garde armée du comte changeait toutes les huit heures, et ceux qui étaient de service l'accompagnaient fidèlement dans ses visites chez les nobles et autres personnages officiels. Il semblait s'être fait une place dans la société vénitienne auprès de gens de son propre milieu avec qui passer le temps. Bientôt nous ne le vîmes presque plus avant qu'il ne rentre le soir, parfois pour dîner, mais souvent beaucoup plus tard, à l'heure du coucher. Toutefois, il continua d'observer fidèlement les arrangements qui nous liaient à lui, et payait toutes nos dépenses, même s'il n'avait guère recours à nos services désormais, à quelque titre que ce fût.

Thomas cherchait lui aussi une occupation et entra bientôt en relation avec les moines de l'Oratorio dei Crociferi, situé non loin. C'était, à l'origine, un hôpital conçu pour les soldats revenant des croisades; mais depuis une centaine d'années, l'institution se consacrait au secours des vieillards. Quelques jours plus tard, Thomas disparaissait très tôt le matin afin d'aller dispenser ses soins médicaux, revenant tard dans la soirée, fatigué, mais satisfait de sa journée.

Plus d'une fois il m'invita à l'accompagner, mais l'idée me paraissait contraignante: encore une fois, je sentais que je serais forcé de vivre la vie de quelqu'un d'autre. J'étais impatient de me libérer de ces attaches et de me construire une vie propre. Thomas m'avait rappelé que notre séjour à Venise au frais du comte ne durerait plus que deux ou trois mois encore, et je voulais en profiter pour faire mes propres découvertes et développer mes propres amitiés, si je le pouvais.

Pour cette raison, je choisis de partir seul à l'aventure, errant le long des grands quais de pierre en bordure des canaux et dans les étroites ruelles de Cannaregio, le quartier situé derrière notre nouvelle demeure, au nord. Cette partie de la ville était plus tranquille, loin des grandes manifestations diplomatiques et de la richesse ostentatoire du Grand Canal. Cela me plut immédiatement, et je commençai à m'y promener avec mon calepin, assis au bord des canaux ou sur des ponts, et à dessiner.

Au début, je me limitai à de courtes promenades sur le Rio Terra de la Maddalena, sans trop m'éloigner du Grand Canal pour ne pas me perdre ; mais au fil des jours, je gagnai en assurance et m'aventurai toujours plus au nord. Un jour, j'atteignis la rive septentrionale de l'île. Je pus contempler la vue de San Michele et Murano, et errer dans les champs et les marais le long du rivage.

Ayant dû finalement descendre vers le sud, je trouvai ma route coupée par le Rio Sant' Alvise. Regardant à gauche et à droite, je finis par trouver un pont près du Campo Sant' Alvise. Là, je fus étonné de voir une multitude d'embarcations amarrées contre le mur du couvent : de jeunes hommes s'y tenaient debout, essayant d'atteindre les fenêtres grillagées. Je me dis que c'était peut-être une fête de saint, célébrée selon les coutumes locales, et passai mon chemin vers le sud jusqu'au Rio dell'Orto, où un autre point m'amena sur la Fondamenta della Sensa.

Celle-ci faisait face au sud, accrochant les rayons du soleil reflétés sur les eaux du canal. Là, soudainement, je me sentis tout à fait chez moi. Au coin d'une rue, non loin du pont de la Malvasia, une petite trattoria, *La Sensazione*, s'était déployée paresseusement sur la place. Choisissant un tabouret au soleil, je m'adossai contre le mur inondé de chaleur. Un jeune garçon était assis sur le bord du large canal et pêchait, une marche de pierre à côté du pont lui servant de siège. Nous étions à marée haute et le garçon balançait les orteils juste au-dessus du niveau de l'eau en attendant sa proie.

Cette Venise-là était différente. C'était celle du vrai peuple : pêcheurs, cordonniers, boulangers, bâtisseurs de maisons. Comme cela arrivait souvent, la nécessité de s'arrêter pour manger donna lieu à un moment de contemplation. Je laissai la chaleur du mur pénétrer dans mon dos et mes épaules, fermai les yeux à demi contre le soleil, et me demandai ce que faisaient les jeunes hommes aux fenêtres du couvent.

— *Ehi, signore !*

J'ouvris les yeux et regardai le jeune garçon. Il tenait un petit poisson dans sa main.

— Bravo. Combien cela fait-il ?

— Six. Ils sont petits, mais ils ont bon goût si on les fait frire rapidement.

— Combien espères-tu en prendre ?

Il secoua la tête.

— Je n'ai plus d'appât. Pouvez-vous m'en donner ?

Je me demandai combien de fois il s'était servi de ce stratagème auprès des clients de la trattoria.

— Oui. Qu'est-ce que tu veux ?

Le garçon me regarda, réfléchissant.

— Du pain, peut-être du fromage.

Je hochai la tête, amusé par un tel aplomb, et me tournai vers le serveur qui m'apportait à dîner.

— Puis-je avoir du pain et du fromage, s'il vous plaît ?

Le serveur se tourna vers le jeune garçon.

— Le pain, quelle sorte ?

— De la ciabatta, bien sûr.

— Salée ou non ?

— Non. Et un petit verre de malvasia passerait bien.

Le serveur me regarda en levant les sourcils. Je donnai mon assentiment d'un signe de tête et me tournai vers le garçon.

— Viens donc t'asseoir ici. Sinon tu renverseras ton vin dans le canal.

Il ne se fit pas prier davantage et bondit immédiatement sur ses pieds. La nourriture arriva en même temps que le vin.

— *Salute !*

Il leva son verre en ma direction et en but la moitié. Je levai mon propre verre.

— Maintenant, il est temps de mériter ton dîner. Je veux des renseignements.

Le garçon s'installa confortablement sur son siège et ouvrit les bras.

— Allez-y, je vous écoute. Vous voulez savoir comment rencontrer les nonnes du coin ?

Je le regardai, les yeux écarquillés.

— Qu'est-ce qui te fait croire cela ?

Il sourit, laissant flotter sur son visage une expression qui n'était pas de son âge.

— Ce sont toujours les mêmes questions qui reviennent, dans les parages, quand on a affaire à des étrangers. Ils voient les gars, là-bas, parler aux nonnes de Sant' Alvise. D'abord ils demandent à qui ils s'adressent, ensuite ils veulent savoir ce qu'ils disent. Puis : « Combien dois-je vous donner pour que vous me présentiez à elles ? » C'est toujours la même chose. Puisque vous m'avez offert à dîner, je pensais vous sauver du temps.

— Et quelle est la réponse ?

— Sant' Alvise est un couvent pour les nobles dames ; pour les filles ordinaires comme ma sœur, ce n'est pas la peine d'essayer. Ce sont leurs familles qui les envoient là-bas pour éviter de payer leur dot. La plupart des jeunes nonnes ne portent pas les habits de religieuse, laissent pousser leurs cheveux et portent des robes de prix. Elles adorent échanger des messages et faire la conversation avec des jeunes hommes de l'extérieur. Parfois elles échangent même des baisers, et peut-être même... enfin, vous savez.

Il compléta la phrase d'un geste obscène. Je ne pouvais en croire mes oreilles, ni mes yeux.

— Pourquoi ce couvent est-il si différent ?

Il me regarda d'un air perplexe.

— Différent ?

— Par rapport aux autres.

Il haussa les épaules.

— Il ne l'est pas. Ils sont tous comme ça, partout à Venise. Là-bas, dans ce couvent de l'autre côté du pont, les filles sont prêtes à se laisser baiser vite fait à tout moment, du moment que vous êtes gentil avec elles ; mais elles n'ont pas la classe des nonnes de ce couvent-ci, et pour tout dire elles sentent moins bon.

Je commençais à me demander s'il me faisait marcher.

— Et comment sais-tu tout cela ?

— Mes frères aînés me l'ont dit. Ils livrent du pain et des gâteaux aux deux couvents. Ils connaissent tous les trucs.

— Et où donc travaillent-ils, tes frères ?

— Ici, dit-il, pointant vers l'intérieur de la trattoria. Dans le commerce de mon père.

Je restai un instant bouche bée.

— Et tu me laisses payer ton dîner alors que le restaurant appartient à tes parents ?

Il posa sa main sur la mienne comme pour me rassurer.

— Oh, ne vous inquiétez pas : ils ne vous factureront pas
ma nourriture.

— Alors pourquoi ce petit jeu ?

— Le goût du défi, tout simplement. Pour voir si je suis
capable. Parfois, des vieilles femmes me prennent en pitié
et je dois manger un grand plat de pâtes. Je leur dit que c'est
la première chose que j'ai mangée depuis des jours, et elles
me croient. Parfois je risque de fendre tellement je mange,
mais si je leur disais, cela gâcherait leur journée. Autrement,
elles rentrent chez elles le cœur heureux.

— Et tes parents ne me factureront pas pour ton
repas ?

Il me lança un regard de côté.

— Non. Pas pour le repas. Seulement pour le vin : des
renseignements, ça se paye. *Salute !*

Il vida son verre et alla retrouver sa canne à pêche,
laquelle remuait comme si un poisson avait mordu : dire
qu'il était censé manquer d'appât ! Le propriétaire de la
trattoria m'apporta la facture et, tandis que je le payais,
haussa les épaules.

— Les garçons ! Ils sont comme ça, que voulez-vous ?

Comme je partais, le garçon leva la tête en souriant. Je
lui flanquai une tape amicale derrière le crâne.

— Au revoir ! À la prochaine.

Tandis que je m'éloignais sur la Fondamenta, il m'appela
de nouveau.

— J'en garderai une belle juste pour toi !

Chapitre 19

15 février 1556
Campo Ghetto Nuovo, dans Cannaregio

Une fois de plus, j'étais perdu. Afin d'améliorer mon sens de l'orientation, j'avais essayé de retrouver l'endroit où nous avions débarqué à Venise.

J'avais marché vers l'ouest, le long de la Fondamenta della Misericordia, et pris à gauche, traversant un grand pont, afin de jeter un coup d'œil à une vitrine de magasin qui avait retenu mon attention. Une fois le pont franchi, j'avais continué dans cette direction jusqu'à ce que je me retrouve dans un dédale de petites ruelles dont le caractère semblait tout à fait distinct du reste de la ville. Les gens paraissaient différents, eux aussi, certains portant des chapeaux rouges, d'autres arborant une pièce d'étoffe jaune et circulaire sur la poitrine. De plus, certaines des enseignes présentaient une forme d'écriture que je ne connaissais pas du tout.

Je me frayai avidement un chemin à travers cette activité grouillante. Arrivé sur la place, je compris que je me trouvais dans une sorte d'enclave, sans pouvoir dire si l'intention était de garder les habitants du reste de la ville à l'extérieur ou d'enfermer les gens du quartier à l'intérieur. Leurs tenues étaient riches et colorées ; les hommes portaient des turbans et les femmes, de hautes casquettes rigides décorées de bijoux.

Il régnait dans tout le quartier une étrange animation qui m'intriguait. Sans craindre pour ma sécurité, je m'enfonçai plus avant dans cette foule, désormais entouré par de hauts édifices, les plus hauts qu'il m'avait été donné de voir à Venise. Un chant filtrait à travers l'embrasure d'une porte, et je m'avançai furtivement vers l'étroite bâtisse, hésitant mais fasciné. Bien que la langue du chant me fût inconnue, ses cadences mélodieuses me paraissaient d'une grande beauté. Le chant prit fin et un vieillard barbu s'aperçut que je me tenais devant la porte et me fit signe d'entrer.

— Approchez ! Bienvenue sur le *campo* des Hébreux. Êtes-vous un Anglais ?

— Pourquoi me demandez-vous cela ?

Je ne ménageais aucun effort pour m'intégrer à la société vénitienne et j'étais déçu de constater que mes origines étrangères me trahissaient toujours aussi facilement.

Il sourit, d'un sourire bienveillant mais plein de sagesse.

— Les Anglais se montrent toujours timides et réservés. C'est dans votre nature, je crois. Venez ! Tous peuvent entrer dans la maison de Dieu. Bienvenue à la Scola Canton.

Il me fit signe d'entrer et je m'exécutai aussitôt, peut-être avec moins de réserve et de timidité qu'il ne l'escomptait.

À l'intérieur, tout paraissait différent. On eût dit une église, avec ses bancs sculptés de chaque côté ; mais à la place de l'autel, tout au fond de la pièce, se trouvait une sorte de trône immense. Le plafond se divisait en plusieurs voûtes où la lumière pénétrait à flots, et où étaient suspendus de nombreux chandeliers en or à motifs complexes. Les murs étaient tendus de rideaux cramoisis et le sol avait été recouvert de superbes tuiles jaunes et ocre.

L'homme se présenta lui-même, rabbin Isach Piatelli, et eut vite fait de découvrir mon identité et les raisons de

ma présence dans le quartier juif. Je lui demandai pourquoi les Juifs semblaient concentrés dans cette enclave
étroite.

— En 1516, le Maggior Consiglio a fait passer une loi
obligeant les Juifs à s'établir dans le Ghetto Nuovo. Ne vous
inquiétez pas pour nous – ceci est normal : les musulmans
et les *Tedeschi* (ceux que vous appelez les Allemands) sont
logés de la même manière. Nous sommes limités, mais en
même temps protégés par la république de Venise contre
la colère de l'Église catholique à Rome. Il y a trente-trois
ans de cela, le pape a décrété que tous les livres juifs devaient
être brûlés. Ici, on s'est contenté de brûler de vieux papiers
pendant quelques jours en faisant beaucoup de tapage, puis
on nous a laissés tranquilles. À Venise, le commerce passe
avant la religion, et les Juifs sont trop importants dans les
affaires de cette ville pour qu'on les chasse. Alors, nous
restons ici et vivons à notre manière. Cela fonctionne.

Le rabbin Piatelli était un homme de petite taille, un peu
voûté, le teint légèrement blême sous sa longue barbe ; mais
ses yeux, comme ceux du doge Venier, me fixaient d'un
regard pénétrant et acéré sous leurs arcades saillantes.

— Nous voilà donc placés devant une énigme : un rabbin
juif tentant d'expliquer les rouages de la Venise catholique
à un Anglais… protestant ?

Il avait deviné juste et j'acquiesçai d'un hochement de
tête. Il sourit à son tour, d'un sourire fugitif qui contenait
mille ans d'histoire.

— Sommes-nous tous si différents ? lui demandai-je.

Il sourit de nouveau, reconnaissant que cela avait été, de
tout temps, la grande question.

— Bienvenue dans le monde des persécutés, répondit-il.
Comme c'est étrange de tisser ainsi de nouveaux liens. Si
l'on en croit les marchands voyageurs, l'Angleterre n'est

pas non plus un lieu de tolérance religieuse par les temps qui courent.

Je dus admettre qu'il avait raison. Je lui témoignai aussi ma surprise et ma déception d'apprendre que la communauté juive était soumise à une telle contrainte, alors que les catholiques et les protestants jouissaient d'une totale liberté de mouvement et d'une liberté d'expression relativement plus large, tant et aussi longtemps qu'ils n'essayaient pas d'étendre l'influence du pape ou d'entraver la sacrosainte prospérité du commerce.

Je vis cette fois de la fatigue sur le visage du rabbin.

— La république de Venise n'est pas un phénomène naturel mais une invention humaine de construction fort ingénieuse. Le seul fait d'avoir érigé cette grande ville sur de la boue et du sable est un exploit remarquable qui témoigne de l'ingéniosité humaine et mérite d'être applaudi. Qui plus est, la souveraineté de Venise sur les océans lui a valu un pouvoir économique mille fois supérieur au potentiel de ces petites îles : une autre réalisation digne d'être saluée. Mais avec le déclin de sa puissance économique depuis que les Portugais ont découvert la voie maritime vers l'est, le bateau commence à prendre l'eau, les gens comprennent que la puissance et l'invincibilité de la Sérénissime sont à l'image d'une grande statue de bronze : creuses. Et n'oubliez pas que cette statue vide à l'intérieur repose sur un lit de sable et de boue.

— Si le bateau prend l'eau, pourquoi restez-vous ici ?

Il se contenta de hausser les épaules, à la vénitienne.

— Je ne puis changer le monde. Cela dit, je ne vois pas ce qui m'empêche de l'observer et de chercher à le comprendre.

Il me conduisit dans une petite pièce adjacente à la synagogue et me fit signe de m'asseoir. Puis il réunit le bout des doigts de ses deux mains et resta assis en silence pendant quelque temps. Enfin il sourit, d'un air décidé, et se pencha en avant.

— Vous avez bien dit que vous étiez protestant, et non catholique ?

Je lui confirmai le fait avec insistance.

— Dans ce cas, prenons une chose que nous avons tous les deux en commun : les dix commandements. Votre Église protestante partage les mêmes commandements que l'original écrit en hébreu de la Torah. L'Église catholique, en revanche, ne reconnaît que neuf de ces commandements, et ayant décidé d'omettre le deuxième (car où serait leur Église sans l'adoration des images ?), ils ont cru bon de séparer le dixième en deux parties, pour que le compte soit juste. Tandis que nos deux religions nous ordonnent de ne pas convoiter la maison, la femme, le serviteur ou les biens de notre prochain en un seul commandement, les catholiques séparent la convoitise des épouses de celle des autres biens et possessions.

Son visage s'éclaira d'un sourire empreint d'ironie. Était-ce, me demandai-je, l'instinct naturel des persécutés ? Apprenaient-ils très tôt à ne pas se mettre à dos les oppresseurs, mais plutôt à sourire, toujours sourire, en gardant leurs vraies pensées pour eux-mêmes ?

— Les femmes catholiques répugneraient-elles à se voir incluses parmi les possessions des hommes ?

Son sourire s'était à présent figé sous un regard combatif.

Je lui rendis son sourire d'un air entendu, du moins l'espérai-je, car je ne m'étais pas avisé, jusqu'à présent, de la différence subtile entre les deux religions sur ce point précis.

— Maintenant...

Il plaça de nouveau les mains en triangle.

— Considérons l'interprétation desdits commandements dans notre belle ville. Premièrement : « Je suis le Seigneur ton Dieu. Tu n'auras pas d'autre Dieu devant moi. » Écoutez attentivement et vous entendrez les Vénitiens murmurer : « À part l'argent, cela va de soi… » Le deuxième : « Tu ne te feras aucune image sculptée, ni te prosterneras devant elles. » Voilà celui que les catholiques n'observent pas, et il n'y a qu'à visiter une église vénitienne pour savoir dans quel camp se rangent les Vénitiens. Il ne serait donc pas faux d'en conclure que Venise est un État catholique. Les troisième et quatrième commandements sont respectés, car le blasphème est rare à Venise et le sabbat est observé toutes les semaines. Quant au cinquième, « Honore ton père et ta mère », les Vénitiens s'y intéressent rarement, car le gouvernement de l'État est entièrement sous la férule des *nobili*, ceux dont les familles ont la mainmise sur les îles depuis le tout début. Bien sûr, ces nobles veillent scrupuleusement à ce que les citoyens des classes marchandes décrochent des emplois rémunérateurs en tant qu'avocats et administrateurs de la chancellerie du doge et au sein de la fonction publique ; mais ensemble ils s'assurent que les gens ordinaires, les *popolani*, disposent d'une place à eux, qu'ils la connaissent, et qu'ils y restent. L'honneur opère donc vers le haut, mais un peu moins vers le bas…

Il haussa les épaules.

— Il n'est pas mauvais d'avoir des parents nobles quand on cherche l'honneur. Le sixième commandement paraît assez simple. « Tu ne tueras point » laisse peu de place à l'ambiguïté, et pour les nobles le dilemme n'est pas bien terrible, car étant donné la pauvreté des masses, le prix d'une vie humaine est lamentablement bas, et un noble n'a pas à enfreindre lui-même les commandements puisqu'il suffit d'engager des *bravi* pour le faire à sa place, moyennant une somme dérisoire.

Un malaise m'envahit au fur et à mesure que le rabbin continuait sa liste. La Sérénissime, malgré sa grandeur, était-elle à ce point cynique et débauchée ? Mais le rabbin Piatelli avait en tête une liste de dix, et au vu des quatre doigts qu'il brandissait encore, je savais qu'il entendait mener son exposé à terme, ne m'en déplaise.

— Sept : « Tu ne commettras pas d'adultère. » Les quelques *nobili* qui sont en droit de se marier n'hésitent pas à enfermer leurs épouses, toute infraction au commandement devenant ainsi impossible – pour les épouses, du moins...

Je tentai de répliquer, mais je fus vite réduit au silence par l'élan irrésistible des récriminations du rabbin.

— Huit : « Tu ne voleras pas. »

Il me fit un clin d'œil.

— Mais si tu es un Vénitien et que tu te trouves en position d'autorité, tu peux prélever des taxes, exiger des frais de courtage, et appliquer toutes les règles de compétition déloyale qui te semblent bonnes pour affaiblir la position des étrangers qui prennent plus que ce qui leur revient dans la tirelire.

Il écarta largement les mains.

— Alors, à quoi bon voler ?

Je hochai la tête de découragement. Rien de neuf dans tout cela, me dis-je. Les magouilles de la cour anglaise ne m'étaient pas étrangères, et je savais qu'il en allait toujours ainsi lorsqu'un groupe de personnes détenait l'autorité sur d'autres gens.

— Neuf !

Je levai les yeux vers le rabbin. Nous y étions presque.

— « Tu ne porteras pas de témoignage mensonger contre ton prochain. »

Il haussa les épaules.

— S'il est, comme toi, de sang noble et qu'il peut te traîner en justice devant les *provveditori*. Sinon, tu fais comme il te plaît, car tes amis puissants te protégeront : le système est là pour ça. C'est pourquoi le métier de prêteur sur gages est malaisé pour les Juifs de cette ville : non pas que l'usure soit illégale ou contre notre religion, mais parce que nos contrats n'ont aucune valeur légale. Et dix : « Tu ne convoiteras pas la femme de ton prochain. » Sauf si tu es un noble et qu'elle est de basse extraction, auquel cas tu peux la prendre comme maîtresse en sachant fort bien que personne ne pourra rien y faire, même pas son mari. « Tu ne convoiteras pas la maison de ton prochain, ni son serviteur, ni ses biens. » Encore une fois, cela dépend de qui l'on est. Je vous promets que si vous êtes un Juif et que vous avez affaire à un noble vénitien, vos biens sont chaque jour en péril.

Il se cala dans son siège, satisfait de son petit survol de la ville et de ses mœurs.

— Ainsi, comme vous le voyez, la Sérénissime a ses propres coutumes et ses propres interprétations. C'est un bon endroit pour faire des affaires. Vous y serez normalement en sécurité, et vous y trouverez bien des plaisirs, si c'est là ce que vous cherchez. Mais n'ayez jamais la naïveté de croire que vous serez traité équitablement, car vous ne le serez pas.

Il se leva, se disant peut-être qu'il m'avait retenu plus longtemps qu'aucun de nous ne l'avait envisagé au départ. Notre discussion était terminée, aussi je me levai à mon tour, prêt à partir. Il me restait encore bien des recoins de la ville à explorer. Le rabbin Piatelli me reconduisit à la porte.

— C'est une ville prospère, mais toujours âpre au gain et centrée sur elle-même. Profitez-en bien, mais méfiez-vous.

Il me serra la main et la retint un instant tout en agrippant mon épaule de son autre main.

— «Aime ton prochain comme toi-même.» Mais sois sûr de bien savoir à qui tu as affaire. La société vénitienne comporte de nombreuses poches, mais comme on dit ici, tout dépend de qui te met dans la sienne.

Je le remerciai de ses conseils. Une leçon en ressortait: d'un côté, il y avait la loi des riches; de l'autre, celle des pauvres.

Chapitre 20

16 février 1556
Ca' da Mosto

J'étais perdu dans mes réflexions, quand j'entendis le comte approcher. Il sifflait, ce qui répondait à ma première question : au cours des derniers jours, les sautes d'humeur de Courtenay avaient été si fréquentes que Thomas et moi avions inventé un nouveau jeu : *Devine l'humeur du comte aujourd'hui.* Nous avions décidé que, somme toute, les grands airs de châtelain étaient (légèrement) préférables aux jérémiades et aux apitoiements. Ainsi, ce sifflement était plutôt bon signe.

Thomas, comme à son habitude, était parti à l'Oratorio, où une épidémie de rougeole sévissait, particulièrement chez les gens âgés ; nous ne l'attendions pas avant tard dans la soirée. J'étais donc fortuné d'avoir la compagnie du comte pour moi tout seul.

— J'ai décidé de faire peindre mon portrait, Richard. Qu'en pensez-vous ?

Je n'étais pas sûr de savoir quoi répondre.

— Pour quoi faire, Votre Grâce ?

— Mais voyons, pour un mariage lucratif, voilà pourquoi. L'aristocratie vénitienne est charmante, tout simplement charmante, en particulier les dames. Me voilà à la bonne place au bon moment, j'en suis certain, et dans quelques semaines, j'aurai certainement trouvé un beau parti.

— Mais si vous rencontrez cette dame, Votre Grâce, pourquoi lui faut-il votre portrait?

Je prenais plaisir à faire l'andouille.

— Pour communiquer, bien entendu. Écoutez, c'est très simple : soit je rencontrerai la fille, qui tombera amoureuse de moi et devra obtenir la permission du père pour se marier ; soit je rencontrerai l'altesse elle-même, qui souhaitera que sa fille s'unisse à la maison la plus ancienne d'Europe, auquel cas il devra bien lui montrer à quoi ressemble son futur époux. C'est tout à fait normal. Vous vous souvenez sans doute des portraits de Holbein, à Londres. À quoi pensiez-vous qu'ils servaient ?

Cela me rappela l'histoire entourant Anne de Clèves, qui mit un terme abrupt à la carrière du pauvre Hans Holbein auprès du roi Henri. On disait que le modèle vivant de la « jument des Flandres » avait été un choc terrible pour le roi Henri, après le portrait flatteur de Holbein. Thomas Cromwell avait prétendument demandé à l'artiste de peindre la princesse « sous un jour favorable », et c'est ce qu'il avait fait, occultant du même coup son gros nez et ses dents jaunes.

— Vous avez vu mon portrait à Londres, je suppose ?

Voilà qu'il recommençait à faire le coquet.

— En effet, Votre Grâce. J'ai trouvé que le tableau de Hans Eworth rendait votre caractère avec beaucoup de justesse.

À vrai dire, je voyais plutôt le portrait d'un homme qui venait de mouiller sa culotte et qui espérait que personne ne l'avait remarqué.

— Bien dit, bien dit. Mais il est temps d'en commander un autre. Oui, il est temps d'en faire faire un autre.

Mon cœur se serra. J'espérais que ce ne soit pas un autre de ses tics : tout répéter deux fois au cas où les classes inférieures n'aient pas bien compris la première fois! Je souris.

— Très juste, Votre Grâce. Et quel artiste aura l'honneur de vous immortaliser?

— Pour cela, je compte sur vous, Richard.

Je le regardai d'un air abasourdi. Mes dessins étaient tout à fait passables, mais je ne m'étais jamais essayé à la peinture à l'huile.

— Je veux que vous me trouviez le meilleur artiste qui soit, et que vous lui passiez une commande qui me soit avantageuse.

— Avantageuse, Votre Grâce? À quel égard?

Je ne pouvais tout simplement pas résister. Le comte me regarda durement.

— Bon marché, Richard. Je ne m'attends pas à payer les prix exorbitants que l'on exige des riches marchands véni-tiens. C'est ridicule. Le bon peintre comprendra. Ils veulent toujours peindre l'aristocratie : cela donne un certain *cachet*, comme on dit à Bruxelles, et aide à décrocher de nouvelles commissions par la suite. Ce ne sera pas un problème. Vous n'aurez qu'à prononcer les mots magiques *Plante à Genêt*, et tout ira bien.

Je lui tirai ma révérence en bon courtisan, me demandant tout de même en quoi le nom Plantagenêt pouvait lui venir en aide de nos jours.

— Je pars à l'instant, Votre Grâce : je parcourrai la ville de fond en comble.

Courtenay se tint debout devant le miroir, se tournant de côté et d'autre, reprenant la pose de son dernier portrait.

— Vous savez, Richard, j'ai l'impression d'avoir acquis grandeur et autorité depuis l'époque du portrait de Eworth.

Il se retourna encore.

— Oui, c'est cela. Grandeur *et* autorité.

Tandis que je cherchais à prendre congé, toujours en observant des manières de courtisan, il m'interpella de nouveau.

— L'homme qui a réalisé le portrait du doge… Quel est son nom ? Titien ? C'est probablement l'homme qu'il nous faut. Il comprend l'aristocratie. De belles couleurs vives, aussi. Mais n'oubliez pas de fixer un bon prix à l'avance, Richard. Il est bien trop tard pour marchander une fois que l'œuvre est terminée, vous savez.

Je refermai la porte. « De belles couleurs vives ! Ce ne sera pas une partie de plaisir », me dis-je.

Chapitre 21

18 février 1556
Sacca della Misericordia, dans Cannaregio

Je m'étais encore égaré. Ce matin-là, j'étais parti à la recherche de l'atelier de Tiziano Vecellio, mieux connu de nous sous le nom du Titien, guidé par des indications de Peter Vannes qui, au début, me paraissaient claires.

Malgré la profonde méfiance que m'inspirait cet homme, je pensais qu'il serait en mesure de me recommander des artistes appropriés, et il m'avait conseillé d'essayer le Titien, Véronèse et le Tintoret (en se gardant bien, toutefois, d'exprimer une préférence). L'ambassadeur dissipa bientôt ma crainte de trahir les secrets du comte, et me confia que Courtenay et lui avaient déjà eu une bonne discussion à ce sujet.

Vannes m'avait donné des instructions précises pour retrouver chacun des *artisani*, comme il les appelait (à mon grand étonnement, ces artistes remarquables étaient considérés comme des commerçants), et même si le seul fait de noter ces instructions m'avait passablement dérouté, j'étais au moins certain d'être capable de trouver l'atelier du Titien le long des Fondamente Nuove, sur la rive nord.

À présent arrivé sur place, devant le bassin vaseux baptisé Sacca della Misericordia, je ne savais plus où me diriger. Une fois dépassé l'Oratorio où Thomas s'occupait des malades, les rues m'avaient paru de plus en plus désolées, et le quartier qui s'étendait devant moi semblait si défavorisé que je croyais m'être trompé de chemin.

J'étais parvenu à l'extrémité nord de l'île, et un vent salin et piquant fouettait les eaux depuis le cimetière de San Michele, situé sur une île à environ mille pieds au nord. Je frissonnai. Aucune trace des palais, des élégantes piazzas, des riches marchands et des femmes en grande toilette. Ici, en marge de la société vénitienne, tout était froid, désert et triste. Un autre monde, complètement.

Je m'assis sur un parapet. Devant moi, un homme avançait péniblement dans l'eau boueuse, qui lui montait jusqu'à la taille. Il semblait pousser sur quelque chose. Cela me rappelait un vague souvenir d'enfance, mais quoi? Il s'arrêta, souleva son filet, et c'est alors que je me rappelai les pêcheurs de crevettes sur la plage de Charmouth. Leurs filets avaient la même forme en D, avec une barre de bois pour racler le fond de l'eau, ce qui faisait sauter les crevettes dans les mailles du filet. Comme les pêcheurs de Charmouth, l'homme portait un grand sac sur son dos qu'il ramenait occasionnellement devant lui pour y verser de nouvelles prises. M'apercevant, il s'extirpa de la fange et s'approcha lentement.

— Êtes-vous un pêcheur? demanda-t-il d'un ton las.

— J'ai déjà pêché, oui, dans mon pays; mais chez nous, les crevettes servent habituellement d'appât pour la perche, la truite de mer et le saumon des rivières.

— De quelle partie du monde êtes-vous, étranger?

Son accent vénitien était plus prononcé que tout ce que j'avais entendu jusqu'à présent.

— Du sud-ouest de l'Angleterre, une région qu'on appelle le Devon.

Il sourit, accablé de fatigue.

— Vous êtes ici pour le commerce, n'est-ce pas? Vous venez pour acheter des produits de luxe, de la soie, des épices?

Je secouai la tête.

— Non, j'agis à titre de secrétaire auprès d'un comte anglais, qui est en visite pour quelques mois.

Il se frotta le nez d'une main crasseuse, salissant son visage au lieu de le nettoyer.

— Un comte, hein? Des gens riches? L'aristocratie. L'autre monde. Le monde d'en haut.

Il agita le bras, désignant l'anse vaseuse.

— Bienvenue dans le monde d'en bas.

— Pourquoi dites-vous cela?

Je ne voyais pas bien où il voulait en venir. Il pointa du doigt l'une des *fondamente* de l'autre côté de l'anse. Une église et des bâtiments de pierre et de bois s'élevaient derrière.

— Regardez là-bas. Que voyez-vous?

Je suivis son regard.

— Une église? De grosses maisons?

Il hocha la tête.

— Typique. Vous ne voyez que le monde d'en haut, votre monde. Laissez-moi vous présenter mon monde à moi. Regardez plus bas. Qu'est-ce que vous voyez?

Je hochai la tête à mon tour.

— Je ne sais pas.

Il me conduisit au bord de l'anse et enfonça le long manche de son filet dans la fange.

— Venise est construite sur du sable et du gravier. Mais par-dessus ce sable et cette roche, se trouvent d'épaisses couches de limon et de boue. Avant de pouvoir construire, il faut qu'ils enfoncent de grands pilotis dans la boue et le sable pour atteindre la couche de gravier. Toute cette ville repose sur un assemblage de pilotis. Des millions de pilotis, et chacun d'entre eux est en train de pourrir, *très* lentement.

Il me regarda avec insistance.

— C'est comme tout ce qu'ils appellent la société : leurs gondoles étincelantes, leurs grosses maisons, leurs belles églises. Tout repose sur du sable et tout est pourri en son centre.

J'étais surpris d'une telle rancœur et je ne me gênai pas pour lui dire.

— Comment vivez-vous la famine, alors?

Il leva un sourcil crasseux et scruta mon visage en quête d'une réaction. Je donnai complètement dans le panneau.

— Quelle famine?

Crachant dans l'eau, il en retira son filet et me rejoignit sur le parapet.

— « Quelle famine? » qu'il dit. Je suppose que vous avez eu de quoi vous nourrir tous les jours, cette semaine? Vous avez dû manger de la viande au moins une fois, au cours des sept derniers jours, pas vrai?

Comme j'en avais mangé tous les jours, je m'abstins de lui répondre.

— Vous ne comprenez tout simplement pas, vous autres. Des gens comme vous, ça ne mange pas de la polenta jour après jour, alors qu'est-ce que ça vous fait si le prix du grain augmente, et celui de la farine de haricot? Vous ne vous en rendez probablement pas compte. Pour nous, c'est la catastrophe lorsque la récolte de blé est perdue, que les haricots se dessèchent sur la tige par manque d'eau, ou qu'ils moisissent à cause des pluies diluviennes, comme l'été dernier.

D'un geste de la main, il désigna le cœur de la ville.

— Il y a deux mondes sur cette île: votre monde et le mien. Et la plupart des gens de votre monde passent le plus clair de leur temps à s'assurer de ne pas être mêlés aux gens de mon monde.

Je ne pouvais pas le contredire. Arrivé depuis deux semaines, je ne m'étais pas rendu compte qu'il y avait une famine à Venise. Je n'avais jamais côtoyé les pauvres, ni pris conscience de leurs problèmes. À vrai dire, je ne m'étais même pas donné la peine de parler à nos domestiques. À ma grande honte, je ne savais même pas s'ils avaient une famille en dehors du petit groupe qui s'occupait de nous avec tant de soin.

— Puis-je vous offrir de l'argent ? C'est le moins que je puisse faire.

Je ne sus quoi répondre d'autre. Le pêcheur hocha la tête.

— Oui, Monsieur. Je n'aurais pas la fierté de refuser. Des onze enfants que nous avons eus, ma femme et moi, il nous en reste sept. Avec tant de bouches à nourrir, nous n'avons plus les moyens d'être fiers.

Je plongeai la main dans ma bourse et en retirai deux ducats d'or.

— J'espère que cela vous aidera.

Il prit les deux pièces avec précaution.

— Merci, Monsieur. Ça va faire une très grosse différence.

Il empocha l'argent et prit congé de moi.

— Dieu vous bénisse, Monsieur. J'ai toujours eu bien piètre opinion des Anglais, mais il me faudra désormais la revoir. L'argent que vous m'avez donné représente deux mois de salaire pour moi. Maintenant, j'ai les moyens d'acheter des vêtements aux enfants.

Il s'inclina et partit en suivant le bord de l'eau.

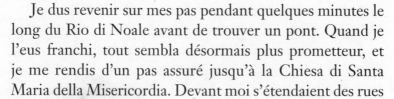

Je dus revenir sur mes pas pendant quelques minutes le long du Rio di Noale avant de trouver un pont. Quand je l'eus franchi, tout sembla désormais plus prometteur, et je me rendis d'un pas assuré jusqu'à la Chiesa di Santa Maria della Misericordia. Devant moi s'étendaient des rues familières et je marchai instinctivement dans cette direction.

Les eaux tranquilles de la Fondamenta dei Mori me rappe-laient quelque chose, mais ce ne fut qu'en atteignant l'autre pont et en apercevant la trattoria *Sensazione* que je compris finalement où j'étais.

— *Ehi, Inglese!*

Je reconnus la voix aiguë qui m'appelait. Le même garçon flânait encore par là, pêchant près d'un pont à la rencontre de deux canaux.

— Tu arrives juste à temps. Mes frères sont là-bas en ce moment même. Je savais que tu reviendrais après que nous nous soyons parlé. Allons, ils viennent tout juste de com-mencer!

Traversant au pont suivant, j'aperçus bientôt l'attroupe-ment habituel, debout sur le bord du canal ou dans l'un des six bateaux amarrés contre le mur du couvent.

— Comment t'appelles-tu, *Inglese*?

— Riccardo, répondis-je sans réfléchir.

— *Ehi,* Marco, Angelino, venez ici. Voici Riccardo, l'Anglais. Il veut rencontrer des religieuses.

Même si je n'étais pas aussi enthousiaste qu'il le laissait entendre, je devais admettre que cette cohorte de jeunes gens surexcités, désespérément accrochés au grillage des fenêtres, m'intriguait au plus haut point. Les deux frères se frayèrent un chemin sur les embarcations pour venir me serrer la main et m'aider à me rendre jusqu'aux fenêtres.

— Je suis Marco et voici Angelino.

— Enchanté.

Je leur serrai de nouveau la main.

— Et comment s'appelle votre petit frère?

Ce fut Marco qui répondit.

— Il s'appelle Christopho, mais dans la famille on l'appelle Pietro parce qu'il va toujours à la pêche – au poisson ou à autre chose.

Pietro fit la grimace de façon à montrer qu'il était fier de sa réputation de petit coquin, que les deux frères avaient tout l'air d'encourager.

— Vous êtes déjà venu chez nous?

— Non, je viens d'arriver d'Angleterre il y a quelques jours, et j'en suis encore à explorer la ville. Je suis passé par hasard l'autre jour et j'ai vu ce qui se passait ici.

Marco acquiesça d'un signe de tête. Le regard incrédule qui parut sur son visage semblait suggérer que tous les jeunes gens qui se tenaient dans les bateaux s'étaient trouvés ici « par hasard ».

— Vous n'avez jamais joué à *Offrez-lui une rose*, alors?

Je fis non de la tête. Les fenêtres du couvent étaient étonnamment grandes, bien que couvertes de lourdes grilles de métal. Elles s'élevaient à environ six pieds au-dessus du niveau de l'eau, mais à mi-chemin, il y avait un rebord de pierre assez étroit, conçu pour protéger les murs du frottement des grosses barges. Quelques-uns des jeunes gens parmi les plus téméraires avaient quitté leur embarcation et s'étaient perchés sur ce rebord, s'agrippant fermement aux grilles pour ne pas tomber à l'eau, tout en cherchant désespérément à garder bonne contenance devant les religieuses. Ceux qui étaient restés dans les bateaux se dressaient sur la pointe des pieds pour voir à l'intérieur du couvent, à travers les fenêtres grillagées mais non vitrées.

Là, je pouvais déjà apercevoir près d'une quinzaine de jeunes femmes massées devant les fenêtres, jouant des coudes afin d'obtenir une meilleure place. On entendait toutes sortes de rires et de gloussements, et les visages radieux qui paraissaient entre les grilles ne ressemblaient aucunement à celui des nonnes dont j'avais l'habitude. Leurs toilettes n'étaient pas non plus celles de religieuses, car la plupart ne portaient pas la coiffe mais des robes colorées et à la mode.

— Voici comment ça marche. D'abord, vous choisissez une religieuse. Ensuite, si vous ne la connaissez pas bien, vous lui offrez une rose à travers les barreaux. Si elle consent à la prendre, elle sourit. Sinon, vous essayez avec une autre.

Marco s'exprimait d'une voix forte, et les religieuses ne tardèrent pas à comprendre qu'elles avaient devant elles un nouveau venu qui pourrait apporter un peu de variété à leur petit jeu. Deux d'entre elles croisèrent mon regard et battirent des cils en se donnant des airs de sainte nitouche.

— La fois suivante, si elle accepte et qu'elle est contente, elle pourra vous serrer la main lors de l'échange : alors, vous êtes des amis. Si vous êtes chanceux, elle peut même vous dire son nom.

Soucieux de ne pas rester à l'écart, son frère intervint.

— La troisième fois, si vous avez l'audace, vous pouvez demander à vos amis de vous soulever sur leurs épaules jusqu'aux grilles, et vous lui offrez la rose avec la bouche. Selon les règles du jeu, elle doit la prendre avec la bouche elle aussi, et si vous êtes chanceux et qu'elle est d'une nature sensuelle, l'offrande de la rose peut se changer en baiser. Quelques-uns en profitent pour murmurer des mots doux ou pour prendre rendez-vous. Si cela dure trop longtemps, la pyramide humaine s'effondre, ou le bateau dérive, et ils se font jeter à l'eau.

— Qu'entendez-vous par « prendre rendez-vous » ?

Marco et Angelino hésitèrent avant de répondre, mais Pietro en profita pour faire un geste obscène en levant l'avant-bras.

Je dévisageai les frères aînés.

— Vous voulez dire des rencontres sexuelles ? Avec des religieuses ?

Marco comprit que la discussion devenait dangereuse et se mit à édulcorer la description des événements.

— Eh bien, ce n'est pas très courant, car c'est un délit très grave, mais c'est arrivé.

Il y eut un silence, chacun attendant de voir ce que Marco dirait ensuite à l'étranger. Il examina pensivement ses ongles.

— Mais il est possible de s'arranger pour les rencontrer dans le parloir, et si vous soudoyez les *ascoltatrici* – celles qui font partie des *discrete*, c'est-à-dire les nonnes discrètes qui ont la responsabilité d'espionner les conversations des autres – vous pouvez leur dire ce que vous voulez.

Il parlait comme s'il avait connu pas mal de conversations lascives en son temps. Je le regardai fixement, l'adjurant intérieurement de poursuivre son histoire.

— Et?...

Il tourna le dos aux fenêtres et baissa la voix.

— Eh bien, si vous êtes vraiment sérieux et que la religieuse en question est prête à prendre le risque, vous pouvez trouver quelqu'un comme moi qui effectue réguliè-rement des livraisons au couvent et le payer pour vous y emmener en bateau – habituellement la nuit – par la porte de service sur le canal transversal, en tournant le coin là-bas. Une fois à l'intérieur, vous pouvez faire ce que vous voulez d'elle.

— Quoi, sous les yeux du passeur?

Je commençais à croire qu'il prenait plaisir à en rajouter simplement pour voir si je marcherais, et pour amuser ses amis.

— Oui. Évidemment, si vous lui donnez un peu plus, il peut attendre à l'extérieur, mais c'est plus risqué pour lui, et de toute manière, il faut bien prendre son plaisir là où on peut.

Il y eut des ricanements étouffés chez les autres jeunes gens, lesquels avaient feint d'observer les nonnes tout en suivant attentivement la description de Marco.

Je regardai autour de moi. Des regards souriants, mais appréciateurs, essayaient de jauger la valeur de l'homme qu'ils avaient devant eux. Je ne savais même pas si les renseignements que l'on m'avait fournis étaient fiables ou s'il s'agissait simplement d'un autre jeu.

J'étais dérouté, voire consterné, mais secrètement fasciné en même temps. Je relevai les yeux vers la fenêtre et m'aperçus que les nonnes ricanaient entre elles. Avaient-elles entendu ce que Marco avait dit? Ricanaient-elles de leur propre embarras, ou du mien? Mon instinct me dictait de m'esquiver en silence, mais je savais que si je le faisais, je n'aurais probablement jamais la chance de revenir. En même temps, si je me laissais prendre au jeu trop facilement, aiguillonné par Marco, je pouvais aussi bien m'attirer de sérieux ennuis.

Faisant fi des encouragements de Pietro à « grimper à la fenêtre pour en cueillir une bonne », je reculai dans l'une des embarcations en retrait, désireux de faire partie de la bande tout en me contentant d'observer au lieu de mener. Comme je n'étais plus là pour amuser la galerie, le jeu reprit son cours normal et deux ou trois jeunes gens parmi les plus hardis grimpèrent sur les épaules de leurs compagnons et offrirent des roses avec leurs dents. Le récit de Marco paraissait véridique, du moins à cet égard. De plus, comme il m'en avait averti, deux fervents embrasseurs s'en remirent trop longtemps aux épaules de leurs amis. L'un se retrouva suspendu aux grilles tandis que son embarcation s'éloignait tranquillement du mur; l'autre tomba tout droit dans l'eau lorsque sa pyramide s'effondra.

Malgré les sous-entendus de Marco, le jeu paraissait amical et badin, et d'une certaine manière il n'était pas sans rappeler nos réunions de jeunesse sur le pont de la rivière Coly, les samedis soirs dans ma ville natale. Ce curieux manège se poursuivit pendant trois heures encore, au cours desquelles je crus m'attirer les regards furtifs mais intéressés de deux ou trois religieuses. De plus, il semblait que je ne me fusse pas ridiculisé devant les autres : quand la cloche du couvent retentit et qu'il fut temps pour les religieuses de nous dire au revoir, les hommes furent nombreux à venir me voir pour discuter.

Si mon accent passait pour du vénitien à Bolzano, il en allait tout autrement à Venise, et la plupart des conversations avaient débuté par la même question : « D'où venez-vous ? » J'avais remarqué que les garçons employaient entre eux un dialecte vénitien très différent, où de nombreux mots m'étaient inconnus ; mais lorsqu'ils s'adressaient à moi, ils modifiaient leur façon de parler, ayant recours à un italien plus conventionnel.

Pietro avait décidé que j'étais son protégé, et fut ravi lorsque je lui promis de revenir un autre jour. Il semblait que je fusse toléré, sinon encore accepté parmi eux. C'était un bon début. Toutefois, cela ne m'aidait pas à trouver un bon portraitiste. Qu'importe ! Cela pouvait attendre à demain. Le comte semblait bien peu pressé, alors pourquoi s'en faire ?

Chapitre 22

19 février 1556
Ca' da Mosto

— Merci d'avoir accepté de me recevoir, John. Ce n'est pas que l'affaire soit d'une très grande importance, mais j'ai pensé que vous seriez le mieux placé pour me conseiller.

John Neville chassa ses chiens du divan et me fit signe de m'asseoir. Sitôt que j'avais vu son visage, un torrent de souvenirs m'avait assailli.

John faisait partie de l'entourage du roi Édouard du temps où je fréquentais la cour ; il était en bons termes avec mon meilleur ami là-bas, un aristocrate irlandais plutôt farfelu du nom de Fergal Fitzpatrick. C'était peut-être l'homme le plus drôle que j'avais rencontré : même au cours des heures sombres qui avaient précédé la mort du roi Édouard, son sens de l'humour hors du commun et ses propos irrévéren-cieux à l'égard de tout un chacun m'avaient permis de tra-verser l'épreuve. Ainsi, je considérais tous les amis de Fergal comme mes propres amis. Le comte avait appris de Peter Vannes qu'un Anglais s'était établi à Venise peu après la mort du roi Édouard, et qu'il se ferait un plaisir de nous servir de guide. Je ne pouvais donc laisser filer cette chance.

— Je ferai de mon mieux. Quel aspect de la société vénitienne vous intéresse-t-il ?

— Je suis perplexe, John. Cette ville étonnante est nouvelle à mes yeux ; je suis encore en train de l'explorer,

de la découvrir. Parfois, essayer de la comprendre, c'est…
eh bien, c'est comme…

John finit la comparaison à ma place.

— Comme éplucher un oignon ?

Je ris de bon cœur.

— Exactement. Vous enlevez la pelure et une autre
apparaît en dessous.

Neville hocha la tête d'un air conciliant.

— C'est une analogie qui vient à beaucoup de monde au
début, mais puis-je vous en suggérer une autre ? Quand on
épluche un oignon, on enlève une couche et celle d'en
dessous paraît identique. Venise n'est pas comme cela.

Je dus avoir l'air surpris, car il se hâta de poursuivre son
explication.

— Je crois que cela revient plutôt à peler une orange.
L'enveloppe extérieure est d'un aspect luisant, éclatant,
peut-être même criard par sa couleur ; mais en la regardant,
vous êtes sûr que l'intérieur sera sain et nourrissant. Puis
vous grattez la pelure et vous trouvez de la peau blanche :
surprenant, immangeable et décevant.

Je me mis à hocher lentement la tête (visiblement, il
comprenait mon sentiment), mais à ma grande surprise,
John s'empressa de me détromper.

— Non, Richard. Comme pour l'orange, c'est une erreur
de s'arrêter là. Sous la peau blanche, l'orange est sucrée,
pleine de goût, fondamentalement bonne. Il en va de même
avec Venise : vous aurez vu les façades, les *palazzi* le long du
Grand Canal, et elles vous auront charmé comme des
milliers d'autres.

Je voulus l'interrompre mais il leva la main pour me faire
taire.

— Puis, vous aurez peut-être creusé un peu plus loin, et
trouvé le chat mort dans un canal étroit, la puanteur des

égouts à ciel ouvert. Vous aurez vu l'indigence des pauvres artisans, vous en aurez essuyé l'affront.

Cette fois, je me penchai en avant pour placer un mot, mais il leva de nouveau la main.

— Mais observez attentivement leur situation. Regardez au-delà des rancœurs nées de la lutte des classes. Oubliez les comparaisons avec les *nobili* dans leurs luxueuses gondoles et vous comprendrez que dans une ville marchande comme celle-ci, il y aura toujours une place pour ceux qui veulent travailler. Avez-vous remarqué à quel point les mendiants sont rares dans les rues de Venise ? Maintenant, souvenez-vous des rues de Londres que nous avons tous deux laissées derrière nous. Pas un caniveau qui ne fourmillât de mendiants, la plupart d'entre eux évincés de leurs terres pour bâtir des enclos à moutons. Ils ont vite compris que les rues de Londres n'étaient pas pavées d'or comme ils l'avaient cru.

Je devais reconnaître que j'avais vu peu de mendiants depuis mon arrivée à Venise, mais certains aspects de la ville me paraissaient tout de même inconcevables. Les religieuses, par exemple.

— Il y a autre chose qui m'échappe, John. En me promenant dans la ville, j'ai pu constater que la vie religieuse y est florissante. Venise compte probablement plus d'églises que toutes les villes que j'ai visitées à ce jour. J'ai remarqué aussi beaucoup de monastères – la ville n'est pas sujette à la dissolution que nous avons connue en Angleterre – et aussi une multitude de couvents.

Neville leva les sourcils.

— Ah ! Ce sont donc les couvents qui vous intéressent, et non le sort des pauvres. Est-ce exact ?

J'avais espéré aborder le sujet un peu plus subtilement, mais mon interlocuteur, de toute évidence, m'avait percé à jour.

— Oui, d'une certaine façon. J'ai remarqué qu'il ne manquait pas de couvents, ici ; pourtant, chacun d'entre eux semble régi par des principes tout à fait étrangers – c'est le moins qu'on puisse dire – à l'idée que je me fais de la vocation des religieuses.

John sourit et acquiesça d'un signe de tête.

— Vous voulez dire que les nonnes ne sont pas correctement vêtues ? Vous vous demandez pourquoi elles ont le droit de porter des robes et des parures somptueuses ?

Il était donc au courant.

— Exactement ; et je me demande également pourquoi elles jouissent de rapports aussi libres et – comment dire ? – *libertins* avec l'extérieur ? On dirait qu'elles prennent plaisir à se laisser conter fleurette.

John Neville se leva et se mit à arpenter la pièce. Je sentais qu'il se préparait à me faire un discours et je me calai dans mon siège pour mieux le recevoir.

— La société vénitienne est organisée selon des principes très stricts. Au sommet se tiennent les *nobili*, les deux cents clans qui forment le cœur de la ville depuis 1297, et dont les patronymes sont consignés dans le *Libro d'Oro*. Seuls les *nobili* peuvent devenir membres du Grand Conseil, ou Maggior Consiglio, et eux seuls ont le privilège de pouvoir être élus doges. En dessous se trouvent les *cittadini*. Cette classe comprend les nobles qui sont arrivés après la compilation de la liste et, en particulier, les marchands qui se sont enrichis et qui bénéficient d'un statut social privilégié. Ces gens gardent une forte emprise sur les affaires de la ville puisqu'ils monopolisent la chancellerie du doge. Même s'ils ne gouvernent pas et n'ont aucune maîtrise de la conduite diplomatique, ce sont des hommes d'affaires expérimentés, et tout l'argent réside entre leurs mains. Enfin, il y a les *popolani*, une classe inférieure étonnamment disciplinable constituée de travailleurs et de commerçants. Comme vous vous en doutez, ce sont eux qui font le plus gros de la besogne. Certains sont natifs de Venise, mais nombre d'entre eux ont échoué ici en quête d'une vie indolente. En cela, la plupart sont déçus. Néanmoins, ils réussissent à trouver du travail s'ils sont volontaires. Au fur et à mesure que la ville a gagné en richesse et en superficie, il est devenu de plus en plus difficile de conserver cette structure historique. Par conséquent, des codes de conduite très stricts ont été mis en application. Le plus important d'entre eux, comme je l'ai dit, est le *Libro d'Oro*, ou « Livre d'or », un registre de tous les mariages patriciens dressé en 1506, bien qu'il se réfère aux familles originelles de 1297. Afin de sauvegarder la pureté du sang des *nobili*, il est strictement interdit pour un patricien, qu'il soit homme ou femme, d'épouser qui que ce soit en dehors des gens désignés par le « Livre d'or ». Ceux qui s'y hasardent risquent d'être désavoués par leur famille et bannis de l'Empire vénitien. Étant donné que les meilleures chances de prospérer sont offertes par celui-ci, c'est un lourd tribut à payer pour une affaire de cœur, et rares sont ceux qui y consentent.

Je hochai pensivement la tête. Cela était prometteur, car Neville se montrait clair et direct.

— Maintenant, examinez la situation d'une famille noble avec quatre garçons et quatre filles. Un seul des fils peut hériter de la fortune familiale, car la diviser affaiblirait la valeur du patronyme et serait au désavantage de tout le monde. On tentera donc de dissuader les autres fils de se marier, les encourageant plutôt à vivre dans des *fratellanze*, sortes de confréries masculines, et à se consacrer au gouvernement et à la diplomatie. Entre-temps, le fils héritier doit s'assurer de mettre sa situation à profit pour accroître la puissance et la richesse de la famille, en exigeant une dot faramineuse lorsque viendra le temps de se marier. Ce qui nous laisse le problème des filles. Il sera certainement possible d'en unir une ou deux à une autre famille patricienne, en payant ces dots exorbitantes; mais les autres, en particulier les plus jeunes, n'ont aucune perspective de mariage. Il serait inconvenant pour elles de demeurer célibataires et de s'engager dans les affaires ou le commerce (tout le monde croirait qu'elles ne sont que des prostituées), aussi leur seule option reste le couvent. Et par esprit de compétition, les meilleurs couvents – ceux qui n'acceptent presque exclusivement que les filles des *nobili* – exigent également une sorte de dot qu'ils appellent « dot conventuelle ». C'est le nœud du problème. De nombreuses filles de nobles n'ont pas l'autorisation de se marier en dehors du « Livre d'or », et leurs familles n'ont pas les moyens de leur offrir un mariage à l'intérieur de celui-ci. Le couvent est donc leur seul recours. Voilà ce dont vous avez entendu parler; peut-être les avez-vous vues de vos yeux : des nonnes issues de familles patriciennes qui ont été sauvées d'elles-mêmes. Purement et simplement. A-t-on vraiment le choix ? Il serait impensable de les laisser libres de faire ce qui leur plaît. Nous courrions vers la catastrophe. Il est difficile de se faire obéir des jeunes femmes, comme chacun le sait. Certaines cèdent à l'influence d'un bon mari, mais les autres ? Il faut les enfermer et en confier la garde à un bon prêtre. C'est la seule manière de procéder. Et si nous sommes forcés d'agir ainsi, il faut bien leur accorder quelque part une certaine latitude ; autrement, il pourrait y avoir du grabuge. Alors que sont jolies toilettes, fêtes occasionnelles et visites accompagnées au parloir pour rencontrer parents et amis ? Un bien faible prix à payer pour sauver la vie de ces filles.

Je l'écoutai attentivement, et le remerciai pour ses explications claires. Cependant, en mon for intérieur, j'étais consterné d'apprendre que des femmes de noble rang, capables et honnêtes, pouvaient être emprisonnées à vie par leurs familles, sans possibilité d'y échapper. C'était un autre aspect de la société vénitienne que j'avais du mal à accepter.

Chapitre 23

20 février 1556
Atelier de Tiziano Vecellio, Calle Larga dei Botteri

La demeure et l'atelier du Titien se dressait en face d'une zone marécageuse, regardant vers la mer. Cette fois-ci, je trouvai la maison sans difficulté. Elle était située dans un monde à part, presque isolée du reste de la ville et blottie dans une parcelle de terre le long des Fondamente Nuove. C'était une structure de bois, moins impressionnante que je ne l'avais imaginée. Ayant confondu l'artiste et les sujets de ses tableaux, j'avais cru qu'il vivait dans un palais.

Les vastes marécages tout autour offraient suffisamment d'espace, aussi la maison avait été construite en largeur ; mais malgré ses dimensions, elle restait sobre et peu ornée. Elle comptait trois étages. Le studio se trouvait visiblement au rez-de-chaussée, car des gens ne cessaient d'entrer et de sortir par les grandes portes, tandis que les immenses fenêtres du côté nord, tournées vers la mer, fournissaient un éclairage idéal pour travailler.

J'avais beau avoir enfin trouvé, je ne savais pas comment m'y prendre en entrant, et je restai dehors à regarder bêtement l'édifice. Je compris soudain pourquoi le Titien ne demeurait pas dans une *casa fondaco* au centre de Venise : nul besoin d'une vitrine sur le Grand Canal ou d'un *piano nobile* pour épater ses clients potentiels. Sa vitrine était

le Palais des Doges et les nombreuses églises où ses somptueuses fresques et ses splendides retables s'offraient aux
yeux. Il ne lui restait plus qu'à conduire ses futurs clients
sur place, et la magnificence des lieux se chargeait du
reste. Soudain, le nom des Plantagenêt me parut insignifiant et je désespérai d'en arriver à « un marché avanta-
geux ».

J'étais sur le point de rebrousser chemin quand un
apprenti transportant un cadre en bois dans la cour m'aperçut et m'interpella.

— Êtes-vous en quête du maestro ?

Je fis oui de la tête, marchant vers lui d'un pas plus
assuré.

— Il est absent pour l'instant, en visite au palais ducal,
mais son gérant de boutique est ici. Dois-je vous le présenter ? Comment vous appelez-vous ?

Je fus conduit dans une pièce exiguë mais confortable et
fut vite rejoint par un petit homme sec et nerveux, dont le
visage et l'allure rappelaient celles d'un chien terrier. Ses
yeux de fouine se promenaient de côté et d'autre, examinant
mes vêtements, qui trahissaient sans doute mes origines
étrangères, ainsi que mes souliers crottés de boue qui durent
lui indiquer que j'étais arrivé à pied, et donc que j'habitais
probablement dans les limites de la ville.

— *Buongiorno, Signore.* Claudio Manzi, à votre service.
Je regrette que le maestro ne puisse vous rencontrer personnellement aujourd'hui.

J'acquiesçai d'un signe de tête.

— Je ne doute pas que vous soyez la personne à qui
parler, vous qui détenez visiblement l'autorité nécessaire
pour négocier les affaires du maestro en son nom.

Ma tentative de flatterie ne fit pas grande impression sur
ce négociateur averti, et il se contenta de pencher la tête

d'un côté en reconnaissance de sa propre autorité. Je poursuivis.

— Je représente le comte de Devon, un Anglais de la lignée royale des Plantagenêt, arrivé récemment à Venise, et qui bénéficie d'une protection particulière accordée par le doge.

Manzi ferma lentement les yeux, comme un lézard par une journée chaude, puis les rouvrit.

— Il court après une femme, je présume… Hongroise ? Polonaise ? Cela fait une différence, vous savez, eu égard au style. Envoyez un portrait de vous en Pologne, accoutré à la française, et l'on croira que vous êtes…

Il laissa tomber mollement le poignet afin de se faire comprendre.

— Oui, il est question de mariage, mais le comte ne convoite personne en particulier au moment où l'on se parle.

En disant cela, je savais qu'il me couperait de nouveau la parole, et je ne me trompais pas.

— Alors, c'est une « carte de visite » qu'il vous faut ? Quelle grandeur ? Vous voulez quelque chose de facile à transporter ? Le maestro ne peint pas de miniatures. Grandeur nature ou plus grand, et plus d'un sujet, la plupart du temps. Vous voulez de la draperie ? Beaucoup de draperie ? Le maestro s'occupe habituellement du visage, et, si elle présente des difficultés particulières, de la draperie. Les assistants font le reste.

J'étais dépassé par la conversation.

— Le comte pense à un portrait grandeur nature, la tête et les épaules, mais aussi les mains. Il a de belles mains.

Manzi fit la moue. Méprisant, il se contorsionna l'épaule droite et bomba la lèvre inférieure afin d'exprimer son manque d'intérêt.

— Hum! De belles mains? Hum! Tous les aristocrates ont de belles mains, c'est du moins ce qu'ils prétendent; mais dès qu'on leur en donne l'occasion, ils finissent presque tous par enfiler leurs plus beaux gants. Ils sortent tous du même moule, avec leur air prétentieux et leurs manières arrogantes. Un Anglais, dites-vous? D'après mon expérience, les Anglais ont toujours très peu d'argent.

Je sentais que j'aurais du mal à discuter d'un rabais avec cet homme.

— À quel moment le maestro sera-t-il disponible?

Je me dis qu'une tactique différente aiderait peut-être à sortir de l'impasse.

Manzi explora avec la langue un reste de nourriture logé entre ses dents. Enfin, comme fatigué, il soupira profondément.

— Peut-être au printemps prochain? Combien de temps comptez-vous rester à Venise? Le maestro est très occupé, surtout auprès du doge et du Conseil. Avez-vous vu ses portraits des doges? Il s'agit d'une commande permanente et en ce moment il s'occupe du doge Francesco Venier.

Il se leva comme pour me donner congé, et posa sa main sur mon bras.

— Je n'ai rien contre vous personnellement, jeune homme, mais à votre place, je chercherais ailleurs. Je puis vous inscrire sur la liste, mais je crois que d'autres, des nobles *vénitiens*, passeront toujours avant vous. Je ne voudrais pas que vous soyez déçu. Pourquoi ne pas essayer ailleurs?

Me tournant le dos, il se dirigea hors de la pièce. Sur le pas de la porte, il dit par-dessus son épaule:

— Bien sûr, la compétition est inexistante. Pratiquement inexistante. Mais les autres sont, dirons-nous, compétents et… disponibles.

Il s'éloigna sans me dire au revoir. Je me retrouvai seul dans la pièce. Derrière une porte à ma gauche, j'entendis des voix et des rires. Intrigué, je ne pus m'empêcher de l'entrouvrir.

Derrière se trouvait l'atelier principal, rempli de tableaux, certains complètement achevés, d'autres à moitié. Des apprentis mélangeaient de la peinture, des peintres émérites s'occupaient des draperies et des paysages. Leur travail était d'une éclatante beauté. L'apprenti qui m'avait interpellé à l'extérieur regarda de mon côté et vint me trouver.

— Vous n'êtes pas censé être ici, murmura-t-il. Claudio est un sale type et il nous fouette si nous laissons entrer des gens dans l'atelier ; mais il vient de sortir, alors nous avons du temps.

Devant ma curiosité, l'apprenti poursuivit.

— Quand le maestro est là, il ne tolère aucun visiteur. Il avait jadis un atelier à San Samuele, sur le Grand Canal, mais lorsque sa femme est morte, avant ma naissance, il a déménagé ici pour plus d'intimité. La plupart des commandes s'en vont directement chez l'acheteur aussitôt qu'elles sont terminées, mais les tableaux que le maestro peint pour son propre plaisir peuvent rester ici pendant dix ans, et il les retouche de temps à autre. Êtes-vous peintre ? Si vous l'êtes, vous comprendrez.

Sans réfléchir, je répondis par un hochement de tête.

— Oui. Je viens de commencer, en Angleterre. Je suis ici en visite, pour apprendre des plus grands maîtres. Votre maître est, je pense, le meilleur ?

L'apprenti sourit avec fierté.

— Bien sûr. Regardez : voici le dessin qu'il a réalisé l'an dernier, au concile de Trente. Il n'est pas fini, mais vous pouvez sentir l'effet des lignes. C'est presque comme si vous y étiez.

Je dirigeai mon regard vers deux tableaux. Je me dis qu'ils surpassaient tout ce que j'avais vu de ma vie, mais mon compagnon les écarta d'un geste.

— Ce ne sont que des copies. Nous avons le droit d'y travailler à temps perdu quand nous sommes sages. Nos supérieurs s'occupent des visages et de la draperie, mais le maestro n'y touche jamais. De toute façon, nous apprenons en les faisant, et Claudio dit qu'elles nous mettent au moins à l'abri du besoin. Voici.

Il me conduisit vers le fond de la pièce, désormais plus à l'aise, voyant que le gérant ne reviendrait pas. Au-dessus de moi se trouvait l'immense tableau d'un homme avec deux grands chiens, retenu par une femme nue.

— Vénus et Adonis. Il l'a commencé l'année dernière, mais le tableau a été abîmé pendant la livraison, et nous en faisons la restauration. Vous l'aimez ?

Je restai bouche bée devant cette œuvre. Les chiens avaient l'air vrai. J'avais chassé à maintes reprises avec de pareilles bêtes. Adonis, lui aussi, était bien formé. Les plis de sa toge orangée étaient éclatants de réalisme ; ses muscles montraient sa force. Mais je n'avais d'yeux que pour Vénus, désespérément accrochée à son amant pour l'empêcher de la quitter. Il ne s'agissait pas là d'une villageoise affamée et innocente, mais d'une femme au sens propre du terme, d'une blondeur resplendissante, qui connaissait les joies de l'amour et souhaitait les connaître de nouveau avant que son amant ne parte pour la chasse.

— Et celui-là. Regardez celui-là. Il s'agit d'un portrait du doge Marcantonio Trevisani. Cela fait trois ans qu'il est ici. Le maestro refuse de le laisser partir. Il dit qu'il y a quelque chose qui cloche dans l'expression du visage. Nous croyons au contraire qu'il est magnifique. Claudio, bien entendu, veut qu'il soit livré pour qu'il puisse toucher l'argent. Il ne pense qu'à cela, Claudio. Regardez la couleur de la robe. Avez-vous déjà vu une étoffe rougeoyer de la sorte ?

Je devais admettre que non. Et je ne voyais rien d'anormal dans l'expression du visage, sinon que le vieux doge, à présent mort, me fixait intensément de ses yeux fatigués du monde, comme s'il avait vu tout ce qu'il y avait à voir et qu'il pouvait embrasser d'un seul regard l'immensité du tout. Ce regard avait quelque chose de troublant.

Il y eut un sourd grondement. Un apprenti poussait un chariot sur lequel il transportait un tableau de grandes dimensions. Comme il passait devant nous, je reculai pour mieux apprécier l'élégante silhouette d'une femme nue se regardant dans un miroir tenu par des chérubins. Chaque détail était mémorable : le corps de la femme attirait le regard, mais son visage était inoubliable. C'était la même femme que tantôt, la Vénus, avec les mêmes cheveux blonds. Cette fois, on pouvait voir ses yeux noirs. Le regard sombre et la chevelure dorée lui donnaient un air de mystère, tandis que le nez long et droit évoquait la noblesse. Une femme noble, donc, mais au teint vif, un peu rouge, repoussant toute idée d'une beauté froide, enfermée toute la journée dans son palais. Enfin les lèvres, des lèvres qui vous incitaient à lécher les vôtres en les regardant, et qui vous poussaient à vous demander : mais qui est donc cette femme qui pose presque nue en se mirant dans cette glace, tout en sachant fort bien que vous la regardez ?

— Vous aimez cela ? J'ai eu la chance de peindre une partie de l'arrière-plan, ici, et le chérubin du centre. Son visage me paraît un peu trop gras, mais le maestro l'a beaucoup aimé. Que pensez-vous de la Vénus ? Elle est exquise, n'est-ce pas ? On l'appelle la *Vénus au miroir*. L'acheteur sautera au plafond quand il la verra.

Une question me brûlait les lèvres.

— Qui est-elle ? La Vénus ?

Il me regarda sournoisement.

— Vous voulez savoir qui était le modèle ? Je ne peux pas vous le dire. Je croyais que vous étiez peintre ? Vous devez savoir que c'est une règle non écrite de ne jamais révéler l'identité du modèle. Autrement, il ne remettra plus les pieds dans votre atelier. Et en plus, imaginez le scandale : tous ses secrets dévoilés au grand jour ! Vous êtes fou de me demander une chose pareille !

Il était temps pour moi de partir. Je lui marmonnai des excuses, prétextant que les règles étaient différentes en Angleterre ; mais je savais que j'étais démasqué.

Je rentrai lentement vers la Ca' da Mosto, en me demandant ce que je répondrais au comte lorsqu'il me demanderait quel marché j'avais réussi à conclure avec le peintre ; mais à vrai dire, je ne pouvais songer à autre chose qu'à cette femme. Était-elle simplement un produit de l'imagination du Titien, ou existait-elle réellement ? Ressemblait-elle vraiment à celle que j'avais vue ?

Et si oui, qui était-elle, et vivait-elle ici ?

Chapitre 24

21 février 1556
Ca' da Mosto

— Richard, je dois dire que vous me décevez. Je vous croyais capable de faire mieux.

— Votre Grâce, il semble que la recommandation de l'ambassadeur nous ait induits en erreur, sinon carrément trompés, car le Titien n'a jamais pris de telles commandes. Il touche une pension de l'État vénitien et travaille exclusivement pour eux. On aurait dû nous en informer avant que je me lance dans cette entreprise inutile. Le Titien ne peindra pas votre portrait.

Courtenay, visiblement contrarié par cette rebuffade de la part d'un simple commerçant, renifla dédaigneusement.

— Dans ce cas, adressez-vous ailleurs.

Je m'apprêtais à lui claquer la porte au nez, mais Courtenay me prit de vitesse : sans un mot de plus, il tourna le dos et quitta la pièce avant que j'aie pu réagir.

— Maudit soit-il ! Maudit soit cet homme !

Frustré, j'en étais encore à frapper du poing sur la table quand Thomas entra.

— Calme-toi, Richard. Ne laisse pas l'orgueil saper tes énergies. Le comte se fait des illusions. Mets-toi à sa place et tu comprendras sans doute le fonctionnement de son esprit. Un jeune homme est élevé dans une famille d'aristocrates, à Tiverton Castle. Cette famille jouit de multiples privilèges, domine le sud-ouest de l'Angleterre et reçoit les éloges de la communauté tout entière. Puis, à l'âge de douze ans, on lui enlève son père, on le décapite, et lui-même est emprisonné dans la Tour de Londres sans qu'on lui dise ce qu'il a fait de mal, sans savoir s'il vivra ou s'il mourra. De douze à vingt-sept ans, il demeure confiné dans la chambre forte de la tour du Clocher, se consacrant uniquement à l'étude des langues, au luth et à la peinture. Son seul réconfort lui vient des lettres de sa mère, lui répétant qu'il est le dernier survivant de la plus ancienne maison royale d'Europe, et l'assurant qu'un jour il accédera certainement au trône. Enfin, il est pardonné en vertu de l'amnistie générale proclamée par le roi Édouard; mais il lui faut encore attendre l'avènement de la reine Marie pour être relâché. Maintenant, imagine le changement qui a dû se produire dans sa vie quand, après quinze ans passés dans l'ombre d'une geôle, il se voit élevé au rang de comte de Devon et susceptible d'épouser un jour la reine, et sinon la reine elle-même, du moins sa sœur la princesse Élizabeth. Mais, malheureusement pour lui, elles le rejettent l'une après l'autre, et la reine ayant choisi d'épouser Philippe d'Espagne, il se retrouve mêlé à un complot pour la renverser et est incarcéré de nouveau. Enfin, il est relâché et s'imagine qu'on l'envoie à Bruxelles à titre d'ambassadeur. Mais il finit par se rendre compte qu'il est banni, qu'il sera obligé de vivre en exil, en ne disposant que de ce qu'il considère comme une maigre allocation. Pendant ce temps, en Angleterre, d'autres continuent d'exploiter ses propriétés à leur profit. Une telle vie n'est pas sans laisser des cicatrices. Sois plus compréhensif, et souviens-toi des mots de la Bible : «Pardonne-lui ses offenses, car il ne sait pas ce qu'il fait.»

Cessant de m'en prendre aux meubles, je décidai de m'asseoir. Une fois encore, le bon sens était du côté de Thomas.

— Mais il est capable de me rendre fou !

Thomas s'approcha et posa la main sur mon bras.

— Ne lui fais pas attention. À quoi bon te soucier de choses aussi insignifiantes ? Sais-tu ce que Lady Jane t'aurait dit ?

Je n'eus pas à réfléchir longtemps.

— Elle m'aurait dit exactement la même chose que toi, puis elle m'aurait dit de prendre en compte les enjeux importants et de m'élever au-dessus des chamailleries mesquines.

Thomas n'eut rien à ajouter. Il pencha la tête d'un côté en soulevant l'épaule, ce qui signifiait « précisément », et je sus qu'il n'y avait plus rien à dire. Je me levai.

— Eh bien, rester assis ici ne nous avancera à rien. Je suppose qu'il vaudrait mieux que je trouve un autre artiste. Cela m'occupe, de toute manière. L'idéal serait de trouver un jeune peintre d'avenir en quête de travail. Je dois chercher encore.

Thomas se contenta de répéter le même geste. Parfois, il m'énervait presque autant que le comte…

Chapitre 25

23 février 1556
Atelier de Véronèse

La ville de Venise regorgeait d'œuvres d'art, et pourtant, la liste de peintres talentueux fournie par Vannes était affreusement courte. Le nom de Paulo Caliari, originaire de Vérone, mais désormais établi à Venise et universellement connu sous le nom de Véronèse, y venait en deuxième place, et je suivis pas à pas les indications de Vannes à la recherche de son atelier.

J'avais eu l'occasion d'admirer quelques-unes de ses œuvres les plus récentes : des plafonds réalisés au palais ducal, achevés un an avant. Vannes m'avait également conseillé de visiter l'église San Sebastiano, où le premier d'une série de tableaux venait d'être livré. Je m'y rendrais peut-être après m'être entretenu avec l'artiste.

L'atelier de Véronèse était fort modeste, beaucoup plus petit que celui du Titien, et je faillis presque ne pas le remarquer, mais l'odeur de peinture fraîche arrêta mes pas un instant, et je me retournai pour mieux regarder. Je frappai doucement à la porte, craignant une répétition de mon entretien avec Claudio Manzi. Cette fois encore, un jeune apprenti vint m'ouvrir. À ma grande surprise, je fus conduit directement dans le studio.

J'y trouvai une ambiance très différente de celle de l'atelier du Titien : il y avait moins d'assistants, moins de tableaux en préparation, et l'atmosphère de l'endroit semblait plus détendue. L'apprenti s'excusa de l'absence de son maître, mais il me demanda si je désirais parler à l'assistant du maestro. Celui-ci me rejoignit dans un coin de la pièce, essuyant ses mains tachées de peinture avec un chiffon.

Je lui décrivis le comte ainsi que le portrait qu'il désirait, et Giovanni nota soigneusement chacun de ces détails. Il écrivait lentement et maladroitement, mais lorsqu'il eut amassé toutes les informations dont il avait besoin, Giovanni sembla plus détendu.

— Je suis désolé qu'il ne soit pas ici. Il est parti sur le continent pour quelques semaines, à Maser, avec Andrea Palladio. Ce dernier doit construire là-bas une grande villa pour Marc'Antonio Barbaro. Véronèse a décroché le contrat pour les fresques et aussi pour quelques grands tableaux à l'huile qui décoreront la maison. Une fois les travaux entamés, il est probable que nous déménagerons tout l'atelier sur place pour deux ou trois ans, et que nous vivrons là-bas ; mais les plans ne sont pas encore achevés. Malheureusement, tant que Paulo ne sera pas revenu, je ne serai pas en mesure de vous dire avec certitude quand nous pourrions commencer : tout dépend de Marc'Antonio Barbaro.

Cet atelier me plaisait : j'aimais l'ordre qui y régnait et les manières affables de Giovanni et de l'apprenti. On n'y trouvait pas cette atmosphère de crainte qui faisait trembler l'atelier du Titien.

— Depuis combien de temps êtes-vous ici ? demandai-je.

— Paulo est arrivé à Venise il y a trois ans, et je l'ai rejoint environ six mois plus tard. Cet atelier n'est que temporaire puisque nous ne pouvons nous engager avec personne jusqu'à ce que Barbaro nous donne sa confirmation. Mais ne vous laissez pas décourager : Paulo n'a peut-être que vingt-huit ans, mais il est très talentueux. Je suis sûr que nous pourrons vous faire un joli portrait. Pour la tête, les épaules et les mains, il en coûterait probablement cinquante ducats, peut-être soixante si le sujet a des traits difficiles; et nous aurions besoin d'une avance pour le matériel, disons de dix ducats, ou vingt s'il requiert beaucoup de pierre bleue, dont l'importation d'Asie nous coûte très cher. Difficile d'être plus précis jusqu'à ce que Paulo revienne et rencontre votre ami; mais cela vous donne tout de même une idée.

Je le remerciai de son aimable réponse et lui promis de transmettre ces informations au comte. Comme je m'apprêtais à sortir, il m'interpella.

— Revenez dans un mois. Paulo devrait être rentré d'ici là. Bien sûr, si vous êtes pressé, il y a toujours le Tintoret. Il préfère vendre ses tableaux à vil prix plutôt que de perdre du travail; mais si vous revenez nous voir et que nous sommes disponibles, je vous promets que vous ne serez pas déçu.

Je rentrai chez moi avec des sentiments partagés. J'aimais l'approche honnête et sans détour des gens de Véronèse, mais un mois d'attente, sans engagement? Le comte ne serait pas content. Je devais continuer à chercher. Peut-être auprès de cet homme, le Tintoret? Ils m'avaient dit que je pourrais conclure une bonne affaire avec lui… Cinquante ducats, le salaire annuel d'un homme de talent, ce n'était pas de la petite bière, même pour un comte.

Chapitre 26

26 février 1556
Au Rialto, près du Grand Canal

— Richard, du calme.

Nous nous tenions au bord du Grand Canal, près du Rialto, à regarder les hommes discuter des plans pour le nouveau pont. Encore une fois, Thomas essayait de calmer le jeu.

— Il a dit cela ? Ce sont les mots qu'il a employés ?

J'étais sorti de la maison en claquant la porte et Thomas m'avait suivi, de crainte que j'aille faire une bêtise.

— Ses mots exacts ont été : «Si vous tenez à mon parrainage, vous devrez faire mieux que cela.» J'en ai assez de cet imbécile de poseur. Il peut le dénicher lui-même, son maudit «artisan», et j'espère qu'il aura l'air d'un singe sur son satané portrait !

Thomas posa sa main sur mon épaule.

— Lady Jane ?...

Cela fonctionnait toujours. Je cessai de fulminer pour mieux réfléchir. Si seulement elle avait été là pour me parler...

Thomas m'emmena à une taverne en bordure du canal. Ici nous pourrions boire un peu de vin, nous asseoir au soleil et, à tout le moins, respirer un peu. Thomas commanda du prosecco et posa les pieds sur un tabouret vide en face de lui. Pendant un instant, il resta assis à ne rien dire, baignant dans la chaleur du soleil de ce début de printemps ; mais je savais qu'il était sur le point de parler, et j'attendis.

— Je comprends ton sentiment, Richard. D'un point de vue médical, le comte ne va pas bien et sa situation se détériore. Tout ce que je te demande, c'est de le considérer comme un homme malade, et non comme une mauvaise personne. Je partage ta frustration, mais je me sens aussi le devoir de ne pas l'abandonner, comme tant d'autres l'ont fait par le passé. Sa garde armée a peut-être été réduite, mais il court encore un danger. Puis, je pense, sans trop savoir pourquoi, que ce problème devrait se résoudre de lui-même dans un proche avenir. Cela fait à peine six semaines que nous sommes ici. Laisse-lui du temps. Fais comme moi : essaie d'éviter sa présence en trouvant d'autres activités, quelque part en ville. Il y a tant de choses à faire ici, tant de gens intéressants à rencontrer.

Je savais qu'il avait raison, mais en même temps, je ne voyais pas pourquoi je devais toujours battre en retraite.

— Ce qui m'agace dans tout cela, c'est qu'il ait évoqué la question du parrainage. Nous avons accepté de lui servir de compagnons de voyage et de son côté il s'est engagé à nous défrayer de tout. Nous avons accepté cette entente à sa requête. Il n'est aucunement question de parrainage, et je m'insurge contre ce qu'il a voulu laisser entendre.

Thomas acquiesça du chef.

— Tu as à moitié raison. Mais pour être exact, nous avons accepté de l'accompagner jusqu'ici de notre plein gré, et sur son invitation, non pas à sa requête. Il s'agit toutefois d'un argument de juriste, et je n'ai pas l'intention de passer une si belle journée à ergoter.

Je hochai la tête. Encore une fois, il avait raison.

— Quant au parrainage, eh bien… Pour ma part, je vais le juger d'après ses actions. Ses paroles, on le sait, ne sont souvent que pure bravade. Combien de fois l'avons-nous vu adopter une position courageuse et invoquer de grands principes, avant de se rétracter deux minutes plus tard, une fois que la dure réalité l'a rattrapé ? Cet homme est un rêveur, Richard, mais tant qu'il respecte sa part du marché et qu'il couvre toutes nos dépenses, je suis bien décidé à ne pas chicaner inutilement sur les termes de l'entente et je me contenterai de recevoir l'argent.

— Et s'il arrête de payer ?

— Dans ce cas, je m'estimerai libéré de l'entente et je retournerai à Padoue.

Un grand madrier tomba du haut du pont sous nos yeux, à la stupéfaction du gondolier qui passait en dessous à cet instant même.

— Tu es peut-être trop chatouilleux, Richard. Il n'a pas tort. Il doit y avoir d'autres artisans. Après tout, ils ne peuvent pas tous être occupés à concevoir ce nouveau pont !

Je sentis mon cœur se serrer. Dans mon esprit, le seul but de la conversation était de faire comprendre à Thomas que le problème se trouvait dans l'attitude déraisonnable du comte. À lui de me dire comment sortir de l'impasse. Mais tout ce qu'il trouvait à faire, c'était de prendre la défense de Courtenay, comme toujours. Parfois, son jugement sûr et équilibré avait le don de me mettre hors de moi plus que n'importe quelle prise de bec. Je levai mon verre. «Merci, Thomas : je croyais que tu étais de mon côté. » Les mots résonnèrent dans ma tête, mais je me gardai de les prononcer. J'avais besoin d'un ami dans cette ville et me disputer avec lui n'aiderait en rien ma cause. Peut-être avait-il raison. C'était ce qu'il y avait de plus exaspérant avec lui : il était presque toujours dans le vrai. Je le regardai avec un éclair dans les yeux. Il sourit à son tour, comme s'il devinait chacune de mes pensées.

Thomas fit mine de porter un toast :

— La vie est casse-couilles. Ensuite, tu meurs.

J'éclatai de rire.

Chapitre 27

Ma mémoire ne m'avait pas trompé : c'était la bonne journée et la bonne heure. Les jeunes gens, de nouveau rassemblés sur le pont jouxtant le couvent de Sant' Alvise, interpellaient leurs compagnons debout dans les embarcations ou accrochés aux fenêtres de l'édifice.

Nombre d'entre eux me reconnurent, dont Marco et Angelino, et me firent signe de venir les rejoindre dans les bateaux. Après cet accueil amical, je mis peu de temps à me fondre dans le groupe.

— Sebastiano sera là dans une minute. Il a piqué une grosse barge au commerce de son père et il nous l'apporte. Elle est beaucoup plus haute que nos barques à nous. Comme ça, nos têtes arriveront à la hauteur des fenêtres.

Cela semblait une bonne idée. La barge arriva quelques instants plus tard, poussée par deux jeunes hommes solidement charpentés et munis de longues perches, sous les acclamations du groupe. De forts ricanements montèrent à l'intérieur du couvent : il semblait que les nonnes avaient été averties du plan proposé et attendaient elles aussi l'arrivée des renforts avec curiosité.

Sebastiano arrêta sa barge contre la pierre jaune et écaillée des murs du bâtiment, et l'amarra en poupe et en proue au grillage de la fenêtre. Manifestement, le petit jeu des garçons ne leur causait pas d'inquiétude et aucune dissimulation ne paraissait nécessaire. Excités, nous montâmes dans l'embarcation et nous tînmes sur les panneaux arrondis recouvrant la cale. La plupart des spectateurs durent tendre encore un peu le cou pour regarder à travers la fenêtre. Quant à moi, qui dépassais les autres d'environ un pied, je n'avais aucune difficulté à voir à l'intérieur du couvent.

Le soleil de l'après-midi tombait de l'autre côté de l'immeuble. Ainsi, nous étions plongés dans l'ombre ; mais bien que l'éclairage fût mauvais, il nous paraissait suffisant. Je comptai en tout dix-sept religieuses. Certaines pouvaient avoir quatorze ans, d'autres approchaient de la trentaine. Elles s'étaient massées tout près de la grande fenêtre et jouaient des coudes pour mieux voir. En raison de ma taille, il ne m'était pas nécessaire de me presser devant, aussi je me tins derrière l'attroupement, observant attentivement ce qui se passait.

Aujourd'hui, personne n'avait apporté de roses, mais certains jeunes hommes s'accrochaient tour à tour au grillage pour souffler des mots doux à celle qui avait retenu leur attention. Les religieuses changeaient également de place, ainsi il apparaissait toujours de nouveaux visages devant. Elles ne ressemblaient en rien aux nonnes que j'avais pu voir en Angleterre. Leurs cheveux étaient soigneusement ramassés en de longues boucles roulées en spirale et entrelacées de rubans de soie. Dans bien des cas, elles arboraient également de riches bijoux. Elles ne portaient pas l'habit noir traditionnel des religieuses, mais de somptueuses toilettes de velours et de brocart. Autant que j'en pouvais juger, elles étaient aussi bien vêtues que les patriciennes qui arpentaient les piazzas en titubant sur leurs hautes chopines, tout en essayant de ne pas souiller leurs robes sur les dalles.

Il y avait, cependant, une différence notable. Bien des patriciennes ne se montraient guère plus modestes que les courtisanes, se pavanant sur les piazzas ou s'exhibant de façon dévergondée sur les balcons ou les ponts qui surplombaient les canaux les plus fréquentés. Les religieuses, quant à elles, gardaient une certaine pudeur.

Certaines d'entre elles, toutefois, affectaient des manières un peu moins chastes et badinaient effrontément avec les jeunes gens suspendus à la fenêtre. Mais derrière ces quelques bavardes se tenaient des nonnes un peu plus posées, encore jeunes – peut-être dans la vingtaine – mais plus réfléchies dans leur comportement. L'une d'entre elles attira immédiatement mon attention : elle se détachait du reste de ses compagnes aussi ostensiblement que je ressortais des miens. Comme moi, elle dépassait toutes celles qui l'entouraient d'au moins une tête, mais tandis que j'avais les cheveux dorés et bouclés, les siens étaient d'un blond pâle et tombaient raides, sans ornement, sur ses délicates épaules. Je n'avais vu de tels cheveux que deux fois dans ma vie, quand des commerçants baltes s'étaient présentés à la foire de Bridport afin d'acquérir des cordes pour leurs navires en échange de longs fûts issus de leurs forêts de pins. Non seulement la chevelure de ces marins était de la même couleur (semblable à l'écorce de bouleau), mais leur visage avait la même teinte dorée et leurs yeux, le même bleu perçant.

Ce qui m'intéressa en particulier, c'était la façon dont elle me regardait de côté, plutôt que de me faire face, suivant mes mouvements de ses yeux sans jamais tourner la tête. Il y avait dans ce regard une sorte d'intensité timide et fugitive qui m'interpellait. Quant à moi, je la regardais droit dans les yeux.

Elle ne riait pas avec les plus jeunes, mais se contentait de sourire, doucement, toujours prudente et attentive. Je trouvai que son visage avait plus de caractère que tous ceux que j'avais jamais vus. Ses pommettes anguleuses saillaient vers le haut de ses oreilles, son nez long et fin, aux narines légèrement dilatées, rappelait celui d'une jument arabe. Sa bouche était petite, mais changeante, avec de légers mouvements au coin des lèves, comme si elle faisait mine de parler, ou qu'elle essayait de contenir un rire.

Elle devait être issue de la plus noble des familles, pensai-je ; car son cou était si long, son maintien et son expression si élégants et si recherchés, qu'elle se serait immédiatement distinguée des autres, même si elle ne les avait pas autant dépassées en stature. Les plus jeunes continuaient de se bousculer devant la fenêtre, mais elle se tenait à l'écart de la mêlée, tout en gardant un air réservé et soupçonneux. Intérieurement, je l'appelai Giacchiola, le Glaçon, tout en me demandant quel était son vrai nom et quelle histoire se cachait derrière cet air réservé.

La plupart des visages devant moi affichaient une joie toute simple et une gentillesse non dissimulée, mais celui de Giacchiola semblait receler une profonde tristesse, qui, en y regardant plus attentivement, paraissait émaner de ces pâles yeux bleus. Ce visage n'était pas le véritable reflet de sa personne, mais un masque de prisonnière : une personne qui, comme moi, se trouvait peut-être dans une situation confortable, mais néanmoins contraignante. Se pouvait-il que nous ayons ce trait en commun ? Pouvions-nous, me demandai-je, nous venir en aide mutuellement afin d'y échapper ? Inexplicablement, je sentis qu'il fallait absolument que je lui parle ; et malgré sa réticence à me regarder en face, j'eus la nette impression qu'elle avait quelque chose à me dire – quelque chose d'important.

J'avais remarqué que bon nombre de garçons glissaient subrepticement des messages entre les mains de celle qu'ils avaient choisie ; mais je savais que, étant donné sa position réservée et en retrait des autres, Giacchiola n'accepterait aucun message de ma part, même si je lui en présentais un. Au lieu de cela, j'ouvris mon carnet de croquis et écrivis sur une page blanche :

RICHARD — *INGLESE*

Je lui montrai le carnet et la dévisageai. Pour la première fois, elle me regarda en face, et je crus la voir prononcer silencieusement : « Richard. » Elle eut un hochement de tête. Je sentis son regard me transpercer jusqu'au tréfonds de l'âme, comme si nos yeux étaient liés ensemble par une force invisible. Pendant un instant, elle soutint mon regard, puis baissa les yeux.

La cloche se mit à sonner et les nonnes commencèrent à se disperser ; mais elle demeura à la fenêtre jusqu'au dernier instant, sans me quitter des yeux, comme pour voir si j'étais digne de confiance. Enfin, elle se détourna et rejoignit ses compagnes. Les jeunes gens détachèrent les amarres de la barge et s'apprêtèrent à rentrer chez eux dans leurs embarcations.

Deux d'entre eux offrirent de me ramener, mais je les remerciai et décidai plutôt de marcher. J'avais besoin d'être seul. Ce visage ! Même si je ne devais jamais le revoir, je savais que j'en garderais le souvenir pour toujours. Qui était-elle, et pourquoi était-elle enfermée là ?

Je n'étais pas pressé de rentrer, empruntant des chemins détournés afin de retarder mon arrivée. Il fallait que je rassemble mes esprits. Neville avait-il raison ? Enfermait-on ces jeunes femmes au couvent uniquement pour leur bien et leur protection ? Ou bien étaient-elles véritablement prisonnières ? Si c'était le cas, il y avait sûrement moyen d'en libérer au moins une. Je sentais que c'était mon devoir d'essayer.

Chapitre 28

2 mars 1556
Ca' da Mosto

J'étais étendu dans une cellule de prison, ruisselant de sueur ; je me tournais et me retournais d'un côté et de l'autre, comme pour échapper à ce cri affreux. Je me bouchais les oreilles avec les mains, mais quelque chose voulait m'en empêcher, et encore une fois j'entendais, montant de la cellule voisine, cette terrible plainte, celle d'une personne poussée à bout, condamnée, réduite à la souffrance et au désespoir. Une voix de femme, insistante, inéluctable, appelant à l'aide.

Soulevant mon corps las, je m'efforçai d'atteindre la fente étroite qui s'ouvrait entre nos deux cellules. Grattant le mur de plâtre afin de signaler ma présence, j'attendis d'apercevoir un visage. Enfin je la vis, les cheveux emmêlés et crasseux, le visage recouvert d'éraflures ; du sang coulait sur sa joue. Elle n'eut pas la force de se tenir debout pendant plus de quelques secondes, mais ses yeux injectés de sang, néanmoins d'un bleu perçant, me supplièrent, m'implorèrent de l'aider. Les forces me manquèrent, et je glissai contre le mur de la cellule, pleurant sur ma faiblesse et mon impuissance.

— Oh !

Je secouai violemment la tête et haletai profondément, puis je me levai et me passai le visage à l'eau froide, incapable de me départir de ce rêve. L'aube n'avait pas encore point et l'air était froid, mais la sueur refusait de quitter mon corps. Enfin je descendis, quittai la maison et traversai la cour jusqu'à la pompe au-dessus de la *cisterna*, m'aspergeant d'eau glaciale jusqu'à ce que je retrouve mes esprits.

De retour dans ma chambre, je me séchai et m'habillai. Les choses ne se passeraient pas ainsi. Il fallait que j'y retourne et que j'essaie de communiquer avec elle d'une façon ou d'une autre.

Pour Cheveux d'or :

Je m'appelle Richard et je suis anglais : je vis actuellement non loin de vous à Venise, auprès de mon employeur, un comte anglais qui a l'oreille du doge.

Qui êtes-vous et pourquoi vivez-vous en cet endroit ? Avez-vous vraiment la vocation d'une religieuse, ou y a-t-il autre chose qui vous retient dans ce couvent ?

Y aurait-il moyen d'avoir un entretien ensemble ?

Je reviendrai dans une semaine, à l'heure habituelle.

Richard Stocker

Je me présentai au couvent en gondole. L'endroit était désert.

— Vous n'êtes sans doute pas d'ici.

Le gondolier me considéra avec pitié.

— Les nonnes n'apparaissent pas à la fenêtre avant le milieu de l'après-midi. Tout le monde sait cela.

Je hochai la tête avec colère. Je le savais bien, mais j'étais si pressé de remettre ma lettre à sa destinataire que j'avais décidé de me rendre ici, seul avec le gondolier, dans le froid et la brume du matin.

Nous attendions près de la fenêtre depuis environ une demi-heure lorsqu'un bruit de pas retentit à l'intérieur. Me dressant sur la pointe des pieds, je m'accrochai au grillage de la fenêtre. Une jeune nonne passait par là et manqua de s'évanouir lorsque je l'appelai depuis la fenêtre.

— Psst !

Je lui montrai le pli : « Pour Cheveux d'or. » Elle fronça les sourcils pendant un instant, puis je lui signifiai ce que je recherchais : des cheveux longs jusqu'aux épaules. Son visage s'éclaira et elle hocha la tête, me faisant signe d'attendre ; puis elle s'éloigna en courant.

J'attendis encore pendant un quart d'heure, puis elle vint doucement, marchant à pas feutrés dans des chaussons plats et vêtue d'un habit noir de religieuse. Pendant un instant, je ne la reconnus pas, mais elle enleva bientôt son capuchon et sa pâle chevelure tomba en cascade sur ses épaules. Elle me regarda d'un air partagé entre la peur, la colère et la perplexité. Je lui remis la lettre et, à mon grand soulagement, elle s'en saisit. J'attendis, désespérément accroché aux grilles, pendant qu'elle la lisait. Elle termina sa lecture et leva les yeux. Je compris qu'elle se demandait si elle pouvait me faire confiance ou non. Enfin elle parut se décider avec un hochement de tête.

— La semaine prochaine, à l'heure habituelle, murmurai-je.

Elle hocha de nouveau la tête. C'était un début. Déjà, nous avions une sorte de rendez-vous.

Chapitre 29

6 mars 1556
Fondamenta dei Mori, dans Cannaregio

— *Ehi*, Riccardo ! Comment vont les choses ? Où t'en vas-tu comme ça ?

Pietro, le jeune pêcheur, avait quitté son poste habituel devant la trattoria de ses parents et décidé de tenter sa chance à l'endroit où un canal secondaire rejoignait le Rio della Sensa un peu plus loin sur la Fondamenta dei Mori.

— Où t'en vas-tu comme ça ? répéta-t-il, laissant sa canne à pêche sur le bord du canal et se précipitant à ma rencontre. Comment vont les choses à Sant' Alvise ? As-tu réussi à enfiler la nonne blonde ?

Je le pointai d'un doigt accusateur.

— Hé, n'exagère pas ou je te balance dans le canal, tu m'entends ?

Comme d'habitude, il essaya de jouer au plus fort.

— Pour ça, il faudrait un homme pas mal plus gros que toi ! commença-t-il.

Mais lorsqu'il vit que je ne blaguais pas et que s'annonçait pour lui une bonne trempette, il changea de discours et leva les mains en signe de reddition.

— D'accord ! Je m'excuse ! Ce n'était qu'une blague. Mais où t'en vas-tu donc ?

Ses petites jambes trottinaient auprès de moi tandis qu'il essayait de me suivre.

Je lui dis que je cherchais l'atelier de Jacopo Robusti ; mais il hocha négativement la tête.

— Je ne le connais pas. Que fait-il ?

— C'est un peintre. Un célèbre peintre.

Pietro hocha de nouveau la tête.

— Nan ! Le seul qui vit sur cette rue s'appelle le Tintoret.

— C'est lui. Robusti est son vrai nom. Où habite-t-il ?

Pietro me montra une maison un peu plus loin sur la Fondamenta.

— Là-bas, regarde, celle aux murs jaunes tout écaillés.

La vieille façade, fort endommagée, avait connu de meilleurs jours. Son revêtement de stuc s'émiettait par endroits et laissait voir le briquetage en dessous. Comme sur la plupart des édifices du quartier, l'enduit de stuc n'était pas jaune mais d'une teinte de brun tirant sur le rose. Devant l'atelier du Tintoret, il s'effritait par gros morceaux, dévoilant un briquetage plus rudimentaire sous le fini extérieur.

La maison était d'imposantes dimensions : trois grandes portes d'aspect massif, peintes en bleu foncé, chacune d'entre elles surmontée de grands ouvrages de pierre blanche, donnaient accès au studio et aux résidences situées au-dessus. Je reculai de quelques pas pour compter les étages : cinq au total ! C'était une demeure impressionnante, mais qui avait vu des jours meilleurs.

Entre cette maison-ci et celle sur la gauche se trouvait la sculpture d'un Arabe portant de longs vêtements amples et un énorme turban. La statue elle-même était presque grandeur nature. Posée sur un grand piédestal, elle dépassait les portes. Celles-ci, de même que la sculpture, semblaient être debout depuis des siècles.

Je donnai à Pietro une petite tape sur l'épaule.

— Merci beaucoup, mais il s'agit d'une affaire privée.

Il sembla quelque peu dépité, mais hocha la tête et retourna tranquillement vers sa canne à pêche, tout en me faisant signe de la main d'un air déçu. Je frappai à la porte.

Le serviteur qui ouvrit avait le teint assez foncé pour être un Arabe lui-même, mais son sourire était fort amical et il me fit signe d'entrer.

— Je vous en prie! Entrez, entrez! Puis-je vous aider?

Je lui dis que je venais pour discuter d'une commande éventuelle pour le Tintoret. Il me conduisit à travers un couloir sombre et me fit attendre seul dans une petite cour intérieure, recouverte d'un vélum de toile quelques étages plus haut. D'un côté se trouvaient une table et trois chaises. En face d'où j'étais assis, une porte était entrouverte. À côté, un treillis de bois finement ouvragé, gravé d'arabesques et d'entrelacs, servait de fenêtre et laissait pénétrer l'air et la lumière dans la pièce cachée derrière. De l'autre côté du treillis, je perçus un mouvement et sentis que quelqu'un m'observait; mais le visage demeura indistinct. Près de là, une grande vigne montait jusqu'à la toiture, et bien que la vigne elle-même ne fût pas encore en feuilles, une autre plante grimpait à ses côtés qui, même en cette période de l'année, était couverte de fleurs d'un mauve éclatant.

La porte derrière moi s'ouvrit de nouveau et je fus rejoint par un homme d'allure énergique, peut-être dans la trentaine, qui essuya soigneusement la peinture de sa main avant de me l'offrir en guise de salutation. Son visage avait l'air rieur de celui qui ne prend pas la vie trop au sérieux, mais ses yeux témoignaient d'une fougueuse compétitivité, ce que vint confirmer la poigne de fer dans laquelle il me serra la main.

— Jacopo. Appelez-moi le Tintoret – comme tout le monde !

Je me présentai et lui expliquai les raisons de ma visite. Fort de mes entretiens avec les gens du Titien et de Véronèse, je possédais bien mon discours et me sentais mieux informé et mieux préparé qu'à la toute première occasion, laquelle s'était révélée catastrophique.

— Mon nom est Richard Stocker et je suis anglais. J'accompagne Edward Courtenay, le comte de Devon, pour un long séjour à Venise. Le comte est le dernier représentant de la lignée royale des Plantagenêt et aimerait faire réaliser un nouveau portrait de lui, étant donné que l'autre est resté en Angleterre. Idéalement, ce portrait inclurait la tête et les épaules, mais aussi les mains. Il aurait pour but de faciliter d'éventuelles négociations de mariage ; vous comprendrez donc qu'il s'agit d'une affaire urgente, même s'il y a toujours moyen de s'entendre. Puisqu'il vient d'Angleterre, le comte n'est pas en mesure de rivaliser avec la richesse des grandes familles vénitiennes, et espère que vous vous montrerez conciliant. En ce qui concerne les arrangements, le comte est actuellement disponible pour des séances de pose à Venise même et m'a demandé de vous faire savoir que si vous avez du temps dans l'immédiat, à cause d'annulations, par exemple, il lui plairait de s'accommoder à votre calendrier, sans doute déjà très chargé. Lui et moi avons vu quelques-unes de vos œuvres ; et je tiens à souligner, purement en tant qu'amateur d'art, l'excellence avec laquelle vous parvenez à représenter les rondeurs et les formes, le jeu de la lumière sur le corps humain et les étoffes qui l'entourent…

Soudain, je constatai que je n'avais plus rien à dire. Je m'interrompis, tout en espérant avoir fait suffisamment bonne impression, du moins pour éveiller en lui un intérêt initial.

Le peintre se cala dans son siège, tout sourire, et leva les bras au ciel.

— Comment pourrais-je ne pas répondre positivement à une telle offre ? Si seulement mes autres protecteurs pouvaient se montrer aussi clairs, concis et expressifs dans leurs désirs ! Venez avec moi dans l'atelier, je vous montrerai quelques-uns de nos tableaux.

Il me reconduisit par où j'étais venu et nous bifurquâmes vers un grand atelier, vaste et aéré, la lumière entrant à flots par de hautes fenêtres regardant au nord. Une douzaine d'assistants assis devant des chevalets me saluèrent avec un sourire ou un signe de la main sans pour autant déranger leur rythme de travail. Le Tintoret me montra quelques-unes de ses œuvres à divers degrés d'achèvement. Il y avait bien quelques portraits, mais comme de coutume à Venise, bon nombre de tableaux représentaient des scènes mytho-logiques.

— Le climat de votre atelier semble à la fois productif et agréable.

Le Tintoret s'inclina.

— Je vous remercie. Et où donc avez-vous été témoin d'un climat productif et *désagréable* ?

— Je vous ai déjà parlé du Titien, j'ai visité son atelier. Ses apprentis paraissaient terrifiés ; les vôtres me semblent plus détendus.

Il fit la grimace.

— Le Titien est un parfait salaud ! Et Claudio Manzi, ce sale porc, est pire encore. Ils se méritent mutuellement. J'ai travaillé pour eux durant mes premières années d'apprentis-sage et ils ont fait de ma vie un cauchemar. À la fin, ils m'ont jeté à la porte. J'ai juré de prendre au Titien le plus de travail possible et cela demeure mon ambition première. Dites-moi, avez-vous vu un tableau qui s'appelle la *Vénus au miroir* ?

Je hochai la tête énergiquement.

— Je ne sais pas qui était le modèle, mais je n'oublierai jamais ce tableau.

— Était-il terminé ?

— Il était sur le point d'être livré au moment où je passais là-bas, il y a deux semaines.

Il sourit.

— Je lui dirai que le tableau est parti.

Je ne comprenais pas.

— À qui ?

— Au modèle, bien entendu. Je lui ai volé. Il avait pour elle des désirs charnels et elle le savait. C'était son meilleur modèle, mais j'avais l'habitude de la faire venir ici en secret à l'occasion, et maintenant elle ne travaille plus que pour moi. Quel coup de maître ! Venez, laissez-moi vous montrer quelque chose.

Il me conduisit au fond de la pièce, retourna vers moi un chevalet et en retira le drap.

— Voici. Vous aimez les formes et la lumière ? J'ai terminé ce tableau il y a cinq ou six ans, mais nous l'avons gardé ici parce que l'acheteur est à l'étranger et ne veut pas que personne d'autre le voie. *Vénus surprise par Vulcain.* Qu'en pensez-vous ?

Une femme était étendue sur un lit, écartant les jambes avec abandon, complètement nue à l'exception d'une bande de soie reposant sur sa hanche. Un homme musclé, quelque peu fruste, semblait s'être approché sur la pointe des pieds et lui retirait délicatement le dernier bout de tissu qui préservait son intimité, tandis qu'elle s'éveillait. Un enfant était assoupi dans un petit lit situé derrière elle, et toute la scène se reflétait dans un grand miroir sur le mur du fond.

— Eh bien ? Qu'en pensez-vous ?

— Est-il sur le point d'abuser d'elle? Elle a l'air tellement vulnérable.

Le peintre secoua négativement la tête.

— Non, vous êtes passé à côté. Cela ne vous fait penser à rien de voir une femme allongée comme cela?

Je revins en pensée à cette journée à Bradgate Park où j'avais été séduit par Lady Frances Grey, la mère de Lady Jane. J'avais répondu en lui donnant tout ce qu'elle voulait, puis elle était restée allongée de cette manière, rassasiée, satisfaite, indifférente au regard des autres.

— Vous voulez dire… après?

Le Tintoret se donna une tape sur la cuisse.

— Exactement! Après. Voici Aphrodite, et voilà son mari Héphaïstos (Vénus et Vulcain, si vous préférez). Il est venu la surprendre avec son amant, mais il arrive trop tard. Mais regardez…

Il désigna le côté droit du tableau.

— Son amant, Arès, se cache en dessous du lit. Il vient de l'échapper belle, n'est-ce pas?

Mais je ne portais aucune attention à l'homme caché en dessous du lit. J'étais captivé par la beauté sauvage de la femme à moitié endormie. C'était la même! La même femme que j'avais vue dans l'atelier du Titien. Je voulais rester là et la regarder encore, mais le peintre m'attira plus loin. De petits bureaux étaient disposés en rangée le long d'un mur, et devant ceux-ci était posé un grand buste sculpté, orienté de profil. Je m'arrêtai pour examiner les dessins sur les pupitres, et le Tintoret vint se placer à mes côtés.

— C'est pour notre cours du matin. Vous avez eu de bons commentaires au sujet de la forme et je crois qu'il s'agit d'un élément essentiel. Le Titien utilise des couleurs éclatantes pour épater la galerie. C'est un artiste très apprécié, même s'il maltraite ses propres gens ; mais en bout de ligne, je dois me rallier au commentaire de Michel-Ange, selon lequel il est dommage qu'il ne sache pas dessiner. Ici, l'art de bien dessiner est essentiel à notre travail. Chaque matin, pendant une heure et demie, nous faisons des exercices de dessin : apprentis, assistants et moi y compris. Nous dessinons à partir de natures mortes, de sculptures et de modèles vivants. Aucun de mes apprentis ne peut devenir assistant ni commencer à utiliser la couleur avant de m'avoir prouvé qu'il est capable de représenter la forme, la profondeur et le relief, la rondeur et le jeu de la lumière et des ombres, en s'aidant uniquement de nuances. Comme vous le voyez, cela signifie dessiner sur du papier gris ou bleu, uniquement au fusain ou à la craie blanche. Si vous vous intéressez au dessin, vous devriez en faire l'essai. Rien ne remplace le dessin, et si vous vous présentez ici n'importe quel jour peu après sept heures, vous nous trouverez tous en train de nous exercer à cet art.

Nous retournâmes à la table, dans la cour intérieure. Ma chaise racla le sol vers l'arrière lorsque que je m'assis, et une fois encore je vis une ombre danser derrière le treillis de bois chantourné sur le mur d'en face. Le Tintoret me posa quelques questions détaillées au sujet du comte, et comme j'avais confiance en lui et qu'il me plaisait, je lui répondis en toute franchise. Il me demanda si Courtenay était vaniteux ou imbu de lui-même. Je lui dis qu'il était les deux. Au bout du compte, il se montra satisfait. Il me donna un prix comparable à celui de Véronèse, et ne demanda aucune avance. C'était, à mon sens, un marché raisonnable, et la meilleure offre que nous ayons reçue.

Je lui serrai la main et m'apprêtai à prendre congé. Je devais toutefois revenir à la question qui me brûlait les lèvres.

— Je dois vous demander une dernière chose avant de m'en aller. Votre Vénus… c'est la même que celle du Titien. Qui est-elle ?

Il sourit, content de garder son secret, et se tapota le nez du bout de l'index.

— Il y a des choses qui ne se disent pas. Je lui ai chipé son modèle et je l'ai peint… comme vous dites, « après » ! J'ai hâte que le Titien voie mon tableau. Il sera fou de jalousie ! Si seulement l'acheteur pouvait revenir et accepter de le montrer.

— Mais s'il vous plaît, dites-moi seulement qui est le modèle !

Il me regarda profondément dans les yeux. Son regard trahissait une pensée calculatrice.

— Si vous réussissez à m'avoir une commande pour le portrait de votre comte, je me chargerai personnellement de vous présenter à elle. Et je prierai pour vous, jeune homme…

Je songeais encore à ce tableau quand je rentrai à la maison ce soir-là. Je savais qu'en gardant son image à l'esprit, le sommeil ne viendrait pas facilement. Qui donc était cette femme ?

Chapitre 30

9 mars 1556
Couvento du Sant' Alvise

Thomas dit souvent que le voyage est pour lui une bonne occasion de réfléchir, mais je ne puis être d'accord avec lui quand il s'agit de se déplacer à cheval ou en charrette. Quand je monte à cheval, je porte toujours attention à ma monture – je regarde si elle lève bien les sabots, si sa démarche permet de déceler une blessure quelconque – et cela m'empêche souvent de me laisser aller à des divagations. Voyager en charrette est si bruyant et si inconfortable qu'il devient difficile de penser à quoi que ce soit, en dehors des craquements et des embardées de la voiture, et des infinies secousses qui vous travaillent le corps à chaque instant. Vous avez beau vous contorsionner dans toutes les positions possibles, vous n'en trouverez jamais une qui soit confortable, et même si vous vous assoyez à l'avant sur un sac de paille à côté du charretier, vous ne manquerez pas d'être couvert de bleus au bout d'une demi-heure.

C'est une tout autre histoire, cependant, que de voyager en gondole : vous vous déplacez tranquillement et en douceur, et quand il fait beau et sec vous pouvez vous allonger sur votre siège et vous laisser transporter à destination comme sur un tapis volant. Parfois je me demande laquelle est venue en premier – si la gondole fut créée pour répondre aux besoins de Venise ou si la ville elle-même fut conçue afin d'exploiter toutes les possibilités de cette merveilleuse embarcation. Quelle que soit la réponse, il n'en demeure pas moins que les deux cohabitent en parfaite harmonie.

En cet après-midi-là cependant, le temps s'était rafraîchi, et j'étais bien enveloppé dans un chaud manteau. Sous un soleil hivernal dans un ciel sans nuages, j'étais parfaitement détendu, quoiqu'un brin inquiet. Je m'allongeai sur mon siège et me laissai porter par la lente progression de la gondole, perdu dans ma rêverie.

Donnerait-elle suite à ma lettre ? Et si oui, quelle serait sa réponse ?

Nous glissâmes sous l'arche d'un pont, et lorsque nous retrouvâmes les flots ensoleillés, trois prostituées se penchèrent du haut d'un balcon et m'interpellèrent. Elles étaient vêtues comme des nobles, mais leurs gorges saillantes et leurs appels insistants ne laissaient planer aucun doute.

— Vous avez une heure, jeune homme ? Venez nous rejoindre et passer du bon temps. Nous nous offrons toutes les trois à vous pour le prix de deux. Montez un peu et nous verrons ce dont vous êtes capable.

Je leur souris et les saluai d'un signe de la main. Dans quelle ville étrange me trouvais-je, où dix filles sur cent étaient soit des prostituées, soit des religieuses ? Et bien que les deux fissent mine d'être heureuses, combien d'entre elles étaient vraiment satisfaites de leur sort, et combien étaient sous la contrainte de règles fixées par les hommes ?

Je n'étais pas convaincu non plus que ces règles fussent, en bout de ligne, à l'avantage des hommes. Certains jeunots s'imaginaient sans doute que la vie dans les *fratellanze* était ce qu'il y avait de meilleur : agir à titre de diplomates et d'hommes de loi le jour, et faire la noce avec des prostituées la nuit. Mais je me demandais combien d'entre eux, en leur for intérieur, ne rêvaient pas de prendre femme un jour et de s'installer confortablement dans leur vie de famille. Un jour, mais peut-être pas tout de suite, pensai-je, tandis que nous glissions sous un second pont.

Je revins en pensée à la nonne aux pâles cheveux d'or. Ferait-elle aujourd'hui une apparition ? Et si oui, aurait-elle une réponse pour moi ? J'étais bien décidé à ne laisser passer aucune chance et j'avais façonné une sorte de bâton fendu par le bout, émoussé sur la pointe pour ne pas blesser, et qui me permettrait d'atteindre n'importe quel message qu'elle essaierait de me transmettre.

Nous approchions d'un autre pont où une bande de jeunes chenapans s'étaient rassemblés, appuyés contre le parapet.

— Attention ! s'écria le gondolier, et je compris qu'ils jouaient à « pisser sur le batelier ».

Ils se tinrent debout à notre approche, fin prêts, et le gondolier souleva sa rame hors de l'eau et la tint dans les airs.

— Le premier qui pisse sur ma gondole, je lui enfonce ça dans le cul ! cria-t-il ; et les garçons quittèrent le bord du pont en ricanant.

Cette petite farce devait se jouer une centaine de fois par jour dans l'ensemble de la ville. Je me demandai si le gondolier ne s'était pas livré au même jeu quand il avait huit ans, peut-être même ici, sur ce pont.

Nous passâmes en dessous sans incident et quand nous fûmes de l'autre côté, les garçons s'étaient attroupés au-dessus de nous. L'un d'entre eux vit le bâton que je m'étais fabriqué et le pointa du doigt en criant. Les autres rirent bruyamment, mais je ne pus comprendre ce qu'avait dit le premier, à cause de son accent.

— Que disent-ils ? demandai-je au gondolier.

— Ils parlent en dialecte vénitien. Ils ont dit : « En route pour le couvent, pas vrai, pour vous amuser un peu ? Si Dieu garde les religieuses concupiscentes, demandez-lui d'en réserver une pour chacun d'entre nous.

Je fis tournoyer mon bâton dans les airs pour leur montrer que je comprenais leur petite blague. Où que vous alliez à Venise, cette familiarité avec le côté truculent de la vie n'était jamais très loin.

Nous traversâmes le Rio di Sant' Alvise et empruntâmes le canal secondaire sur le côté du couvent. Déjà, l'attroupement de jeunes gens s'était formé devant les fenêtres, et quelques-uns d'entre eux firent mine de s'incliner devant moi, du fait que j'arrivais dans ma propre gondole.

— On gravit les échelons du monde, Richard ? dit l'un.

— Il aura bientôt une calotte de neige s'il continue à monter, renchérit un autre, un personnage plutôt court qui aimait bien se moquer de ma haute taille.

La barge n'était pas au rendez-vous ce jour-là, mais sans arrêter le jeu, ils manœuvrèrent leurs embarcations en s'éloignant du mur, de façon à ce que le « lord anglais » puisse amarrer sa gondole directement sous la fenêtre.

Le gondolier me lança un regard furieux.

— Je n'amènerai pas ma gondole contre ces pierres rugueuses, Monsieur, et si vous aviez l'intention d'escalader ce mur dans mon embarcation, comme vos amis le font, vous pouvez y renoncer immédiatement.

Je décidai donc de lui payer son dû et de rejoindre mes amis.

Les religieuses apparurent au milieu des ricanements habituels et nous reprîmes notre jeu de la chaise musicale en nous postant tantôt à la fenêtre, tantôt à l'arrière dans les gondoles. Je demeurai en retrait et regardai par-dessus les têtes de mes compagnons en quête de « ma » religieuse ;

mais au début je ne la vis pas. Puis, enfin, elle apparut, très à l'écart et le visage tourné de côté comme à son habitude, regardant par la fenêtre du coin de l'œil.

Je lui fis signe. Au début, je crus qu'elle ne m'avait pas vu, car elle n'eut aucune réaction ; puis je remarquai qu'elle se frayait lentement un chemin vers l'avant. Elle se tint près de la fenêtre. Sans mot dire elle plongea la main dans sa robe et en retira une petite lettre. Même alors, elle ne regarda pas en ma direction, mais je pouvais voir ses yeux fixés sur moi tandis qu'elle tenait le pli sous son menton d'un air hésitant.

Bousculant les autres, je me précipitai vers l'avant et élevai mon bâton jusqu'à la fenêtre, juste en dessous d'elle. De ses longues phalanges délicates elle introduisit fermement le pli dans la fente et eut un hochement de tête à peine perceptible. Récupérant la lettre, je rejoignis mes compagnons à l'arrière.

Monsieur l'Anglais,

Je me nomme sœur Faustina Contarini, et je vis dans ce couvent depuis que j'ai sept ans. D'abord educande *et fillette invitée de ma tante, puis novice quand j'ai eu seize ans, je fais désormais partie du* coro delle monache – *autrement dit, du chœur des nonnes.*

Maintenant, j'ai vingt ans et l'on me dit que la fortune de ma famille est perdue. Par conséquent, mes rentes prendront fin cet été. L'abbesse m'a expliqué que sans une rente, je ne pourrai plus demeurer sœur, mais que je devrai être reléguée au rang de converse, *ou sœur laie. Dans ce couvent-ci, les converses sont traitées comme des servantes et je sais que si certaines autres religieuses de noble rang gagnent autorité sur moi quand je serai tombée en disgrâce, ma vie deviendra un enfer.*

Je vous prie de m'aider si vous le pouvez.

Je vous écris en toute franchise, puisque vous me dites que vous êtes un visiteur étranger haut placé dans cette ville; je compte donc sur vous pour ne pas me trahir auprès de l'abbesse, du patriarche ou des membres de ma famille. Si vous pouvez m'aider de quelque façon que ce soit, veuillez me l'indiquer, et j'essaierai de trouver le moyen de vous rencontrer. Cela est difficile, mais pas impossible.

Bien à vous, dans la prière et l'espoir,

Sœur Faustina Contarini

Je levai les yeux. Elle demeurait là, debout près de la fenêtre, et pour la première fois elle me regardait fixement.

«Elle a peur», me dis-je, comprenant soudainement pourquoi elle s'était donnée tant de peine pour ne pas se faire remarquer.

Je regardai de tous les côtés, mais personne ne semblait avoir vu la lettre qu'elle m'avait remise, ni s'apercevoir qu'elle attendait de moi une réponse. Je la dévisageai de mon regard le plus intense, et quand je vis ses yeux braqués sur les miens, je hochai la tête affirmativement, rien qu'une fois. Le plus discret des sourires parut au coin de ses lèvres et elle cligna des paupières, comme si l'insistance de mon regard la troublait.

Je continuai à la fixer du regard, mais ses yeux se promenèrent de nouveau sur la foule, comme si elle craignait d'être épiée. Enfin elle parut satisfaite que notre échange fût passé inaperçu, et ses yeux se posèrent sur les miens.

Je tentai de lui signaler, aussi discrètement que je le pus, que je lui écrirais et que je reviendrais dans deux jours. Elle parut comprendre et hocha la tête, le même sourire fugace venant effleurer ses lèvres. Puis, elle disparut. Je la revis un peu plus tard derrière ses consœurs, en retrait sur le côté:

ses yeux étaient encore aux aguets, comme si elle cherchait l'ennemi.

Je me gardai de lui faire signe de nouveau – cela semblait déplacé – et au lieu de cela, je me retirai en silence et entrepris de rentrer à la maison. Deux fois je m'arrêtai dans un endroit tranquille et je relus la lettre, chaque fois en prenant soin de regarder derrière mon dos avant de la retirer de ma poche. Une part de son inquiétude et de sa nervosité semblait avoir adhéré à sa lettre : désormais, j'en étais moi-même atteint. De toute évidence, elle avait très peur, et même si je ne savais pas bien de qui ou de quoi, je n'avais qu'à me rappeler l'expression de son visage pour me convaincre de lui venir en aide.

Lorsque j'approchai de notre résidence temporaire, je m'aperçus que je n'avais aucune envie d'y retourner. J'évitai donc la Ca' da Mosto pour repartir en direction de la demeure du Titien, devant les marécages. Il me fallait du temps pour réfléchir : du temps pour méditer sur ce que j'avais lu, du temps pour voir ce que je pouvais faire pour aider sœur Faustina Contarini, si la chose était possible. Si je voulais réfléchir calmement, la dernière chose qu'il me fallait était d'avoir à répondre aux doléances de Courtenay.

Non loin de l'atelier du Titien, je trouvai un muret sur lequel je pus m'asseoir et contempler la lagune vers l'île de Murano, en espérant que cette vue me soit une source d'inspiration. Au lieu de cela, je sentis la colère monter en moi à l'idée qu'une fillette de sept ans puisse être enfermée dans un couvent et gardée prisonnière pendant toutes ces années. Cela m'enrageait de savoir que la jolie fille de vingt ans qu'elle était devenue, une femme, qui normalement aurait eu toute la vie devant elle, serait plutôt livrée à l'humiliation et même à la violence de ses pairs, dans cette prison perpétuelle qui était sienne, simplement parce que la famille qui l'y avait placée avait manqué à ses obligations.

Mais plus que tout, je savais que j'étais en colère parce que je me sentais impuissant à l'aider.

Malgré la violence de ce sentiment, je me sentais freiné dans mon élan par un souci de prudence, un instinct qui me dictait de retenir mon impulsivité habituelle, de prendre le temps de réfléchir avant d'agir.

Il fallait que je me promène un peu ; rester assis sans bouger ne faisait qu'accentuer mon sentiment d'impuissance. Je me levai et marchai au bord de l'eau, tandis que le soleil s'enfonçait derrière moi et que l'obscurité s'étendait sur la lagune. Devant l'atelier du Titien, un riche protecteur s'apprêtait à partir, les chevaux de sa voiture soufflant impatiemment devant la porte. Je m'arrêtai en face. Un gros rire gras monta dans l'embrasure de la porte et un cardinal aux formes rebondies déboula jusqu'à sa voiture, le Titien à ses côtés.

— Vous avez le don de peindre la chair, Titien ; que ne serai-je prêt à donner pour tâter cette généreuse poitrine ! Faites-la livrer immédiatement : je vais la faire accrocher dans ma chambre à coucher. Ce sera une forme de consolation, je suppose.

Le Titien s'inclina bien bas.

— C'est toujours un plaisir, Votre Grâce. Peut-être aimeriez-vous avoir sa sœur à côté d'elle, comme je vous l'ai suggéré ? La rouquine, vous vous souvenez ? Le mur de votre chambre peut certainement recevoir les deux. Pensez-y !

Le cardinal se pencha hors de sa voiture d'un air complice.

— Sa sœur à côté d'elle, hein ? Eh bien, c'est une idée splendide pour un vieillard comme moi ! Il y a peut-être de la place sur mon mur, et il y a certainement de la place dans mon lit – pour les deux, et moi entre les deux. Quelle idée : deux beautés pareilles en une seule nuit – celle aux cheveux blonds à ma droite, et celle aux cheveux roux à ma gauche... J'y penserai. Souvent !

La voiture s'ébranla vivement et le Titien retourna à l'intérieur.

Je hochai désespérément la tête. Que dire des riches protecteurs du Titien ! Des hommes d'un certain âge, haut placés dans l'Église, qui feignaient d'être dévots en patronnant de grandes œuvres d'art au nom de la religion, mais qui, en réalité, convoitaient le modèle représenté sur le tableau... Pis encore, à moins d'un mille de là, une femme d'une semblable beauté, quoique moins voyante, croupissait dans la prison où l'avaient enfermée ces mêmes « nobles ».

Un tel cynisme de leur part me ramenait soudain à l'application tangible et quotidienne de ma foi en l'Église protestante. Je ne comprenais pas les grands débats au sujet des sacrements, et j'avais tendance à me fier à ce que Lady Jane m'avait appris – ne serait-ce que parce qu'il semblait impossible de la contredire. Je ne trouvais pas non plus ma place dans le débat politique qui opposait les deux Églises. Je me méfiais des belles paroles de ces cardinaux grassouillets, vêtus d'écarlate et d'or. Tout au fond de moi, ce qui me liait à la foi protestante, c'était, en fin de compte, un amour pour la vérité toute simple et sans artifice.

Cette constatation dut me rasséréner, car je m'aperçus que j'avais pris le chemin de la maison et que je passais devant l'Oratorio dei Crociferi, un modeste édifice de deux étages, dont la façade décrépie était encore à moitié recou-

verte de stuc jaune. Les portes et les fenêtres, particulièrement étroites, ne cherchaient pas à accrocher l'œil ; mais
les quatre grandes cheminées au-dessus retinrent mon
attention : les croisés du treizième siècle, de retour dans leur
pays, devaient composer avec le froid, pensai-je, après de
nombreuses années passées à combattre en terres lointaines.
Rien ne paraissait avoir changé depuis trois siècles, et des
quintes de toux, des plaintes et des pleurs effrayés traver-
saient les murs. Je songeai à Thomas, qui continuait probablement à y travailler, aidant les personnes malades et
affaiblies à combattre l'épidémie de rougeole.

Sitôt que je songeai à lui, il ne manqua pas d'apparaître,
et faillit presque se cogner contre moi en empruntant le
chemin qui nous ramenait à la maison. Il me demanda ce
que cette journée m'avait apporté et je commençai à lui
parler de sœur Faustina et de sa détention au couvent. Ce
faisant, l'image du cardinal aux traits bouffis m'apparut et
la colère remonta en moi. Le fait d'en parler à Thomas était
comme une libération et je me mis presque à vociférer
contre l'injustice perçue, et contre ces riches patriciens et
cardinaux qui n'hésitaient pas à piétiner les autres tout en
feignant la dévotion. Je critiquais les classes nobles, mais je
blâmais surtout l'Église catholique. Je savais en le disant
que c'était une erreur, mais ne pouvais réprimer mes paroles.
Thomas continuait de marcher tranquillement à mes côtés
pendant que je déversais tout mon fiel sur le monde en
général et son Église en particulier.

Nous parcourûmes environ un mille dans le silence de
ruelles étroites. Enfin, quand j'eus craché tout mon venin,
je m'interrompis pour reprendre mon souffle.

— Je suis désolé que ta visite t'ait paru si détestable,
Richard. T'intéresse-t-il de savoir comment s'est passée ma
journée à l'Oratorio ?

Sentant l'admonestation dans chaque inflexion de sa voix, je sus immédiatement que j'avais dépassé les bornes. Il en allait toujours ainsi.

— Que s'est-il passé de mon côté ? me demanderas-tu. De vieilles gens qui meurent de la rougeole. Nous en avons perdu onze, aujourd'hui, surtout parce qu'ils sont trop sous-alimentés pour se battre. Regarde cette femme, là-bas !

Il désigna une vieille bique au dos courbé par l'âge, ses mains noueuses agrippant fermement un gros bâton pour l'aider dans sa pénible démarche. Elle était vêtue de haillons, en quantité insuffisante pour la garder du froid ; et je pris soudainement conscience du chaud manteau dans lequel mes épaules étaient enveloppées, tandis que la fraîcheur du soir laissait place au froid de la nuit. Je l'observai, avançant péniblement dans son propre cauchemar, et ne sus plus quoi dire. Thomas s'arrêta sur un pont et me laissa regarder tandis que la vieille femme disparaissait au coin d'une rue. Le son de sa démarche traînante avait quelque chose de plus effrayant que la vue de la femme elle-même.

— Réfléchis bien, Richard. T'imagines-tu que ta nonne est la seule qui soit maltraitée, la seule qui soit victime d'injustice en ce monde, ou même en cette ville ?

Il se tourna vers moi ; et je sus que, derrière ses paroles mesurées, il était furieux.

— Peux-tu comprendre, Richard, que tu n'es pas le seul aujourd'hui à avoir été témoin de choses qui déplaisent ? Tu n'es peut-être pas le seul non plus à te sentir impuissant devant la souffrance des gens, à vouloir les soulager de ce que la volonté de Dieu a placé sur leurs têtes.

Je voulus répondre, mais Thomas n'allait pas me laisser répliquer aussi facilement. Il appliqua la main sur ma poitrine d'un geste appuyé.

— Laisse-moi te poser cette question : es-tu vraiment sûr que ton indignation à l'égard du mécène en question n'est pas un peu hypocrite ? Cette sœur Faustina t'inspirerait-elle les mêmes sentiments si elle avait soixante ans et qu'elle était ravagée par la maladie ? Aurait-elle mérité cette considération immédiate et urgente de ta part, si elle avait été un rien différente de ce « jeune poulain craintif mais fougueux » que tu me décrivais tout à l'heure avec force éloquence ? S'il y a là-dedans une part de compassion, n'y aurait-il pas aussi du désir ? Je préférerais que tu médites un peu ces questions et que tu t'assures de ta propre droiture avant de t'en prendre à mon Église et à l'honneur de cette vénérable cité.

Je cherchai de nouveau à me défendre, et à m'excuser s'il le fallait ; mais Thomas ne voulut rien entendre. Dans l'obscurité presque totale, je dus prendre mon mal en patience. Un brouillard se leva sur les eaux froides du canal.

— Ne sois pas si prompt au jugement, Richard, car d'autres peuvent te juger aussi. D'après mon expérience, il est souvent plus facile de mettre le doigt sur les plaies de ce monde que de trouver le remède qui les fera guérir, et disparaître. On peut trouver que le monde est fait de méchanceté, de bassesse et de vilenie ; ou l'on peut penser, comme je le fais, que ces choses ont été placées ici par Dieu pour nous mettre à l'épreuve. Il n'en demeure pas moins qu'un immense fossé sépare les nantis de ceux qui n'ont rien. S'il nous est impossible de changer cela, nous pouvons toujours essayer d'améliorer le sort des plus démunis.

C'en était trop. Assez de concessions ! J'approchai mon visage du sien, mes yeux jetant des éclairs.

— À la manière de tes cardinaux et du reste du clergé, qui passent leur vie à voler les pauvres tout en s'interposant entre eux et leur Dieu, en leur disant de rester à leur place dans la société !

Thomas pâlit, mais contrairement à moi, il garda son sang-froid.

— Ne fais pas l'enfant, Richard. Sois réaliste : l'Église catholique reste le plus grand secours offert aux pauvres dans tous les pays d'Europe. Toutes les richesses qui affluent vers l'Église et lui permettent de continuer ses œuvres de bienfaisance lui viennent de riches protecteurs, et l'Église peut difficilement cracher dans la soupe. Ce sont des questions difficiles, auxquelles bien des grands esprits n'ont pu apporter de réponses, et qui continueront de tourmenter les hommes dans l'avenir. Plutôt que de me décontenancer avec tes frustrations, tu devrais peut-être améliorer ton grec ancien à l'université de Padoue, puis, en plus de la médecine, étudier Platon, Aristote, Socrate et les autres grands philosophes qui n'ont jamais cessé de buter sur ces mêmes questions. Qu'est-ce que la *rinascita*, sinon une tentative de retrouver les vérités découvertes dans la Grèce antique puis ensuite perdues ? Tu n'es pas tout seul, et si tu ne veux pas finir tout seul, de grâce, ne t'en prends pas à ceux qui cherchent à t'aider. Chacun d'entre nous doit trouver sa propre vérité, et étant donné ton expérience auprès de Lady Jane, tu arriveras probablement à une conclusion différente de la mienne, j'en conviens. Mais je crois que nous visons tous deux un même idéal humaniste. Évitons donc de nous brouiller sur cette question !

Nous rentrâmes à la maison en silence. Peu à peu mes sentiments à son égard se transformèrent. Si au début je le haïssais pour son esprit de contradiction, je dus enfin reconnaître à quel point il avait été difficile pour lui d'exprimer les choses qu'il avait dites. Une telle honnêteté m'inspirait du respect et de l'amitié.

Quand nous arrivâmes à la Ca' da Mosto, nous étions tous deux conscients de la rupture qu'apporterait le comte dans notre soirée. Je m'arrêtai devant la porte et tendis la main à mon ami.

— La vérité n'est pas facile à accepter, mais je te remercie de m'y avoir exposé. Je m'excuse pour tout ce que j'ai dit.

Il me serra la main tout en posant son autre main sur mon épaule.

— Il n'y a plus rien à ajouter. Continuons le chemin – ensemble.

Chapitre 31

10 mars 1556
Ca' da Mosto

Je m'éveillai avec un mal de tête, encore ébranlé par ma conversation de la veille avec Thomas. Il avait gagné la partie et j'avais eu l'air d'un véhément imbécile qui parlait plus vite qu'il ne réfléchissait. Je regrettais chaque aspect de notre dispute, hormis la leçon qu'elle m'avait apprise, même si j'en avais ressenti un grand malaise.

Je pris la résolution de me montrer plus réfléchi dans mes affirmations, et de peser soigneusement mes mots avant d'ouvrir la bouche. La journée qui commençait me fournirait une bonne occasion de la mettre en pratique, puisque je devais me présenter devant le comte pour lui faire état de mes discussions avec les peintres, et essayer de le convaincre de passer une commande au Tintoret au prix demandé.

Avant même de lui parler, j'étais persuadé que les choses tourneraient mal. En ce matin humide, le brouillard était si épais qu'on ne voyait pas de l'autre côté du canal. Arrêté devant la fenêtre, je défendais ma position et formulais mentalement la réplique du comte, émettant des réserves et trouvant des problèmes. Tout en montant l'escalier, je m'aperçus que j'étais en train de retomber dans un vieux travers : celui de me mettre en colère avant même d'entamer une conversation importante.

«Pourquoi suis-je toujours si colérique depuis quelque temps?» me demandai-je. Il n'y avait qu'à regarder autour de moi pour voir que je menais une vie plus agréable que la plupart des gens. Qu'avais-je donc à me plaindre? En me comparant à Thomas, je compris que mes attentes étaient peut-être trop élevées, que mon incapacité à transformer mes rêves en réalités était une source de frustration. Suivant le conseil de Thomas, j'essayai de considérer la situation du point de vue de Courtenay. Le comte m'avait demandé de trouver un artiste pour faire son portrait. Puisqu'il était à la fois le sujet et l'acheteur du tableau, n'était-il pas en droit d'approuver l'artiste, l'approche à adopter et le prix à payer? Armé de cette perspective plus raisonnée, je frappai à sa porte.

— Voici, Votre Grâce. Celui qu'on nomme Titien, comme je vous l'ai signalé, n'est pas disponible. J'ai eu de semblables discussions avec les gens de Véronèse, et celui-ci est tout aussi débordé...

Je m'aperçus que le comte était déjà agacé. Il voulait une solution, et non une liste de mes échecs. Je poursuivis aussi rapidement que je le pus.

— Cependant, j'ai trouvé un artiste d'envergure et de réputation exceptionnelles, qui a accepté, au vu de la haute position que vous occupez, non seulement de vous faire une place dans son calendrier déjà très chargé, mais aussi de peindre votre portrait à prix réduit. La somme que j'ai réussi à négocier est de cinquante ducats. C'est moins que ce que le Titien exigeait, et identique à ce que Véronèse demandait. Toutefois, les conditions sont meilleures que ce qui nous a été proposé chez Véronèse: aucune avance ne sera exigée et le paiement ne sera versé que lorsque l'acheteur se montrera satisfait du produit fini.

À ma grande surprise et pour ma plus grande joie, le comte ne trouva aucune raison de se plaindre et ne discuta même pas du prix négocié.

— Excellent, Richard. Vous avez trouvé l'homme qu'il nous faut, semble-t-il. Avez-vous la liste de ses plus récents clients?

Cette requête n'était pas inattendue, aussi je produisis sans attendre la liste demandée. Il parcourut rapidement les noms des grands personnages et parut satisfait.

— Vous avez discuté de la taille du portrait? Un format incluant la tête et les épaules, y compris les mains? Les mains en disent long sur le caractère d'une personne.

Je lui confirmai que tous ces détails étaient réglés.

— Excellent. Et avez-vous décidé d'une date pour la première séance de pose? C'est que nous sommes un peu pressés, vous savez.

Je lui confirmai de nouveau que cette question avait été discutée et que nous étions parvenus à un accord de principe pour commencer le plus tôt possible. Dorénavant, je pouvais lui répondre avec plus d'assurance. Le peintre avait répondu favorablement à toutes les exigences posées, et pour la première fois je pouvais envisager de retourner à l'atelier du Tintoret, et rencontrer enfin le modèle que j'avais vu sur les tableaux.

— Votre Grâce me donne-t-elle l'autorisation d'aller de l'avant?

Son expression changea et je sus que j'avais commis une erreur. Il n'aimait pas être acculé de la sorte et ma question le bousculait.

— J'y songerai, Richard. Je dis toujours qu'il n'y a pas de mal à mûrir une décision pendant quelque temps. Cela permet de faire ressortir des questions auxquelles on ne songe pas nécessairement au premier abord, et de porter un jugement plus sûr. J'y songerai. Je vous remercie pour tous vos efforts.

Mon cœur se serra. C'était tout à fait son genre. Il venait de me donner congé. De retour dans ma chambre, je regardai de l'autre côté du canal. Le brouillard matinal se dissipait, et mes chances de rencontrer le modèle du Tintoret s'évaporaient avec lui. Je résolus néanmoins de garder mon calme et de poursuivre mes efforts. Je parviendrais à une entente avec le peintre et j'aurais l'occasion de rencontrer cette femme. Il suffisait d'un peu de tact, de diplomatie et de persévérance. Au moins, cette dernière qualité ne me faisait pas défaut ; je devrais travailler les deux premières, mais en me rappelant le visage de cette femme, je savais que mes efforts seraient récompensés.

Suivant l'exemple de Thomas, j'essayai de voir les choses du bon côté. Il devait bien y avoir quelques bonnes nouvelles. Fait encourageant, la garde personnelle du comte avait été relevée de ses fonctions : la menace semblait donc écartée.

Chapitre 32

11 mars 1556
Couvent de Sant' Alvise

La paix et l'intimité : voilà encore ce que je cherchais l'après-midi suivant en effectuant une autre de mes visites au couvent de Sant' Alvise, que Thomas commençait à qualifier de « pèlerinages » pour me taquiner. La pluie incessante semblait avoir découragé les jeunes gens habituellement rassemblés aux fenêtres du couvent : seulement quatre d'entre nous s'étaient présentés au rendez-vous ce jour-là. Heureusement, l'un des nôtres était venu à bord d'une embarcation très solide qui nous fournit une plate-forme plus stable qu'à l'habitude.

Je ne vis aucun signe d'elle au début ; mais sœur Faustina finit par rejoindre ses compagnes à la fenêtre, se tenant en retrait des autres, comme à son habitude. Je parvins à dénicher une place près du coin de la fenêtre et penchai la tête de côté afin de l'encourager à venir me rejoindre. Elle se montra réticente au départ, mais bientôt elle prit son courage à deux mains et s'avança au bord de la fenêtre pour la première fois. Me dressant sur la pointe des pieds, et tenant fermement les barreaux pour ne pas tomber, je pus m'approcher suffisamment de son visage pour pouvoir lui murmurer quelques mots sans être entendu de tous.

Elle se tenait si près de moi que je pus respirer son odeur, fraîche et savonneuse. Je ne l'aurais pas crue différente; mais quel contraste avec celle des gens que je côtoyais jour après jour !

— Je dois vous parler pour vrai. Je veux vous aider, mais si nous ne pouvons discuter ailleurs, ce sera difficile.

Elle hocha doucement la tête, et je vis passer dans l'azur de ses yeux à la fois de l'espoir et de la crainte. Elle fronça légèrement les sourcils, et je me demandai si j'avais commis un faux pas; mais je compris bientôt qu'elle méditait une réponse. Elle me fit signe de m'approcher encore un peu, puis elle se pencha en avant, si bien que nous fûmes près de nous effleurer.

— Je suis la dépensière de cette institution: je tiens les livres de comptes pour l'abbesse et suis responsable d'acheter tout ce dont nous avons besoin au marché. Cela nous donnera une chance de nous voir. Revenez demain, à neuf heures du soir, par le canal secondaire. Vous devrez prendre un bateau à fond bas, et non une gondole; il vous faudra aussi un batelier digne de confiance, en présence duquel nous pourrons parler ouvertement. Il y a une porte sur le canal qui mène à l'entrepôt du couvent: elle est grise et très basse, avec de grandes poignées. Poussez-les un peu et la porte s'ouvrira. Un petit quai est aménagé à l'intérieur pour décharger les marchandises des embarcations. Apportez un sac de farine ou quelque chose de semblable en guise de prétexte, juste au cas où.

Je ne m'attendais pas à une telle réponse. Je compris qu'elle avait décidé de me faire confiance, qu'elle me percevait désormais comme un espoir de salut. Pour moi, c'était à la fois un encouragement et un fardeau supplémentaire. J'espérais seulement pouvoir être à la hauteur des attentes qui se formaient dans son esprit.

— Je serai là. Demain soir à neuf heures. Devrais-je apporter autre chose ? Avez-vous besoin de quoi que ce soit ?

Pendant un instant, elle resta muette. Puis un grand sourire illumina son visage.

— Des fleurs. J'aimerais beaucoup que vous m'apportiez des fleurs. L'hiver m'a paru si long et si terne… Oui, je voudrais des fleurs.

J'examinai son sourire, le premier que j'avais vu poindre sur ses lèvres. Il éclairait tout son visage et la rajeunissait de cinq ans. Ses traits avaient toujours la même élégance, mais lorsqu'elle souriait, elle était vraiment radieuse.

— Neuf heures. De la farine et des fleurs. Je crois pouvoir m'en souvenir.

L'image de ce sourire me resta en mémoire toute la journée durant.

Chapitre 33

J'avais trouvé un batelier digne de confiance, et celui-ci avait l'embarcation qu'il me fallait. Paulo Arnaldi, l'un de ceux qui participait à nos rencontres à l'extérieur du couvent, avait accepté de se rendre jusqu'au Rio di Sant' Alvise à bord du bateau de livraison de sa famille, juste avant neuf heures. Il avait apporté le sac de farine et moi, un gros bouquet de fleurs printanières, les premières de la saison.

Nous nous glissâmes furtivement le long du canal secondaire, nos yeux scrutant l'obscurité, car nous n'osions pas allumer une torche si près du couvent ; enfin, nous trouvâmes l'entrée que nous cherchions. Une légère poussée ne suffit pas à ouvrir la porte. Elle n'avait sans doute pas réussi à la déverrouiller, pensai-je.

Paulo s'y essaya, enfonçant l'une des portes d'une bonne poussée, tandis que je m'accrochais à l'autre pour éviter que l'embarcation ne dérive vers le milieu du canal. Ses efforts connurent plus de succès que les miens, et bientôt nous pûmes jeter un œil à l'intérieur afin de mieux voir dans quoi nous étions sur le point de nous embarquer. Une main pâlotte apparut derrière la porte et nous tendit une corde, avec laquelle nous pûmes silencieusement nous tirer à quai. Il y avait tout juste assez d'espace à l'intérieur pour que nous puissions refermer la porte derrière nous, et lorsqu'elle fut close, une lampe-tempête fut dévoilée, nous inondant de lumière.

Elle était seule, et comme les fois précédentes, elle semblait effrayée.

Je lui présentai Paulo, qui la salua puis se retira dans un coin du bateau, nous laissant à «notre conversation intime», ainsi qu'il la qualifia.

— Il y a un magasin derrière ce mur. La porte est suffisamment épaisse pour qu'on ne nous entende pas.

Sa voix était presque réduite à un murmure.

Je remis les fleurs à Faustina et, apportant le sac de farine sur mon épaule, je la suivis le long d'un corridor. Sitôt la porte fermée derrière nous, Faustina examina les fleurs. Son sourire réapparut et elle me prit timidement la main en guise de remerciements.

— Elles sont magnifiques. Je vais les mettre dans ma chambre. Je dirai qu'elles ont été envoyées par ma mère. Merci infiniment. C'est si gentil de votre part! Mais avant de vous parler de ma situation, j'aimerais savoir ce qui vous pousse à faire preuve d'une telle gentillesse à mon égard. Ce que vous faites est dangereux: vous pourriez être banni de la république, et même passer sous le fouet des autorités. Pis encore, si ma famille l'apprenait, elle pourrait envoyer des *bravi* pour vous éliminer. J'ai toujours été un fardeau pour elle, et je le suis encore plus depuis qu'elle n'a plus les moyens de payer mon allocation. Si vos actions étaient exposées au grand jour, son nom en souffrirait; elle serait la risée de tout le monde. Alors pourquoi courir un tel risque pour quelqu'un que vous ne connaissez pas?

Que pouvais-je répondre? En vérité, je ne savais pas vraiment pourquoi j'entretenais ce rêve de la sortir du couvent. Pour moi, c'était tout simplement la bonne chose à faire…

— Je suis nouveau à Venise et c'est totalement par hasard que je suis tombé sur votre couvent, alors que je me promenais dans les environs. J'ai aperçu un attroupement de jeunes gens et j'ai décidé d'aller voir ce qu'ils faisaient. Quand je vous ai vue pour la première fois, quelque chose dans l'expression de votre visage attira mon attention. J'ai voulu connaître votre histoire. Je suis désolé de cette impertinence ; mais je voulais en savoir plus à votre sujet. C'est pourquoi je vous ai écrit.

Elle sourit.

— Ce n'était pas impertinent, et je suis contente que vous l'ayez fait. Autrement, je n'aurais pas su trouver la force de me confier à quelqu'un de l'extérieur, et mon sort eût été réglé. J'ai mis beaucoup de temps à me décider à répondre à votre lettre, mais je suis contente de l'avoir fait. Mon histoire n'est pas inhabituelle. C'est l'histoire de bien des femmes dans ce monde d'hommes. Celles qui ont beaucoup de chance se marient par amour ; les moins fortunées sont contraintes d'épouser un homme qu'elles peuvent parfois détester. Pour les autres, il n'y a d'ordinaire que deux choix. Si la famille peut se le permettre, vous devenez une sœur ; sinon, vous êtes bonne pour le commerce. Pour les hommes de cette ville, les femmes ne se prêtent qu'à une sorte de commerce. Quand je suis arrivée ici, je n'étais pas malheureuse. Ma tante et ma sœur aînée vivaient ici, et quand je devins une *educanda*, j'étudiai sous leur tutorat. Au cours des cinq dernières années, ma tante et ma sœur sont décédées toutes les deux : ma tante est morte d'une fièvre et ma sœur, d'une tumeur au cerveau. Après leur départ, je fus moins heureuse, mais je me consacrai à mes études et je devins la dépensière du couvent. Dans l'exercice de cette fonction, je dois tenir les comptes, acheter la nourriture et les autres bien essentiels, tout en m'assurant que l'établissement vive selon ses moyens. C'est un travail qui me plaît et je m'en acquitte bien; mais le couvent dépend beaucoup des rentes annuelles versées par les familles du chœur des nonnes, afin d'ajouter à nos autres sources de revenus. Or il arriva que ma famille perdit trois navires dans la même saison, ce qui anéantit toute sa fortune; et mon père dut écrire à l'abbesse pour l'informer de la cessation de paiements. À ce moment-là, je commençai à perdre le soutien de mes consœurs. Ce couvent abrite trois religieuses très puissantes, des nonnes plus âgées qui portent le titre de *discrete* – les soi-disant «discrètes» – dont les familles se sont toujours perçues comme rivales de la mienne. Du temps où ma tante et ma sœur étaient en vie, elles ne pouvaient pas me toucher; mais dorénavant, elles ne ratent pas une occasion de me rendre la vie dure. Elles n'ont jamais pu accepter le fait que j'aie hérité de la position que j'occupe dans notre chapitre, que chacune d'entre elles croyait mériter; et elles planent au-dessus de moi tels des vautours, attendant l'heure de ma déchéance. L'abbesse m'a confirmé que lorsque les paiements cesseront en juillet, je ne pourrai plus demeurer sœur; je serai rétrogradée au rang de converse. Les *discrete* exercent une autorité considérable sur les converses – dont le pouvoir de leur administrer une correction en cas d'écart de conduite. Et comme il leur appartient de décider si vous avez commis une faute ou non, leur emprise est totale. Sœur Angélique (un nom qui la représente bien mal!) administre elle-même les corrections, et les converses disent qu'elle est tyrannique. On raconte qu'elle les oblige à se déshabiller, et qu'elle ne renonce pas avant que le sang coule. Elle refuse d'arrêter le châtiment tant que sa victime n'a pas versé de larmes. Ce genre de pratiques va totalement à l'encontre des règles de l'ordre, mais l'abbesse est une faible femme et personne n'ose se dresser contre Angélique. Sitôt que je deviendrai une converse, les *discrete* trouveront toujours à

redire contre moi, et sœur Angélique me battra quotidiennement. Cela, j'en suis certaine. Elle finira par me tuer.

Elle tomba à genoux devant moi, joignant les mains en
manière de supplication.

— Je dois absolument partir d'ici ! Ma vie en dépend.

J'étais scandalisé.

— Votre famille est-elle au courant de tout cela ? Ne
peut-elle pas vous tirer de cet endroit ?

Ses yeux s'inondèrent de larmes.

— C'est une question de fierté. Ils ne croiraient pas mon
histoire si je leur racontais, et de toute manière, l'abbesse
nierait tout. De plus, ils ne peuvent pas me sortir d'ici, car
ils n'ont pas les moyens de payer la dot pour que je sois
mariée à une famille de nobles, et notre patronyme est trop
estimé pour que je sois autorisée à épouser un marchand ou
une personne de moindre rang. Ils n'ont donc pas d'autre
choix que de tourner le dos à la situation, et de faire comme
si je n'existais pas.

Une chose était claire dans mon esprit : je n'avais pas le
choix. Je devais la sauver du sort funeste qu'elle venait de
me décrire.

— Sœur Faustina, je promets de vous trouver une façon
d'échapper à cet enfer, et un endroit où vous pourrez mener
votre vie en paix, bien que je ne sache encore par quel
moyen. Je viens d'arriver à Venise, aussi je devrai prendre
conseil ; mais je viendrai à bout de la situation avant votre
déchéance dans cette institution. Connaissez-vous quelque
moyen qui puisse nous permettre de communiquer sans
vous mettre en péril ?

Son visage s'éclaira visiblement à ces mots.

— Le serviteur mâle du couvent s'appelle Hieronimo :
vu ma position de dépensière, il travaille directement sous
mes ordres. Il est libre de ses allées et venues, et je lui fais

entièrement confiance. Ne vous alarmez pas de son apparence physique : il s'est brisé le dos alors qu'il travaillait sur
un navire à l'Arsenal, mais c'est quelqu'un d'honnête et
d'intelligent, bien qu'il soit illettré. Il se rend au marché
presque quotidiennement. Si vous avez un message à me
transmettre par son intermédiaire, adressez-le à la dépensière du couvent et inscrivez qu'il s'agit d'une facture. Puis
remettez-le au propriétaire de la trattoria *Sensazione*, sur la
Fondamenta della Sensa. Son nom est Cesare. Il a également plusieurs fils.

Je hochai vivement la tête et lui pris la main un instant,
oublieux de son statut de religieuse.

— Marco et Angelino, et Christopho le plus jeune qu'on
appelle Pietro le Pêcheur. Je les connais.

— Vous les connaissez ? répondit-elle. Voilà qui est bien.
Je les connais aussi, puisqu'ils livrent du pain ici chaque
jour. Ils peuvent m'apporter eux-mêmes la « facture » ou la
remettre à Hieronimo. Comment puis-je vous faire parvenir
un message ?

Je réfléchis, puis décidai de prendre un léger risque.

— Par la même entremise. Je vis à la Ca' da Mosto.

— C'est d'accord. Vous devez partir, car nous avons
bientôt une messe. Tirez fort sur la porte quand vous serez
dehors et elle se verrouillera.

J'étais sur le point de partir quand elle me retint par la
manche.

— Richard… Vous vous aventurez en eaux très périlleuses
et je ne puis suffisamment vous remercier.

Elle se pencha en avant et je crus qu'elle allait m'embrasser ; mais au lieu de cela, elle posa son front sur ma
poitrine. Devant ce geste profondément intime, je ne pus
m'empêcher de lui enlacer les épaules.

— Je vous écrirai bientôt.

— Et moi aussi.

Plongeant dans l'obscurité, je retrouvai mon chemin à tâtons jusqu'à l'embarcation où Paulo attendait. Le clair de lune filtrait à travers les portes entrouvertes.

— Riccardo, c'est bien toi ?

— Oui, Paulo, qui croyais-tu que c'était ? L'une des religieuses ?

— Pas de chance. Et toi, as-tu réussi ?

— À merveille.

Il me frappa l'épaule et ouvrit la porte. Je l'entendis grogner dans l'obscurité.

— Sacré veinard ! Tu es resté longtemps, je trouve. Comment as-tu réussi cet exploit-là ? La prochaine fois, tu resteras dans la barque et moi, j'irai. Sale petit veinard !

Évidemment, il y a des secrets qu'on ne peut partager…

Chapitre 34

15 mars 1556
Ca' da Mosto

Le vent s'était levé, et les nuages couraient à vive allure dans le ciel, emportant leurs charges d'eau sans même avoir le temps de les déverser entièrement. Mais le peu de pluie qui parvenait au sol tombait à l'horizontale, et il n'y avait pas moyen d'y échapper.

La ville avait le moral dans les talons depuis des jours, et l'assaut du vent avait achevé d'exaspérer et d'irriter tout le monde. Le comte, en particulier, avait la mine boudeuse et renfermée, et nous sentions que sa rage pouvait exploser d'un moment à l'autre.

Même si la situation dans laquelle nous nous trouvions ne nous paraissait guère confortable, et que de toute évidence elle ne pouvait pas durer éternellement, Thomas et moi avions chacun nos raisons de vouloir patienter un peu plus longtemps. Il fallait à tout prix éviter de nous mettre le comte à dos, du moins pour l'instant, car nous risquions de perdre son soutien financier. Nous avions donc conclu un pacte tacite afin d'éviter de nous entre-déchirer : les trois occupants de la Ca' da Mosto se réfugieraient dans leurs chambres respectives jusqu'au retour du beau temps.

J'en étais encore à reconsidérer cette décision quand Thomas vint me trouver.

— Richard, si tu songes à sortir, je te suggère de t'abstenir pour l'instant. Il vient d'arriver plusieurs lettres, des lettres officielles, on dirait bien. Il se peut que nous soyons convoqués sous peu pour en discuter.

Nous restâmes quelque temps à bavarder et à regarder par la fenêtre. L'océan avait envahi la lagune à la faveur d'un vent d'est. La lune soulevait les marées, et bien des maisons étaient inondées, y compris la nôtre. À chaque marée haute, notre rez-de-chaussée était englouti par les flots.

La puanteur de la fange, des algues et des ordures ne pouvait passer inaperçue. Toutes les grandes maisons se trouvaient dans le même état. La *pescheria* était complètement inondée ; les pêcheurs ayant bravé les flots déchaînés de la lagune avaient trouvé moyen de vendre leur poisson directement sur leurs embarcations. Seul l'édifice du nouveau marché était à l'abri : Sansovino, l'architecte, avait cru bon de relever un peu le niveau des fondations par rapport aux autres édifices de la ville, une idée qui semblait à présent porter ses fruits.

La conjecture de Thomas s'avéra juste et Claudio, notre nouveau domestique (un garçon d'environ quatorze ans, plutôt nerveux, et qui n'en était pas à sa première bévue), vint nous trouver.

— Le comte dit s'il vous plaît de bien vouloir aller le rejoindre à votre convenance.

Il s'arrêta un instant, essayant de se rappeler le reste du message.

— Mais sur-le-champ.

Thomas sourit.

— Il s'en est souvenu, alors. Allons, ne faisons pas attendre le comte.

Nous pinçant les narines, nous descendîmes l'escalier de pierre jusqu'à l'étage inférieur. La puanteur était encore plus incommodante. Le son des magasiniers pataugeant dans l'eau montait du rez-de-chaussée, et je sus que la marée avait tout inondé une fois de plus. La veille, nous leur avions demandé de balayer dehors la fange et les algues quand viendrait le reflux ; mais en Vénitiens nés, ils s'étaient contentés de hausser les épaules, disant que cela se ferait au printemps, une fois que la mer serait calmée. Entre-temps, nous devions apprendre à vivre avec toute cette saleté.

Le comte était assis à une table située devant les grandes fenêtres qui couvraient presque toute la surface du mur de façade donnant sur le canal. Devant lui se trouvait éparpillé tout un tas de documents. Il nous fit signe d'approcher, encore occupé à lire, et nous désigna les fauteuils vides. Prenant chacun un siège, nous attendîmes, comme des écoliers devant leur maître, sentiment loin d'être inhabituel dans nos relations avec Courtenay.

— Prenez soin de bien fermer la porte, Messieurs : l'odeur qui vient d'en bas est franchement insupportable. J'ai des nouvelles, Messieurs, des nouvelles.

Il agita l'une des lettres reçues devant nos yeux.

— Sir John Mason m'écrit de Bruxelles. Il semble que l'autorité du cardinal Pole, en tant que légat pontifical, se fasse cruellement sentir en Angleterre. Peut-être est-il encore chagriné de ne pas avoir été élu pape ; il semble en tout cas que ses réformes à l'égard du clergé soient si sévères que bien des gens auraient souhaité qu'il demeure à Rome. Il se peut qu'il ait constaté le pouvoir grandissant du conjoint espagnol de notre reine, et qu'il souhaite faire démonstration d'une force égale à celle de l'Inquisition contre les hérétiques et récidivistes potentiels. En tout état de cause, on sent à Londres une certaine agitation : on parle même de vols et de meurtres sur le pont de Londres. Nous avons laissé derrière nous un pays malheureux, et la peste londonienne ne fait qu'empirer de jour en jour. On dit qu'une comète a enflammé le ciel de Londres il y a deux mois, et des rumeurs ont commencé à circuler, disant que le jour du Jugement était venu. Mais il n'y a pas que de mauvaises nouvelles. William Herbert, mon bon comte de Pembroke, continue de me prodiguer ses faveurs à la cour et m'envoie des fonds pour de nouvelles montures. Il essaie peut-être de nous encourager à poursuivre nos voyages. Qui sait?

Je regardai Thomas avec inquiétude, car le comte de Pembroke n'était rien sinon qu'un fidèle serviteur de la reine, et s'il encourageait Courtenay à voyager, il était difficile d'en deviner la raison. Où souhaitait-il qu'il se rende? « Certainement pas au bercail », pensai-je. Thomas semblait se poser les mêmes questions, mais il eut un de ses petits hochements de tête me faisant signe de rester coi.

— Depuis Bruxelles, Mason lui-même me promet un cheval hongre de la plus belle espèce et me fait parvenir un message de Ruy Gómez, l'ami le plus proche du roi Philippe, me disant que le roi n'accorde aucune crédibilité aux histoires calomnieuses qui circulent à mon sujet concernant la princesse Élizabeth, et que je ne dois pas me sentir soupçonné de quelque manière que ce soit. J'ai également reçu un petit mot courtois de William Ryce, du palais de Greenwich, que m'a gentiment transmis l'ambassadeur Mason dans le paquet diplomatique, m'informant de la bonne santé de ma mère la marquise d'Exeter, et des dispositions favorables de Sa Majesté à son égard.

Le comte déposa la lettre sur la table et en ramassa une autre.

— La coïncidence peut paraître étrange, mais au moment même où je reçois tous ces messages des plus hautes sphères de la société, que mon nom obtient la faveur du roi Philippe et de la reine, je reçois ce matin la visite d'un Cornouaillais, un dénommé Henry Killigrew, me disant qu'il agit à titre d'intermédiaire, et me lançant une invitation à visiter la France. Là-bas, on m'offre trente mille couronnes, sans parler de nombreux autres bénéfices non spécifiés. Que pensez-vous de cela? Killigrew doit revenir demain pour entendre ma réponse. Les chevaux doivent peut-être faciliter mon voyage en France? Qu'en pensez-vous?

Me tournant vers Thomas, je vis sur son visage qu'il pensait la même chose que moi, que seul un imbécile pouvait manquer de voir en de telles sommes d'argent le prix d'un terrible forfait: peut-être même un acte de trahison. Courtenay ne pouvait pas ne pas s'en rendre compte! Thomas marmonna que ces affaires d'État le dépassaient; mais j'étais moins disposé que lui à rester silencieux.

— Comme Thomas, je ne suis, Votre Grâce, qu'un modeste observateur de toutes ces grandes affaires, mais je n'exclus pas la possibilité d'une machination… Depuis que vous avez quitté l'Angleterre, vous n'avez cessé d'observer le plus grand décorum et de vous entourer des gens les plus respectables et les plus éminents. Pourtant, vous n'avez pas manqué de souligner maintes fois en notre présence la menace qui continue de planer sur la reine Marie en Angleterre, et la possibilité bien réelle que diverses factions soient impliquées dans un complot. Se peut-il que l'on soit en train de mettre votre innocence à l'épreuve? Du reste, je ne crois pas me tromper en affirmant que Ruy Gómez n'a jamais été un grand ami de votre famille?

Thomas remua inconfortablement dans son fauteuil; mais le comte m'écoutait attentivement et laissa tomber le document de Killigrew comme s'il lui brûlait les doigts.

— Et l'invitation à me rendre en France?

— Si elle est sincère, elle répond sûrement à des motivations françaises, non à celles de Votre Grâce.

— Et sinon ?

— Sinon, il se peut très bien que ceux qui travaillent à votre perte cherchent à fabriquer des preuves de culpabilité là où il n'en existe aucune.

Courtenay se leva et se mit à arpenter la pièce, allant et venant devant les grandes fenêtres. Deux fois il s'arrêta et me dévisagea longuement, mais chaque fois il sembla se raviser et reprit ses allées et venues. Enfin, il s'adossa contre la fenêtre et me pointa du doigt, ce que j'interprétai comme un geste accusateur. Pour une fois, je me trompais.

— Richard, je crois que vous avez raison. Je crois que nous avons ici deux éléments, entremêlés mais néanmoins distincts, et sujets à l'interprétation. Premièrement, comme vous l'avez laissé entendre, il y a ceux qui, en France et – qui sait ? – peut-être même encore en Angleterre, s'opposent à notre reine et en particulier à la domination de l'Espagne sur notre pays, par le truchement du roi Philippe. Deuxiè-mement, et tout à fait indépendamment de ce que je viens de dire, il y a ces amis qui sont les miens à la cour, des amis sincères, j'en suis convaincu, tels que Mason et Pembroke, qui souhaitent me voir mener une vie prospère et heureuse. Leurs présents sont donc des gestes d'amitié personnelle et je les accepterai comme tels. La solution est claire : quand je reverrai ce Killigrew, je l'enverrai promener et j'en informerai Peter Vannes, à qui je demanderai d'envoyer la confirmation de ma loyauté absolue envers Sa Majesté. Si mes actions posent un danger pour Killigrew, il n'y a rien que j'y puisse faire. Il est hors de question que je voyage en France. Cette correspondance semble également favoriser mon mariage à une personne de qualité dans l'un des pays d'Europe. Je poursuivrai donc cet objectif en élargissant mes activités mondaines jusqu'à ce que cette personne soit trouvée. Richard, ma décision est prise. Il faut commencer mon portrait immédiatement! Hâtez-vous de rejoindre ce peintre, le Tintoret, et occupez-vous des arrangements nécessaires pour les premières séances de pose. Il n'y a pas une minute à perdre.

Je penchai la tête en avant comme pour lui faire la révérence, tout en restant assis. Je n'osai pas me lever tant que mon cœur continuait de battre la chamade. Le portrait allait donc se faire, ainsi je pouvais songer à rencontrer le modèle que le Tintoret avait dérobé au Titien. Thomas me regarda du coin de l'œil. Il pouvait lire en moi comme dans un livre ouvert.

— Viens, Richard. Il y a du pain sur la planche. D'importantes décisions ont été prises aujourd'hui dans cette pièce et Son Excellence doit répondre au Cornouaillais sans plus attendre, avant que les rumeurs se multiplient.

Tandis que je remontais en courant l'escalier de pierre jusqu'à ma chambre, l'odeur du rez-de-chaussée semblait s'être dissipée. Je ne songeais qu'à retourner chez le Tintoret pour en apprendre un peu plus long sur ce modèle.

Chapitre 35

16 mars 1556
Atelier du Tintoret, Fondamenta dei Mori

Du jour au lendemain, tout avait changé. Le vent était tombé, la pluie avait cessé : la ville restait plongée dans la brume fraîche, étrangement calme. Revigoré, j'avais marché depuis la Ca' da Mosto jusqu'à l'atelier du peintre sur la Fondamenta dei Mori ; impatient, je venais d'arriver devant ses lourdes portes de bois.

Je m'arrêtai un instant, réfléchissant à ce que j'allais dire. Je considérai la statue du Maure, cherchant l'inspiration. Il régnait là une atmosphère étrange. À travers un mince voile de brume, deux vieilles dames s'avançaient le long du chemin, portant leurs paniers à provisions. Elles passèrent à mes côtés comme des spectres, parlant à voix basse, cherchant, comme moi, le calme et la tranquillité. C'était comme si l'arrêt des secousses du vent nous donnait congé du bruit, et personne – même pas les jeunes garçons des rues – ne voulait troubler cette atmosphère paisible.

Alors que je me tenais devant la porte, le Tintoret lui-même apparut le long du chemin, apportant du pain frais.

— Mon mécène anglais ! Debout dès potron-minet ? C'est donc une affaire urgente qui vous amène. Entrez donc, afin que nous en discutions.

Je le suivis par la petite porte à loquet d'un côté du portail et nous pénétrâmes dans l'atelier. À peine étions-nous entrés que les premiers apprentis commencèrent à affluer, bâillant et étirant leurs membres engourdis dans la lumière blafarde du studio éclairé par une grande lucarne.

On apporta de la viande, du fromage et une petite cruche de bière. Il régnait dans l'atelier un climat amical, comme celui d'une école, et bien que le Tintoret en fût le maître incontesté, il n'exerçait pas son autorité avec la main de fer du Titien. On me présenta aux autres et je les rejoignis pour déjeuner.

— Qu'allons-nous dessiner aujourd'hui ?

Chacun s'était muni de papier gris, de charbon noir et de craie blanche. On regarda autour en quête d'inspiration.

— Richard, ça vous dirait de poser pour nous ?

Le Tintoret avait une façon de vous regarder qui n'autorisait aucun refus.

— Asseyez-vous là, sur le fauteuil haut. L'éclairage est meilleur.

Je m'installai à l'endroit indiqué tout en essayant de rester immobile et détendu, ce qui était plus difficile que je l'aurais cru. Les huit apprentis m'examinèrent avec une attention qui au départ me troubla, comme s'ils étaient occupés à relever sur mon corps chaque défaut de contour, ou qu'ils tentaient de percer à jour les secrets de mon âme.

— Yasmine est-elle arrivée ?

Le Tintoret semblait être capable de penser à autre chose tout en dessinant. Ils m'avaient oublié. À présent, j'étais seulement le modèle. Un assistant du nom de Giacomo grogna.

— Non. C'est trop tôt pour Yasmine. Si elle arrivait à cette heure, elle serait incapable de tenir ses feuilles et trébucherait sur tout ce qui se trouve sur son chemin, tellement elle serait endormie. De toute manière, elle déjeune toujours avec son père. Elle devrait arriver d'une minute à l'autre.

Le fusain des apprentis grattait le papier. Pour étendre les ombres, ils utilisaient leurs doigts, mais pour effacer, ils se servaient de plumes, ou de petites boules qui ressemblaient à du mastic de vitrier. Certains ramassèrent alors leur craie blanche, pour appliquer les touches claires.

— Plus que vingt minutes.

Le Tintoret avait beau se montrer aimable, la discipline qu'il imposait dans ses cours était des plus rigoureuses. Ses yeux s'étaient brièvement portés dans un coin sur ma gauche, où un sablier mesurait le passage du temps. Le silence dans la pièce était tel que je pouvais entendre le sable fuir d'un compartiment à l'autre.

— À quelle heure attendons-nous Veronica aujourd'hui ?

Giacomo leva les yeux.

— Elle sera ici dans vingt minutes, Jacopo. Nous aurons donc à peu près terminé. Il y a quelque chose qui cloche avec le carton depuis que nous l'avons transféré sur la grande toile. Michel-Ange veut y jeter un coup d'œil avant que tu fasses les dernières vérifications.

Un gros apprenti au visage ingrat, un peu en retrait des autres, eut un large sourire. Il avait reçu le surnom de Michel-Ange à cause d'une ressemblance supposée avec le grand artiste, reconnu pour ses traits massifs, sans finesse.

Le Tintoret continua d'organiser le travail de son équipe.

— Quand elle arrivera, veux-tu t'occuper de préparer sa chaise, Biffo ? Et ne t'avise pas de la reluquer quand elle ôtera ses vêtements. C'est un modèle, Biffo. C'est son boulot, et tu dois t'y habituer. J'ai promis à ton père de te mettre à l'essai, mais je ne peux pas te garder dans mon atelier, au milieu de tous ces modèles, si tu n'arrêtes pas de baver. Cela les dérange, elles sont déconcentrées, puis nous perdons la pose et il devient impossible de travailler.

Jacopo Robusti dit le Tintoret déposa son fusain et reprit son élève d'un ton patient.

— Non, Biffo. Comme je t'ai montré la semaine dernière. Face à ce coin-là, pour que la lumière tombe au-dessus de son épaule. T'en souviens-tu ?

Biffo le regarda d'un air perplexe.

— Ne t'inquiète pas, je vais l'aider. Il finira par comprendre comme tout le monde. Il faut du temps.

Giacomo montrait qu'il pouvait faire preuve de douceur.

— Exact. Bon, c'est terminé dans une minute : finissez ce que vous avez commencé et mettez vos feuilles sur la table.

Le Tintoret posa son dessin sur la table, puis, un à un, les apprentis firent de même.

— Puis-je me lever, à présent ?

Je sentais qu'il fallait que je demande la permission.

— Bien sûr. Venez voir à quoi vous ressemblez.

Je rejoignis les autres et examinai les dessins. Chacun était différent, tant par son style que par son point de vue.

Le Tintoret s'était concentré sur mon profil et sur la façon dont mes cheveux tombaient sur mes épaules. C'est alors que je me rendis compte à quel point ils étaient insolemment longs.

Malgré sa mine ingrate, Michel-Ange avait une touche délicate, décrivant la manière dont ma main reposait sur le bras sculpté du fauteuil. Il était parvenu à rendre le jeu de la lumière sur mes doigts à la perfection, mais plus que cela, il indiquait au spectateur de quelle façon les petits muscles et les tendons se contractaient quand la main agrippait quelque chose. Je vis tout ce qu'il y avait à apprendre de cette esquisse, si je voulais un jour être en mesure de rendre autant de détails dans mes dessins médicaux.

Le Tintoret regarda par-dessus mon épaule et sourit.

— Pas mal, Michel-Ange. C'est déjà mieux que le Titien. Évidemment, ce n'était pas difficile à battre...

L'assistant éclata de rire. Il connaissait ses propres aptitudes, et visiblement, il avait l'habitude des faibles éloges du Tintoret. Il ne faisait pas de doute non plus que toutes les personnes présentes étaient accoutumées aux insultes à l'endroit de leur compétiteur, le Titien.

— Parfait, tout le monde. Maintenant, à l'ouvrage. Richard, vous pouvez me suivre. Et merci d'avoir posé : vous avez bien fait. Il faudra peut-être vous demander de revenir.

Il y eut des hochements de tête approbateurs dans la pièce, ainsi que des remerciements.

Je suivis le Tintoret à travers un couloir et nous débouchâmes dans la petite cour où nous nous étions rencontrés la dernière fois. Ma modeste contribution à titre de modèle m'avait rapproché de sa petite famille, et cette fois, je me sentais totalement détendu.

Le grand vélum de toile blanche suspendu deux étages plus haut laissait filtrer la lumière tout en protégeant la cour des intempéries. Cela créait un espace aéré et lumineux pour discuter, et même à cette heure matinale, l'endroit était chaleureux et reposant. Nous nous assîmes à la même table, prenant les mêmes places. Songeant à ma visite précédente, je levai les yeux : le même treillis de bois sculpté se trouvait là, et je me demandai quelle mystérieuse silhouette je surprendrais aujourd'hui à rôder derrière.

— Eh bien, Richard, vous nous avez vus travailler, vous avez rencontré quelques-uns des artistes de ma maison. Quelle opinion en retirez-vous ?

Il y avait chez cet homme un franc-parler qui suscitait chez moi des réponses tout aussi franches.

— Je suis impressionné. J'aime l'atmosphère que l'on trouve dans votre atelier, et l'exécution est de tout premier ordre. J'aimerais pouvoir dessiner aussi bien.

Le peintre sourit avec chaleur.

— C'est une habileté que l'on acquiert avec de la pratique. Apportez-moi quelques-uns de vos travaux et nous en discuterons ensemble. Maintenant, parlons affaires. Y a-t-il eu des développements depuis notre dernier entretien?

Il parlait d'une voix forte, d'un ton presque brusque, et pendant un instant je me dis qu'il était peut-être sourd. Instinctivement, je haussai la voix pour lui répondre.

— Nous avons un accord. Un portrait nuptial, tête et épaules, avec les mains, pour la somme convenue de cinquante ducats sans dépôt d'acompte. Il faudra commencer les séances de pose aussitôt que possible, quand les circonstances et l'emploi du temps de chacun le permettront.

Le peintre frappa violemment la table du plat de la main.

— Excellent! L'affaire est conclue, topez là!

Il me tapa dans la main comme on faisait au marché vénitien, et je lui rendis la pareille. Puis nous échangeâmes une poignée de main convenable pour conclure le marché.

— Vous savez, parfois j'ai l'impression que l'aspect commercial me plaît autant que la peinture elle-même.

Je le dévisageai d'un œil interrogateur. Il n'avait pas baissé la voix. Était-il en train de plaisanter?

— Mais alors, je commence à mélanger mes couleurs, je regarde le modèle devant moi, puis je me dis : « Non, voilà ce qu'il y a de mieux, donner vie à une toile. » Je suis choyé de faire ce que j'aime et d'être capable de nourrir ma famille avec ce que j'en retire. Qu'est-ce que vous faites dans la vie, Richard?

Comme je m'apprêtais à répondre, j'entendis le raclement d'une chaise sur le plancher, et l'espace d'un instant, derrière le treillis de bois, j'aperçus du coin de l'œil un mouvement fugitif, comme la fois d'avant. Tout s'était passé très vite, mais j'aurais juré que quelqu'un se trouvait là.

Que pouvais-je lui répondre? Ce que je faisais dans la vie? Si je lui disais que je ne faisais rien, j'aurais l'air d'un incapable, et de toute manière, ce n'était pas tout à fait exact; mais en vérité, je n'avais pas vraiment de métier ou de profession.

— En ce moment, Jacopo, j'essaie de prendre une décision. Ces cinq dernières années, j'ai passé une bonne partie de ma vie auprès d'un maître et d'une maîtresse de religion protestante, qui m'ont persuadé de me convertir. En l'espace de deux semaines, les deux ont été décapités pour une trahison qui n'était pas de leur fait. Depuis, j'étudie la médecine avec un docteur anglais formé à Padoue. J'ai quitté l'Angleterre à cause des persécutions infligées là-bas aux protestants, que l'on considère comme des hérétiques, et j'envisage de suivre les traces de mon mentor en devenant médecin tout comme lui.

Pendant un instant, je songeai à sœur Faustina, enfermée dans sa prison.

— Mais il y a des complications, et je ne suis pas tout à fait décidé.

Derrière son épaule, j'aperçus de nouveau la silhouette. Plus clairement, cette fois. Un visage de femme: teint olivâtre, cheveux noirs et yeux sombres, taillés en amande. Qui était-ce?

— Des complications? Vous voulez dire des femmes?

Je fus pris de court par sa rapidité d'esprit.

— Des femmes ? Peut-être. Pourquoi dites-vous cela ?

À ces mots, quelqu'un passa derrière l'embrasure de la porte située en face de moi. Il ne lui fallut qu'un pas pour disparaître hors de vue, mais j'eus le temps de voir ses cheveux noirs – non pas noirs, mais très bruns. Ses yeux dardèrent en passant un bref regard : des yeux oblongs et fins, à l'iris foncé, sous de grands cils noirs. Ils ne me regardèrent qu'un court instant, pourtant je sus en un éclair que c'étaient les yeux de celle qui m'avait épié derrière le treillis, et que ce regard furtif n'avait rien d'accidentel.

Le Tintoret suivit mon regard, sourit et me donna un petit coup sur l'épaule.

— Je vois que vous cultivez un sain intérêt pour les femmes. Même si vous êtes un Anglais. Il nous reste l'autre partie du marché à conclure, vous vous rappelez ? Ne me dites pas que vous avez oublié ?

L'autre partie du marché ? Je songeais encore au visage de celle qui venait de passer derrière lui.

— Mon modèle, vous vous rappelez ? Je vous ai promis quelque chose…

Toute l'histoire me revenait à présent : la Vénus que j'avais aperçue sur un tableau du Titien, et sur un autre du Tintoret. Il avait promis de me la présenter. Je n'étais pas encore complètement revenu sur terre qu'un troisième visage assaillait mon imagination.

— Attendez ici, que j'aille voir si elle a fini de poser.

Il revint moins d'une minute après, accompagné d'une jeune femme négligemment enveloppée dans un drap.

— Permettez-moi de vous présenter Veronica Franco : modèle, amie, courtisane, poète, et grande dame de Venise.

C'était bien la *Vénus au miroir*. Elle s'avança vers moi, lentement et avec assurance, en dépit de la légèreté de son vêtement. Elle m'offrit sa main, et ce faisant elle laissa dangereusement glisser le drap qui l'enveloppait; mais elle eut la prévenance de l'attraper avant que sa nudité ne soit trop exposée.

— Veronica, je vous présente Richard Stocker, un bienfaiteur anglais.

Elle était très petite, presque potelée. Je devais la dépasser de près d'un pied, et elle semblait vulnérable. Mais elle savait tourner cette vulnérabilité à son avantage. Dans cette cour humide, elle ressortait comme une pêche mûre par un matin d'été, dégageant une chaleur et une volupté des plus invitantes. Je sus immédiatement que le Titien s'était pleinement imprégné de ces qualités chaque fois qu'elle avait posé pour lui. Sa bouche incarnait la nature sensuelle et tactile qui formait son essence et qui la rendait si appétissante au premier regard.

Un détail ne concordait pas avec l'image qui m'était restée des deux tableaux: ses cheveux. Car contrairement à la Vénus, dont la chevelure dorée était ramassée en un haut chignon qu'il était de bon ton d'appeler «couronne de la Vierge», Veronica avait les cheveux châtain-roux, et sa coiffure n'avait rien d'extravagant. Je n'eus pas à l'examiner bien longtemps pour savoir qu'elle marquait chez elle une profonde indépendance, et en cet instant d'éclairement, je saisis aussi pourquoi les deux artistes l'avaient changée pour une coiffure plus à la mode – et une teinte de blond décoloré.

Elle s'assit confortablement face à moi et je compris qu'elle se serait sentie à l'aise peu importe l'endroit où elle se trouvait et en quelle compagnie. Elle était d'un naturel amical, sans familiarité, osant quelques blagues aux dépens du Tintoret, curieuse d'en apprendre davantage sur mon séjour à Venise, et de savoir depuis combien de temps j'étais là. Ce ne fut que plus tard que je me rendis compte qu'elle ne m'avait pratiquement rien appris à son sujet.

Elle me fit cependant une promesse : j'étais invité à revenir dans cinq jours, pour assister à l'une de ses séances de pose. J'eus peine à contenir mon impatience.

Chapitre 36

20 mars 1556
Piazza San Marco

— Est-ce qu'il boude encore, Thomas?

Évitant de répondre, mon ami haussa les épaules à la manière vénitienne, en tendant les paumes des mains. Il n'avait visiblement pas l'intention de se compromettre.

— Il est certainement capable de comprendre que le premier jour du printemps est une célébration *locale*? Il ne pouvait s'attendre à ce que le doge ou le Conseil des Dix se sentent obligés d'inviter un Anglais, quand bien même il fût comte. Pourquoi ne pas simplement se joindre à la foule et profiter du spectacle, comme nous? Crois-tu que cet affront public, de son point de vue, donnera lieu à une réplique de sa part?

Thomas hocha la tête d'un air dubitatif.

— Je le trouve tout aussi imprévisible que toi, Richard, mais je ne serais pas surpris s'il se décidait à agir. Il a encore à répondre à l'invitation du duc Ercole d'Este de se rendre à Ferrare, par exemple. Il peut choisir d'y donner suite. Voilà des semaines qu'elle reste sans réponse.

J'étais loin d'être initié aux arcanes de la politique internationale, mais je savais néanmoins que le duc Ercole d'Este était généralement considéré comme un personnage dangereux. À Venise, on disait qu'il mangeait dans la main des Français, et si une chose était mal vue à la cour d'Angleterre, c'était bien celle-là. Elle s'était toujours méfiée de tout ce qui pouvait être associé aux Français, de près ou de loin. Si le comte espérait un jour rentrer en Angleterre et réintégrer pleinement la société anglaise, s'associer aux Français n'était peut-être pas la plus brillante idée. Néanmoins, ainsi que Thomas s'était chargé de me le rappeler, je ne pouvais influencer d'aucune manière la décision du comte : il valait donc mieux rester à l'écart et le laisser s'empêtrer lui-même dans ses difficultés. Après tout, le comte, c'était lui, pas moi.

— Pourquoi a-t-il toujours besoin de voir sa position exaltée par les autorités ?

Thomas esquissa son petit sourire de lassitude. Parfois, quand je me répandais en invectives contre ce qui m'apparaissait déraisonnable, le flegme imperturbable de Thomas ne faisait que m'enrager davantage, et lorsqu'il me gratifiait de ce sourire blasé, revenu de tout, mon seul réflexe était de chercher à l'atteindre. Mais ces derniers temps, il m'avait paru moins difficile de me rallier à son point de vue.

Était-ce l'arrivée de la belle saison, ou étais-je en train de grandir ? Il ne restait plus que trois mois avant mon vingt et unième anniversaire : peut-être allais-je bientôt me ranger et m'assagir, comme Thomas ? En tout état de cause, je décidai de profiter du soleil, de la procession et du spectacle que la place Saint-Marc offrait aux yeux et aux oreilles. C'était l'occasion d'une grande fête, et je ne devais pas laisser les humeurs de Courtenay gâcher mon après-midi.

La procession défila devant nous, alignant différents groupes de musiciens, chacun jouant sa propre mélodie. Ils se suivaient à bonne distance, mais lorsque le vent changeait de cap et que leurs musiques s'entremêlaient, il en résultait un fouillis pour le moins cacophonique. Néanmoins, toutes ces distractions étaient dispensées gratuitement, le soleil brillait, et comme le reste de la foule, massée en nombre immense, nous nous amusions énormément.

— Le doge ! Le doge !

La foule se leva à l'arrivée du doge Francesco Venier, traversant la place dans une chaise à porteurs.

Il était précédé de nombreux musiciens jouant sur des chalumeaux et de longues trompettes d'argent, ainsi que d'un grand seigneur portant une énorme rapière, armé de pied en cap et flanqué d'un aumônier et d'un écuyer. Puis venait une chaise dorée aux coussins en drap d'or, surmontée de l'effigie de la Vierge et soutenue par huit porteurs. Derrière le doge avançaient huit *commandanti*, portant des étendards de soie : deux blancs pour la paix, deux rouges pour la guerre, deux violets pour la trêve et deux bleus symbolisant l'union.

Le doge Venier paraissait frêle, vieux et fatigué, mais le célèbre *corno*, ce chapeau ducal en forme de corne, trônait fièrement sur son chef, et son maintien demeurait droit au mépris du poids de la *dogalina*, un riche vêtement de brocart sur lequel il portait encore une lourde cape agrémentée d'un col en peau de loup. Malgré tout, tandis qu'il passait non loin devant, je pus témoigner de la profonde acuité de son regard, montrant bien que, quelles que fussent l'âge et la faiblesse du corps, la force de l'esprit demeurait intacte.

« Je ne voudrais pas m'attirer les foudres de cet homme », pensai-je alors qu'il s'éloignait de nous.

La procession dura deux heures en tout. Le défilé des nobles fut suivi de celui des soldats circulant à cheval, portant bien haut leurs lances, leurs gonfalons flottant dans la brise et accrochant la lumière dorée de l'après-midi.

À la fin des célébrations, ce fut la ruée vers les tavernes tout autour de la place. Thomas et moi décidâmes d'aller nous promener sur la Riva degli Schiavoni, au bord de l'eau, pour mieux profiter des chauds rayons du soleil et trouver une trattoria où il y aurait de la place. Nous finîmes par en trouver une non loin de l'Arsenal, et nous nous installâmes à une table dehors, sur les quais ensoleillés. Nous arrivions juste à temps. Quelques minutes plus tard, un grand nombre d'ouvriers des chantiers navals vinrent s'attabler à leur tour après leur longue journée de travail.

On nous apporta le menu du jour : un grand bol de soupe de poisson, colorée de safran, une miche de ciabatta et un pichet de vin blanc. Un festin digne d'un doge, que nous dégustâmes en buvant à sa santé.

Bien que le soir ne fût pas très avancé, il faisait noir quand nous rentrâmes à la maison. Nous trouvâmes le comte dans sa chambre, entouré de paperasses. Visiblement, il s'était employé à écrire des lettres, occupation à laquelle il se livrait volontiers lorsqu'il était en proie à ses sautes d'humeur.

— Messieurs ! J'espère que le spectacle vous a plu. Comment le doge se porte-t-il ?

Je répondis qu'il semblait vieux et fatigué, mais encore bien alerte.

— J'ai décidé de m'en aller là où ma présence est appréciée. J'ai écrit au duc Ercole, lui confirmant que j'accepte son invitation avec plaisir et que je partirai pour Ferrare dans une semaine. Si l'un ou l'autre d'entre vous souhaitait m'accompagner, il serait évidemment le bienvenu ; mais si vous êtes tenus par d'autres engagements dans cette ville, je ne vous en tiendrai pas rigueur.

Ce ton acrimonieux n'était pas tout à fait inattendu. Dans son apitoiement, il nous incitait à repousser son invitation comme il s'imaginait que le doge l'avait repoussé.

Thomas me regarda d'un air circonspect tout en articulant une réponse.

— J'aurais plaisir à vous accompagner pour une partie du voyage, Votre Grâce, mais avec votre permission, je m'arrêterai à Padoue où j'aimerais passer quelques jours avec de vieux amis. Et toi, Richard, que comptes-tu faire ?

Quelque chose dans son intonation ressemblait à un avertissement. Je décidai de tergiverser.

— Je vous remercie, Votre Grâce, ce serait une grande joie. Cependant, l'invitation est inattendue et il me reste encore quelques arrangements à prendre. Pourrais-je vous confirmer ma présence d'ici quelques jours, quand le moment du départ approchera ?

Courtenay donna son assentiment tout en laissant entendre que, d'une manière ou d'une autre, cela ne lui importait guère ; Thomas approuva d'un hochement de tête. Il m'avait fait signe de ne pas refuser incontinent, afin de ménager les sentiments du comte alors blessé dans son amour-propre. Ayant pris congé, j'étais sur le point de passer la porte quand Courtenay leva un doigt dans les airs.

— Oh, et vous pouvez dire à ce peintre de ne pas se déranger pour l'instant. Il se peut que je commande un tableau à Ferrare : le duc a quelqu'un de très convenable, m'a-t-on dit.

Quelle peste que cet homme !

Je quittai la pièce, irrité du fait que, encore une fois, le simple caprice de Courtenay vienne semer la confusion dans la vie d'autres gens. Tout en essayant de trouver une excuse crédible pour décliner l'invitation, je me demandais comment j'allais expliquer cette volte-face à mon ami le Tintoret.

Chapitre 37

Matin du 21 mars 1556
Fondamenta dei Mori

J'avais tenu parole et elle avait fait de même. J'étais arrivé à l'atelier du Tintoret – sa *bottega*, comme il se plaisait à l'appeler – un peu après sept heures, pour être certain de ne pas nuire aux activités. Malgré l'impatience de rencontrer Veronica et de la voir poser, j'étais anxieux de devoir annoncer au Tintoret la décision du comte, soit de reporter ou même d'annuler la commande, celle-là même qui expliquait largement ma présence dans son atelier ce matin-là. Comment pouvais-je lui dire que Courtenay devait bientôt partir pour Ferrare et que le marché que nous avions conclu ne l'intéressait plus autant qu'avant? Je décidai de ne rien dire et d'attendre un moment plus propice.

Gentile Bassano – dit «Michel-Ange» – me prit sous son aile et me donna des consignes. Contrairement à son célèbre homonyme, réputé pour sa brusquerie et son impolitesse, notre Michel-Ange était la gentillesse même, toujours prêt à accorder une aide attentive.

— Vous comprendrez l'importance de nos exercices quand vous essaierez de dessiner vous-même: cela vous fera prendre conscience de la lumière, et de la manière dont les ombres finissent par s'estomper du côté opposé. Nous avons déjà commencé un grand tableau avec la Franco, et vous pourrez voir le maestro la peindre *de visu*, quand elle posera pour nous. Cependant, afin de gagner du temps et de profiter de sa présence au maximum, je vais noter certains détails en réalisant un *abbazato* – une esquisse – dont nous pourrons nous servir plus tard pour affiner notre schéma de base sur la toile. Au fur et à mesure que le tableau progressera, vous verrez que notre approche est différente de celles des peintres florentins. Encore de nos jours, ils ont tendance à utiliser la peinture à l'huile comme les peintres de fresques se servent de la *tempera*, c'est-à-dire en de très minces couches, de sorte que le dessin sous-jacent se voit au travers, parfois même dans le tableau final. Depuis l'époque de Giorgione à ses débuts, nous, Vénitiens, nous sommes détachés de ce style, en appliquant la peinture en couches plus épaisses. Par conséquent, il arrive souvent que le dessin disparaisse sous nos coups de pinceau, au fur et à mesure que le tableau avance. C'est là que nos esquisses de référence nous servent le plus. Notez bien, tous les peintres n'en font pas le même usage : le Titien se reporte rarement aux *abbazati* lorsqu'un tableau est bien avancé, et il lui arrive souvent de changer complètement la composition d'origine, soit en grattant la peinture, soit en peignant par-dessus, lorsqu'elle est assez sèche. C'est un bricoleur invétéré qui n'en finit plus de lécher ses tableaux. Heureusement, Jacopo n'est pas comme cela. Il peint très rapidement – plus vite qu'aucun de nous – mais il ne touche jamais à rien avant que la composition d'origine soit très claire dans son esprit. Demandez-lui de vous montrer ses petits théâtres. Il a des boîtes à l'intérieur desquelles il dispose des modèles en argile. Puis il les dessine ou me les fait dessiner. De cette manière, nous pouvons expérimenter toutes sortes de compositions sans avoir à payer des modèles ou à gaspiller la peinture.

Je pris la planche à dessin qu'il me tendait, ainsi que du papier bleu, du fusain et de la craie, et m'installai dans un coin comme il me l'avait dit. Ma présence fut vite oubliée, et toute la *bottega* se mit à l'œuvre. Les jeunes apprentis, ou *garzoni*, se chargèrent d'installer les chevalets et de mélanger la peinture, tandis que leurs aînés, les *assistenti*, dont Gentile faisait partie, s'occupaient d'agencer les accessoires pour la séance de pose. Le peintre, quant à lui, actionna une série de leviers régissant l'ouverture des volets sur les fenêtres hautes, jusqu'à ce qu'un seul rayon de lumière se concentrât sur le fauteuil du modèle.

Quand tout fut bien en place, Veronica entra, vêtue d'une robe de soie à longue ceinture, et apportant une pièce d'étoffe de soie blanche. Elle salua les artistes d'un signe de tête et lança un regard amical en ma direction, tout en s'avançant vers la chaise. Avant de s'asseoir, elle se pencha en avant pour examiner la toile encore inachevée, et je la vis remuer le corps et les membres, comme pour s'ajuster à la pose souhaitée. Montant sur la plate-forme, elle s'approcha de la chaise et, en un mouvement gracieux et leste, laissa glisser la robe de ses épaules, l'attrapant d'une main et la faisant disparaître derrière le fauteuil.

Elle passa la pièce d'étoffe par-dessus son épaule avec nonchalance et la laissa glisser jusqu'à ce qu'elle se trouvât dans une position adéquate ; puis, la soulevant par le bout, elle la rejeta par-dessus sa hanche. Gentile s'approcha de la toile et l'examina un instant ; puis il considéra le modèle, et encore la toile. Veronica l'interrogea du regard, et il hocha la tête.

— Parfait. Voilà exactement la même pose que la semaine dernière. Merci.

Avec l'aisance d'un chat, Veronica se détendit dans cette pose et cessa complètement de bouger. Assis dans le coin, face à son épaule droite, je tentai de me mettre à sa place.

Je savais que j'aurais les membres crispés et endoloris en l'espace de quelques minutes, mais Veronica semblait capable de garder la pose et de se détendre sans arrondir le dos ou baisser les épaules.

— Vous êtes prête, Veronica ?

La jeune femme hocha la tête de manière presque imperceptible.

— Une demi-heure, donc.

Jacopo se concentra sur la pièce d'étoffe recouvrant sa jambe. En quelques rapides coups de pinceau, il commença à peindre le jeu des ombres en différents tons de gris, promenant son regard du modèle à la toile et vice-versa. Il ne semblait jamais regarder sa palette, et je compris à quel point il était crucial pour un artiste professionnel (c'est-à-dire pressé) de toujours placer ses mélanges de couleur au même endroit, de façon à pouvoir y tremper son pinceau sans hésitation.

À présent, il se saisit d'un second pinceau, et à ma grande stupéfaction il se mit à peindre les touches claires de sa main gauche et les touches sombres de sa main droite. J'avais remarqué que les peintres gardaient parfois deux, trois ou quatre pinceaux sous le pouce de la main qui tenait la palette, mais c'était bien la première fois que je voyais un artiste poser sa palette sur une table et peindre avec deux pinceaux en même temps.

Gentile se tenait derrière lui, et regardant par-dessus son épaule, tentait d'illustrer la manière dont la lumière tombait sur le front de la jeune femme, illuminant l'arcade sourcilière et le haut de l'oreille. Par moments il se servait de la queue d'un pinceau pour prendre des mesures, à l'œil, avant de les transférer sur le papier, d'abord en les marquant légèrement au fusain, puis en complétant les formes lorsqu'il était satisfait des proportions générales de l'essai. De temps à autre, il déposait son fusain pour adoucir les traits avec ses doigts, ou utilisait un bout de plume pour les effacer et essayer de nouveau.

Je commençai à dessiner. Il régnait dans la pièce un silence total, hormis le grattement du fusain et le léger grincement du pilon que manipulait Biffo pour écraser du pigment frais dans un mortier, auquel il faudrait ajouter de l'huile et quelques gouttes de térébenthine. Son pouvoir de concentration paraissait limité, et ses mains travaillaient indépendamment de ses yeux, qui lorgnaient Veronica, assise, les seins nus. Seule une fine bande de soie la recouvrait à la hauteur de la hanche.

J'essayai de reproduire ce que Gentile faisait, et me servis de la queue d'un pinceau que je tenais verticalement dans ma main comme instrument de mesure. C'était plus difficile qu'il n'y paraissait et mes premières tentatives ne donnèrent rien de bien satisfaisant.

J'étais certain de pouvoir sentir son parfum, malgré la forte odeur d'huile et de térébenthine qui flottait dans l'air. Le soleil accrochait son sein droit qui semblait luire comme si une lampe l'éclairait de l'intérieur. Plus haut dans son cou, une petite veine apparaissait du côté droit comme une marque rouge. Ses cheveux avaient la couleur des marrons d'Inde nouvellement éclos par un matin d'automne, mais la lumière qui s'y reflétait lançait des éclats d'or et de jaune, tandis que les ombres prenaient une teinte brune tirant sur le vert. Le bout de son nez, accrochant la lumière, était presque blanc, tandis que l'arête, directement face à moi, présentait un petit point coloré, presque aussi rouge qu'une pomme. Il était étonnant de constater toutes les variations de couleur quand on y regardait de près.

Comment songer à reproduire de telles subtilités de forme et de couleur dans un tableau ? Par où commencer ?

Observant le travail du Tintoret et de Gentile, je tentai d'imiter la manière qu'ils avaient de suivre les contours du modèle avec le pinceau ou le fusain, comme pour mieux en apprécier la forme, avant de transférer ce mouvement sur la toile ou le papier.

Étant parvenu à rendre les contours de son front de façon acceptable, j'étais en train de descendre vers son cou quand je pris conscience d'un léger mouvement à la limite de mon champ de vision : un mouvement à peine perceptible, ne fût-ce que par un changement d'éclairage. J'examinai le visage de Veronica. Elle avait conservé la même pose, mais je vis que ses yeux étaient fixés sur Biffo, qui continuait de mélanger son pigment à l'autre extrémité de la pièce, sur ma droite. Son activité avait redoublé d'ardeur, ses mains crispées sur le manche du pilon ; et il la lorgnait de façon toujours plus pressante et suggestive. Je me demandai si je devais intervenir, car Jacopo était entièrement absorbé dans son travail et les autres étaient occupés à des tâches tout aussi prenantes. Je décidai que, en tant que visiteur, il valait mieux ne pas déranger leur concentration.

Bientôt, le même phénomène se reproduisit : un léger changement d'éclairage. Lentement, très lentement, Veronica ramenait vers moi sa jambe droite, et l'éloignait de l'assistant. Son visage ne trahissait aucune émotion ; mais je m'aperçus que Biffo, lui, broyait le pigment de manière frénétique tout en regardant fixement entre les jambes du modèle. D'un mouvement presque imperceptible, elle écarta les jambes encore plus et je compris qu'elle était en train de lui exposer son sexe. Biffo, rouge comme un coq, finit par perdre complètement ses moyens : mortier et pilon dégringolèrent de l'établi, répandant le précieux pigment sur le sol.

— Biffo, espèce de gros crétin ! s'écria le Tintoret, déposant sa palette et empoignant le garçon au collet.

Il poussa la tête de l'assistant vers le plancher souillé d'un bleu éclatant.

— Sais-tu ce que c'est, ça ? C'est de l'outremer : de la poudre de cristal de lapis-lazuli qui nous vient de l'autre côté de l'océan, et qui vaut mille fois ce que tu peux valoir au poids. Et c'est bien peu dire, espèce d'empoté ! Maintenant, à genoux, et ramasse-moi chaque grain. S'il en reste un tant soit peu quand je vérifierai à la fin de notre séance, je te renverrai chez ton père comme le pire des ratés. C'est ton dernier avertissement.

Je reportai les yeux sur Veronica. Elle était assise impassible, son visage arborant la même expression que tout à l'heure. La seule différence était qu'elle avait réuni ses genoux et replacé la bande de soie.

Je lançai un regard de côté à Gentile, qui continuait à dessiner. Rencontrant mes yeux, il me fit un clin d'œil. Désormais, impossible de s'y tromper : il fallait surveiller Veronica Franco et savoir en tirer les enseignements.

La séance se poursuivit encore quelques minutes, mais chacun avait perdu sa concentration et le balayage affolé de Biffo sur les dalles n'aidait en rien à la retrouver. Enfin, Jacopo finit par annoncer une pause.

— Arrêtons-nous quelques minutes. Veronica aimerait bien se dégourdir les jambes, j'en suis certain.

Personne ne répondit, et je compris que même si chacun savait ce qui venait d'arriver, on s'entendait tacitement pour ne pas en parler. Je fis donc de même.

Elle se leva de son fauteuil, semblable à une reine, et s'avança vers moi, sans avoir l'air pressée d'enfiler sa robe avant de s'être approchée trop près. Jamais je n'avais rencontré une femme qui semblât si à l'aise avec sa nudité; pourtant, les événements des dernières minutes montraient bien qu'elle était prête à faire renvoyer Biffo pour protéger son intimité. Il semblait que le modèle fût là pour être regardé, mais non pour être consommé.

— Richard! Quel plaisir de vous revoir. Vous avez décidé d'accepter mon invitation, et j'en suis heureuse. Et de vous voir travailler ici est une surprise: je ne savais pas que vous dessiniez. Puis-je y jeter un œil?

Cette requête me retourna les entrailles. Il était déjà assez pénible de constater les insuffisances de son propre dessin, encore pire de le voir examiné par des experts comme Gentile et Jacopo; mais que le modèle demande à voir le gâchis que vous aviez fait de son visage, de son cou, de son corps tout entier, voilà qui était profondément embarrassant.

— C'est mon premier essai.

Je soulevai la planche à dessin et lui permis d'examiner le fruit de mes efforts. Deux ou trois détails semblaient bons (j'avais su rendre le jeu de la lumière sur son front, et le commencement de sa chevelure), mais le reste se passait de commentaire.

— Votre premier essai? C'est vrai? Vous devriez vous exercer, Richard.

Elle réussit à parler assez fort pour que le peintre et ses assistants l'entendent.

— Le maestro vous laissera peut-être entrer dans sa classe d'apprentis? Qui sait, d'ici quelques années vous pourriez devenir un second *Il Furioso* et apprendre à peindre à deux mains?

Jacopo sourit. Évidemment que je pourrais entrer dans sa classe. Mon dessin était prometteur: j'avais une bonne main.

Enfin, il fut convenu que je reviendrais une autre fois, et je me tournai vers Veronica avec gratitude.

— C'était très gentil de votre part, Veronica. Merci. J'aurai maintenant la chance de me faire des amis à Venise tout en apprenant un métier. Que puis-je faire pour vous rendre la pareille ?

Elle plissa légèrement les yeux, se demandant si j'étais en train de me moquer. Enfin elle répondit.

— J'aimerais rencontrer votre compagnon, le comte anglais. Jacopo dit qu'il est issu d'une ancienne famille royale, les Plantagenêt. Est-ce vrai ?

Je lui confirmai cette information, mais sachant que Courtenay devait bientôt partir à Ferrare, je choisis une réponse circonspecte.

— C'est avec plaisir que je vous le présenterai, Veronica. Le comte étant d'un naturel prudent et soupçonneux, puis-je l'informer du motif de la rencontre, ce dont il ne manquera pas de s'enquérir ?

Elle posa une main sur sa hanche, à la fois coquette et méditative. Avec quel talent elle jouait ces petites mascarades ! Il ne faisait nul doute que, en compagnie de courtisans et d'ambassadeurs, elle ne pourrait que briller.

— Auriez-vous l'obligeance de me reconduire à la maison quand le Tintoret en aura terminé avec moi ? Je pourrai alors vous l'expliquer plus clairement.

Je vis Gentile et Jacopo se regarder et compris qu'ils reconnaissaient dans notre conversation des signes que je ne saisissais pas. Je n'avais rien à perdre. Elle était belle, intéressante, et je n'avais prévu aucune autre activité pour le reste de la journée. Je me demandai à quelle distance se trouvait sa maison, et quelles étaient les convenances vénitiennes à cet égard.

— Avec joie. Allons-nous marcher ou nous y rendre en gondole?

Elle sourit et me prit la main.

— Peut-être aurons-nous le temps de faire les deux? Qui sait?

Chapitre 38

Après-midi du 21 mars 1556
Un petit palais donnant sur le Grand Canal

— Non, je vous en prie. Laissez-moi faire.

Veronica paya le gondolier et me conduisit par un escalier de pierre jusqu'à ses appartements au premier étage du palais.

— Une femme doit voir à conserver son indépendance le plus possible.

Elle m'avait lancé ces paroles par-dessus son épaule alors que nous gravissions les marches.

Le voyage avait été court mais instructif. Ayant emprunté les petits canaux secondaires partant du Rio della Sensa, puis traversé le Rio della Misericordia et trouvé le petit Rio di San Marcuola, nous étions enfin arrivés à un vieux palais d'aspect plutôt défraîchi, et dont les fenêtres donnaient sur le Grand Canal. Nous nous trouvions en face du Palazzo Ferrara appartenant au duc Ercole, lequel devait recevoir notre comte de Devon à Ferrare, à peine quelques jours plus tard. Dans quel petit monde fermé nous évoluions !

Veronica avait bavardé avec le gondolier comme s'il s'agissait d'un vieil ami, et pendant tout le voyage elle n'avait cessé de saluer des connaissances et de porter à mon attention les lieux d'intérêt. Bien que la ville fût peuplée d'environ cent mille personnes, selon les estimations les plus courantes, cette population se divisait en un certain nombre de groupes, en apparence très cloisonnés. Les gens de la noblesse se divertissaient dans leurs palais sur le Grand Canal ; les constructeurs de navires vivaient et travaillaient à l'Arsenal ; les marchands, les Juifs et les Allemands habitaient chacun dans leurs quartiers respectifs ; et les religieuses étaient tenues loin des regards derrière les murs de leurs couvents. Et pendant tout ce temps, tout en bas, les *popolani* besognaient dans l'anonymat et l'indifférence, jetant les fondations de ce grand édifice.

Ce qui rassemblait tout le monde, c'étaient les affaires, le commerce. Le désir de faire de l'argent était bien la seule chose qui pût transcender les barrières sociales. Ce fut alors que je compris, non sans quelque répugnance, que la familiarité de Veronica avec des citoyens de toutes les classes lui venait directement de sa vie de courtisane. À présent, les circonstances m'avaient entraîné dans cette vie, sans que je sache pour autant le rôle exact que je devais y jouer. Pénétrant dans ses appartements, j'avais l'impression d'être sur le point de le découvrir.

Comme bon nombre de palais que j'avais visités depuis mon arrivée, celui-ci était bien mieux préservé à l'intérieur qu'il le paraissait de l'extérieur. L'air salin et humide de la lagune nous enveloppait constamment, mais cet après-midi-là, un brouillard chaud et lourd pesait sur toute la ville et s'était immiscé jusque dans les somptueuses pièces.

Il n'y avait aucun vent dehors et les oiseaux s'étaient tus. La ville eût été invivable si la puanteur des semaines précédentes ne s'était pas résorbée, mais par chance, elle avait complètement disparu. Les maisons avaient été nettoyées et balayées de fond en comble, et dans le confort de son *piano nobile*, Veronica avait disposé des fleurs printanières ainsi que des bols de citrons importés du sud afin de parfumer l'air.

M'avançant aux fenêtres, j'ouvris les volets pour admirer la vue du Grand Canal.

— Quelle splendide maison ! Est-elle dans votre famille depuis longtemps ?

Elle regarda tout autour d'elle, levant la tête, comme si elle visitait l'endroit pour la première fois.

— Si vous voulez savoir si j'en suis propriétaire, la réponse est non. Mais elle appartient, en un sens, à ma famille, et j'y suis très à mon aise.

C'était une réponse astucieuse, et il eût été malpoli d'approfondir la question plus avant ; mais en vérité, sa réponse ne m'apprenait rien.

— Prenez un peu de vin, je vous prie, Richard, pour vous rafraîchir, et quelques biscottis. Ils ont été faits spécialement pour moi. Maintenant, si vous voulez bien m'excuser un moment... La vue est toujours changeante, admirez-la un peu, je vous en prie.

Je pris un verre de vin et un biscuit, et j'écartai les volets un peu plus. Nous étions dans l'angle d'un large coude du Grand Canal, du côté nord, avec une vue dégagée au sud-est et au sud-ouest, le tout grouillant d'activité. Nous étions trop en amont du canal pour apercevoir les grands navires marchands, mais de plus petits vaisseaux filaient de part et d'autre, chacun ayant mission de tirer profit des activités de la journée.

Veronica ne tarda pas à revenir, à présent vêtue d'une robe ample, dégageant une impression de fraîcheur. Nous restâmes debout côte à côte devant la fenêtre, grignotant les biscottis et sirotant le malvasia, que ses domestiques avaient réussi à garder au frais. Elle se tenait tout près de moi, à ma droite, son corps animé de gestes fluides et aisés tandis qu'elle me montrait une chose ou en commentait une autre. Chaque fois qu'elle attirait mon attention sur un détail situé à sa droite, il semblait toujours que je dusse me pencher sur elle pour l'apercevoir correctement ; de même, les points d'intérêt situés à ma gauche paraissaient l'obliger à se presser tout contre ma poitrine, l'odeur de son parfum frais montant à mes narines.

Elle me prit la main et la tint entre les siennes. Le sommet de son crâne arrivait à la hauteur de mon menton, et tandis qu'elle levait la tête pour me parler, en la penchant d'un côté, le galbe de son cou et la proéminence de sa poitrine se présentaient comme une invitation constante.

— Vous avez chaud. Vous n'êtes pas à l'aise. J'oublie mes bonnes manières. Suivez-moi dans cette pièce où il fait plus frais.

Elle me conduisit dans la pièce voisine, où les volets étaient fermés. À travers leurs lattes, la lumière reflétée sur les eaux du canal faisait danser des rayons d'or et d'argent sur les fresques du plafond. Au centre de la pièce se trouvait une grande baignoire, et tout près de celle-ci, une chaise portant des serviettes. Une autre attendait les vêtements dont on voulait se départir. Devant moi, en face de la baignoire, s'étendait un tapis turc de couleur cramoisie, le tout rappelant une composition pour un tableau d'un des maestros.

Doucement, elle me tira par la main.

— De grâce, ne soyez pas timide : déshabillez-vous et entrez dans le bain. Cela vous rafraîchira.

J'hésitai un instant, mais elle m'encouragea d'un geste de la main et je fis ce qu'elle me demandait, ayant l'impression d'être un acteur dans une pièce de théâtre. Mon pourpoint s'enfila parfaitement sur le dossier de la chaise. Tournant le dos, je m'assis pour enlever mes bottes et mes chausses, puis je me tins debout sur le tapis placé juste au bon endroit, et les disposai convenablement : les bottes sous la chaise, mes chausses sur le siège même. Je me tenais à présent en face d'elle, nu sous ma longue chemise. Encore une fois, j'hésitai.

— Allons-y ensemble. Vous vous servez de cette chaise-là, et je prendrai celle-ci.

Elle retira sa robe et la plaça délicatement sur le dossier de l'autre chaise, prenant soin de ne pas recouvrir les serviettes. J'observai sa nudité, miroitant dans la lumière dansante qui filtrait entre les lattes. Le Titien et le Tintoret n'avaient rien exagéré : sa beauté était telle qu'ils l'avaient dépeinte.

Je suivis son exemple et déposai ma chemise sur la chaise derrière moi. Elle examina mon corps, sans gêne aucune et d'un œil appréciateur, comme je venais de le faire avec le sien ; puis elle tendit la main au-dessus du bain et saisit la mienne.

— Venez, j'ai déjà pris mon bain. C'est votre tour, maintenant.

J'entrai dans le bain et m'allongeai dans l'eau fraîche. Elle s'agenouilla près de la baignoire et me caressa les cheveux.

— Laissez-moi vous laver la tête. Fermez les yeux.

Je lui obéis. Comme si toute volonté m'avait quitté, je pliai les genoux, enfonçai la tête dans l'eau jusqu'à ce qu'elle soit engloutie dans sa fraîcheur, puis je refis surface, mes cheveux ruisselants d'eau, mes paupières closes. Jamais dans mon souvenir il ne m'était arrivé de me soumettre à la volonté de quelqu'un d'autre – homme ou femme – depuis que j'avais appris à marcher.

Je la sentis verser de l'eau sur ma tête et commencer à savonner mes cheveux. Son action dut me faire ouvrir les yeux et lever la tête, car elle passa le creux de sa main sur mon visage, comme pour fermer les yeux d'un mort pour la dernière fois, et me ramena la tête en arrière. Pendant un instant, je crus qu'elle voulait que je lui résiste, que je reprenne la maîtrise de moi-même ; mais elle laissa sa main sur mon front et me chuchota à l'oreille :

— Ne me résistez pas. Laissez-vous aller. Vous êtes en sécurité ici. Détendez-vous et laissez l'eau vous caresser. Si vous vous concentrez, vous pouvez laisser votre esprit voguer d'une sensation à l'autre. Essayez de penser comme le font les aveugles. Écoutez.

J'écoutai donc. Je pouvais entendre le clapotis de l'eau du bain. Peu à peu, je commençai à distinguer les sons qui provenaient du canal, en bas. Une musique parvint à mes oreilles, d'abord très faiblement : un luth, joué avec lenteur, ses longues cadences déferlant sur moi comme des rides sur l'eau. Le luthiste ne jouait pas avec les ongles, mais tout doucement, du bout des doigts, caressant les cordes comme Veronica caressait mes cheveux. Je me sentais à l'abri de tout ; je commençai à pleurer, en silence.

— Quelle est cette mélodie ?

Je ne pus que chuchoter, la gorge étranglée par l'émotion.

— C'est un air vénitien, *Laudato Dio*. Composé il y a cinquante ans par un musicien du nom de Juan Ambrosio Dalza. Alessandro le joue souvent à ce moment de la journée. Gardez les yeux fermés.

Je m'allongeai dans la baignoire et laissai la musique me porter, comme le faisait l'eau du bain. Bientôt elle s'acheva, et mes autres sens s'éveillèrent.

— N'ouvrez pas les yeux. Vous avez mis la vue de côté. Faites la même chose avec l'ouïe. Laissez les sons disparaître et concentrez-vous sur le toucher. Sentez l'eau. Sentez la brise chaude qui émane des volets. Sentez maintenant la différence de température entre le fond du bain et l'eau qui remue à la surface.

Je la sentis enrouler une serviette autour de ma tête, comme un turban, recouvrant doucement mes yeux et mes oreilles. Ce faisant, elle ne cessa de me toucher, et quand le turban fut bien en place, sa main descendit doucement vers mon épaule et s'y posa, comme en manière de réconfort.

— Que sentez-vous ?

Ses mots me parvinrent faiblement à travers la serviette. Je me concentrai très fort. J'avais cessé de lutter et me contentais de faire ce qu'on me demandait. Oui, je le sentais.

— L'eau froide est descendue au fond. La surface est plus chaude, maintenant.

— Vrai. Sentez-le.

Ses lèvres murmuraient tout près de mon oreille.

— Sentez l'air circuler au-dessus de l'eau.

Je cessai de bouger, pour mieux me concentrer.

— À présent, l'air est chaud.

Je sentis un souffle d'air chaud et humide sur ma poitrine.

— Maintenant, il est froid.

Cette fois, ce fut un souffle d'air froid, plus bas sur mon ventre. Je sentis ma peau se raidir, et compris qu'elle m'envoyait des grandes bouffées d'air chaud en respirant contre moi, et qu'elle pinçait les lèvres pour me souffler de l'air froid, tout en regardant frémir ma peau à ce changement de température. La seule idée d'être observé de si près par elle, alors que j'étais nu, et seulement partiellement recouvert d'eau, commença à m'exciter. Il y eut un autre souffle chaud, puis une petite bouffée d'air froid. Cette fois, je sus très bien vers quoi tendait sa bouche, et je sentis mon membre se raidir, puis émerger lentement à la surface de l'eau.

Elle vint se blottir contre mon oreille enturbannée.

— Mmm... Sandro Botticelli eût été fier de vous. Ce n'est pas la naissance de Vénus surgie des océans, mais c'est un début...

Elle retira sa main de mon épaule et déroula le turban. Elle m'embrassa l'oreille, puis me remit une serviette sèche.

— Vous pouvez ouvrir les yeux, maintenant.

J'ouvris les paupières et tandis que je me levais, elle passa la serviette autour de ma taille. Me prenant la main, elle me conduisit dans une autre pièce, à l'arrière.

— Je pense que vous avez besoin d'un peu d'attention.

Elle dépassa toutes mes attentes. Elle ne cherchait pas à dominer, ni à jouer les femmes serviles. Elle m'initia plutôt à un monde de plaisir et de partage, à un échange entre deux partenaires où le désir de l'un devenait, instinctivement, le cadeau de l'autre.

Elle bougeait comme un chat – lentement, comme si nous avions tout le temps du monde. La peau de ses seins était comme celle d'une pêche, et lorsqu'elle s'ouvrit enfin à moi, c'était comme si la pêche elle-même s'était ouverte pour m'offrir sa chair mûre, et m'invitait à goûter sa richesse parfumée. Elle me fit connaître des plaisirs que je n'aurais jamais imaginés, m'amenant au faîte d'une tension avide et brutale, puis m'abandonnant à une détente absolue où le temps lui-même semblait s'arrêter. J'appris par son exemple et commençai moi aussi à signaler et à répondre. Tout l'après-midi nous continuâmes à offrir et à prendre, puis à offrir de nouveau, jusqu'à ce que les derniers rayons de lumière à travers les volets ne suffissent plus à éclairer la prunelle de ses yeux et que les premiers frissons du soir nous incitassent à ramener les draps sur nous pour la première fois.

Nous restâmes allongés dans la pénombre, la rumeur du Grand Canal montant à travers les volets, l'air du soir caressant nos épaules. Quelque part en bas, les cordes du luth résonnèrent de nouveau.

Je sentis sa langue dans mon oreille.

— Et quelle est cette mélodie ?

— C'est *Laudato Dio*, un air populaire de Juan Ambrosio Dalza, répondis-je paresseusement.

Elle passa sa main sur mon ventre d'un air faussement aguicheur.

— Je ne pensais pas que tu t'en rappellerais.

Je me tournai vers elle et la taquinai à mon tour.

— Comment pourrais-je l'oublier ?

Nous restâmes étendus le temps d'une sieste. En pensée, je m'envolai par la fenêtre et nous observai de l'extérieur, puis, nous rejoignant, je me replongeai dans la chaleur et la tendresse de nos ébats. Je n'avais jamais connu cela auparavant. Dans ma jeunesse, j'avais pu arracher quelques moments de passion à certaines villageoises plus dégourdies, en particulier après la récolte, lorsque le cidre de l'année précédente montait facilement à la tête. Je me souvenais de la petite Agnès, qui ricanait et frétillait comme un petit chien à chacun de mes mouvements, et qui refusait toujours de me laisser partir avant le point du jour.

Je songeai à Lady Frances, la mère de Lady Jane. Elle m'avait choisi comme le cadeau d'anniversaire qu'elle s'offrait à elle-même, et m'avait presque traîné dans sa couche, se moquant de mes hésitations, avant que ma colère n'explose. Je l'avais montée sauvagement jusqu'à ce que, avide de sensations, elle se mette à crier d'extase. Je songeai aussi à Lady Catherine, aux moments que nous avions partagés peu après la mort de sa sœur, enlacés dans une étreinte folle, faite de deuil et d'amour longuement contenu.

Je me retournai et respirai le souffle de Veronica sur mon visage, suave et sensuel. C'était si différent avec elle : une expérience plus calme, plus achevée, un échange de plaisirs et d'attentions réciproques, mais sans promesses ou engagements face à l'avenir. Était-ce ce qui faisait la popularité des courtisanes de Venise ?

À notre réveil, nous bûmes un autre verre de vin, et je m'apprêtai à partir. À présent, j'étais redevenu le maître de la situation et je sentais qu'il m'appartenait de prendre les bonnes initiatives. Je ne devais pas m'accrocher à elle et faire le blanc-bec. Il fallait correctement apprécier la réalité et l'accepter pour ce qu'elle était : nous avions partagé un moment agréable, sans plus. Tournant le dos à ma compagne, je récupérai mes vêtements au pied du lit et en retirai ma bourse.

Elle se dressa sur son séant pour m'observer.

— Qu'est-ce que tu fais ?

Je tenais la bourse dans mes mains.

— Devrais-je ?…

Éloignant mon poignet jusqu'à ce que je laisse tomber la bourse sur le plancher, elle hocha gravement la tête.

— Non, pas du tout. Tu n'as pas besoin de payer, *caro*. Je suis une courtisane, pas une vulgaire prostituée.

Je retombai sur l'oreiller, profondément gêné et alarmé. Comment avais-je pu gâcher un si bel après-midi, aussi facilement ?

— Je te prie d'excuser mon ignorance. En Angleterre, je ne suis pas sûr que nous sachions faire la différence.

Sitôt que je laissai échapper ces mots, je sus que je venais d'ajouter la maladresse à la stupidité. Elle eût pu alors se mettre en colère et me jeter à la porte, ou bien fondre en larmes, mais elle n'eut aucune de ces réactions. Elle se contenta de sourire, comme si elle faisait la leçon à un enfant.

— Tu apprendras bien vite. La sérénissime république est un endroit bien plus raffiné que votre Londres. Ici, nos conventions sont beaucoup plus soignées, plus précises. La prostituée se fait toujours payer en espèces, mais la courtisane, elle, trouve son compte dans la relation elle-même. C'est bien mieux ainsi, tu ne trouves pas ?

J'étais reconnaissant de la voir aussi compréhensive, mais je ne savais que répondre. Percevant ma difficulté, elle vint à ma rescousse.

— Et ça prend aussi beaucoup plus de temps.

Souriante, elle m'attira de nouveau à elle.

J'enfouis ma gêne et ma confusion dans la douceur parfumée de sa poitrine, et laissai le temps s'arrêter encore un peu.

Chapitre 39

24 mars 1556
Ca' da Mosto

Le temps chaud se poursuivit, et je commençai à me convaincre que le printemps vénitien était bel et bien arrivé. Chez nous, en Angleterre, le temps demeurait froid et venteux à cette période de l'année. J'arpentais fiévreusement la maison, impatient de voir apparaître Veronica.

— Qu'as-tu fait ces derniers jours?

Thomas Marwood m'observait de son air le plus doctoral. Pour ma part, je pris l'expression la plus neutre dont j'étais capable, et lui répondis avec le sourire.

— Rien de bien important. Pourquoi cette question?

Il continuait à m'étudier de son regard pénétrant.

— Tu as l'air changé.

C'était la première fois que je le voyais depuis mon après-midi avec Veronica. L'effet qu'elle avait produit sur moi se remarquait-il autant?

— Ah oui? Je ne vois pas pourquoi je le serais.

— Pour quelle raison le comte nous a-t-il convoqués ce matin? Qui est cette personne que nous devons rencontrer?

J'essayai de paraître aussi calme et détaché que je le pus, mais je sentis mon cœur s'emballer à la seule idée de la revoir.

— Ah oui... Je pense qu'elle s'appelle Veronica Franco. C'est une dame de la société vénitienne que j'ai rencontrée à la *bottega* du Tintoret. Elle a demandé à faire la connaissance du comte et j'ai accepté de la lui présenter.

Thomas me dévisagea de nouveau.

— Pourquoi souhaite-t-elle le rencontrer? La noblesse vénitienne le porte peut-être en plus haute estime que nous le pensions.

Il jeta un regard par la fenêtre puis se retourna très rapidement.

— Tu ne penses pas qu'il s'agit d'une courtisane à l'affût, j'espère? Le comte serait une cible facile. Il est si crédule.

Je ravalai ma salive. C'était plus délicat que je ne l'avais escompté. Je fus tiré d'embarras par le valet de Courtenay, qui annonçait l'arrivée de Veronica. Elle flotta vaporeusement jusqu'à nous, habillée à la dernière mode de Venise, aussi resplendissante qu'à l'accoutumée.

— Thomas, permets-moi de te présenter Veronica Franco.

Prenant sa main, elle lui fit la plus subtile des révérences. Thomas inclina la tête et la conduisit à un fauteuil. Elle le remercia mais préféra rester debout, la fenêtre jetant un éclairage parfait sur sa toilette. Son expérience avec le Titien et le Tintoret lui avait peut-être enseigné quelque chose à ce sujet.

— Signora Franco, vous avez déjà rencontré Richard, je crois?

Thomas faisait encore des siennes, jouant les simples d'esprit, mais elle n'était pas en reste.

— En effet, une fois ou deux. À la boutique du Tintoret, c'est bien cela, Richard?

Je la regardai, souriante au soleil, et je pus de nouveau la goûter et la sentir. Mon visage s'empourpra à ce souvenir; j'aurais voulu lui prendre la main et la conduire dans ma chambre sur-le-champ. Je m'efforçai pourtant de jouer le jeu.

— Je crois bien, oui. Et voici le comte qui vient.

Courtenay s'engouffra dans la pièce, vêtu lui aussi comme s'il était attendu à un banquet de gala.

— Veronica, permettez-moi de vous présenter Edward Courtenay, comte de Devon et membre de l'auguste lignée royale des Plantagenêt.

Je savais qu'il ne voulait pas me voir lésiner sur les cérémonies et il lui offrit son sourire le plus somptueux.

— Madame Franco. Enchanté, sans aucun doute. Quel plaisir de vous rencontrer!

La tenant par le coude, il l'emmena plus près de la fenêtre, prenant soin de nous tourner le dos. Il parlait d'une voix forte et expansive, et je sus qu'il était immédiatement tombé amoureux. Veronica, elle aussi, n'avait d'yeux que pour le comte. Ils se tinrent là comme deux amants réunis après une longue séparation, main dans la main, visages rapprochés, animés par la seule fascination qu'ils éprouvaient l'un pour l'autre.

Thomas et moi étions visiblement de trop et mon ami m'attira à l'écart.

— Je comprends, maintenant, cet air de fébrilité qui flottait sur ton visage. C'est une femme tout à fait exceptionnelle.

Jetant un regard en direction du couple, lequel ne se lâchait plus des yeux, je hochai la tête. Elle faisait son travail et y réussissait à la perfection. Je compris alors qu'une grande courtisane devait posséder les qualités d'un diplomate, capable d'évoluer tout naturellement au milieu des nobles dont elle tire sa subsistance, et faisant montre de cette aptitude particulière, si souvent observée à la cour d'Angleterre, à accaparer complètement son sujet et à lui faire croire qu'il n'existe personne de plus important dans sa vie, ne serait-ce que le temps de créer une première impression favorable.

— Tu vas trouver cela difficile n'est-ce pas, Richard ?

Je ravalai encore ma salive et hochai de nouveau la tête.

— Ce l'est déjà.

La voir avec lui, surtout, m'indisposait profondément. Mais le plus dur était d'avoir à affronter le doute que j'avais remisé au plus profond de mon esprit, à défaut de pouvoir le chasser. Dans quelle mesure mon après-midi chez elle avait-il été, pour Veronica, une affaire personnelle ? Était-ce un intérêt purement professionnel ? Avais-je quelque importance à ses yeux, ou étais-je simplement un rouage parmi d'autres dans le mécanisme de son ambition ?

Trois jours avant, en revenant de chez elle, j'avais commencé à panser mes plaies. J'avais conclu qu'elle avait refusé mon argent pour la simple et bonne raison que notre relation était personnelle à ses yeux, me disant qu'elle avait pu interpréter ma réaction sous un jour favorable, voyant que je n'avais pas eu l'audace de croire que ce fût le cas.

À présent, j'en tirais une interprétation différente. Nos ébats amoureux n'avaient (du moins pour Veronica) rien de personnel ; c'était plutôt une forme d'échange, dans lequel elle m'apportait de la jouissance et je lui permettais de rencontrer un riche comte anglais, une proie facile qui pourrait suppléer ou ajouter au patronage qu'elle recevait déjà des autres nobles. Elle m'avait payé ; je venais de lui rendre son dû.

— Cependant, ma chère dame, je serai reçu chez le duc Ercole d'Este, à Ferrare, pour un séjour de courte durée. Le connaissez-vous ?

Courtenay faisait de nouveau étalage de ses fréquentations. Veronica fit mine de fouiller dans sa mémoire, puis elle hocha la tête.

— Pas très bien… Pas intimement, comme on dit.

— Je serai fort impatient de vous revoir à mon retour.

Elle le regarda d'un air langoureux.

— Je compterai les jours.

Le comte appela son valet pour reconduire la « dame » chez elle, et elle se dirigea hors de la pièce, tournant la tête pour lui adresser un dernier sourire.

Thomas me prit le bras.

— Viens, allons nous promener. Notre présence ici est bien superflue.

Je me sentais non seulement superflu, mais invisible. Elle ne m'avait même pas dit au revoir.

QUATRIÈME PARTIE

Enfin libre

Chapitre 40

27 mars 1556
Ca' da Mosto

J'étais assis près de la grande entrée de service de notre maison, tandis que les transporteurs s'affairaient à descendre les bagages en ronchonnant. Thomas avait pour lui une malle de taille moyenne et une sacoche en cuir, alors que le comte avait senti la nécessité d'embarquer sept de ses neuf grands coffres sur la barge.

C'était comme si chaque caisse chargée à bord m'allégeait un peu de mon fardeau. Il avait fallu que s'offre à moi la possibilité de me retrouver seul pour que je comprenne à quel point la présence du comte m'était étouffante. Thomas faisait un bien meilleur compagnon, et nous en étions rapidement arrivés à une sorte de coexistence paisible. Nous nous rencontrions quand l'occasion se présentait, mais il n'était pas rare de ne pas nous voir du tout pendant deux ou trois jours.

Mais enfin, ils partaient, et ne prévoyaient pas revenir avant un mois. Ce départ me réjouissait au plus haut point et je n'en pouvais plus d'attendre qu'ils s'en aillent.

Le comte me fit monter à sa chambre, où il s'était installé devant plusieurs listes de tâches et de mémorandums divers.

— Richard, vous voilà. Très bien. Il y a quelques petites affaires que je dois passer en revue avec vous avant de partir.

J'avais l'habitude de ce genre de réunion, aussi je lui fis ma réponse ordinaire.

— Dois-je prendre des notes, Votre Grâce ?

Il hocha la tête.

— Pas besoin. Tout est ici.

Il me fit signe d'approcher et nous examinâmes ensemble la liste des choses dont je devais m'occuper au cours du prochain mois. Puisque la vaste majorité d'entre elles étaient déjà de mon ressort en temps normal, l'exercice me parut quelque peu futile ; mais prenant exemple sur Thomas, je me contentai de le laisser débiter.

— Mais voici deux affaires nouvelles, et pas des moindres. Primo, le portrait. Il *se peut* que je décide d'en faire exécuter un à Ferrare, mais je ne veux pas perdre l'offre que votre homme, le Tintoret, nous a faite, alors gardez-le en veilleuse. Nous pourrons toujours le chatouiller un peu à mon retour, si besoin est. Deuzio, je sens que l'aide matérielle que nous recevons de la part du doge tire à sa fin, et je voudrais un peu m'affranchir de sa générosité. Par conséquent, je vous demanderais de nous trouver un endroit où loger, pour que nous puissions y emménager dès notre retour – ou plus tôt, si vous préférez. Cette bourse contient suffisamment d'argent pour un premier acompte ; la présente vous autorisera à signer le bail à ma place.

Il agita une feuille de papier à caractère officiel.

— Je voudrais quelque chose de confortable et d'assez spacieux, pas nécessairement un palais ; mais l'endroit devra être convenable pour recevoir mes visiteurs et facilement accessible à cette chère dame, madame Franco. Il faudra que vous appreniez discrètement où elle habite, mais pour cela, je m'en remets à votre ingéniosité. Ne déboursez pas plus de trois cents ducats par an sans m'en avertir ; mais en aucun cas vous ne devrez lésiner sur la qualité. Est-ce bien compris ?

Comme d'habitude, je hochai la tête d'un air sage et sûr de moi, en espérant que cela m'éviterait d'avoir à tout réentendre.

Une heure plus tard, ils étaient partis, et mis à part Cuoca et Bimbo, les deux domestiques qu'il me restait, j'avais la maison à moi tout seul et disposais d'une entière liberté. La question était de savoir ce que je devais en faire. Je décidai de ne pas rater cette occasion. Je me trouvais dans une ville magnifique, au cours de la saison la plus belle et la plus confortable, et je venais de faire la connaissance d'un petit groupe d'amis. J'avais bien assez d'argent à moi, et tout le temps du monde.

Je résolus de faire trois choses.

Premièrement, je passerai plus de temps à apprendre le dessin chez Jacopo. Peut-être m'autoriserait-il à faire de la peinture si je payais pour les fournitures ? Les apprentis étaient devenus de bons amis à moi, et Jacopo lui-même semblait m'apprécier, ce qui était de bon augure. Il subsistait au fond de moi une étrange fascination pour la femme au teint olivâtre, qui semblait si souvent rôder à l'abri des regards quand je visitais l'atelier, mais qui ne s'était jamais laissé voir complètement. Qui était-elle, pour quelle raison se trouvait-elle là, et pourquoi le Tintoret lui permettait-il d'épier nos conversations ?

Deuxièmement, je me jurai de profiter du temps dont je disposais pour honorer mon engagement envers sœur Faustina. Je lui avais promis d'agir en sa faveur, bien qu'en vérité je n'eusse pas la moindre idée quant à la manière de la délivrer de sa prison. Mais je n'aurais jamais pu faillir à une promesse si solennelle, quoi qu'il en coûtât. Et le temps filait…

Ma troisième résolution me ramenait à Veronica. Je considérais désormais que je me comportais en gamin et que je risquais de me rendre ridicule, si ce n'était pas déjà fait. En rétrospective, je constatais qu'elle ne m'avait trompé à aucun moment sur ses intentions. Jacopo me l'avait présentée comme une courtisane et elle n'en avait pas fait de secret. Elle voulait être présentée à Courtenay et s'était faite de mes amis, peut-être pour faciliter cette rencontre. Il fallait que j'agisse en homme et que j'accepte le fait qu'elle ne ressentait probablement pas le désir que j'éprouvais pour elle à ce moment-là.

Je décidai de la revoir le plus tôt possible afin de sauvegarder notre amitié, étant arrivé à la conclusion que ma jalousie ne servirait aucun de nous deux. Je ne pouvais pas impétueusement lui tourner le dos, simplement parce qu'elle n'était pas disposée à être mon amante.

Un mois. Un mois seulement, et tant de préoccupations !

Chapitre 41

28 mars 1556
Bottega du Tintoret

— Allons, Richard, venez voir ça.

Une tempête avait conquis le ciel plus tôt ce matin-là. La pluie battait contre les fenêtres au-dessus de nous et l'éclairage était si pauvre qu'il ne valait pas la peine d'essayer de peindre. On s'y était sagement résigné et il régnait dans l'atelier une atmosphère de détente, chacun s'occupant de faire le ménage ou voyant à de petites besognes, en prévision du retour du soleil. Jacopo me conduisit à l'autre bout de l'atelier et me montra sa toile. L'œuvre n'était pas terminée, mais déjà ses chérubins potelés voletaient au-dessus de nous, regardant la Madone d'en haut, et le vaste panorama qui s'étendait derrière.

— Que voyez-vous ?

Ce n'était pas aisé. Le grand peintre me montrait ce que je supposais être l'un de ses tableaux et me demandait ce que j'en pensais. Je me reportai mentalement à nos précédentes leçons, lorsqu'il m'avait permis d'assister à une séance avec les *garzoni* et *assistenti* qui formaient son groupe de travail, sous sa tutelle et son autorité.

— Même s'il est inachevé et que les couleurs ne sont pas complètement au point, je suis à l'aise avec ce tableau. Il raconte bien son histoire, et je sens que s'il le fallait, je pourrais compléter mentalement les éléments manquants.

— Excellent.

Jacopo eut un large sourire en entendant ces mots.

— Mais sauriez-vous dire pourquoi vous êtes si à l'aise avec lui ?

— Est-ce la composition ?

— Oui, en partie. Nous avons coutume de dire que la peinture à l'huile est fondée sur une « trinité ». Nous avons d'abord l'*invenzione* : le développement du sujet du tableau et la manière de le concevoir sur la toile, justement pour raconter une histoire. Puis entrent en jeu un usage judicieux de la perspective et une bonne application des techniques de dessin, pour donner corps aux formes, afin qu'elles ne semblent pas avoir été découpées sur la planche à dessin et collées à l'arrière-plan du tableau. C'est ce que nous appelons le *disegno* : le détail technique, l'imitation du réel à travers les nuances, l'ombre et la lumière. Enfin, il y a ce qu'on appelle le *colorato* : le choix et l'application des couleurs ; mais nous y reviendrons plus tard. Ce que je voulais vous dire, c'est que l'auteur de cette toile, il y a huit ans, ne savait pas dessiner aussi bien que vous. C'est un savoir-faire qui s'apprend, et il l'a bien appris.

J'étais surpris.

— Qui est l'artiste ?

— Gentile. Je vous dirai en confidence qu'il sait mieux dessiner que moi, mais ne lui répétez pas. C'est pourquoi on l'appelle Michel-Ange – pour ça, et sa grosse face dodue !

Il lança un cri à travers l'atelier.

— *Ehi, Michelangelo !*

Gentile leva les yeux et vint nous rejoindre, le sourire aux lèvres.

— Depuis combien de temps travailles-tu avec nous, Gentile ?

— Huit ans, maestro. Je suis arrivé à quatorze ans et j'en ai maintenant vingt-deux.

Le peintre hocha la tête.

— Et tu savais bien dessiner, à ce moment-là ?

— Pas du tout, maestro. Je me rappelle la première fois où vous m'avez demandé de tracer une ligne droite et un cercle parfait. Cela m'a pris une semaine, et encore, ce n'était pas aussi bon que ce l'aurait dû. Je n'ai jamais compris que vous m'ayez accepté.

Jacopo sourit et passa un bras autour de son épaule.

— Parce que tu étais enthousiaste, que tu écoutais, que tu faisais tout ce que je te disais…

Il y eut un silence, et Gentile se mit à rire tout en complétant le reste de la phrase avec lui :

— … *et parce que ton père me l'a demandé !*

Jacopo donna une tape amicale dans le dos de son assistant et le laissa vaquer à son travail en cours.

— Si vous voulez étudier l'art sérieusement, Richard, il vous faut parfaitement comprendre ce que nous sommes. Certaines personnes s'imaginent que la peinture est un art, que c'est un don de Dieu, mais rien n'est plus faux : c'est un métier qui s'enseigne et qui s'apprend. Gentile est l'exemple le plus remarquable de ce qu'un homme talentueux et appliqué est capable de faire, s'il développe ses habiletés. Si vous y mettiez autant d'effort que lui, vous seriez capable de produire des œuvres de ce calibre, ou du moins d'un calibre approchant, en y consacrant le même nombre d'années ; mais pour y parvenir, il n'y a pas que le *disegno* et le *colorato*. La clef est de bien saisir le marché et d'aller au-devant de ses besoins. Asseyez-vous, je vais vous expliquer. Je ne sais pas si vous avez visité les autres républiques, Florence et Rome ?

Je fis non de la tête.

— Eh bien, si vous alliez étudier là-bas, vous ne tarderiez pas à observer deux différences notables : la première, artistique ; la seconde, politique. Vous avez visité le palais ducal et bon nombre de nos églises : vous avez vu leurs fresques. Quelle impression en retirez-vous ?

— Je les trouve merveilleuses, mais, dans la plupart des cas, mal préservées.

— Précisément. C'est à cause de notre situation géographique au centre de la lagune. Nous sommes entourés d'humidité et de salinité. L'eau salée de la lagune monte dans l'air et s'insinue dans le plâtre des murs. Elle ronge la peinture qui finit par s'écailler par petits grains. Pour cette raison, nos mécènes se sont largement désintéressés de la fresque, c'est-à-dire de la peinture sur enduit de plâtre, et décorent maintenant leurs palais et leurs églises avec des tableaux à l'huile, où la peinture est appliquée sur une toile tendue. La toile est enduite de *gesso* avant d'être peinte, et résiste beaucoup mieux aux ravages de l'air salin. Ce changement a eu pour effet de transformer considérablement notre technique. Lors de mes débuts dans le métier, auprès de Jacopo Sansovino et Bonifacio dei Pitati, aussi appelé Bonifacio Veronese, je suivais le style traditionnel. Souvent nous mélangions de l'eau distillée au pigment de couleur pour faire de la *tempera*. Ce mélange était idéal pour les fresques, car le plâtre l'absorbait bien ; et avec l'ajout d'un peu de jaune d'œuf pour faire une détrempe, il était possible de s'en servir sur des panneaux de bois. La *tempera* est une peinture claire, qu'il vaut mieux appliquer en couches minces : ainsi, la technique sur panneau de bois reproduisait celle des fresques. Nous réalisions un dessin à part, appelé « carton », sur une feuille de papier, que nous transférions sur le plâtre ou le panneau et que nous arrangions un peu avec du fusain. Quand nous étions satisfaits du *disegno*, nous enlevions le surplus de fusain avec une plume, puis nous appliquions le premier glacis pour fixer le dessin sur le support. Parce qu'il nous était possible de voir à travers le glacis, ce devint pour plusieurs la partie cruciale d'une œuvre. Michel-Ange – le vrai – peint encore de cette manière aujourd'hui : bien souvent, le support blanc et les traces de dessin demeurent visibles derrière l'œuvre achevée. Ici, c'est bien différent. Il y a de cela environ quatre-vingts ans, les peintres flamands ont commencé à séjourner à Venise avec les marchands allemands – en particulier les Fugger – et à exposer leurs œuvres au Fondaco dei Tedeschi et ailleurs, vendant de nombreuses toiles. Sous leur influence, des peintres comme Giorgione et le Titien ont appris à peindre en couches plus épaisses et plus opaques, avec pour résultat que le détail du dessin sous-jacent disparaissait souvent sous les coups de pinceau. Cela ne nous alarma pas outre mesure, et nous nous contentâmes de reproduire avec la couleur ce que nous voulions sans nous en soucier, allant même parfois jusqu'à gratter la vieille peinture ou peindre par-dessus si nous changions d'idée en cours de route. Vous avez sûrement déjà vu un tableau du Titien livré à de telles mutilations, car il est bien connu que ce maître est devenu incapable de finaliser un tableau et aime à le repeindre un nombre incalculable de fois.

J'étais fasciné par la faculté qu'il avait de considérer son art avec tant de recul et de l'analyser avec une telle acuité d'esprit.

— Jacopo, j'ai remarqué que, dans bon nombre de ces tableaux, le support n'est pas blanc, comme vous l'avez dit, mais gris ou marron. Pourquoi donc ?

Il sourit, stimulé par mon intérêt.

— Vous avez raison, Richard. Ce que nous avons découvert, nous les peintres vénitiens, c'est que l'on parvient plus facilement à ses fins non pas en dessinant des formes et en les remplissant avec de la couleur, mais en barbouillant la toile vierge avec des taches sombres et lumineuses. Les peintres flamands se servaient de suie diluée dans du vin ou de l'urine pour faire ce qu'on appelle un *bistre*, un lavis, et nous utilisons quelque chose de semblable. Les tableaux de Léonard de Vinci, de Paulo Véronèse, du Titien et même les miens pourraient fort bien passer pour des œuvres d'art totalement abouties, si nous le voulions, avant même l'application de la couleur. Cette méthode est connue sous plusieurs noms : *grisaille*, pour les tons de gris, et *verdaccio*, pour les tons gris-vert ; mais le principe est le même. Ce n'est pas tout à fait le *bistre* des Flamands, car nous nous servons de mélanges de peinture opaque pour fixer la composition en entier, alors qu'eux utilisent de l'encre. L'esquisse du tableau peut être aussi détaillée que l'œuvre finale, mais en général nous y allons plus vaguement afin de pouvoir mieux la développer à l'étape de la couleur. Cette méthode contribue grandement à rehausser l'aspect final d'un tableau. Bien que cette couche initiale soit invisible, sauf peut-être pour un peintre, sa structure, sa gamme de tons, sa facture permettent de rehausser le coloris de l'œuvre. Voilà à quoi l'on reconnaît un tableau de l'école vénitienne. Mon ambition est de conserver ce qu'il y a de meilleur dans les deux traditions. On dit souvent que le Titien ne sait pas dessiner, mais bien que son coup de crayon ne soit pas sa plus grande qualité, je dois admettre que sa palette est exemplaire. C'est pourquoi nous avons cette affiche sur le mur : pour nous en souvenir.

Il pointa le doigt vers le mur opposé.

LE DESSIN DE MICHEL-ANGE ;

LA COULEUR DU TITIEN.

— Michel-Ange nous apprend que le dessin ne se résume pas seulement à la ligne : il a montré l'importance du *chiaroscuro,* du rôle de l'ombre et de la lumière dans la perception des formes et de la profondeur.

— Mais quel est le rôle de la politique dans tout cela ?

Je voyais bien que Jacopo prenait plaisir à discuter de son art avec ceux qui lui témoignaient de l'intérêt, et bien que le matin fût désormais avancé, l'éclairage n'était guère plus satisfaisant. Ainsi il poursuivit avec enthousiasme :

— À Rome, à Florence et à Gênes, mécénat égale pouvoir politique. Rome est dominée par le pape ; Florence, par les Médicis ; et Gênes, par la famille Doria. Leur approche générale est de laisser tout le monde faire à sa guise et rivaliser entre eux. Ces pratiques ont donné naissance à beaucoup de nouvelles idées et à de grandes figures artistiques, mais on sent une absence de continuité. Ici, à Venise, l'État contrôle tout, par souci de tradition ; mais cette autorité s'exerce par l'entremise d'un généreux mécénat, stable et durable. Depuis l'époque de Giovanni et Gentile Bellini, l'État nous a encouragés à développer des maisons familiales organisées, avec lesquelles il a pu établir des liens de confiance et de familiarité lui permettant de leur déléguer la responsabilité des travaux en toute quiétude. Cela comporte certains désavantages : le Conseil de Dix reste très conservateur et la plupart du temps, il demande que les mêmes projets soient réitérés, souvent avec la même thématique stylistique, ce qui peut devenir contraignant. Mais il y a aussi des avantages, car un artiste peut léguer ses cahiers d'esquisses à son fils et ainsi perpétuer l'héritage et la bonne réputation de la famille.

La pluie ayant cessé, les nuages se dissipèrent presque aussitôt et un éclatant rayon de soleil perça au travers. Le peintre leva les yeux.

— Il est temps de se remettre au travail. Richard, auriez-vous l'amabilité de passer chez Veronica pour lui dire que nous sommes prêts à reprendre ? Elle devait venir plus tôt ; mais elle nous connaît assez bien pour ne pas se déranger par un jour de tempête.

Je bondis sur mes pieds et me dirigeai vers la porte. Il m'appela avant que je sois sorti.

— Je sais que ce petit service n'a rien de désagréable pour vous, mais soyez certain de nous la ramener quand vous l'aurez trouvée. Le soleil est sorti et il faut commencer à peindre.

Il n'était pas nécessaire de m'envoyer, car je la rencontrai sur la Fondamenta, marchant en direction du studio. Je tournai les talons et rentrai avec elle, heureux d'être en sa compagnie, quoiqu'un peu mal à l'aise après l'avoir vue avec Courtenay ; mais elle bavardait comme si rien ne s'était passé, et pour ma plus grande joie, elle accepta de m'accompagner à travers la ville le lendemain.

Je commençai à compter les heures.

Chapitre 42

29 mars 1556
Résidence du Titien, Calle Larga dei Botteri

— Savais-tu que sa fille s'est mariée l'année dernière avec une dot de 1 400 ducats ? Qui a dit que le métier d'artiste n'était pas lucratif ?

D'un geste du menton, Veronica Franco désigna l'opulente demeure du Titien, de l'autre côté de la rue.

Nous nous étions arrêtés à l'endroit même où j'avais aperçu le cardinal à sa sortie de l'atelier, et le détail de sa conversation avec le peintre me revint en mémoire. Veronica se doutait-elle un tant soit peu de la teneur de leurs propos à son sujet, en son absence ?

— Tu as déjà posé pour le Titien, m'a-t-on dit ?

Elle se retourna et me dévisagea avec insistance.

— Que veux-tu dire par là ?

— Rien de plus que ce que j'ai dit.

Mon expression me trahissait.

— *Caro*, va-t-on en finir un jour avec ces gamineries ? Tu as l'air d'un chien qu'on réprimande. Ce que tu veux savoir, c'est si j'ai déjà couché avec le Titien, qui se complaît à dire à qui veut bien l'entendre qu'il est incapable de peindre une femme avant d'avoir tâté sa chair. Eh bien, la réponse est oui : je l'ai fait, et plus d'une fois. J'avais besoin de cet argent ; mais plus que cela, j'avais besoin de riches patriciens pour me servir de protecteurs, et la meilleure façon d'en trouver était de me donner à voir sur les tableaux commandés par ses riches bienfaiteurs. Et mon pari a réussi. Ils se sont tous rués à ma porte : les nobles, les marchands, les évêques et les cardinaux. Je me suis fait un nom.

C'en était trop.

— As-tu couché avec le cardinal ?

— Lequel ?

— Eh bien, le gros.

— Probablement. Ils sont tous gros, sauf peut-être les fils et les petits-fils du pape – habituellement, ils reçoivent la barrette lorsqu'ils sont encore jeunes et quelques-uns d'entre eux sont plutôt fringants.

Ma mâchoire tomba encore un peu plus, et mon amie changea de ton.

— Écoute, *caro*, tout ceci est mon gagne-pain et c'est la seule façon pour moi de survivre en femme indépendante dans ce monde d'hommes. Oui, j'ai couché avec ces gens – presque la totalité d'entre eux. C'est ainsi que la société fonctionne.

Je secouai la tête, partagé entre l'indulgence et l'amertume. Elle me prit le bras avec un clin d'œil.

— Dis-toi bien une chose, *caro* : j'ai peut-être couché avec bien des hommes, mais tu es le seul qui ait su me garder éveillée.

Je la regardai instamment, en espérant qu'elle disait vrai et que, pour une raison ou pour une autre, je l'avais touchée là où les autres n'avaient pu l'atteindre. C'était un espoir insensé, et elle intervint pour y mettre un frein.

— Je n'ai pas besoin de ta permission pour décider de mes conquêtes, Richard.

Sa voix était dure, et je savais qu'elle m'obligeait à accepter, une fois pour toutes, la réalité de la situation.

— J'en conviens, mais cette idée me blesse. Tu sais, celle de te voir...

— Si un ami t'apprenait qu'il travaille à l'abattoir, tu aurais une moins bonne opinion de lui ?

— Bien sûr que non.

— Dans ce cas, vois-le comme ceci : je gagne ma vie à tuer de vieux cochons. Seulement, je les tue lentement, et ils meurent heureux.

Pour la première fois ce jour-là, je ris de bon cœur, et elle s'esclaffa avec moi.

Nous n'avions cessé de marcher, apparemment sans but, mais durant tout ce temps j'essayais de nous conduire subtilement vers Cannaregio et les environs du couvent.

Nous passâmes devant l'atelier du Tintoret et poursuivîmes notre marche sur la Fondamenta dei Mori. Dans le sillage des récentes tempêtes, la brise soufflait avec force, mais le soleil brillait d'un vif éclat et nous étions au chaud. Empruntant la Fondamenta della Sensa, nous passâmes la trattoria *Sensazione*, et je ne fus pas surpris d'y trouver Pietro en train de pêcher non loin dans le canal. Il me reconnut, et je me demandai s'il allait me gratifier d'une de ses remarques effrontées.

À ma grande surprise, il se comporta bien autrement, et voyant que j'étais accompagné, se contenta de nous saluer poliment.

— *Buon giorno*, fit-il avec un signe de la main.

Nous nous arrêtâmes, et je le présentai à Veronica. Il nous parla du temps qu'il faisait, de la pêche, et du prix des miches.

— On a dû augmenter le prix du pain qu'on vend aux couvents, et ils n'arrêtent pas de s'en plaindre. Surtout la dépensière de Sant' Alvise. Elle négocie dur, celle-là.

Je jetai un regard du côté de Veronica, mais elle continua d'afficher le même sourire, rejoignant la conversation avec son aisance habituelle.

— En effet. Ces religieuses de bonne famille sont parfois de redoutables négociatrices. Mais elles ont toutes les raisons du monde de vouloir défendre leur position et je suis de leur côté. Ces couvents sont une honte pour l'État et il est grand temps de les réformer.

Pietro me regarda un instant, puis il posa de nouveau les yeux sur elle.

— Pourvu que cela ne les empêche pas d'acheter notre pain. C'est une bonne affaire pour nous. Sinon, on n'aurait pas de quoi manger.

Je me penchai vers lui.

— Même si la dépensière négocie durement?

Pietro me regarda d'un air affolé.

— Ne lui répétez pas ce que j'ai dit, voulez-vous? murmura-t-il.

Je posai l'index sur mes lèvres. Pietro répondit avec un sourire complice. Tandis que nous passions notre chemin, il reprit sa canne à pêche.

— *Buon piscare!* s'écria Veronica. Quel charmant garçon. Comment l'as-tu connu?

Je sautai sur l'occasion.

— Je l'ai rencontré un jour par hasard, au fil de mes errances. Il m'a parlé des couvents et m'a emmené à Sant' Alvise, où ses frères livrent du pain et s'amusent avec les religieuses. J'ai été surpris de voir les nonnes se bousculer aux fenêtres pour badiner avec ces jeunes gens...

Comme par un heureux hasard, nous arrivions au petit pont jouxtant le couvent à l'instant précis où je terminais ma phrase. Je lui montrai la fenêtre où j'avais fait la connaissance de sœur Faustina Contarini, et lui racontai l'histoire, sans toutefois mentionner aucun nom.

Elle répondit avec sa jovialité habituelle.

— Sois prudent, *caro*, tu viens de mettre un orteil dans l'eau bouillante. Laquelle t'intéresse tout particulièrement? Ou as-tu l'intention de les sauver toutes?

— Qu'est-ce qui te fait croire que je veux la sauver?

Elle haussa les épaules, le sourire aux lèvres.

— C'est toujours la même histoire: quand un homme te parle d'une religieuse, c'est qu'il veut la sauver, ou bien la sauter. Les deux, la plupart du temps... Mais si tu voulais la sauter, tu ne m'en parlerais pas. Alors, ce doit être le salut...

— Ce n'est pas juste, Veronica. Tu exagères. J'ai pris conscience du sort de ces religieuses en général, et de celle-ci en particulier. Elle s'appelle sœur Faustina Contarini.

Je lui racontai tout ce dont je pus me souvenir de ma conversation avec sœur Faustina. Veronica fit la grimace en entendant son nom.

— C'est l'histoire typique, mais celle-ci a pris une tournure inhabituelle. Tu dis qu'elle s'appelle Faustina *Contarini*. Cela veut dire qu'elle fait partie d'une des familles les plus influentes de Venise. Le cardinal Gasparo Contarini est décédé il y a de cela une vingtaine d'années, et la famille compte beaucoup d'autres hommes d'influence – maints d'entre eux siègent d'ailleurs au Conseil. Je ne sais pas à quel rameau de la famille elle appartient – car il y en a plusieurs. La plupart des filles des Contarini sont à Santa Caterina; les autres sont dispersées un peu partout – seulement dans les meilleurs couvents, s'entend. Je suis d'avis que la coutume qui oblige ces filles de nobles à vivre cloîtrées pour le restant de leurs jours, simplement pour assurer la pérennité des grandes familles, est une ignominie, et je l'ai fait savoir au

Conseil à maintes occasions. La Sérénissime n'est pas aussi sereine que ce que les hommes essaient de nous faire croire. La plupart des femmes sont prisonnières, que ce soit dans des mariages arrangés, où elles croupissent dans leurs *palazzi*, ou dans les couvents. Évidemment, les choses sont encore plus difficiles pour ta sœur Faustina, si tu dis que la fortune de la famille s'est tarie. Sais-tu pour quelle raison ?

Je haussai les épaules.

— Je pense qu'ils ont perdu plusieurs navires au cours d'une tempête.

Elle hocha la tête.

— C'est tout à fait possible. Il y a beaucoup d'argent à gagner dans ce genre d'expéditions marchandes, et les gens ont tendance à risquer gros dans l'espoir d'en tirer des profits mirobolants. Si le navire rentre au port, tout est bien, comme on dit ; mais chaque navire perdu ramène dix échelons en arrière. Plus de deux navires perdus en un court laps de temps et l'intégrité financière de la plus puissante des familles est mise en péril.

Elle me prit le bras et nous restâmes ensemble à regarder les fenêtres du couvent de l'autre côté du canal. À cette heure matinale, il n'y avait encore aucun signe des nonnes, ni de l'attroupement de jeunes gens qui se réunissaient en milieu d'après-midi.

— Voilà un problème très épineux, Richard. Je ne doute pas de tes bonnes intentions, mais tu dois te montrer très prudent, sinon tu risques d'être complètement dépassé par les événements.

Je me mordis les lèvres, déçu d'une réponse aussi négative.

— Y aurait-il moyen pour toi d'en apprendre un peu plus long sur elle ? J'aimerais l'aider, mais à vrai dire, je ne sais par où commencer.

Elle promit de faire de son mieux, mais le ton de sa voix était loin d'être encourageant.

— Est-elle jolie ?

La question paraissait surgir de nulle part. Je hochai la tête.

— Oui, très jolie. Très grande, gracile, droite comme un fil, une démarche élégante. Les yeux pâles, mais d'un bleu perçant. Elle les cache souvent derrière ses longs cils plongeants… Ses traits sont délicats et ses pommettes saillantes accentuent la courbe de ses yeux. Elle a de longues mains filiformes, les ongles bien taillés, mais pas vernis…

Veronica fit la moue.

— Tu l'as *à peine* remarquée n'est-ce pas, Richard ?

Encore ces taquineries.

— Est-elle aussi grande que moi ?

Je réfléchis.

— Bien plus grande.

— Plus grasse ?

Je penchai la tête d'un côté, observant mon amie avec soin.

— *Beaucoup* plus mince.

— Ses cheveux ?

— Blond clair. Ils accrochent la lumière des fenêtres, encadrent son visage à la perfection.

Elle me regarda du coin de l'œil, l'air calculateur.

— Je deviens jalouse.

— Il n'y a pas de quoi être jalouse d'une bonne sœur.

Veronica éclata de rire.

— Oh, Richard ! Comme il t'en reste à apprendre au sujet des femmes, surtout les femmes réprimées ! Elle vit emprisonnée et toi, tu débarques et tu la choisis, contrairement à tous ceux qui sont passés avant toi, et tu offres de la délivrer de son injuste sort.

— Et?...

Je ne voyais pas où elle voulait en venir.

— Et ne penses-tu pas qu'elle a le béguin pour toi ? Ne crois-tu pas qu'elle reste éveillée la nuit dans la froideur de sa cellule de religieuse, à s'imaginer que tu es là à côté d'elle, tes bras autour de sa taille, ton corps glissant contre le sien, attendant de pouvoir la cueillir et l'emmener dans tes contrées éloignées, loin des *discrete*, loin du couvent, loin de la famille qui l'a abandonnée ?

Je la considérai avec étonnement.

— Tu crois vraiment ?

Elle sourit malicieusement.

— Elle doit bien forniquer, non ?

C'en était trop. Je me détournai et nous continuâmes notre promenade. Désormais, c'était Veronica qui menait la conversation. Comment l'avais-je trouvée ? Comment avais-je appris son nom ? Avait-elle répondu tout de suite ou seulement plus tard ? Pour quelle raison avais-je persisté ? Comment réussissions-nous à communiquer ?

Je lui parlai de la trattoria *Sensazione* et du serviteur du couvent. Plus je l'informai de nos machinations, plus elle s'y intéressait.

— Je vais t'aider à délivrer ta nonne, Richard. À deux, nous parviendrons sans doute à réaliser tes rêves, et qui sait, peut-être même les siens. Laisse-moi le temps d'en apprendre davantage sur elle, sur sa famille et ses pertes financières. Je pourrai alors t'aider à la sortir de là. Ce serait une grande victoire pour la liberté des femmes.

Je commençai à me demander si je n'étais pas en train de perdre les rênes de l'affaire. Je lui étais néanmoins reconnaissant de l'aide qu'elle m'apportait, et comme un épais brouillard venu de la mer s'étendait sur la ville, je la ramenai chez elle avant de rentrer vers la Ca' da Mosto, la

tête encore grisée par l'enthousiasme, mais envahie lentement par une ombre au fur et à mesure que le brouillard
autour de moi s'épaississait.

Chapitre 43

Soir du 29 mars 1556
Ca' da Mosto

Quand j'arrivai près de chez moi, le brouillard du large était devenu très dense ; les ruelles de la ville semblaient m'envelopper toujours plus près, alors que les blanches murailles de brume se resserraient autour de moi, si bien que j'avais peine à apercevoir ma propre main au bout de mon bras tendu. Me sentant désormais très seul et très vulnérable, je palpai le manche de mon poignard, conscient du danger. Quelqu'un me guettait peut-être à ce moment précis, caché derrière l'écran de brouillard, prêt à m'assaillir.

Et pourtant, au fur et à mesure que mon champ de vision diminuait, mon ouïe paraissait s'aiguiser. Parvenu à un petit pont de bois que j'aurais normalement franchi sans même y penser, je me surpris à hésiter. Je cherchai le garde-fou, de crainte d'être précipité dans l'eau tourbillonnante à seulement quelques pieds en dessous.

Je m'arrêtai, farfouillant dans la brume, et m'agrippai à la balustrade. Sous le pont, j'entendis des grattements, comme si l'armée de rats peuplant le canal avait mis toutes ses craintes de côté à la faveur du voile blanc qui les enveloppait. Mes cheveux se dressèrent sur ma nuque et je frissonnai, imaginant un instant une multitude de rats grouillant à mes pieds. Ils semblaient si près et si nombreux, et dans la brume, je les imaginais deux fois plus gros que tous ceux que j'avais jamais vus. Je secouai la tête et franchis le pont en tâtonnant, plus qu'à une distance de quelques dizaines de pieds de la maison, que je franchis d'un pas hésitant, presque silencieux. Puis j'entendis d'autres bruits.

Au début, je crus que les domestiques se disputaient. Au cours des deux derniers jours, Thomas et Tutto étant partis à Ferrare avec le comte, je m'étais habitué à vivre seul à la maison, avec Cuoca et Bimbo pour seule compagnie. Mais ce soir-là, en arrivant à la Ca' da Mosto, je me rendis compte que plusieurs hommes, que j'estimais peut-être à une douzaine, allaient et venaient partout dans la maison. Ils n'essayaient même pas de se faire discrets. Tandis que je m'aplatissais contre le mur, je vis qu'ils avaient installé des lampes dans les escaliers, de sorte que la plupart des fenêtres du *piano nobile*, et de certains étages du dessus, laissaient filtrer une lueur.

Ma première réaction eût été de faire irruption à l'intérieur et d'exiger des explications, mais il y avait quelque chose de sinistre dans les mouvements de ces hommes, à demi entrevus et entendus : quelque chose de violent, de délibéré, de résolu. Je demeurai dans l'ombre jusqu'à ce que l'un d'entre eux apparaisse, puis je lui saisis l'épaule et l'acculai contre la porte.

— Qui êtes-vous et que faites-vous dans ma maison ?

À ma grande surprise, il ne montra aucun signe de panique et ne fit rien pour se dégager. Au lieu de cela, il produisit un sifflement perçant. Deux de ses compagnons, solidement charpentés, accoururent de la maison en brandissant leurs poignards, et ce fut à mon tour d'être écrasé contre la porte.

— Qui êtes-vous ? Parlez ou je vous fais arrêter et torturer jusqu'à ce que vous le disiez.

Le ton confiant et autoritaire avait quelque chose d'intimidant.

— Je m'appelle Richard Stocker. Je vis ici avec deux compagnons anglais, le comte de Devon et le docteur Thomas Marwood, sur l'invitation personnelle du doge. Que faites-vous ici chez nous ?

Il eut un rire de mépris.

— Vous osez mentionner le nom du doge, hein ? Où sont donc vos compagnons ?

— Ils sont partis à Ferrare il y a deux jours, en visite chez le duc Ercole d'Este pour quelques semaines. Cessez de me mettre ce couteau à la gorge ou j'appelle les autorités pour vous faire arrêter.

L'homme rit, mais retira tout de même son poignard et le rangea dans son fourreau.

— Appeler les autorités ? Je vous épargnerai cette peine. Nous *sommes* les autorités, et si quelqu'un doit se faire arrêter, ce sera vous.

Il me poussa à l'intérieur et ensemble nous gravîmes l'escalier de pierre jusqu'au *piano nobile*. L'endroit était sens dessus dessous, car tous les effets laissés par mes deux compagnons avaient été éparpillés dans la pièce centrale.

— Où est le reste de vos affaires ? Cette maison a fait l'objet d'un nettoyage systématique. Qui en est l'instigateur ? Vous ?

Ses soupçons n'étaient pas tout à fait injustifiés, car Courtenay, en particulier, avait emporté la majeure partie de ses biens, et ce qui en restait donnait plutôt l'impression d'un départ précipité.

— Mes effets personnels sont tous ici, à l'étage du haut : la plus petite chambre à l'avant de la maison, à droite. Le docteur Marwood utilise la pièce de gauche, et le comte occupe tout cet étage-ci. Ils ont emporté la plupart de leurs affaires.

Le chef de la bande grogna, ne sachant trop s'il devait ajouter foi à mes dires.

— Nous sommes les envoyés des *provveditori*. Nous avons tout lieu de croire que votre ami le comte est engagé dans un complot contre l'État. Pourquoi est-il parti à Ferrare ?

Je haussai les épaules.

— Un comte ne vous dit pas pourquoi, il se contente d'agir.

Il rit. Pour la première fois, je détectai en lui une étincelle d'humanité et de compréhension.

— Pourquoi êtes-vous resté, alors ?

Je haussai de nouveau les épaules. Feindre la confusion et l'ignorance paraissait opportun.

— J'ai été chargé de trouver un nouvel endroit où nous installer. De toute manière, je voyage avec le comte depuis novembre dernier, et pour tout dire, j'en ai ras le bol de le côtoyer.

Il s'assit face à moi et eut un petit sourire narquois.

— On joue les honnêtes hommes, maintenant, oui ? C'est toujours pareil avec les gens de votre espèce. Tous des menteurs ! Enrico, emmenez-le avec vous et fouillez sa chambre.

Enrico et deux autres gaillards me poussèrent devant eux, jusqu'en haut de l'escalier abrupt menant à l'étage. Tout en montant, je tentai de faire l'inventaire de mes possessions potentiellement compromettantes. En vérité, il n'y avait pas grand-chose, car je ne fomentais aucun complot contre l'État vénitien, pas plus que Thomas ou le comte ; mais la note de sœur Faustina pouvait lui causer des ennuis, et m'en attirer aussi pour avoir essayé de l'aider. Il fallait que je les empêche de la trouver.

— Qu'est-ce que vous cherchez, les gars ? Je puis peut-être vous sauver du temps ?

J'essayais d'être désinvolte et amical. L'un d'entre eux mordit à l'hameçon :

— Des lettres, des codes, des dessins. Des ouvrages séditieux, aussi.

Je hochai la tête d'un air serviable.

— Je ferais mieux de vous montrer cela, dans ce cas.

Je lui tendis le carton de dessins que j'avais réalisés lors de mes leçons avec le Tintoret. La plupart étaient des études de nus féminins – souvent de Veronica – et je me dis qu'ils étaient aptes à faire diversion. Ils ouvrirent le carton, et comme ils examinaient le premier dessin, je les interrompis.

— Attention ! Ce sont des dessins au fusain et à la craie : ils s'abîment facilement.

Tandis qu'ils étaient occupés à feuilleter les pages, en se donnant des coups de coude devant certains détails intimes, je m'assis pour enlever mes lourdes bottes d'extérieur. Aussi nonchalamment que je le pus, je ramassai le traité *De la doctrine chrétienne dans sa pureté* de Bullinger et en retirai la lettre de Faustina, glissée entre ses pages. La dissimulant au creux de ma main, je lançai le livre dans leur direction.

— Il y a ça, aussi. Un ouvrage assez sérieux. Quelqu'un me l'a offert en cadeau.

L'un d'entre eux ramassa le livre et se mit à l'examiner, tandis qu'un autre continuait de regarder mon portfolio. Profitant de cette distraction, je laissai tomber la note de Faustina dans une de mes chaussures d'intérieur avant de l'enfiler.

— Quoi d'autre, les gars ? Il n'y a pas grand-chose.

Ils se mirent à fourrager dans mes deux coffres à vêtements, mais visiblement le cœur n'y était pas, et leurs recherches manquaient de rigueur.

— Allez-vous ranger tout cela quand vous aurez fini ?

J'essayais d'avoir l'air indigné. Le plus petit des trois me regarda en bombant le torse.

— Va te faire voir. Y a rien du tout, ici. C'est pas toi qui vois la couleur de tout cet argent, on dirait.

Je secouai la tête d'un air faussement embarrassé.

— Ah non. Le comte est un vrai salaud. Le gîte et le couvert, c'est tout ce qu'il me donne… plus quelques cadeaux à l'occasion.

J'espérais qu'il ne verrait pas la qualité du poignard suspendu à ma ceinture. Un présent offert par la famille Grey, avec sa lame du meilleur acier et son fourreau incrusté de joyaux; ce n'était pas l'arme d'un modeste serviteur. Mais l'enthousiasme finit par leur manquer complètement, et quand deux autres des leurs, revenant de la chambre de Thomas, se présentèrent les mains vides, leurs recherches tournèrent court et nous rejoignîmes les autres en bas.

— Pour combien de temps vos amis sont-ils absents?

Le chef de la bande se montrait plus coriace que ses subalternes.

— Ils sont partis il y a quelques jours et ne devraient pas revenir avant trois semaines ou un mois.

— Et vous avez reçu l'ordre de trouver un nouveau logis? Pour quand?

Je haussai de nouveau les épaules, feignant l'ignorance.

— Sitôt que j'en trouve un qui convienne à nos moyens. Avant leur retour, j'espère.

Il promena un dernier regard autour de la pièce.

— Eh bien, le conseil que je vous donne est de faire au plus tôt. Cette maison doit être transférée à quelqu'un d'autre et vous êtes de trop. Vous devriez commencer à chercher très sérieusement. Je vous veux hors d'ici dans deux semaines. Compris?

Je ne comprenais que trop bien.

Chapitre 44

30 mars 1556
Trattoria *Sensazione*

Quand je la rejoignis, elle était assise seule à l'arrière, presque dans le noir.

Son message disait : « Rencontre-moi à midi, chez le petit pêcheur – VF » ; et j'avais mis du temps à comprendre ce qu'elle voulait dire. Enfin, je m'étais souvenu de notre rencontre avec Pietro devant la trattoria de son père. Tout cela était très mystérieux, surtout parce qu'elle savait pertinemment que nous nous verrions un jour ou l'autre dans l'atelier du Tintoret.

— Je savais que tu parviendrais à le déchiffrer. Je m'excuse de tant d'empressement et de clandestinité, mais il y a une difficulté et il fallait que je t'en parle le plus tôt possible. Cet endroit est idéal puisque les patriciens ne fréquentent jamais le quartier, et il est peu probable que l'on nous reconnaisse.

Elle posa sa main sur la mienne d'un air complice. Comme toujours, à son toucher, un frisson d'excitation parcourut mon corps.

— Il fallait que je t'en glisse un mot. Selon mes sources, Courtenay s'est fait dire qu'il n'est plus le bienvenu à la Ca' da Mosto et des espions de l'État ont reçu l'ordre de fouiller la maison de fond en comble, en quête de preuves incriminantes. Je pensais qu'il serait bon que tu le saches.

Posant les coudes sur la table, je me penchai vers elle.

— Merci, mais tu as vingt-quatre heures de retard. Ils sont venus la nuit dernière et ont tout saccagé. Je les ai pris sur le fait et ils m'ont plutôt malmené.

Elle blêmit, visiblement sous le choc.

— Je suis vraiment désolée. Je ne l'ai appris que tard hier, en fin d'après-midi. Je ne pensais pas qu'ils agiraient aussi vite.

Je lui tins la main, en quête d'un peu de chaleur humaine.

— Ce n'est pas ta faute. Sais-tu pourquoi ils se sont subitement retournés contre nous ? Quand le comte est arrivé à Venise, ils ne lui ont pas fait attention. Puis, tout d'un coup, ils l'ont traité comme un monarque. Ensuite, leur attitude s'est encore transformée et on l'a averti d'une tentative d'assassinat, mais l'État s'est chargé de sa protection. Après cela, plus rien, et sa garde personnelle lui a été retirée. Maintenant, une fouille en règle. Que se passe-t-il donc ?

Elle se pencha en avant, si bien que nos visages se touchaient presque, et se mit à chuchoter. Ce n'était plus la femme assurée que je connaissais ; celle-ci semblait effrayée.

— Apparemment, la présence de Courtenay représente un ennui majeur pour les membres du Conseil. Ils savaient qu'il devait se rendre ici et avaient demandé des protocoles à la cour impériale et en Angleterre, mais leurs instructions ne se sont pas rendues avant que vous arriviez. En conséquence, ils ne savaient pas comment l'accueillir : c'est pourquoi, à la manière vénitienne, ils ont décidé de ne rien faire jusqu'à ce que les messages leur parviennent. Peu après, il y a eu une tentative d'assassinat contre lui et une autre contre un Anglais du nom de sir Peter Carew. Les deux ont lamentablement échoué, et dans le cas de votre comte, les *bravi* ont tué la mauvaise personne sans même que vous vous en aperceviez ; mais les espions de l'État s'en sont rendu compte et ils ont craint les représailles de la cour anglaise s'il venait à être assassiné en sol vénitien. C'est pourquoi ils l'ont protégé. Mais alors, les responsables du complot ont été découverts puis enfermés, et tout le monde a cru que la menace était déjouée, alors ils ont rappelé les gardes. Depuis, le doge a reçu des nouvelles de Bruxelles voulant qu'un représentant anglais en poste à Venise cherche à éliminer Courtenay par tous les moyens, afin d'éviter qu'il se joigne aux Français. On croit qu'ils ont l'intention de se servir de lui pour monter une rébellion contre la reine Marie, et permettre à leurs alliés écossais d'envahir l'Angleterre sur ces entrefaites. On dit que la famille de Guise se cache derrière toutes ces machinations, et que le duc Ercole d'Este leur sert d'intermédiaire, par l'entremise de son frère Ippolito, le cardinal, proche du roi Henri II comme il l'était de son père François Ier, roi de France. L'État ne connaît pas avec certitude l'identité de ce représentant anglais, mais mes connaissances de la rue l'appellent le « prêtre de Lucques ».

Je sursautai, car je sus immédiatement à qui elle faisait référence.

— C'est Peter Vannes, l'ambassadeur anglais. C'est un révérend italien, originaire de Lucques, bien qu'il ait été à la solde des Anglais durant toute sa vie. Je l'ai rencontré. Il me paraît un peu âgé pour être mêlé à des complots d'assassinat : il doit bien avoir soixante ans passés.

Veronica agrippa ma main.

— Parle plus doucement ou nous risquons d'être entendus. S'il est ambassadeur, il se sera dissocié des manœuvres sordides, mais il peut encore fournir les fonds et les renseignements nécessaires à une tentative de meurtre. Mes amis croient que Courtenay a été averti, et que c'est pour cette raison qu'il s'est enfui à Ferrare, en emportant presque tous ses effets personnels avec lui.

Je promenai les yeux autour de la pièce étroite, mais personne ne nous prêtait attention. Nous étions de simples amoureux qui se tenaient la main dans un coin. Sans doute Pietro me gratifierait-il d'un commentaire la prochaine fois que je le verrais.

— Tu as peut-être bien raison. C'était un peu soudain de sa part. Je crois que la goutte qui a fait déborder le vase aura été de ne pas être invité aux célébrations du printemps. Il semblait fâché de cela.

Elle eut un rire moqueur.

— C'est faux : il était invité. On m'a consultée, à l'époque. Il ne siégeait peut-être pas à la table d'honneur – un tel privilège est réservé aux familles du *Libro d'Oro* – mais il a certainement été invité.

J'entendis derrière moi quelqu'un qui entrait. Je lâchai la main de mon amie et m'adossai lentement contre ma chaise, de façon à pouvoir regarder de qui il s'agissait. Je ne le reconnus pas, et quand je vis qu'il nous tournait le dos pour boire un verre, je revins à Veronica.

— Et lui avait-on déjà fait savoir qu'il n'était plus le bienvenu à la Ca' da Mosto ? dit-elle.

— Oui. Courtenay m'a menti. Il m'a dit qu'il voulait trouver un logis plus près du tien.

Elle afficha le sourire blasé de celles qui en ont vu d'autres.

— Je dois y être allée un peu fort. Il est fou de moi, le pauvre homme, et je ne serais pas étonnée qu'il me demande en mariage. Trois de mes amis sont allés lui raconter, chacun de leur côté, que j'étais l'héritière de la famille royale hongroise, que j'étais riche à craquer, mais que tout mon patrimoine resterait en fidéicommis jusqu'à mon mariage. Apparemment, il a tout avalé sans se faire prier, et ils n'ont jamais cessé d'en rire depuis. Enfin bon… Ce que je voulais vous dire, c'est qu'on m'a conseillé de me distancier de Courtenay.

Je hochai la tête d'un air compatissant, mais en mon for intérieur, je jubilais. Il était inutile de lui demander qui lui avait servi cet avertissement : non seulement elle refuserait de divulguer ses sources, mais le seul fait de le demander prouverait que je ne faisais pas partie de son petit groupe et que je n'en comprenais pas les rouages.

Nous quittâmes l'établissement et sortîmes sur la Fondamenta della Sensa. Quand vint le temps de nous séparer, elle m'embrassa sur la joue.

— Au fait, quelles nouvelles de ta religieuse ?

Mon cœur manqua un battement. J'avais presque failli l'oublier. Le temps filait et je n'avais même pas commencé à échafauder un semblant de plan.

Chapitre 45

Soir du 30 mars 1556
Ruelle devant la Ca' da Mosto

J'approchai de la maison avec prudence, me rappelant ce que j'y avais trouvé la veille. Avant de passer le dernier coin, je ralentis le pas et marchai plus doucement. Aucun son de voix ne descendait de la maison et les seules lumières visibles étaient celles que l'on allumait normalement au crépuscule pour nous permettre de trouver la porte et d'y introduire notre clef. À l'intérieur, tout semblait tranquille.

Néanmoins, quelque chose me retint. Je restai là à tendre l'oreille pendant deux ou trois minutes, respirant par la bouche et tentant de discerner un bruit ou un mouvement qui trahirait la présence d'intrus.

Là! Qu'est-ce que c'était? Un son faible, mais trop pesant pour être celui d'un rat: le raclement d'une botte cloutée sur le sol, peut-être. Je l'entendis de nouveau, suivi d'un toussotement assourdi, et mon sang ne fit qu'un tour. Quelqu'un se tenait à quelques pas devant moi, guettant la porte d'entrée.

Lentement, aussi silencieusement que possible, je m'age-nouillai jusqu'à terre et tâtai le sol en quête d'une pierre. Je n'eus pas à chercher longtemps, car on balayait rarement cette ruelle. J'en ramassai une que je soupesai dans ma main. Me redressant lentement sur mes jambes, je jetai un œil derrière le coin de l'édifice.

Je pus discerner la silhouette d'un homme, transférant son poids d'une jambe à l'autre pour se réchauffer. Cela me conférait un avantage, car un homme qui a froid est un homme engourdi : ses mouvements et ses réactions sont plus lents. Je dégainai mon poignard et le tins dans ma main gauche, le temps de lancer la pierre haut dans les airs afin qu'elle retombe à quelques pieds devant lui.

Lorsqu'elle toucha le sol, l'homme sursauta et se tourna dans sa direction, brandissant un couteau dans sa main droite. Je sautai sur lui. Le pommeau de mon arme vint heurter son poignet et son couteau tomba au sol avec fracas. Il poussa une exclamation de surprise, et avant qu'il ait pu retrouver son sang-froid, je ramenai son bras gauche derrière son dos et appuyai la lame de mon poignard sur son cou.

— Pas un geste ou je vous tranche la gorge.

L'homme gémit de peur, et je sentis son tremblement sous l'étau de mon bras.

— Qui êtes-vous et que faites-vous à rôder devant ma porte ? Parlez ou vous ne verrez plus jamais l'aurore.

— Je m'appelle Johannes Baumgartner. J'apporte un message pour l'un des Anglais qui habitent cette maison.

— Lequel ?

— Celui qu'on appelle Richard Stocker. Grand, les cheveux blonds, âgé d'une vingtaine d'années.

Je me détendis, tout en me rappelant que le moment le plus dangereux est celui où l'on baisse sa garde.

— Vous avez trouvé votre homme. Je suis Richard Stocker. Quand je vous relâcherai, avancez dans la lumière, mais lentement.

Je lui lâchai la main et retirai le couteau de sa gorge. Avec une lenteur moribonde, il fit quelques pas et se tint devant notre porte d'entrée, éclairée par une lampe. Il était jeune – peut-être avait-il un an ou deux de moins que moi – et fluet. Ses habits noirs et sobres étaient ceux d'un protestant.

Je l'observai sous le couvert des ombres. Il ne ressemblait pas à un agent de l'État, ni à un assassin.

— Qui vous envoie?

— Je ne puis vous le dire, Monsieur, mais vous le connaissez et il partage vos goûts littéraires. Je vous rapporte ses mots exacts, Monsieur.

Je m'approchai. Ce devait être un messager de Walsingham. Je lui serrai la main et ramassai son couteau. Ce n'était qu'un ustensile de table : une bien faible défense.

— Venez, entrons avant qu'on nous remarque.

Ayant déverrouillé la porte, je le conduisis dans la pénombre jusqu'au *piano nobile*, où d'autres lampes attendaient. Il s'affala dans un fauteuil, encore ébranlé.

— J'ai simplement reçu l'ordre de vous remettre une lettre, Monsieur. Mon maître ne m'avait pas parlé d'une agression armée.

Je lui lançai son couteau.

— Alors je vous dois des excuses. Cette maison vient d'être saccagée pas plus tard qu'hier soir et nous sommes sur la défensive.

Il rengaina son couteau dans son ceinturon et me regarda avec malaise.

— Je suis désolé de vous causer des ennuis, Monsieur, mais mon maître insiste pour que je m'assure de votre identité avant de vous remettre la lettre.

Je ris.

— Quelle preuve voulez-vous? Ma parole aurait dû vous suffire quand vous aviez le couteau sur la gorge.

— Justement, Monsieur, le poignard. Il m'a dit de vous demander à le voir.

Je dégainai mon arme et la tins dans les airs, la lame vers le haut, mais hors de sa portée. Les joyaux incrustés sur le manche étincelèrent à la lueur des lampes.

— Merci, Monsieur. Mon maître me l'a décrit. Celui-ci est conforme. Puis-je?

Lentement il plongea la main dans son pourpoint, sans jamais me quitter des yeux. Puis sa main reparut, tenant un mince pli entre l'index et le majeur. Il tendit la main craintivement pour me le remettre. J'en reconnus immédiatement les caractéristiques. Il n'y avait ni préambule ni signature, ni même un seul mot: seulement des groupes de nombres.

— Ce message appelle-t-il une réponse?

Décoder la lettre sur-le-champ m'aurait obligé à consulter l'ouvrage de Bullinger et je ne voulais pas trahir le secret du code.

— Je ne sais pas, Monsieur. Mais il a dit que vous seriez capable de le lire d'une seule main.

Il me dévisagea avec une folle appréhension. Sa réponse me disait tout ce que je devais savoir. Le code fonctionnait par groupes de cinq.

— Parlez-moi un peu de vous.

Johannes voulut répondre, mais sa voix se brisa. Je lui offris un grand verre de cognac puisé à même la réserve de Courtenay et il l'avala d'un seul trait. Le jeune homme s'en trouva mieux, car sa langue se délia immédiatement.

— Mon nom est Johannes Baumgartner, de nationalité suisse; j'étudie le droit à l'université de Padoue. À l'occasion, j'agis également à titre de valet auprès de notre ami commun, qui, comme vous le savez, étudie lui aussi le droit dans cette institution. Nous sommes devenus amis à cause de mes croyances luthériennes, qu'il approuve.

Je hochai la tête. Tout cela était logique.

— Andrea !

Je voulais donner une meilleure impression en utilisant un nom moins léger que « Bimbo », mais de toute façon, ce fut le jeune garçon qui accourut. Il dévala l'escalier du deuxième étage en sautillant.

— Cet homme a fait un long voyage aujourd'hui et il lui faut boire et manger. Veux-tu t'occuper de lui avec ta mère pendant que je monte à l'étage quelques instants ?

Je me tournai vers Johannes.

— Je ne serai pas long. Andrea vous apportera tout ce qu'il vous faut.

Je ne mis pas beaucoup de temps à décoder la lettre. Walsingham adoptait un style merveilleusement laconique dans ses messages : « Rendez-vous à la taverne rouge à Chioggia à midi à la date qu'on vous a dite. »

Je souris. Quel petit rusé que ce Walsingham. Si le message avait été intercepté, personne n'aurait pu deviner le jour de notre rendez-vous ; de même, interroger le messager eût été insuffisant.

J'allai retrouver Johannes, dont les joues avaient repris un peu de couleur.

— Notre ami me dit que vous avez une date pour moi.

Pour la première fois, il sourit. Peut-être était-ce le soulagement de m'entendre lui poser la question attendue, signe que les choses se déroulaient enfin comme son maître l'avait prévu.

— Le 4 avril. C'est tout ce qu'on m'a dit.

Je souris.

— C'est suffisant.

Je le récompensai dignement, puis Cuoca et Bimbo lui préparèrent un lit pour la nuit. Il partit très tôt le lendemain, non plus tremblant de peur, mais toujours aussi timide et réservé. J'espérais que son voyage de retour se déroulerait sans anicroche. Il n'était pas fait pour ce genre de mission.

Chapitre 46

1er avril 1556
Ca' da Mosto

L'intervention musclée des autorités m'avait marqué, et je ne pouvais plus rentrer à la Ca' da Mosto avec l'impression de trouver un refuge sûr. Désormais, j'y retournais avec un sentiment d'appréhension, et je souhaitais m'en éloigner aussi souvent et aussi longtemps que possible.

Je commençai à rechercher sérieusement un nouvel endroit où habiter. Le comte disait vouloir se rapprocher de la « dame », mais les récents événements montraient bien qu'elle ne voulait pas le voir frapper à sa porte, et je savais pertinemment que mes allégeances se trouvaient auprès d'elle et non de Courtenay.

Thomas, j'en étais certain, reprendrait ses bonnes œuvres à l'Oratorio, aussi je tentai de trouver un endroit qui puisse lui éviter de longues marches. Mais en dépit des considérations envisagées pour le mieux-être de mon ami, tous les chemins semblaient me ramener au quartier que je connaissais désormais le mieux, à savoir le triangle formé par l'atelier du Tintoret, la trattoria *Sensazione* et le couvent de Sant' Alvise.

Je finis par trouver une belle maison, d'un intérieur douillet et sans humidité, en plein milieu de ce triangle. Elle était beaucoup plus modeste que notre logis actuel, mais en faisant abstraction de l'espace commercial inutilisé à la Ca' da Mosto, les deux habitations étaient de dimension comparable. La Fondamenta s'élargissait à cet endroit, et sur la rive nord du Rio della Sensa, les façades donnant au sud étaient inondées de lumière. Le pavé était d'une pierre jaunâtre et le briquetage des maisons, d'une teinte rosée tirant sur le marron, proche de ce que le Tintoret qualifiait de rouge vénitien.

La maison elle-même s'élevait sur trois étages ; le rez-de-chaussée abritait les cuisines et les salles communes, les chambres se trouvant à l'étage. Je choisis les plus beaux appartements pour le comte, tout en m'assurant que Thomas et moi disposions de chambres confortables et d'une bonne grandeur. Je résolus d'emménager le plus tôt possible, et j'arrangeai une dernière visite avec l'agent afin de signer le bail sur place.

La perspective de quitter la Ca' da Mosto me remontait le moral. À l'exception d'Andrea et de sa mère, la cuisinière, j'aurais la maison à moi tout seul pour encore deux ou trois semaines. Cette idée me rappela Faustina et je décidai de lui écrite une courte lettre, que je pourrais déposer à la trattoria à l'intention de Hieronimo.

Soudain je sentis que les choses prenaient forme, comme si tous les fragments de mon existence s'assemblaient pour former un tout cohérent. Je m'assis à la table et pris la plume.

Chère sœur Faustina,

J'espère que vous ne m'en voudrez pas de m'adresser ainsi à vous, car la seule pensée de vous revoir me réchauffe le cœur, et j'ai peine à décrire l'impatience qui me tiraille à l'idée de notre prochaine rencontre.

Mes compagnons et moi allons bientôt déménager, avec pour résultat que je serai, à l'avenir, plus près de vous que je ne l'ai été auparavant…

Je déposai ma plume et regardai, peut-être pour la dernière fois, par la fenêtre de la Ca' da Mosto et de l'autre côté du Grand Canal. *Plus près de vous que je ne l'ai été auparavant.* Avant que Veronica ait conjecturé sur ce qui se tramait peut-être dans l'esprit de sœur Faustina, je l'avais toujours considérée comme une religieuse, et rien d'autre : jolie, à n'en pas douter, mais dépourvue de toute émotion de nature sexuelle, peut-être même de tout sentiment à mon égard.

Mais une fois évoquée, cette possibilité ne cessa de me hanter.

Je songeai à sa longue chevelure blonde, à ce que ce serait de la caresser ; à la douceur de sa joue et au plaisir de l'effleurer avec la mienne en lui chuchotant à l'oreille des paroles réconfortantes ; à sa bouche tendre et expressive, et au frisson d'embrasser ces lèvres fébriles. Et lorsque je levais toutes les contraintes de mon esprit et le laissais vaguer à sa guise, je me surprenais à rêver de ce corps svelte et élancé, à imaginer la façon dont elle réagirait, libérée de la crainte et de l'oppression du couvent, et peut-être de l'habitude de sa vocation, au contact de mes doigts sur sa peau.

Cette pensée fut si forte que je dus m'efforcer de ne plus y songer avant d'oser reprendre la plume.

Je n'ai pas oublié la promesse que je vous ai faite. Je vous assure que tous mes efforts sont consacrés à trouver le moyen de vous délivrer de cette situation, et je m'y emploierai avec diligence jusqu'à ce qu'un plan soit mis sur pied. Je vous prie d'être patiente, car comme vous l'avez dit vous-même, ce ne sera pas facile ; mais je suis confiant de pouvoir réussir avant peu.

Entre-temps, est-il quelque chose dont vous ayez besoin, et que je pourrais vous faire parvenir ?

Votre défenseur et ami,

Richard Stocker

Je séchai l'encre avec de la poudre et relus ma lettre. *Je suis confiant de pouvoir réussir avant peu.*

Sur quelles bases avais-je écrit ces mots ? En vérité, je ne savais pas du tout comment je parviendrais à surmonter les difficultés auxquelles elle faisait face, et pendant un instant, je sentis mon cœur se serrer à l'idée que j'étais peut-être en train de lui donner de faux espoirs, de trahir la confiance qu'elle avait placée en moi.

Je respirai profondément. Il fallait seulement essayer plus fort. Son sort était injuste, inacceptable, et j'avais promis de l'aider. Désormais, j'en étais le responsable et il fallait à tout prix me montrer à la hauteur. Mais comment ? Quelque chose se produirait. Quand la justice est de notre côté, la Providence l'est aussi. N'est-ce pas ?

Je pliai la lettre, la cachetai, et pris le chemin de la Fondamenta della Sensa.

Chapitre 47

4 avril 1556
Taverne en bordure du port de Chioggia

Je n'avais jamais vu autant de fruits de mer, et l'odeur qui s'en dégageait passait difficilement inaperçue. Les prises de la journée comportaient des crabes, des crevettes, des pieuvres, des palourdes, des anguilles et des dizaines d'espèces de poissons.

Sebastiano se trouvait dans son élément, car sa famille comptait des pêcheurs à Murano, et il se négociait à Chioggia de forts bons prix. Son oncle lui avait prêté le bateau à condition qu'il rapporte des spécialités du marché de Chioggia, et je me retrouvai très vite à explorer seul.

Je découvris la « taverne rouge » sans grande difficulté, tout juste au bord de l'eau, et comme il me restait encore une heure, je m'installai discrètement dans un coin afin d'observer les navires arrivant à quai, leur butin de poissons déchargé puis vendu à la foule empressée qui s'assemblait autour avec enthousiasme. Bien que beaucoup plus vaste et animé, ce tableau me rappela le port de Brixham par une journée brumeuse et nonchalante.

J'attendis, sirotant un verre de vin aussi lentement que je le pouvais, tout en dégustant des crevettes roses fraîchement cuisinées avec du pain frais. Midi approchant, je commençai à me demander si je ne m'étais pas trompé de journée, quand je sentis une petite tape sur mon épaule.

Je me tournai vers Walsingham, lequel s'était assis discrètement sur la chaise derrière mon dos. Je voulus parler, mais il me fit signe de garder le silence.

— Venez me rejoindre au fond où nous pourrons surveiller les autres sans nous faire voir nous-mêmes.

Je le suivis jusqu'à une table à l'écart, apportant avec moi mes crevettes.

— Je ne vous ai pas vu entrer.

Je dis cela d'un ton plus accusateur que je ne l'aurais voulu.

Walsingham sourit.

— J'étais déjà ici quand vous êtes arrivé. J'ai décidé d'attendre et de m'assurer que vous n'étiez pas suivi.

Je ravalai ma salive. Cette pensée ne m'avait pas traversé l'esprit. Sebastiano et moi avions navigué tout seuls sur les eaux de la lagune, sans qu'aucune embarcation ne s'approche de la nôtre. Nous n'avions pas annoncé nos intentions à l'autre, sauf Sebastiano qui avait parlé à son père afin de pouvoir utiliser le navire.

Levant les yeux, j'aperçus John Cheke et Peter Carew passant devant les fenêtres de la taverne. Walsingham murmura :

— Ils font attention. Le danger n'est pas loin, comme ils ne tarderont pas à vous le dire.

Cheke et Carew avaient dû faire demi-tour, car ils réapparurent et poussèrent la porte de la taverne. Cheke scruta l'obscurité, ses yeux fatigués n'étant plus ce qu'ils avaient été ; mais Carew nous vit immédiatement. Walsingham ne réagit pas et Carew fit de même, conduisant Cheke à une table dans le coin opposé de la pièce. Ils s'assirent ensemble, gardant la tête basse et parlant doucement, pendant que Walsingham promenait son regard autour de la pièce en quête de réactions. Après dix minutes, au cours desquelles il ne vint aucun autre client, il fut satisfait et nous traversâmes la pièce pour nous joindre aux autres.

Personne ne se serra la main. On se contenta de quelques salutations discrètes, après quoi, la discussion commença sans plus attendre. Comme la dernière fois, ce fut Walsingham qui prit l'initiative.

— Messieurs, nous voilà rassemblés ici aujourd'hui afin d'officialiser notre parti et en constituer une société. Je suggère que nous nous appelions les Fils d'Angleterre. Notre objectif à long terme est clair : précipiter la fin du règne de la reine Marie et nous assurer qu'elle soit remplacée par nulle autre que la princesse Élizabeth. Mais cela, en soi, ne suffira pas ; car même une fois cet objectif atteint, et il le sera, la reine Élizabeth se retrouvera entourée d'hommes indignes de notre confiance, non seulement des membres actifs de l'Église catholique, mais aussi des faibles et des récidivistes, beaucoup plus nuisibles à notre cause, et ce, de bien des manières.

Sir Peter Carew approuva d'un grognement.

— Maudits soient-ils jusqu'au dernier.

Walsingham poursuivit.

— Sir Peter, vous plairait-il d'informer Richard de vos récents déboires ?

Carew continua à ronchonner.

— J'étais à Venise où je rendais visite à des amis, lorsqu'on m'a attaqué. Ils étaient cinq – des *bravi*, des tueurs à gages. Ce n'était pas un vol ni un hasard. L'un d'entre eux a dit, je l'ai entendu : « Il est là, celui avec la barbe noire ! » et ils se sont jetés sur moi. Ils ont commis deux erreurs : celle de sous-estimer un soldat de métier, et celle de me donner ces quelques secondes d'avertissement. J'avais dégainé avant qu'ils ne m'attaquent. Je transperçai mon premier assaillant à la gorge, puis je me ruai sur le meneur de la bande. D'après mon expérience, lorsqu'on vous attaque en groupe, il faut toujours commencer par se défendre contre le plus gros. Ma stratégie fonctionna : je le tailladai au visage, lui déchirant les yeux, et il s'écroula sur le sol en criant. Les trois autres hésitèrent, alors j'en choisis un et lui lacérai le cou. Il tomba comme une pierre, sans produire un seul son, et au bout de quelques secondes il était mort. Ce fut le sang versé sur le sol qui sauva les deux autres, car tandis que je me lançais à leur poursuite, je glissai dans cette mare rouge, vacillant sur mes pieds. Quand j'eus retrouvé l'équilibre, ils avaient disparu.

J'agrippai le rebord de la table, suspendu à ses lèvres.

— Qui étaient-ils ?

Carew siffla avec véhémence, sa colère ravivée par le souvenir de la bataille.

— Personne. Des voyous, payés pour tuer. Mais je suis allé au fin fond de l'histoire. L'aveugle hurlait de douleur, à moitié défiguré, et me suppliait de l'achever. Il me dit qui les avait payés avant que je lui tranche la gorge. « Le vieux révérend de Lucques », dit-il.

Walsingham et Cheke hochèrent la tête ensemble.

— Peter Vannes. Que penser de tels agissements de la part d'un ambassadeur ?

Cheke était visiblement secoué, mais Walsingham demeurait calme.

— Il faut se rendre compte que nous n'avons pas affaire à des hommes d'honneur. Nous ne pouvons faire confiance à quiconque dont on sait – ou dont on pense – qu'il est à la solde de la reine Marie, ou encore à celle de son époux, « Felipe » d'Espagne.

Il prononça le nom à l'espagnole, comme s'il faisait référence à un chien.

— Notre ami Cheke, de même que sir Peter, s'en retournent à Anvers. L'épouse de sir John l'attend là-bas et lui a écrit en lui demandant de rentrer. Nous espérons seulement qu'il ne s'agit pas d'un traquenard. Sir Peter veillera sur lui pour la durée du voyage, après quoi il se rendra en Irlande pour défendre son droit sur les terres familiales qui lui ont été retirées. C'est pourquoi nous nous réunissons aujourd'hui, afin d'officialiser la constitution des Fils d'Angleterre. J'ai déjà parlé de notre objectif; notre tactique sera de confondre nos ennemis à chaque occasion et d'établir un réseau d'alliances fiables avec des individus qui demeureront silencieux, «inactifs», jusqu'à ce que la princesse soit couronnée reine. Là, et seulement là, devrons-nous nous afficher à ses côtés, afin de consolider sa position et de répondre à ses ordres.

Nous approuvâmes d'un hochement de tête et joignîmes les mains comme dans une partie de bras de fer, les coudes sur la table, scellant notre union. Mais Walsingham n'avait pas terminé.

— Quel est notre point le plus vulnérable, Messieurs?

Tous semblèrent perplexes autour de la table.

— Je vais vous le dire. C'est la princesse Élizabeth elle-même.

Entendant cela, Cheke secoua faiblement la tête.

— Non! Je ne peux vraiment pas vous concéder cela…

Walsingham posa la main sur celle de Cheke.

— Ce que je veux dire, c'est que la seule personne qui fasse partie de nos plans et qui soit connue de la reine Marie et de Philippe d'Espagne est la princesse Élizabeth elle-même. Si nous sommes démasqués et que notre objectif éclate au grand jour, non seulement nous serons décapités pour trahison, mais la princesse suivra certainement les traces de Lady Jane en passant par la Tour et sous la hache.

Le poids de cette affirmation nous renversa complètement et nous échangeâmes des regards inquiets.

— En aucun cas ne devons-nous être pris, poursuivit Walsingham. Si l'un d'entre nous est arrêté, il doit s'assurer de ne jamais rien révéler. Nous ne mettrons rien par écrit, sauf nos messages codés selon le principe convenu, et sitôt qu'ils seront déchiffrés, ils devront, je répète, devront absolument être brûlés. Est-ce bien clair?

Nous donnâmes notre assentiment d'un signe de tête et je résolus de brûler la lettre de Walsingham dès mon retour à la maison. Je leur racontai à mon tour l'intervention des agents de l'État à la Ca' da Mosto et leur parlai de la visite de Courtenay au duc Ercole, à Ferrare. Walsingham eut des propos désobligeants.

— C'est un homme dangereux, un prétentieux et un imbécile. Gardez vos distances avec lui, si vous le pouvez, Richard. Il demeure une cible de choix pour les agents de la reine Marie, avec Vannes en tête de liste. Ils ne peuvent manquer de croire que sa visite à Ferrare a pour but de resserrer les liens avec les Français. Le seul fait d'être associé à lui constitue un grave danger. Faites très attention aux gens que vous rencontrez et à ce que vous leur dites. Votre vie est en péril, Richard; mais si je puis me permettre de le souligner, une autre vie, encore plus précieuse, dépend aussi de vos actions: celle de la princesse Élizabeth.

Il y eut un silence, le temps pour nous de saisir toute la portée de ces propos.

— Maintenant, partez, dans le silence et la discrétion. Prenez tout votre temps et soyez prudents. Il n'y a rien d'urgent. Écrivez seulement aux autres lorsque c'est essentiel et toujours en vous servant du code. Richard rentrera à Venise et tentera de surveiller les agissements de l'ambassadeur et l'effet qu'ils produiront sur l'État. Peter et John se rendront à Anvers. Quant à moi, je vais déménager en

Suisse pour essayer d'y bâtir des alliances. Dieu vous vienne en aide, Messieurs, et soyez prudents.

Nous sortîmes un à un, en silence, soumis aux instructions que nous venions de recevoir et de prendre sur nous.

———

Je trouvai Sebastiano sur le quai, notre bateau rempli de ces variétés de fruits de mer difficiles à trouver dans la partie nord de la lagune.

— Elle était bien, donc?

Il me regarda avec un sourire complice. Je lui avais dit que le but de mon voyage était de rendre visite à une jeune femme mariée et qu'il fallait procéder dans le plus grand secret. C'était la première excuse qui m'était venue à l'esprit, mais Sebastiano l'avait acceptée avec enthousiasme. À présent, il se grattait l'aile du nez avec le doigt.

— Tu as dû être occupé. Ça fait longtemps que tu es parti!

Je lui donnai un coup de coude en clignant de l'œil.

— J'ai dû attendre que son mari s'en aille. Ça valait la peine, cependant.

Descendant du quai, nous sautâmes dans l'embarcation et la poussâmes vers le large. Les voiles étant sèches, il n'y eut aucune difficulté à hisser le foc et l'artimon. Sebastiano nous éloigna du port et nous hissâmes la grand-voile en atteignant le large. Il lança un regard vers Chioggia.

— Nous ferions mieux de nous hâter, au cas où le mari se lancerait à ta poursuite.

Je m'efforçai de rire, sachant bien que la ville de Venise était sur le point de devenir beaucoup plus dangereuse pour moi que le petit port de pêche que nous venions de quitter.

Chapitre 48

5 avril 1556
Ca' da Mosto

J'étais impatient d'emménager dans la nouvelle maison que je venais de dénicher dans Cannaregio, mais cela ne pouvait se faire avant d'avoir signé le bail. J'en étais désormais à mon quatrième avertissement : il y avait d'abord eu la visite des espions de l'État, puis la mise en garde de Veronica, ensuite la tentative d'assassinat contre sir Peter Carew ; à présent, mon ami le Tintoret était suffisamment inquiet pour se joindre au chœur d'avertissements.

— J'ai un ami dans les rangs du gouvernement – pas très haut placé, il est vrai, mais bien au courant. Parfois les instructions du haut commandement ne vous donnent pas vraiment idée de ce qui doit se passer, mais mon ami se situe à un niveau qu'on pourrait qualifier d'«opérationnel» et il voit passer sous son nez des directives assez spécifiques. Je savais qu'on avait envoyé des *bravi* à la Ca' da Mosto l'autre jour, mais je n'ai pas fait le lien avec moi, ou avec vous, alors je n'ai rien dit. Veronica, elle, a vu juste, et m'a convaincu d'aller en quête d'information. Il semble que le Conseil soit actuellement plongé dans un débat. Certains membres veulent soutenir les Anglais et se débarrasser de votre comte qu'ils considèrent comme potentiellement dangereux. Le Conseil a reçu la visite d'un représentant anglais qui souhaite voir le comte arrêté et déporté en Angleterre. Cependant,

LES FILLES DU DOGE

d'autres soutiennent qu'une telle action irait à l'encontre de la réputation internationale de Venise en tant qu'État libre et indépendant, et risquerait de porter atteinte à nos échanges commerciaux à l'étranger. Ce second camp s'insurge de voir que l'Angleterre tente de s'ingérer dans les affaires d'un État souverain et ils exigent la destitution de Peter Vannes à titre d'ambassadeur. Ils estiment que ses actions ont dépassé son champ d'autorité et son titre, que seul son statut diplomatique empêche son arrestation pour tentative de meurtre. Je ne sais pas du tout qui l'emportera dans ce débat, mais quoi qu'il arrive, Courtenay court un risque et il sera certainement surveillé de près à son retour. Ils ne manqueront pas de fouiller ses documents pour découvrir ses intentions. Mon ami me dit que vous ne figurez pas sur leur liste de suspects, Richard ; mais ils soupçonnent le docteur, puisqu'il s'est rendu à Ferrare avec Courtenay et pourrait très bien avoir trempé dans le complot qui se prépare, le cas échéant.

Cela faisait deux heures que j'étais revenu à la maison depuis que j'avais reçu cet avertissement du Tintoret, mais je me sentais encore agité et indécis. En vérité, je ne me souciais guère de ce qui pouvait arriver au comte. Il n'en avait toujours eu que pour ses propres intérêts, et en dehors du fait de payer mes dépenses à titre de compagnon et de secrétaire, il ne m'avait jamais témoigné aucune considération personnelle. Je ne me sentais vraiment pas obligé envers lui, hormis les services pour lesquels il payait. S'il lui prenait l'envie de rendre visite à des alliés notoires de nos ennemis, les Français, je ne pensais pas qu'il était de mon devoir de le sauver des représailles de son pays.

Le cas de Thomas Marwood était complètement différent. J'étais déterminé à faire tout ce qui était en mon pouvoir pour lui éviter d'être associé à quoi que ce soit qui mette sa vie en danger.

Je n'avais aucune envie d'écrire au comte, et si je le fai-, sais, ma lettre risquait fort d'être interceptée ; elle pouvait même me rendre complice d'une quelconque machination déloyale et dangereuse dans laquelle il s'était laissé entraîner. Si cela venait à se produire, ma liberté et peut-être même ma vie en seraient menacées. De plus, si j'écrivais à Marwood et que je rédigeais ma lettre en des termes personnels mais distants, cette correspondance, même interceptée, serait lue comme un avertissement lancé à un ami afin de lui épargner des ennuis potentiels. La ligne était mince, mais l'autre solution – ne rien faire – pouvait se révéler encore plus dangereuse.

Ramassant du papier, de l'encre, des plumes et de la poudre à sécher, je m'efforçai de m'asseoir à table et de réfléchir. Comment faire comprendre à mon destinataire que ma lettre se voulait un avertissement sérieux qu'il ne devrait pas prendre à la légère ? Thomas et moi ne disposions d'aucun code, car nous n'en avions jamais eu besoin. Une idée fit son chemin dans mon esprit. Je n'avais pas promis de lui écrire, et Thomas savait à quel point il fallait me supplier pour que j'écrive à ma famille. Voilà l'indice que je lui laisserais.

Cher Thomas,

Comme promis, je t'écris pour t'informer des derniers développements ici à Venise. Je suis à la recherche d'une nouvelle maison où nous pourrons loger, l'atmosphère à la Ca' da Mosto s'étant beaucoup détériorée ces temps derniers.

Le 29 mars, une bande d'hommes armés est entrée chez nous par effraction afin de fouiller nos documents. Ils n'ont rien pris, mais ils se sont montrés soupçonneux du fait que le comte ait emporté avec lui tant de ses effets personnels pour une si courte visite à Ferrare.

J'ai aussi entendu dire ici qu'un de nos hommes du Devon, un dénommé Peter Carew, aurait été attaqué et presque assassiné par une bande de tueurs venus de Lucques. Je ne saurais dire pourquoi ils auraient voyagé si loin pour s'en prendre à un Anglais, mais ainsi va la rumeur.

J'espère que ton compagnon apprécie son séjour à Ferrare et que les bruits qui voudraient que le duc Ercole soit un proche allié des Français sont infondés. Je serais très fâché que le comte se trouve mêlé à quoi que ce soit qui puisse être mal interprété ici à Venise où chez nous en Angleterre. Peut-être vaudrait-il mieux que tu l'informes de ce risque, même si, comme nous le savons tous deux, il n'écoute pas volontiers nos conseils.

Je te prie de me confirmer la date envisagée pour votre retour à Venise.

Ton fidèle compagnon,

Richard

J'arpentai la pièce de long en large, me demandant s'il n'y aurait pas un moyen plus efficace de transmettre mon message ; puis je repris ma place à la table et relus ce que je venais d'écrire. Oui, Thomas serait certainement capable de lire entre les lignes et de s'apercevoir que je lui servais un avertissement, même si je prenais la peine de formuler ma lettre en des termes anodins.

Il comprendrait les mises en garde à l'égard du duc Ercole, et saurait discerner le sens véritable de ma lettre : « Tiens-toi loin de toute intrigue politique et, si possible, essaie aussi d'en éloigner le comte. » Il saurait que ma remarque au sujet du comte et de sa répugnance à suivre nos conseils ne s'adressait pas à lui mais à un tiers, en cas d'interception.

C'était mieux que rien. Ayant cacheté la lettre, je pris la direction du Rialto. Je trouverais bien quelque part là-bas un marchand devant se rendre à Ferrare, et qui, je l'espérais, se chargerait d'acheminer ma lettre à son destinataire sans trop tarder.

Chapitre 49

8 avril 1556
À l'Arsenal, dans Castello

Je frissonnai de nouveau. Était-ce le froid, la peur, ou les deux à la fois ? Je ne pouvais plus le dire. Les ténèbres de la cellule de prison étaient si denses qu'elles entravaient toute pensée rationnelle. Mais l'obscurité, l'humidité et le froid ne comptaient pour rien en regard du sentiment d'isolement et de stupeur qui m'avait envahi. Je ne savais pas où j'étais ni pourquoi j'étais là, et personne, à ce que je sache, n'avait eu vent de mon emprisonnement, à l'exception de mes ravisseurs. Gémissements et cris de désespoir montant des cellules voisines me disaient que les autres ressentaient la même solitude et le même dénuement que moi ; et s'ils m'indiquaient que je n'étais pas seul, je n'en retirais aucun réconfort.

Hormis le son de lourdes bottes cloutées résonnant dans le couloir par intervalles, rien ne venait interrompre le flot constant des plaintes désespérées. Je perdis toute notion du temps, et dus faire de grands efforts pour ne pas céder à la panique.

Ma joue me faisait mal. Je la sentais mouillée : elle saignait encore.

« Réfléchis, me dis-je. Personne ne peut t'aider ; il n'y a que toi qui puisses te sortir de ce pétrin. »

Je compris qu'il fallait que je découvre à quel endroit j'étais, et que je tente de survivre à cette terrible épreuve du mieux que je le pouvais. Quand j'aurais reconstitué la suite des événements, je pourrais songer à m'en sortir, soit en obtenant ma liberté sur les conditions de mes geôliers, soit en m'évadant.

J'étais enfermé dans une cellule, non loin de la mer, à en juger par les odeurs qui parvenaient à mes narines ; mais où que l'on se trouvât à Venise, ces exhalaisons n'étaient pas rares. Les ténèbres et l'humidité ne m'apprenaient rien de précis, car les caves des maisons ressemblaient bien souvent à cela ; mais les cris tout autour donnaient à penser que je me trouvais dans une prison d'État d'assez grande dimension.

On n'avait pas pris mes vêtements. J'avais encore ma cape, ma chemise, mon pourpoint et mes chausses. J'avais encore mes bottes aux pieds. Je tâtai le sol autour de moi à la recherche de mes affaires, mais ne trouvai rien. Où était mon calepin ? *Je dessinais.* Voilà ce qui s'était passé. J'étais en train de dessiner lorsqu'ils étaient arrivés. Tout me revenait en mémoire, à présent.

Je faisais des esquisses aux portes de l'Arsenal. Des ouvriers étaient en train d'armer un navire récemment terminé. Je les observais et je les dessinais. C'est alors que j'avais entendu crier :

— Le voilà ! Voilà l'espion !

Avant même d'avoir eu le temps de me lever, j'avais été assommé d'un coup à la tête. Après, plus rien.

La seule conclusion qui me vint à l'esprit était que les Fils d'Angleterre avaient été infiltrés. Qui, me demandai-je, avait pu vendre la mèche ? Walsingham était la prudence même, puis Cheke et Carew devaient déjà être en route pour Anvers. J'étais sûr de ne pas avoir été négligent au point de mettre les autres en danger ; mais ainsi accroupi dans l'obscurité, ma confiance souffrait beaucoup.

Pendant une heure je restai assis là, essayant de réfléchir. Enfin, j'entendis quelqu'un s'approcher d'un pas résolu. Je me levai. Il fallait être prêt.

On m'agrippa, on me poussa, on me traîna presque tout le long des corridors de pierre, jusqu'en haut d'un escalier donnant sur une pièce qui ressemblait fort à une chambre de torture. Des chaînes et des fléaux étaient suspendus aux murs, mais on me demanda simplement de m'asseoir sur un petit tabouret au centre de la pièce.

Ils se tenaient tout autour de moi, de sorte qu'il m'était impossible de les voir tous en même temps. Peu importe la direction où je me tournais, la question suivante semblait toujours surgir derrière mon dos. Je n'arrivais pas à les comprendre. Je ne savais même pas quelle langue ils parlaient : l'arabe, peut-être, ou le turc ? J'avais entendu quelque chose de semblable dans les marchés.

Devant mon mutisme, ils essayèrent d'autres langues. Je reconnus de l'espagnol et du français, mais je ne parlais pas ces langues. Puis, risquant d'être passé à tabac, je les interrompis en italien.

— Pourquoi ne me parlez-vous pas en italien ? Je suis anglais mais je le parle un peu.

Ils se regardèrent, visiblement surpris.

— Qui êtes-vous, espion ?

— Je m'appelle Richard Stocker. Je suis anglais et je séjourne actuellement à Venise. Je suis venu pour accompagner le comte de Devon, avec mon ami le docteur Thomas Marwood. Ceux-ci sont actuellement en visite chez le duc Ercole d'Este, à Ferrare. Moi, je vis à la Ca' da Mosto.

— Y a-t-il quelqu'un à Venise qui puisse répondre de vous ?

Je réfléchis un moment. Avais-je des connaissances à Venise dont l'influence pouvait agir sur les autorités ? Mes compagnons se trouvaient sur la terre ferme et j'étais réticent à entraîner mes amis vénitiens dans une situation potentiellement compromettante. Il me vint cependant une idée. J'étais certain que John Neville se souviendrait de moi et qu'il se porterait garant de ma réputation.

— Oui, John Neville. C'est un Anglais, un marchand et un banquier bien connu au Rialto. Il a fait ma connaissance en Angleterre, à la cour du roi Édouard VI, et il m'a rencontré une fois depuis mon arrivée ici.

On envoya quelqu'un afin de communiquer ces renseignements, et je sentis poindre en moi une lueur d'espoir.

— Pourquoi espionniez-vous à l'Arsenal, et pour le compte de qui?

— Je n'espionnais pas. Pourquoi dites-vous cela?

— On vous a vu surveiller nos chantiers navals, prendre des notes et faire des dessins.

— J'apprends le dessin et la peinture à la *bottega* du Tintoret, sur la Fondamenta dei Mori. Il me donne des leçons et m'a dit d'aller dessiner ce que je voyais dehors, pour m'entraîner.

Il y eut un autre signe de tête et un second envoyé sortit en hâte.

— Pourquoi avoir choisi l'Arsenal?

Le ton demeurait soupçonneux.

— Parce que les ouvriers y sont occupés et ne font pas attention à moi pendant que je dessine. Du reste, je ne suis pas seulement allé là-bas. J'ai dessiné des marchands au Rialto et, sur la Riva degli Schiavoni, des prostituées qui essayaient d'attirer l'attention des marins. Apportez-moi mon calepin et je vais vous montrer. Je m'intéresse seulement aux gens; vous ne trouverez pas d'immeubles, pas de machines, pas de navires et aucun secret d'État.

On produisit mon carnet et l'un d'entre eux me le remit à contrecœur.

— Montrez-nous.

Je leur montrai donc mes dessins, dont trois de Veronica réalisés au studio.

— Qui est-ce?

Je sentis désormais dans sa voix plus d'intérêt que de soupçons.

— Elle s'appelle Veronica Franco. C'est une courtisane bien connue qui pose souvent comme modèle à l'atelier du Tintoret.

L'interrogateur examina le dessin avec attention et le montra à l'un de ses collègues.

— Jolis tétons.

Je hochai la tête d'un air sérieux, essayant de garder la perspective d'un artiste.

— C'est une très jolie femme et un excellent modèle.

— Jetons un œil aux autres dessins.

Ils feuilletèrent lentement les pages et je leur décrivis chacun de mes essais. Quand nous parvînmes aux dessins des prostituées sur les quais situés non loin, leur intérêt sembla redoubler.

— *Ehi!* Regarde, Vincente. C'est Francesca; et voilà Paola, celle qui a dit que ta bite ressemblait à une cuisse de poulet – sans les plumes.

L'interrogateur y regarda de plus près, eut un rire méprisant et lança le carnet en ma direction.

— Mettez-le dans la cellule du haut jusqu'à ce que le témoin arrive. Donnez-lui de l'eau et laissez-le nettoyer sa blessure à la tête.

Il me tourna le dos et sortit. L'atmosphère avait complètement changé. Continuant de se moquer de leur chef, ils me conduisirent doucement à une petite cellule, cette fois sans humidité et pourvue d'une fenêtre. On me rendit mes affaires, à l'exception de mon poignard, qui me serait retourné uniquement à ma sortie de prison.

━━━━⟡

Ils revinrent deux heures plus tard, accompagnés de John Neville et de Jacopo Tintoret.

Neville me fit un clin d'œil en me voyant.

Il s'adressa aux gardes, leur confirma qu'il me connaissait et les assura de ma bonne moralité. Jacopo alla plus loin, disant non seulement que j'étais son apprenti et que j'apprenais à dessiner et à peindre dans ses cours, mais qu'il m'avait envoyé lui-même dans les rues pour que j'étudie les formes et le caractère des gens. À eux deux, ils parurent convaincre mes interrogateurs.

— Vous êtes chanceux, Signor Stocker. Vos amis ont corroboré votre histoire. La prochaine fois que vous irez dessiner dans les rues, tenez-vous loin de l'Arsenal. C'est un endroit secret. Seuls les ouvriers accrédités par l'État ont le droit d'y travailler. Vous auriez tout aussi bien pu être abattu sur-le-champ comme un vulgaire espion et votre précieux calepin aurait été jeté au feu.

Mes amis me reconduisirent vers la sortie et s'assurèrent que mon poignard me soit rendu comme promis. Ils me payèrent un repas et insistèrent pour que je prenne un peu de vin rouge « pour refaire mon sang ». Je leur exprimai ma gratitude, fâché d'avoir commis un tel faux pas.

La nourriture, le vin, la compagnie d'amis, mais surtout l'air frais me parurent merveilleux. Toute cette mésaventure me rappelait à mes dépens que nous étions ici de simples visiteurs, que notre présence était simplement tolérée, et qu'il nous restait encore à saisir certaines subtilités de la société vénitienne.

Chapitre 50

13 avril 1556
Fondamenta della Sensa, Cannaregio

Cher Richard,

Merci de ta récente lettre, qui m'est bien parvenue et que j'ai parcourue d'un œil intrigué. Je suis content que tu aies décidé de nous trouver un nouveau logis. Cette histoire d'entrée par effraction a dû être pour le moins bien désagréable. J'en ai parlé à notre compagnon, qui s'est dit soulagé d'avoir été absent lorsque cela s'est produit, et qui promet de tenir compte du danger à l'avenir.

Il m'a demandé de te faire savoir que la déchirure qu'il a faite à son haut-de-chausses a été recousue, et de ne pas t'en inquiéter.

Nous sommes désormais à Padoue. Michael Throckmorton, qui vit maintenant à Mantoue et qui nous a été recommandé par Reginald Pole, a passé huit années mémorables à Padoue et a gentiment accepté de se joindre à nous ici pour nous servir de guide.

Avant de quitter Ferrare, le comte a fait fabriquer une médaille de bronze à son effigie par l'artiste attitré du duc, et demeure indécis quant à la nécessité de faire réaliser son portrait. Il prendra cependant une décision à notre retour.

Nous entendons revenir aux alentours du 26 de ce mois.

Ton compagnon et ami,

Thomas Marwood (D^r)

Je m'amusai à décortiquer la lettre. Il pouvait tout aussi bien l'avoir rédigée en code. Estimant qu'un tiers intéressé était peu susceptible de bien maîtriser l'anglais, Thomas avait parsemé sa lettre de sous-entendus difficilement interprétables pour un Italien.

Que j'ai parcourue d'un œil intrigué. J'en déduisis qu'il avait su discerner le sens caché de ma lettre et qu'il me répondait de façon similaire. Il me faisait ensuite savoir qu'il avait discuté avec Courtenay des nombreux dangers qui nous guettaient, que celui-ci en tiendrait compte à l'avenir. Devais-je en conclure qu'il avait eu assez de jugeote pour ne pas se mêler aux affaires des Français ? Cela semblait sous-entendu, mais je ne pouvais en être certain.

Il m'a demandé de te dire que la déchirure qu'il a faite à son haut-de-chausses a été recousue, et de ne pas t'en inquiéter. Je dus relire cette phrase de nombreuses fois avant que la signification me saute aux yeux. Un accroc à son haut-de-chausses aurait révélé ses parties les plus intimes : Thomas voulait dire qu'il avait pris des mesures pour cacher ses documents et autres affaires potentiellement compromettantes.

Désormais habitué à décoder, je passai un temps considérable à essayer de trouver un sens caché au reste de la lettre ; mais je finis par conclure qu'elle ne signifiait ni plus ni moins que ce qu'elle disait. Thomas me donnait des renseignements utiles sur la manière et la date de leur retour. La phrase au sujet du portrait et de l'indécision du comte semblait certainement véridique.

L'autre lettre qui trônait sur mon bureau était de Walsingham, rédigée selon le code habituel. Je la déchiffrai avec soin :

DÉMÉNAGÉ À ZURICH. ENVOYEZ CORRESPONDANCE À LA FACULTÉ DE DROIT À L'UNIVERSITÉ.

Son intention de gagner la Suisse s'était donc concré-
tisée : son choix s'était arrêté sur l'université de Zurich, une
ville majoritairement luthérienne qui lui apporterait sécurité
et prospérité. J'étais content pour lui, content de savoir qu'il
était mon allié. Un jour, pensai-je, j'aurais peut-être besoin
de lui.

Je tassai les lettres d'un côté. La journée avait été fruc-
tueuse. J'avais signé un bail, d'une durée initiale de trois
mois, et Andrea devait transférer mes quelques affaires et
le peu de ce que les autres avaient laissé à notre nouvelle
adresse, sur la Fondamenta della Sensa, cet après-midi
même. Je ne serais pas fâché de tourner le dos à la Ca' da
Mosto.

J'avais tout juste le temps d'écrire à Thomas pour lui
donner la nouvelle adresse. Je lui rédigeai un mot rapide.
Après quoi, il me restait encore deux semaines d'indépendance que je devrais mettre à profit au maximum de mes
capacités.

Chapitre 51

18 avril 1556
Fondamenta dei Mori

Effectuant le court trajet qui séparait notre nouvelle maison de l'atelier du Tintoret, je ne pouvais être de meilleure humeur. C'était l'un de ces matins où tout semble de votre côté. La marée avait suffisamment monté pour nettoyer les canaux sans inonder les maisons. Le soleil était chaud, mais la brise assez fraîche pour rendre la promenade agréable, et quand j'arriverais à l'atelier, l'éclairage serait idéal. Pour couronner le tout, il me restait encore une semaine de liberté.

Veronica était arrivée tôt et posait déjà pour le peintre quand j'entrai dans l'atelier. Je pus me glisser discrètement jusqu'à ma chaise d'apprenti sans déranger les autres. La plupart de mes collègues dessinaient, mais Jacopo profitait du bon éclairage pour terminer une scène allégorique. C'était une pose difficile, très animée. Veronica devait rester allongée sur un divan, tendant le bras pour agripper une pièce d'étoffe retenue par quelqu'un d'autre.

La pose se révélait si fatigante qu'elle pouvait seulement la maintenir par tranches de dix minutes. Ce matin-là, c'était Gentile qui tirait sur la draperie, et je remarquai qu'elle ne se gênait pas pour le dévisager de son regard lascif et invitant, essentiel à toute la scène. Elle jouait si bien son rôle qu'on pouvait facilement les prendre pour des amants.

Veronica savait jouer ces scènes à la perfection : il n'était pas surprenant que tous les artistes à Venise la voulussent dans leur atelier.

— Qu'est-ce qui est arrivé à Biffo ?

— Le maestro l'a flanqué à la porte.

L'un des apprentis à mes côtés me siffla cette réponse du coin des lèvres.

— Que s'est-il passé ?

— Le maestro lui a demandé de prendre cette pose avec Veronica l'autre jour, comme Gentile le fait présentement.

Je me rappelais la manière dont le corps de Veronica s'étirait devant moi quand je tenais ce bout d'étoffe. Quelque chose me permettait de deviner ce qui s'était passé.

— Biffo s'est avancé pour la tâter. La Franco lui a donné une claque au visage et le maestro l'a renvoyé chez lui en lui disant de ne plus remettre les pieds ici.

— N'est-ce pas un peu sévère ?

Je savais que Biffo était un bon à rien, mais il n'avait que quatorze ans.

— Pas vraiment. Jacopo ne pouvait pas risquer que Veronica refuse de poser pour lui. Elle a longtemps toléré ses yeux écarquillés et sa bouche pendante. Quand Biffo l'a touchée, elle a dit « assez, c'est assez ».

Je hochai la tête en signe d'assentiment. Cela me semblait néanmoins un peu dur pour le garçon : le regard de Veronica était si convaincant que j'avais eu envie de faire la même chose.

Elle laissa tomber son bras sur l'oreiller.

— Désolée, Jacopo. Je vais devoir me reposer. Cette pose est vraiment fatigante.

Jacopo hocha la tête d'un air compréhensif.

— Bien sûr, ma chère. Quinze minutes, tout le monde !

Chacun se dispersa. Veronica enfila sa robe et vint à ma rencontre.

— Te sens-tu bien seul depuis que tes compagnons sont partis, Richard ?

C'était tout à fait son approche, indiscrète et provocante.

— La présence ou l'absence de mes compagnons, pour moi, n'altère en rien le désir de te voir, Veronica.

J'avais l'impression d'être de retour à la cour anglaise, parmi les courtisans et leurs jeux d'esprit. Elle sourit, sachant bien qu'il ne s'agissait que d'une boutade, mais aussi qu'elle n'avait qu'à insister un peu pour que je la prenne au sérieux. Je décidai de tenter ma chance :

— Le festival de Saint-Marc se tient la semaine prochaine. Te plairait-il de m'accompagner aux festivités sur la piazza ?

Une ombre passa sur son visage.

— C'est très gentil de ta part, Richard, mais j'ai déjà reçu une invitation d'un des membres du Conseil des Dix. Nous marcherons en tête de la procession.

Elle dut remarquer ma déception, car elle s'empressa de poursuivre :

— C'est un vieil ami, depuis l'enfance. Ce sera un défilé très traditionnel, plein de cérémonie, largement organisé à l'intention des familles du *Libro d'Oro*.

J'étais gêné d'avoir même songé à lui proposer. Comment avais-je pu me permettre, moi, un visiteur fraîchement débarqué à Venise, de l'inviter à l'une des fêtes les plus prestigieuses de l'année, elle qui vivait ici depuis sa naissance ? Je cherchai quelque chose à dire pour changer de sujet.

— As-tu eu l'occasion d'enquêter un peu sur l'affaire dont je t'ai parlé ?

Toujours la discrétion même, elle me prit le bras et m'entraîna dans la cour, où nous nous assîmes à la petite table. Instinctivement, je levai les yeux vers le treillis de bois sculpté, mais aucun mouvement ne transparut au travers.

— Donc, as-tu réussi à apprendre quoi que ce soit au sujet de Faustina Contarini ?

Veronica ajusta sa robe et s'installa sur sa chaise.

— C'est une fille bien née, très bien née. Elle descend du rameau Porta di Ferro de la famille Contarini ; leur palais est sis dans Castello. La fortune de la famille s'est bel et bien effondrée : son père a perdu quatre navires cette saison.

— Aucune aide n'est à attendre des autres rameaux de la famille ?

Elle haussa les épaules, ne sachant trop que répondre.

— Ce n'est pas exclu, mais il faut dire que ce sont de grands rivaux. Le rameau dei Cavalli a la réputation de se suffire à lui-même. Les autres sont peut-être disposés à aider. Mais verser une rente à ta nonne ne doit pas trôner au sommet de leurs priorités.

Veronica s'arrêta, comme si elle attendait quelqu'un, puis elle poursuivit.

— On dit qu'elle est douée – bien éduquée, polyglotte, musicienne ; elle se charge également de la comptabilité du couvent, une position importante qui comporte de lourdes responsabilités. Étant donné sa situation remarquable pour son jeune âge, il est probable qu'elle ait attiré la jalousie de ses consœurs plus âgées. Or, si son allocation et son grade lui étaient retirés, elles pourraient chercher à se venger.

— Pourquoi le voudraient-elles ?

Elle fit la moue, présentant la lèvre inférieure. J'avais remarqué ce tic chez elle, lorsqu'il lui fallait du temps pour réfléchir.

— Il se peut qu'elle n'ait rien fait, que tout cela soit le résultat de chamailleries entre les familles. Ce sont des choses qui arrivent.

— Elle a parlé d'un risque, d'un danger qui la guettait.

Veronica se pencha en avant. Elle se mit à chuchoter :

— Il y a des rumeurs d'abus qui circulent, concernant les jeunes nonnes de Sant' Alvise. On dit que les plus âgées leur imposent la discipline pour... leur assouvissement personnel.

Veronica hocha la tête comme pour souligner ce qu'elle venait de dire.

— Veux-tu dire ?...

— Oui, le plaisir sexuel. Ces choses arrivent plus souvent que les couvents veulent bien le reconnaître. Dans certains cas, il s'agit simplement d'amitiés particulières entre religieuses, mais on dit parfois que les sœurs autoritaires ont tendance à s'en prendre aux plus jeunes.

Je commençais à me scandaliser de toute cette injustice.

— Ne peut-on pas simplement la sortir de là pour la mettre à l'abri ?

— Il se peut que nous soyons en mesure de retirer cette jeune fille du couvent : sans moyens financiers, elle constitue un fardeau pour sa communauté. Mais ils peuvent négocier âprement s'ils se doutent que tu es prêt à payer. Il ne faut pas non plus oublier la famille. Au milieu de toute cette débâcle, ils ne souhaitent pas la voir sortir et exposer son histoire au grand jour. Et puis, la faire sortir ne règle pas tout : il faut décider de ce qu'elle fera par la suite.

— Il doit y avoir quelque chose...

Veronica posa sa main sur mon bras, comme pour me calmer.

— Ce ne sera pas facile. En gros, trois choix s'offrent à toi : un, l'oublier complètement ; deux, parrainer ses activités

LES FILLES DU DOGE

dans une nouvelle carrière, en acceptant que sa famille puisse te mettre des bâtons dans les roues ; trois, l'épouser, sachant qu'elle n'a pas de dot et que sa famille s'opposera presque certainement à un mariage en dehors de la noblesse vénitienne. Je ne vois aucune autre solution, dans cette société fermée que l'on appelle la « république ». Tu ne peux pas simplement la sortir du couvent et la jeter en pâture au reste du monde.

Veronica leva de nouveau la tête, et cette fois, je compris pourquoi.

Derrière elle, une jeune fille mince, à la peau foncée, apparut dans l'embrasure de la porte qui se trouvait face à moi. C'était l'endroit où j'avais décelé un mouvement lors de mes visites précédentes. À présent, la jeune femme (j'étais sûr qu'il s'agissait de la même personne) s'était montrée et s'avançait vers nous avec prudence, portant un plateau et deux verres remplis d'un liquide fumant.

Elle marcha jusqu'à nous la tête basse. Était-ce par timidité, ou pour garder les yeux sur le plateau afin que les verres ne glissent pas ? Je n'aurais su le dire. Elle se pencha devant notre table et y déposa le plateau. Les deux verres contenaient une sorte d'infusion sucrée exhalant un délicieux arôme.

Veronica sourit.

— Merci, Yasmine.

Lentement, très lentement, la jeune femme leva le regard vers moi. Fasciné, j'observai et j'attendis, le temps que se soulèvent de longs cils noirs, découvrant ses yeux profonds, couleur terre d'ombre et rouge vénitien.

Elle n'osait pas me regarder dans les yeux et semblait concentrée sur mon menton. Pendant un instant je crus que j'avais oublié de me raser, et me touchai le visage avec appréhension. Je vis poindre l'ombre d'un sourire sur ses lèvres sombres, après quoi, timidement, elle leva enfin les yeux et regarda dans les miens.

Instantanément, je me sentis comme vide, mes entrailles devenant rigides et résonnant comme un tambour. J'avais l'impression qu'elle pouvait voir à travers moi et je ressentis une sorte de gêne que je n'avais plus connue depuis l'enfance. Je devins étrangement conscient de mes propres mouvements, comme si mon corps jouait dans une pièce de théâtre dont j'étais le spectateur.

Sans me quitter des yeux, elle souleva l'un des verres et le tendit vers moi, prête à le déposer soigneusement sur la table. Ne voulant pas qu'elle me serve, je tendis aussitôt la main pour l'aider. Lorsqu'elle déposa le verre sur la table, ma main rencontra la sienne. Brusquement, comme si mon contact avait été plus chaud que l'infusion qu'elle nous servait, elle retira vivement la sienne.

Doucement, je tendis le bras et lui pris de nouveau la main. Cette fois, elle ne tressaillit pas, et me laissa faire. Ses doigts n'étaient pas brûlants, comme je m'y attendais, mais plutôt froids. Je les tins tout doucement dans ma main et les serrai délicatement.

— Bonjour. Mon nom est Richard Stocker. Je ne voulais pas vous faire peur.

Mes pensées se bousculaient, mais déjà je ne savais plus quoi dire.

— Je m'appelle Yasmine. Voici du thé à la menthe, un produit d'Orient. J'espère que cela vous plaira.

Elle eut le sourire le plus timide qui soit, tourna les talons et disparut.

Je restai assis face à la porte vide qu'elle venait de passer, espérant en vain son retour.

— Jolie, n'est-ce pas?

Je ramenai distraitement les yeux sur Veronica.

— Quoi?

— J'ai dit : jolie, n'est-ce pas?

Veronica rit de bon cœur en me voyant assis là, bouche bée. J'avais toujours l'esprit absent.

— Oui, très. Qui est-ce?

Veronica attendit patiemment que je reporte mes yeux sur elle pour de bon.

— C'est Yasmine Ahmed. Son père est un marchand d'épices et sa mère est morte lorsqu'elle était enfant. Elle travaille ici. Jacopo dit qu'elle est sa comptable, mais c'est en vérité sa gérante : elle dirige les affaires de la *bottega*. Mais méfie-toi. Les apprentis la considèrent comme une sœur et se montrent très protecteurs à son endroit.

Veronica prit une gorgée de thé à la menthe. Je fis de même, jetant un regard songeur vers la porte de l'autre côté de la cour. Nous vidâmes nos verres en silence, et j'entendis la voix de Jacopo à l'intérieur nous appelant à reprendre.

Nous nous dirigeâmes vers la porte de l'atelier, Veronica en tête et affichant un large sourire.

— Je me disais bien qu'elle te plairait.

Chapitre 52

25 avril 1556
Festival de Saint-Marc, sur la piazza San Marco

La place Saint-Marc fourmillait de monde. Les édifices avaient été nettoyés pour l'occasion et brillaient dans l'air frais du matin. Certaines gens semblaient également avoir fait leur toilette annuelle, et chacun ayant revêtu ses plus beaux atours, l'odeur de la foule en devenait presque supportable. Sous les arcades tout autour de la place, une armée de colporteurs vendait de la nourriture et des boissons, nombre d'entre eux faisant cuire leurs marchandises dans des bassins de métal. Un vent frais soufflait sur la piazza, et la plupart du temps, l'arôme des épices, l'odeur de viande et de poisson grillés venaient à bout des effluves nauséabonds qui émanaient du peuple ; mais de temps à autre, le vent tournait, et maints d'entre nous portaient machinalement la main aux narines.

Cette foule n'était pas des plus paisibles. Partout on sentait un air de fête : le vin coulait librement, gracieuseté du Consiglio, et tout ce beau monde ne cessait de jacasser comme une bande de singes en cage, déterminé à ne pas se laisser éclipser par l'arrivée des processions. Cette faune bigarrée arborait d'ailleurs toutes les couleurs imaginables, du moins celles que les *tintori* trouvaient moyen de faire apparaître dans leurs grandes cuves de teinture.

J'avais déniché une bonne place sur une tribune, et bien que je fusse à trois ou quatre rangées derrière, ma taille me permettait de voir au-dessus des têtes alignées devant moi.

Comme il seyait à la ville flottante, il y avait autant d'animation sur mer que sur terre. Des milliers de petits bateaux parsemaient la lagune, et quiconque espérait louer une gondole à la dernière minute pour se joindre aux festivités ne pouvait manquer d'être déçu. Les embarcations étaient si nombreuses que tout le bassin entre l'île de San Giorgio Maggiore et les colonnes de granit de la piazzetta était devenu infranchissable.

Même sur l'eau, la suprématie des classes dirigeantes marquait les cérémonies. Les *navi* ou navires marchands avaient été relégués aux mouillages les plus éloignés, et le secteur était entouré par les *galee* de la marine vénitienne. À l'intérieur de ce demi-cercle, les préséances avaient cours, les gondoles cédant graduellement la place aux barges de la noblesse, plus larges et plus plates. Très décoratives et fort encombrantes, ces embarcations, d'ordinaire réservées aux grandes fêtes publiques, étaient surmontées de baldaquins à poutres dorées, ornés de rideaux cramoisis, et manœuvrées par des laquais vêtus d'argent et de brocart.

Tout ce cérémonial rappelait l'activité frénétique d'une ruche, chaque embarcation se tortillant de côté et d'autre dans l'intention de se frayer un chemin à travers la mêlée. Puis la reine des abeilles arriva sous la forme du *Bucintoro*, la galère cérémoniale du doge. Il s'agissait d'une grande structure de deux étages (trois sur le château de poupe), incrustée d'or, et pourvue d'une quinzaine de rameurs de chaque bord. Lorsqu'elle fendit les flots du bassin grouillant, les embarcations plus modestes parurent se fondre sur les côtés, et au fur et à mesure qu'elle s'approcha de nous, nous en comprîmes la raison. L'avant de cette grande galère était construit à la manière des navires de guerre, avec une immense proue en fer de lance qui eût éventré tout navire se trouvant malencontreusement sur son chemin.

Le *Bucintoro* s'avança vers la rive, suivi des plus petits vaisseaux de la noblesse, dans un ordre de préséance bien établi entre les familles. Le grand bâtiment, mené avec aisance par d'experts bateliers, vint embrasser délicatement la rive, en un seul mouvement coordonné, directement entre les deux piliers de granit. Comme le grand navire touchait terre, le doge se tint debout et leva son bonnet de cérémonie. À ce signal, les spectateurs assis se levèrent et le doge conduisit les nobles à travers la piazza jusqu'à l'estrade érigée spécialement pour l'occasion.

C'était, à n'en pas douter, un spectacle grandiose, une parfaite illustration des mœurs de la glorieuse cité de Venise. Je passai des moments fort agréables, observant la procession, soulevé par les acclamations de la foule. Pourquoi, me demandai-je, Veronica avait-elle cherché à me dissuader de venir ?

Quelques minutes plus tard, je sus la réponse.

Le doge passa à seulement quelques pas devant, si près de moi que je pus voir encore une fois son vieux visage fatigué et la franche détermination de son regard. Derrière lui, mais à distance respectueuse, vinrent les membres du Conseil des Dix, accompagnés de leurs épouses. Ils furent suivis à leur tour des ambassadeurs et des hauts fonctionnaires, avant que le reste des patriciens ne s'avance jusqu'à leur position réservée.

Je le vis, lui, avant de l'apercevoir, elle.

Parmi ce champ d'or et d'argent, ses habits écarlates rutilaient au soleil, sollicitant toute mon attention. Il était là, à quelques pas devant moi, le gros cardinal de l'atelier du Titien, marchant le nez en l'air, supérieur, infatué, extraordinairement bigot. Et cette main grassouillette, recouverte d'anneaux, qu'il levait dans les airs avec une telle assurance, qui se trouvait là pour la tenir, sinon Veronica Franco elle-même, vêtue de brocart d'argent de la tête aux pieds, si brillante au soleil qu'elle semblait la blancheur même !

Je cessai d'applaudir et les regardai passer en silence, inconscients de ma présence. Le rouge et le blanc argenté se complétaient à la perfection, respirant l'élégance et la noblesse. Mais soudainement, je perçus tout ce spectacle d'un autre œil.

Je vis une mascarade, un artifice, mis en place pour l'amusement des foules et pour leur rappeler leur modeste place dans ce monde stratifié, tout en montrant aux étrangers que la puissance de la république demeurait intacte.

À mes côtés, une enfant se mit à crier. Elle ne devait pas avoir plus de dix ans et avait revêtue sa plus belle toilette pour l'occasion. On comprit bientôt qu'elle tripotait un anneau dans sa main et que, dans l'énervement, elle l'avait laissé tomber par terre. Son père la réprimanda avec colère et je vis la crainte qui passa sur son visage lorsqu'elle baissa les yeux d'un air désespéré pour regarder entre les planches de notre tribune, où l'anneau s'était glissé.

— Ne t'inquiète pas, je vais essayer de le retrouver. De quelle couleur est-il ? lui demandai-je.

— Il est rouge, d'un rouge profond, de couleur rubis, entouré d'or. C'est l'anneau de ma grand-mère.

La fillette était affolée.

Patiemment, je me frayai un chemin jusqu'à l'arrière de la foule et descendis de la tribune afin de pouvoir me glisser en dessous. Les dalles de la piazza venaient d'être brossées et nettoyées, mais c'était sans compter les débris de nourriture que laissaient tomber les gens perchés au-dessus. Je tentai de retrouver ma place sous les gradins, vers la robe verte qui dénotait la position de l'enfant, et inspectai les dalles du pavé. L'anneau gisait là, indemne, et je le ramassai. Me relevant à moitié, car la hauteur des gradins ne me permettait pas d'être debout, je fis signe à la petite en lui donnant une tape à la cheville. Elle sursauta, puis se pencha vers moi, saisissant l'anneau avec gratitude et le passant à son doigt. Elle me remercia d'un signe de la main et je pus voir son soulagement tandis qu'elle montrait l'anneau à son père.

Je rebroussai chemin jusqu'au fond de la tribune, où il était possible de se tenir debout. C'était semblable à une visite des bas-fonds de Venise. Comme les ouvriers qui passaient leur vie à construire des bateaux à l'Arsenal, les gondoliers maniant leurs rames, les pêcheurs bravant les tempêtes hivernales sur la lagune, et les enfonceurs de pilotis dont le travail incessant jetait les bases concrètes sur lesquelles les *fondamente* et les édifices de la ville pouvaient être érigés, je faisais partie, en cet instant, de ce monde à part qui soutenait tout ce qui se trouvait au-dessus de lui.

Je songeai aux femmes de ce monde-là : aux prostituées cachées dans les alcôves des nobles et des marchands qui régnaient en maîtres sur cette ville, aux religieuses enfermées par ces mêmes nobles afin de préserver le fragile équilibre de leur société hautement hiérarchisée. La plupart d'entre elles étaient venues au monde dans le confort de cette vie privilégiée, avant de glisser un beau jour jusque dans les bas-fonds. Combien d'entre elles, me demandai-je, seraient réhabilitées pour revoir un jour la lumière ?

J'escaladai avec raideur la forêt de perches dressées sous l'échafaudage et me tins derrière la tribune. La procession semblait terminée, car la foule se dispersait et les gens affluaient tout autour de moi. Je me tins à l'écart, hors de leur chemin, essuyant les salissures de mes vêtements et me sentant quelque peu malpropre et exclu.

J'entendis près de moi des accents étrangers, et vis une femme sombre et mince passer à mes côtés, discutant avec un homme qui la tenait par le bras. L'homme avait lui aussi le teint bistre, un grand nez crochu, et il serrait le bras de cette femme comme si elle lui appartenait. En un instant j'imaginai ce tableau : un vieil homme, probablement assez aisé après des années de travail acharné, cherchant réconfort dans les bras d'une jolie femme trois fois plus jeune que lui.

Comme ils s'éloignaient, elle se tourna de côté et je reconnus immédiatement son profil. C'était Yasmine. Cela, j'en avais l'absolue certitude ; mais je ne comprenais pas du tout ce qu'elle faisait avec cet homme si possessif. J'hésitai. Ils disparurent au détour d'un édifice et se perdirent de nouveau dans la foule.

La journée s'achevait. Je conservais le souvenir douloureux de Veronica flanquée du gros cardinal, apparemment tout aussi confortable dans cette strate de la société qu'elle l'avait été parmi les vulgaires prostituées, sur les ponts chevauchant les canaux.

Et qu'en était-il de Yasmine ? Était-elle, elle aussi, le joujou d'un marchand bien nanti ? Si tel était le cas, comment avait-elle pu surgir dans l'atelier du Tintoret en qualité de gérante, comme Veronica l'affirmait ? Cela n'avait aucun sens, sauf si elle menait une double vie. Profondément troublé à cette idée, je rentrai à la maison le cœur lourd.

Chapitre 53

26 avril 1556
Fondamenta della Sensa

— Ainsi donc, c'est cette maison que vous avez choisie ?

Edward Courtenay, comte de Devon, et le docteur Thomas Marwood terminaient leur visite d'inspection, le comte tenant ses gants de voyage dans une main comme s'il pensait s'en servir pour balayer la poussière. Je m'attendais à des reproches, mais à ma grande surprise, il n'y en eut aucun.

Ils étaient arrivés en fin de matinée, ayant quitté Padoue à l'aube et parcouru tout le trajet par barge. La marée les avait bien servis et ils avaient pu manœuvrer leur barge jusque sur la Fondamenta, tout juste devant la maison. De cette manière, toutes leurs affaires avaient été débarquées dans l'heure et le batelier fut renvoyé à Padoue par la même marée.

Courtenay se montrait remarquablement enjoué. À son arrivée, il m'avait interrogé sur notre situation exacte par rapport au Grand Canal et au Rialto. Sachant bien ce qui le tracassait vraiment, j'avais souligné la proximité de la maison de Veronica, et la conversation avait immédiatement dérivé vers un autre sujet. Je lui montrai les appartements que j'avais choisis pour lui et les chambres plus modestes qui restaient pour Thomas, moi-même et les domestiques.

Il visita ses appartements, se convainquit d'être en mesure d'y recevoir des personnages importants sans se déshonorer, et s'en montra de nouveau satisfait.

Thomas, pendant ce temps, se contenta de ranger ses affaires dans sa chambre et partit en quête de l'itinéraire le plus simple pour se rendre à l'Oratorio.

— Richard, au sujet du portrait...

Courtenay m'avait appelé dans ses appartements, déjà encombrés de coffres à moitié vidés.

— J'ai pris connaissance de toute la correspondance privée qui nous est parvenue pendant notre absence et que vous avez eu la gentillesse d'apporter ici avec vous. L'une des lettres nous vient du cardinal Pole. Il nous informe des événements qui ont eu lieu en Angleterre et me dit que sept autres hérétiques viennent d'être brûlés pour leurs croyances ; aussi que l'archevêque Cranmer lui-même est monté sur le bûcher le 21 mars, ayant publiquement nié sa prétendue abjuration sur l'échafaud, disant qu'il s'agissait d'une invention des moines espagnols de Philippe II. Bien que je sois ardemment catholique, l'idée de voir l'Inquisition espagnole s'insinuer dans la société anglaise m'inquiète au plus haut point, Richard. Il y a d'autres Anglais qui pensent comme moi, je le sais. Des complots existent bel et bien contre la reine Marie et Philippe d'Espagne.

Il me fixa d'un air scrutateur.

— Vraiment ? m'écriai-je, feignant la consternation. C'est donc que notre pays est en proie à de grands troubles.

Il poursuivit dans la même veine. Je ne semblais pas visé par ses remarques.

— J'en ai bien peur. Selon mes correspondants, bon nombre de conspirateurs ont été enfermés à la Tour le 28 mars. J'imagine qu'il n'aura pas fallu beaucoup de temps pour leur extirper ce qu'ils croient être la «vérité», au grand profit de la reine, de l'Église et de la nation...

Je continuai à jouer les innocents, et comme prévu, il commença bientôt à s'ennuyer et changea de sujet.

— Mais parlons de choses plus heureuses.

Le comte sortit une petite boîte de laquelle il retira un médaillon de bronze de la taille d'une pièce de monnaie.

— Le duc Ercole a commandé à son artiste cette représentation de moi. Elle est honnête, vous ne croyez pas?

Je supposai qu'en disant «honnête», il entendait «flatteuse», et comme il me remettait le médaillon, j'étais bien certain d'être placé devant un Adonis; mais encore une fois mes attentes furent déjouées. Le profil montrait à quel point le comte avait engraissé au cours des dernières années. Sa barbe était joliment taillée suivant la nouvelle mode.

— Il s'agit, comme vous dites, d'une représentation honnête, Votre Grâce.

Lui rendant son médaillon, je lui posai la seule question qui m'intéressait.

— Et qu'adviendra-t-il du portrait du Tintoret, Votre Grâce?

— C'est là ce dont je voulais vous parler, Richard. Ce médaillon m'a confirmé que mon profil se prête très bien à l'art du portrait. En même temps, la situation qui a cours en Angleterre m'a convaincu que mon avenir se trouve ici, sur le continent européen. Le duc Ercole a tenté quelques manœuvres de la part de la cour de France, mais je ne suis pas assez stupide pour m'y laisser prendre. La France a trop longtemps été une ennemie pour devenir à présent mon salut. Non. Tout bien considéré, je vais me résigner à rester ici, et quelle manière plus agréable de consolider ma position que d'épouser quelqu'un de bonne famille et de me vouer au bonheur conjugal avec une bonne épouse à mes côtés ?

Je hochai la tête sans grand enthousiasme. Il poursuivit néanmoins :

— Je crois qu'une telle éventualité ne saurait tarder. Une certaine dame de ma connaissance, ici même à Venise, m'a témoigné beaucoup de… comment dire ?… d'*encouragement*. Oui, c'est cela. De l'encouragement. Je crois que je puis encore obtenir sa main si je m'y applique avec diligence. Elle possède un certain nombre de, euh… *qualités* qui ne peuvent qu'encourager un comte anglais. Vous ne pensez pas ?

De même qu'un cardinal vénitien. Je réussis à taire ces mots avant qu'ils s'échappent de ma bouche. Au lieu de cela, je lui offris un sourire complice d'homme à homme.

— En effet.

C'était la réponse d'un courtisan, laquelle n'en était pas moins utile.

— Et le portrait ?

Je me demandais s'il allait finir par en venir au fait.

— L'affaire est désormais plus urgente que jamais.

— Voulez-vous que je reprenne les discussions avec le Tintoret ?

— Non.

Mon cœur se serra. J'aurais dû m'en douter : encore une volte-face. Qu'allait-il me sortir cette fois-là ? Faudrait-il s'adresser au Titien ?

— Non pas seulement reprendre la discussion, Richard, mais la hâter. Toute cette histoire piétine depuis bien trop longtemps. Ce Tintoret est peut-être un bon peintre, mais pour lui, le temps ne compte pas. Je voudrais que vous me confirmiez que les séances de pose commenceront dans un avenir très rapproché. Entre-temps, il faudra que je m'entretienne avec cette dame afin d'apprendre, en toute discrétion bien sûr, quelles sont ses couleurs préférées. Je n'aurai peut-être qu'une seule chance de lui plaire : il ne faut donc rien laisser au hasard.

Je pris congé de lui et partis à la recherche de Thomas. Je le trouvai assis dehors, bavardant avec Pietro, lequel, par une curieuse coïncidence, avait décidé de venir pêcher ce jour-là juste devant notre porte.

— La vase soulevée par votre barge a attiré les poissons.

Pietro avait toujours une excuse toute prête. Je me demandai s'il y aurait du travail pour lui dans les services diplomatiques, car il montrait un flair naturel pour ce genre de choses.

— Comment va la livraison du pain ? De nouvelles commandes ces temps-ci ?

Pietro me dévisagea de ses yeux vifs. Il y avait longtemps qu'il était au courant des messages qui circulaient entre sœur Faustina et moi par l'intermédiaire de ses frères et de Hieronimo. Lui-même s'était chargé quelques fois de la livraison du pain à Sant' Alvise. Je lui faisais confiance, mais seulement pour de petites choses. Il nous considéra chacun notre tour et perçut immédiatement le regard inquisiteur de Thomas.

— Je ne suis pas sûr. Il faudrait que j'aille demander à mon père.

Il se tourna vers Thomas.

— Voulez-vous surveiller ma canne et mon panier ?

Je le vis courir le long de la Fondamenta jusqu'à la trattoria.

— Qu'est-ce que tout cela signifie ?

Thomas le regarda pénétrer dans l'établissement de son père.

— Il fait des commissions pour moi. Sa famille envoie du pain au couvent où se trouve ma nonne. Nous échangeons des messages par le biais des garçons de livraison.

Thomas se gratta le crâne, tout sourire.

— Toi et tes intrigues. Et il y a toujours une femme impliquée. Y en a-t-il eu d'autres qui sont entrées dans ta vie depuis la dernière fois que nous nous sommes vus ?

Je songeai à Yasmine tout en observant Thomas. À vrai dire, elle n'était pas vraiment « entrée dans ma vie », au sens où il l'entendait ; mais au sens où elle figurait souvent dans mes rêveries (et dans mes rêves également), son rôle n'était pas moins important que celui des autres femmes que je côtoyais.

— C'est bien possible, oui.

Il me vit hésiter et flaira des complications.

— Quel est le problème, cette fois-ci ? Ne me dis pas qu'elle est catholique ?

Je fixai l'autre côté du canal d'un regard absent.

— Je n'en suis pas sûr, mais je pense qu'elle est peut-être arabe, et qu'elle partage leur foi.

Thomas regarda lui aussi le mur d'en face. Il nous arrivait d'agir ainsi lorsque la discussion devenait trop difficile ou trop personnelle. Nous évitions le regard de l'autre, tout en appréciant le silence qui s'immisçait entre chacune de nos réponses.

— Tu ne te facilites pas les choses, pas vrai ? J'imagine qu'elle n'est pas mariée ?

Je gardai les yeux sur les façades ocreuses de l'autre côté du canal.

— Qu'est-ce que tu entends par là ?

Sa réplique fut immédiate.

— Que ça ne t'a pas empêché de passer aux actes, par le passé.

— Ce n'était pas la même chose. Lady Frances m'a couru après.

Thomas s'allongea paresseusement. Parfois, ce genre de conversation était fructueux.

— Alors, tu avoues que tu cours après celle-ci ?

Je commençais à trouver ses remarques agaçantes, et même déplacées.

— Je n'avoue rien, Thomas. Je n'ai rencontré cette fille qu'une seule fois et nous nous sommes à peine adressé la parole. Je ne sais pas si j'aurai la chance de «courir après», mais je te dirai une chose : si une telle chance existe, alors c'est du sérieux.

— As-tu songé à ton retour en Angleterre ? Es-tu parvenu à une conclusion ?

Je considérai ma réponse.

— Oui, mais je n'ai rien décidé pour l'instant. Je crois que mon avenir se trouve ici, du moins pour les quelques prochaines années, mais je n'en vois pas très bien la teneur exacte, à ce moment-ci.

— Et la médecine ? À Padoue ?

Je me redressai sur mon séant pour lui faire face.

— Oui, Thomas. Je pense que la médecine jouera un très grand rôle, mais en ce moment il y a trop de facteurs d'incertitude dans ma vie.

— Une religieuse de noble lignée, une courtisane de l'aristocratie et une musulmane. Le choix n'est pas aisé. *Facteurs d'incertitude*, je ne te le fais pas dire.

Je m'adossai contre la chaleur du mur.

— S'il s'agit d'un choix, c'en est un que je devrai faire moi-même, Thomas. En attendant, je te serais reconnaissant de t'abstenir de remarques désobligeantes à l'endroit de ces femmes pour qui j'ai beaucoup de sympathie et de respect.

Je sentis une ombre passer sur mon visage et m'aperçus que Thomas s'était levé et se tenait debout devant moi. J'ouvris les yeux et vis sa main tendue.

— Je suis désolé. Je n'avais pas compris à quel point tout cela était sérieux pour toi. Je retire tout ce que j'ai dit, et je m'en excuse.

Je restai assis et me contentai de sourire. Combien de personnes de ma connaissance avaient la force de caractère dont il venait de faire preuve ?

— Thomas, tu es vraiment mon plus grand ami. Et je suis ton plus grand admirateur. Le débat est clos.

Je promenai de nouveau les yeux le long du canal, mes pensées fluctuant comme l'eau au gré des marées. Ma discussion avec Thomas était peut-être terminée, mais il avait raison : les trois femmes qui occupaient désormais tant de place dans ma vie me plaçaient devant un dilemme des plus complexes.

Chapitre 54

27 avril 1556
Fondamenta dei Mori

Je ne perdis pas de temps. Tôt le lendemain, j'entrepris la courte promenade qui séparait notre nouvelle maison de l'atelier du Tintoret, longeant le bord des canaux. Je le surpris en train d'ouvrir la boutique, et tandis que je lui prêtais main-forte avec les volets du studio, je lui appris la bonne nouvelle. Elle sembla lui faire plaisir, mais il ne se montra nullement pressé de faire les arrangements.

— C'est Yasmine qui s'occupe de l'agenda des séances. Je crois que vous l'avez rencontrée l'autre jour, avec Veronica ?

Je lui confirmai cela, remarquant que notre rencontre avait été très brève.

— Eh bien, ce sera pour vous la chance de faire plus ample connaissance. Yasmine est une perle ; sans elle, je n'irais nulle part. Elle n'avait que quatorze ans lorsqu'elle s'est présentée à moi pour du travail. Ce qu'elle pouvait être timide ! Mais même alors j'ai su reconnaître son potentiel. Son sens de l'organisation est extraordinaire ; ma tête exploserait si j'essayais de retenir les milliers de choses dont elle se souvient : les dates, les types de pose, les accessoires, les vêtements, tout ! Il y a longtemps que je ne fais plus confiance aux modèles. À l'exception de Veronica, qui est fiable, elles peuvent tout aussi bien revêtir une robe verte une journée, puis une rouge le lendemain, pour le même tableau! Mais Yasmine s'occupe maintenant de la garde-robe et tout le monde sait où l'on en est. Elle sera ici dans une demi-heure : elle aime bien prendre le déjeuner avec son père avant d'arriver au travail. Ils vivent tout près d'ici, dans la rue, à seulement quelques maisons. On ne l'appelle pas Fondamenta dei Mori pour rien. Les rives de ce canal accueillent la population maure de la ville depuis maintenant plus d'un siècle. Quand j'ai décidé d'ouvrir ma boutique à Venise, je suis venu ici à cause du prix des loyers, mais désormais je n'irais plus vivre ailleurs. Le coin est tranquille, l'éclairage est bon et les voisins sont aimables.

Nous terminâmes les préparatifs de la journée avec l'aide des apprentis qui arrivaient un à un. J'assistais dorénavant aux cours de dessin et de peinture quatre à cinq jours par semaine, et j'avais désormais l'impression de faire partie de la famille. J'offrais souvent à Jacopo de lui payer les cours, mais chaque fois il refusait.

— Quand vous commencerez à peindre, vous paierez pour les fournitures ; mais pour l'instant, votre amitié m'est aussi précieuse que le papier et le fusain dont vous vous servez.

Il disait cela de façon condescendante, comme si tout cela ne valait rien à ses yeux ; mais je savais néanmoins qu'il s'était pris d'amitié pour moi. Il m'avait fait une place parmi les siens, et ceux-ci m'avaient si bien accueilli que le studio était devenu, à mes yeux, un second foyer, plus important même que le logis que je partageais avec Thomas et le comte. En retour, je me rendais utile à l'atelier : je posais chaque fois que le peintre avait besoin de moi, et je travaillais du mieux que je le pouvais afin de satisfaire les espérances qu'il pouvait entretenir à mon égard en tant qu'artiste.

Je songeai à ce nouveau sentiment d'appartenance en m'asseyant à mon pupitre, prêt à commencer l'étude de la journée : un buste de marbre reproduit à partir d'un original romain, savamment éclairé afin d'accentuer le jeu de la lumière et des ombres. Thomas m'avait dit qu'il ressentait la même chose à l'égard de la communauté de l'Oratorio dei Crociferi où il passait désormais le plus clair de son temps. Ainsi nous étions deux à avoir déserté le logis, comme étouffés par la présence constante de Edward Courtenay qu'il nous fallait côtoyer jour après jour. Mais tandis que nous avions tous deux échappé à cet emprisonnement, ayant chacun trouvé quelque chose de stimulant à faire afin d'occuper nos journées, Courtenay n'avait toujours rien déniché, du moins à notre connaissance.

— Excusez-moi, Richard, mais Yasmine m'a demandé de vous dire qu'elle est prête à vous recevoir quand vous serez libre.

Le petit Augustino, le cadet des apprentis, d'une timidité parfois maladive, me donna une tape sur l'épaule. Je levai les yeux, me demandant si j'allais quitter ma place tout de suite ou si je ferais mieux d'attendre que le cours soit terminé. Jacopo, voyant mon hésitation, pencha la tête de côté d'un geste vif, comme pour dire : « Allez, ouste ! »

Je sortis dans la cour intérieure où se trouvait la petite table, mais ne voyant aucun signe d'elle, je me dirigeai vers la porte près du treillis de bois sculpté qui m'avait toujours paru si mystérieux. Je frappai doucement. Déjà je me sentais jouer un rôle, celui de Richard Stocker, gentleman anglais, convenable et honnête, aimable et attentionné : tout ce qu'une jolie jeune femme arabe voudrait qu'il soit.

— Je vous en prie, entrez et asseyez-vous.

Dans son bureau, elle semblait plus confiante qu'elle ne l'avait été lors de notre première rencontre, quoique encore un peu timide.

— Je suis venu vous voir au sujet du portrait pour le comte de Devon. Il est impatient de commencer à poser et Jacopo me dit que c'est à vous qu'il faut s'adresser.

Elle sourit, et pour la première fois ce jour-là me regarda dans les yeux. Je sentis son regard me pénétrer, comme en quête de quelque défaut ou faiblesse, de quelque chose de caché et de désagréable qui lui ferait détourner les yeux.

— Ceci est mon agenda de séances. Croyez-vous que le comte aimerait mieux poser ici, à l'atelier, ou bien chez lui ?

Pendant un instant je fus soulagé, sentant son attention se détourner de moi, bien qu'elle maintînt son regard.

— Il préfère habituellement qu'on lui rende visite. Cela le met plus à l'aise. L'éclairage est plutôt bon dans ses appartements, et je pense que cela ne causera aucune difficulté.

Elle sourit de nouveau. C'était comme si les volets du studio venaient de s'ouvrir pour laisser pénétrer plus de lumière.

— La plupart de nos clients préfèrent cela. Plus leur position est élevée, plus ils tendent à s'accrocher aux endroits qui leur sont familiers.

— Y a-t-il des exceptions ?

Elle réfléchit, ses longs cils balayant ses yeux comme le plumage d'un paon, avant de laisser paraître de nouveau l'éclat brun roussâtre de ses prunelles.

— Les explorateurs, les soldats…

Elle me regarda, comme si elle cherchait en moi une inspiration, et pour la première fois je sentis mon énergie se concentrer sur elle.

— Ceux que l'on mesure à leurs réalisations et non à leur titre ou à leur fonction ?

Elle rit, l'air ravie de me trouver sympathique à ses idées.

— Oui, exactement. Des hommes d'action, pourrait-on dire.

— Des gens qui *font* et non qui se contentent d'*être* ?

De nouveau, elle éclata de rire, plus fort cette fois, et de façon plus détendue.

— J'aime ça.

Comme pour m'en convaincre, elle posa sa main sur la mienne, et je la serrai avec ardeur.

Nous restâmes ainsi quelques instants, comme figés, incapables de briser ce lien qui s'était formé spontanément entre nous.

— L'agenda…, finit-elle par dire.

— Quoi ?

— Il me faut cette main pour tourner les pages de l'agenda.

Je laissai sa main à contrecœur.

— Cette semaine, nous sommes pris, mais le maestro peut vous visiter la semaine prochaine, soit le mardi, le jeudi ou le vendredi, dans l'après-midi. Il préfère travailler dans son atelier le matin. Habitez-vous loin ?

— Juste au bout du canal, sur la Fondamenta della Sensa, à trois cents pas d'ici à peu près.

— Cela lui conviendra très bien, j'en suis certaine. Voulez-vous en parler à votre comte et revenir me voir ?

— Toujours.

Je crus qu'elle allait se moquer d'une réplique aussi bassement sentimentale, mais encore une fois, elle me prit la main.

— Si seulement vous étiez sincère.

Une fois encore je me surpris à jouer un rôle, cherchant désespérément à évoquer mon côté le plus authentique.

— Mais j'étais sincère. Je *suis* sincère.

— Eh bien! On dirait que vous vous entendez bien tous les deux?

Jacopo venait d'entrer. Nous nous séparâmes brusquement, gênés d'avoir été surpris.

— Je ne pensais pas que la question de notre horaire était d'une telle gravité, poursuivit-il. Je suis désolé d'interrompre la discussion, mais nous avons un client qui attend dans la cour, Yasmine, avec beaucoup d'argent, et il aimerait avoir un reçu. Je ne voudrais pas le faire attendre.

Yasmine rejeta ses cheveux en arrière d'un geste machinal.

— Mardi, jeudi ou vendredi, en début d'après-midi.

Elle me dévisagea avec sérieux.

— Faites-le-moi savoir.

Je hochai la tête.

— Je n'y manquerai pas. Au fait, avez-vous assisté au festival de Saint-Marc l'autre jour?

Elle me regarda d'un air surpris.

— Oui, avec mon père. Pourquoi cette question?

Je haussai les épaules, soulagé.

— Comme ça, c'est tout.

Chapitre 55

4 mai 1556
Couvent de Sant' Alvise

— Excusez-moi, sœur Faustina ; votre conseiller juridique vient d'arriver.

Ces mots me parvinrent de l'autre extrémité du corridor de pierre et je crus reconnaître sa voix formulant une réponse.

— Dites-lui que je serai à lui dans quelques minutes. Il faut que je réunisse certains documents patrimoniaux.

Elle ne ménageait visiblement aucun effort pour tenir le rôle qu'elle s'était donné ; j'espérais, de mon côté, ne pas la laisser tomber. Quelque temps après, je la vis apparaître sous le passage voûté, s'adressant à une jeune nonne qui la regardait avec des grands yeux bruns, tout en hochant la tête au fur et à mesure que Faustina lui donnait ses instructions. Elles continuèrent de chuchoter pendant quelques minutes encore, la jeune religieuse levant les yeux vers moi, comme si mon nom avait surgi dans leur conversation ; puis elle s'éclipsa silencieusement le long du corridor, et Faustina se tourna vers moi.

— Signor Frescobaldi, que c'est aimable à vous d'être venu. Puis-je vous offrir un petit quelque chose ?

Elle s'avança dans la pièce avec une grâce toute naturelle. Sobrement vêtue, elle portait l'habit religieux ; mais même ma compréhension limitée des toilettes féminines me disait que ce n'était pas une tenue ordinaire, issue des réserves du couvent. Son corsage était cintré et sa jupe soigneusement plissée, de sorte que l'ensemble se balançait doucement autour d'elle tandis qu'elle marchait, soulignant la minceur de son corps et la rectitude de son maintien. Je déclinai son offre et attendis son initiative. Elle semblait jouer pour un auditoire, sans que je sache très bien lequel, jusqu'à ce qu'elle appelle ses compagnes.

— Sœur Angelica, sœur Maria-Elena, il conviendrait que je vous présente mon conseiller juridique et financier avant que vous vous retiriez. J'en ai déjà parlé à l'abbesse : vous pouvez la consulter si le cœur vous en dit, mais elle m'a confirmé qu'il n'y aurait pas d'*ascoltatrici* à la rencontre d'aujourd'hui.

Deux religieuses aux traits usés et intransigeants apparurent derrière une grille, l'air penaud. Pendant un instant, je songeai au jour où j'avais senti la présence de Yasmine pour la première fois ; mais ces deux femmes n'arrivaient pas à dégager un dixième de la chaleur que j'avais ressentie chez Yasmine quand je l'avais aperçue à ce moment-là. Elles m'examinèrent d'un œil méfiant, me cherchant quelque défaut ; mais je relevai la tête et les regardai de haut, de manière à paraître plus confiant que je ne l'étais en réalité.

Sœur Faustina eut un sourire doucereux.

— Merci, mes chères sœurs. Ce sera tout. Je vous appellerai si j'ai besoin de quelque chose.

Elles lui lancèrent un regard furieux et disparurent. Je sentais qu'une vague de ressentiment commençait à s'élever contre elle, et qu'elle aurait la vie dure si la situation de sa famille devait péricliter.

— Je vois que vous avez reçu mon message. Le déguisement est assurément très convaincant.

Je souris et m'inclinai légèrement. L'occasion semblait l'exiger : le message laissé à la trattoria par Hieronimo disait que je devrais me présenter sous le nom de Enrico Frescobaldi, l'avocat de la famille, et m'habiller de manière soignée. Cela représentait un certain défi. J'avais choisi l'un des ensembles noirs que j'avais si souvent l'habitude de porter à la cour anglaise, et que je n'avais pas enfilés depuis près de trois ans. Le pourpoint, en particulier, était excessivement serré.

— Cela ne vous dérange pas si je le desserre un peu ? Cela fait quelque temps que je l'ai porté...

Je posais la question sincèrement et par souci de considération, mais j'essayais également de détendre l'atmosphère et elle laissa échapper un rire aigu qui résonna comme une cloche dans l'austère parloir du couvent. Je me demandai si cette exubérance ne s'adressait pas en partie aux *discrete* qui partaient, comme pour retourner le fer dans la plaie.

Elle pencha la tête d'un côté et m'examina tout en me tournant autour.

— Je vois bien cela. Vous êtes à l'aise dans votre rôle et vous avez tout l'air d'un avocat, mais pas d'un Vénitien, à vrai dire. Elles se diront peut-être que vous êtes de Bologne ou d'une ville arriérée où la mode n'a pas encore rejoint celle de Venise.

J'inclinai la tête en signe de soumission. Elle ne cherchait pas à être désobligeante, mais ses mots avaient une pointe acerbe néanmoins. Puis elle se fit plus douce, comme si elle venait d'obtenir la certitude que les deux sœurs étaient bien parties.

— Merci d'être venu. Il conviendrait peut-être que je commence par vous redire toute mon histoire.

Elle me désigna un grand fauteuil, confortable mais un peu raide. Elle poursuivit tout en faisant les cent pas devant moi.

— Comme je vous l'ai dit, je m'appelle Faustina Contarini. Mon enfance fut très heureuse, et même quand j'eus atteint l'âge de sept ans et que l'on m'envoya ici, je n'eus pas à me plaindre, car j'avais une sœur et une tante pour m'accompagner. On m'a fait croire que je resterais ici seulement pour mon éducation – comme *educanda* – et que je me marierais quand j'aurais quatorze ou quinze ans. C'est à cet âge-là que j'ai appris que l'une de mes sœurs aînées venait d'être choisie par ma famille pour être mariée, qu'elle serait la dernière et que je ne partirais pas d'ici. Au début, cette perspective d'avenir ne m'a pas déplu, car j'étais à mon aise et j'avais appris beaucoup de choses ; mais au bout d'un an j'ai commencé à me sentir prisonnière.

Je jetai un regard autour de nous. La pièce où nous nous trouvions, entièrement construite en marbre, était impressionnante, mais tout à fait froide ; et si le reste du couvent ressemblait à cela, ou même pire, comme je le pensais, il y avait tout lieu de parler d'une « prison ». Sœur Faustina s'arrêta et se tint debout devant moi, comme pour donner plus de poids à ce qu'elle s'apprêtait à me dire.

— Puis, peu avant mes dix-sept ans, l'une des aînées du couvent, qui était pour moi un mentor et un guide, est morte soudainement, et je lui succédai au sein du chapitre, assumant chacune de ses fonctions. Non pas par privilège, mais parce que j'étais la seule à pouvoir les remplir, ce que bien peu de mes consœurs ont cru. Maintenant que ma famille n'a plus les moyens de me faire vivre, celles qui m'en ont voulu de m'être élevée si soudainement au-dessus d'elles attendent leur revanche. Mon avenir paraît bien sombre.

Elle me supplia du regard, mais je me sentais impuissant. Elle vint s'asseoir à mes côtés et se pencha vers moi afin de pouvoir chuchoter.

— Il y a des nonnes qui ont le pouvoir de décider que l'on enfreint les règles du couvent. Leurs méthodes de correction sont déjà bien rodées.

Elle hocha la tête, au bord des larmes.

— Sitôt que ma position sera diminuée, je sais qu'elles vont sauter sur moi et me réduire à la misère. Je crains sérieusement pour ma vie.

Elle resta longuement assise à trembler.

— Si vous décidiez de vous en aller (j'allais dire «vous échapper», mais je jugeai la tournure trop tragique), que serait votre nouvelle vie?

Elle hocha la tête, ne sachant que répondre.

— Je n'en suis pas certaine. J'ai appris beaucoup de choses au couvent, et j'ai su me rendre utile, mais la vie en dehors de ces murs m'est en grande partie étrangère.

— Quelles sont vos compétences?

Pour la première fois depuis le début de notre conversation, elle releva la tête et me répondit avec dignité et confiance.

— La gestion du chapitre. Je reçois les fonds, je paie toutes les factures, je suis chargée de m'assurer que l'édifice est bien entretenu et qu'il ne s'effondrera pas sur nos têtes, et je m'occupe de gérer les avoirs personnels des religieuses. Je crois que la plupart d'entre elles, hormis celles qui voudraient me voir mordre la poussière, savent reconnaître l'importance de mon travail et me respectent pour ce que je fais.

Je fus encouragé. Sa confiance semblait prendre du mieux. Il fallait voir à l'améliorer encore. Si je voulais lui venir en aide, il fallait lui donner l'élan qui lui permettrait de m'aider à trouver une solution.

— Avec ces compétences et cette expérience, vous pourriez certainement travailler partout en ville – pour le compte d'un architecte, d'un marchand, d'un commerçant, en gérant leur entreprise et en tenant leurs comptes. C'est un travail spécialisé et peu de gens possèdent les habiletés et l'expérience nécessaires. Et puis, étant donné votre passé de religieuse, personne ne pourra mettre en doute votre honnêteté et votre intégrité.

Mais j'étais allé trop loin, trop vite. Elle secoua la tête.

— Ce que vous dites est peut-être vrai. Mais accepter une position dans le commerce apporterait le déshonneur à ma famille. Elle ne le permettrait jamais.

Je n'arrivais pas à comprendre sa logique.

— Votre famille vous a déjà abandonnée. De quel droit vous dirait-elle quoi faire ou ne pas faire ?

Elle hocha de nouveau la tête.

— Vous ne comprenez pas la société vénitienne. C'est un petit monde fermé où le rang et l'honneur prennent toute la place.

Cette réponse me frustrait. Je décidai de la presser un peu plus.

— Ne pouvez-vous pas épouser quelqu'un ? Quelqu'un que vous auriez choisi vous-même ?

Elle eut un ricanement de dépit.

— Non.

Sa réponse fut si catégorique que je n'insistai pas, et nous restâmes assis tristement, en silence, pendant quelques minutes. Comme un hérisson apeuré, elle s'était roulée en boule et il n'y avait plus moyen de l'atteindre. Ainsi, comme je l'eus fait avec un hérisson, j'attendis en silence. Lentement, elle se rouvrit peu à peu et parla, changeant de sujet par la même occasion.

— Parlez-moi de vous, de votre position. Quelles sont vos activités ici à Venise et combien de temps prévoyez-vous rester ?

J'avais espéré éviter cette question.

— Je suis venu ici en voyage, pour accompagner un comte anglais – un voyage de découverte, en quelque sorte, pourrait-on dire.

Elle attendit. C'était à présent mon tour d'être questionné, et elle utilisait son silence à bon escient.

— Et comment occupez-vous vos journées, ces temps-ci ? À part vous accrocher aux fenêtres des couvents, j'entends. Combien d'autres nonnes comme moi en sont à espérer votre visite ?

À ces mots, je m'aperçus immédiatement qu'elle regrettait de s'être découverte de la sorte, et bien que mon cœur bondît en l'entendant parler ainsi de moi, je décidai de ne pas la blesser en insistant sur le sujet.

— Je n'ai pas encore choisi définitivement une carrière ou une vocation. J'ai commencé dans la maisonnée d'un grand duc anglais, où je me suis hissé au poste de secrétaire particulier et de compagnon des filles du duc. Mais cette histoire a connu une fin abrupte.

Elle pencha la tête d'un côté, et pour la première fois je sentis toute la bienveillance qu'il y avait en elle.

— Comment cela ?

— Le duc de Suffolk et sa fille aînée, Lady Jane, ont été emprisonnés et décapités pour trahison. Elle n'avait que seize ans quand ils l'ont mise à mort. C'était horrible. Je le revois encore parfois, la nuit.

— Étiez-vous présent ?

Son intérêt paraissait sincère.

Je hochai la tête, inondé de souvenirs. Je dus prendre quelques grandes respirations avant de pouvoir continuer.

— J'ai vécu en prison avec elle durant les sept derniers mois de sa vie, et j'étais à ses côtés lorsqu'elle fut exécutée.

LES FILLES DU DOGE

Sœur Faustina se pencha vers moi.

— C'est terrible. Quelle trahison avait-elle commise pour être traitée de la sorte ?

J'avais de plus en plus de mal à continuer.

— On l'a couronnée reine d'Angleterre. Seulement pour neuf jours, et contre son gré ; mais c'était suffisant.

Elle me prit le bras. Les rôles étaient renversés : c'était elle à présent qui me soutenait.

— Maintenant, je comprends pourquoi vous avez quitté votre pays. Je sais aussi qu'il est difficile de trouver une nouvelle vie en dehors... en dehors des ténèbres.

— J'ai quitté la cour de Londres et je suis retourné à la campagne, où j'ai commencé à étudier la médecine. L'une des raisons pour lesquelles je suis venu ici était de visiter l'université de Padoue pour peut-être m'y inscrire, s'ils acceptaient ma candidature. Mais pour l'instant, je demeure à Venise, car le comte aura peut-être encore besoin de moi.

— Encore une fois, vous êtes au service d'un autre.

Je méditai un instant ce qu'elle venait de dire. Ma situation du moment ne m'avait jamais paru en rien similaire à ce que j'avais vécu avec Lady Jane ou Lord Henry Grey. Mais malgré toutes mes velléités d'indépendance, le fait demeurait qu'une grande partie de mon avenir se trouvait sans doute encore entre les mains du comte.

— Quelles sont vos occupations, ici à Venise ?

— Je passe le plus clair de mon temps à l'atelier du peintre le Tintoret, que j'aide et qui m'apprend à dessiner.

Elle sourit, hochant la tête à la mention de ce nom.

— J'ai entendu de bonnes choses à propos de ce Tintoret. Mon cousin Giovanni n'a que sept ans, mais il fait déjà preuve de grandes aptitudes pour le dessin et il veut devenir un peintre éminent. Le Titien est son artiste favori. À mon avis, il ferait mieux d'aller trouver votre Tintoret plutôt que d'apprendre à la manière de cet autre peintre.

Elle rit, levant les yeux au plafond, comme si un souvenir agréable lui revenait en mémoire. Son visage s'éclaira.

— Peut-être pourriez-vous en glisser un mot à votre ami ?

Enchanté par son rire, je souris et lui dis que je verrais ce que je pourrais faire. Quelque part au fond de mon esprit, il y eut une sorte de déclic ; mais je n'aurais su dire pourquoi.

Je repartis comme j'étais arrivé, me donnant l'air hautain d'un grand avocat ; mais en mon for intérieur, je me sentais bien petit. J'avais l'obligation morale de la sauver du destin qui l'attendait dans cette prison glaciale, tout en ne sachant pas comment je m'y prendrais pour y arriver.

Chapitre 56

27 mai 1556
Fondamenta della Sensa

Les tempêtes étaient venues et s'étaient déchaînées pendant trois jours, emportant l'air humide et laissant derrière elles une Venise rafraîchie et requinquée.

Nous avions emménagé dans notre nouvelle maison (que Thomas avait baptisé «Palazzo Devona») depuis un mois et avions adopté une routine bien établie maintenant. Thomas, de retour à l'Oratorio dei Crociferi, était plus que jamais pénétré des besoins de ses malades. L'épidémie de rougeole montrait des signes d'affaiblissement, mais avec l'arrivée des chaleurs estivales, de nouveaux problèmes semblaient voir le jour et l'on ne cessait de faire appel aux services du *dottore inglese* et à ceux de ses collègues vénitiens.

Je m'étais établi dans une position semi-officielle d'*assistente* auprès du Tintoret, usant de ma connaissance de l'anglais et du latin pour communiquer avec les clients étrangers et prêtant assistance à Yasmine dans l'administration de la *bottega*. Non pas que mon aide lui fût indispensable, loin de là. Le Tintoret, qui s'en amusait, nous laissait faire.

Pour les diverses tâches dont je m'acquittais dans la seconde moitié de la matinée, je recevais en échange la permission d'assister aux cours de dessin et de peinture qui se donnaient plus tôt le matin, sans avoir à payer quoi que ce soit hormis la peinture, qui coûtait très cher. Tout cela sur l'honneur : je notais chacun des pigments utilisés et Yasmine me remettait une facture totalisant toutes mes dépenses à la fin de la semaine. Cet arrangement fonctionnait bien, et j'étais plus heureux que je ne l'avais été depuis des années.

Je voyais très peu Thomas et encore moins Courtenay, situation qui me convenait parfaitement.

Au fil des semaines, et à mesure que je me rapprochais de Yasmine, la douleur de voir Veronica en compagnie d'autres hommes avait disparu, et notre amitié n'en était devenue que plus réconfortante. Yasmine et elle se connaissaient depuis près de trois ans, au moment où Jacopo avait commencé à courtiser Veronica pour qu'elle abandonne le Titien et vienne poser chez lui. Puis, tranquillement, je finis par me rendre compte que ma première rencontre avec Yasmine n'avait pas été le seul fruit du hasard : me rappelant le comportement de Veronica ce matin-là, je compris que Yasmine et elle avaient tout organisé à deux. Le thé à la menthe avait dû être un simple prétexte.

Entre-temps, le comte semblait s'être fondu dans la société vénitienne, car il était rarement à la maison à notre retour le soir, et se trouvait encore au lit (sans doute exténué par les fatigues de la vie mondaine) lorsque nous partions le matin. Je fus donc passablement surpris lorsqu'il me croisa un matin, en train de prendre un déjeuner rapide avant de me rendre à mes cours d'art à quelques pas de la maison.

— Bonjour ! Vous devez être Richard Stocker. Je me présente : Edward Courtenay, comte de Devon, voyageur parcourant l'Europe et reconnu à travers la cité de Venise comme un membre de l'ancienne et véritable maison royale anglaise. Il vous intéressera peut-être de savoir que je suis sur le point de conquérir une noble dame vénitienne, et que j'entends entamer avec elle des négociations de mariage dans un avenir très rapproché.

Je ris. Cela devait faire trois semaines que je ne l'avais pas vu. Il s'inclina profondément, faisant tournoyer un mouchoir de soie dans sa main droite.

Je jouai le jeu, faisant comme si je ne l'avais jamais rencontré.

— Un mariage, Votre Grâce ? Peut-on savoir qui est l'heureuse élue ?

Il s'inclina de nouveau, agitant son mouchoir, et je commençai à me demander s'il s'agissait vraiment d'une plaisanterie un peu tarabiscotée, ou s'il n'avait pas tout simplement perdu la tête. Se pouvait-il que Thomas ait eu raison ? Quelques mois auparavant, alors que Courtenay traversait l'une de ses périodes mouvementées, Thomas avait laissé entendre qu'il s'agissait peut-être d'un cas de syphilis à un stade très avancé. Était-ce encore la manifestation du même symptôme ? Depuis le début de notre voyage, Thomas et moi avions remarqué à plusieurs reprises que, lorsque son abattement général laissait place à un sentiment d'allégresse très prononcé, il avait l'habitude de s'absenter, souvent toute la nuit, fréquentant les bordels de la ville où nous étions de passage. Quelle qu'en fût l'explication, j'attendais sa réponse avec grand intérêt.

— Ah, mais… la Franco, cela va de soi. Elle n'est pas disponible depuis quelque temps, en raison d'un important tableau qui doit bientôt être achevé. L'œuvre est si colossale qu'elle doit demeurer étendue sur son canapé jusqu'à douze heures successives, parfois plus, le temps d'y apporter les dernières retouches.

Mon cœur se serra. Le pauvre imbécile. Ne savait-il pas que j'assistais à chacune des séances de Veronica chez le Tintoret, et que j'étais absolument certain qu'elle ne posait pas pour lui en ce moment, ni pour Véronèse, ni pour le Titien, ni pour aucun autre peintre de la ville ?

La seule explication plausible était la suivante : comme elle m'en avait averti lorsque le comte se trouvait à Ferrare, on le considérait comme dangereux, et elle avait inventé cette excuse pour ne pas le fréquenter. Cela n'expliquait pas sa vie sociale mouvementée, qui, comme il venait de le laisser entendre, l'entraînait d'un palais à l'autre, où il était reçu en monarque. Fouillant dans mes souvenirs de la cour anglaise, je me demandai comment cela se serait passé dans un cas semblable. La réponse confirmait mes appréhensions : jusqu'au moment où les autorités se seraient saisies de lui et l'auraient emprisonné ou chassé hors du pays, la fine fleur de la société lui aurait témoigné une courtoisie bien excessive, se l'échangeant l'un et l'autre avec force sourires et flatteries, tout en s'assurant que leurs actions ne lui soient absolument d'aucun secours.

Je trouvais difficilement quoi lui répondre. Je finis par bredouiller quelque chose.

— En effet, Votre Grâce. Une dame aussi noble et gracieuse est certainement très en demande. À sa décharge, elle fait preuve d'un engagement et d'une loyauté exemplaires envers l'artiste au moment crucial.

Il se donna une tape sur la cuisse.

— Exactement ! C'est ce que j'ai dit aussi. Mais il y a d'autres bonnes nouvelles. Tout est arrivé pendant que vous étiez parti, Richard.

À n'en pas douter, c'était lui qui était parti et moi qui étais resté. Peut-être avais-je mal compris ; peut-être que le centre du monde se déplaçait avec lui dans ses voyages, me laissant, ainsi que la grande cité de Venise, à la périphérie pour un mois. Si tel était le cas, il fallait absolument en aviser tous les disciples de Nicolas Copernic, car ils ne semblaient pas au courant. Je songeai à lui faire la remarque à la blague, mais Courtenay poursuivait déjà.

— Vous vous souviendrez peut-être que j'ai adressé à sir John Mason une lettre plutôt incisive pour me plaindre de l'habitude qu'il avait prise d'intercepter ma correspondance et d'ouvrir mes colis. J'en ai également profité pour nier les rumeurs selon lesquelles mon ambition secrète était d'épouser la princesse Élizabeth et d'accéder au trône d'Angleterre. Je suis heureux de pouvoir vous annoncer qu'il m'a répondu en affirmant n'avoir ouvert aucun de mes paquets et en m'assurant que la princesse Élizabeth et moi demeurons dans les bonnes grâces de la reine, « ayant chacun, comme il dit, trop de sagesse, d'honneur et de probité pour tremper dans quelque conspiration que ce soit ».

En disant cela il ramassa la lettre en question, posée sur une table à côté de lui, et l'agita d'un air triomphant.

— De belles paroles, n'est-ce pas, Richard ? Et qui viennent de la reine elle-même, de surcroît. Je suis soulagé qu'on ne se méprenne pas sur mon compte. Croiriez-vous qu'il s'en trouvait pour craindre que ma visite au duc Ercole à Ferrare signifiât le début d'un complot, par lequel je devais me rendre en France pour prendre la tête d'une armée française et, de là, envahir l'Angleterre, épouser la reine Élizabeth, et chasser Philippe et la menace espagnole, comme ils l'appellent ? Mais la reine Marie est plus raisonnable qu'ils ne le croient. Elle me connaît pour ce que je suis et non ce que j'ai la réputation d'être. Elle sait qu'elle peut me faire confiance.

Il agita de nouveau la lettre et se pencha en avant d'un air entendu. Puis, chuchotant :

— Fiez-vous à moi, Richard : la reine me rappellera en Angleterre avant Noël et m'assignera une position d'autorité dans la nouvelle année. Elle a besoin d'hommes intègres, et en cela elle ne trouvera pas mieux que moi. J'espère que vos activités ici à Venise, quelles qu'elles puissent être, ne vous tiennent pas trop à cœur, car il se peut que nous devions partir pour l'Angleterre à tout moment, et sans préavis.

Il se pencha sur la table, y laissa tomber la lettre qui l'avait mis dans un tel état d'exaltation, et prit le médaillon de bronze qui s'y trouvait.

— C'est pourquoi il me faut offrir ceci à cette chère Veronica aussitôt que possible. Il faut que nous soyons fiancés avant que toute convocation me rappelle en Angleterre.

Je hochai vivement la tête, essayant d'avoir l'air convaincu par ce qu'il disait ; mais dans mon esprit, il se trompait du tout au tout et sur tous les points. Je ne pouvais pas concevoir que la cour de Londres le considérât comme autre chose qu'une menace permanente, comme un être inepte, indigne de confiance. Quant à savoir quelle serait la réaction de la reine lorsqu'elle apprendrait qu'un comte anglais, issu d'une famille royale encore plus vénérable que celle des Tudor, songeait à rentrer en Angleterre après avoir épousé une courtisane vénitienne, je n'osais même pas y penser. Manifestement, cet homme avait le cerveau dérangé.

Le comte ramassa une lettre encore non ouverte et me la remit.

— Oh, à propos : ceci est arrivé pour vous l'autre jour. J'avais oublié.

Il perçut l'éclair dans mon regard.

— Je ne l'ai pas ouverte. Je vous en donne ma parole.

Combien de gens à Venise, Anvers, Bruxelles et Londres avaient reçu la parole de cet homme et l'avaient jugée sans valeur ? Je me posai la question.

La lettre me venait d'Eckhardt Danner, envoyée de Cologne seulement dix jours auparavant. Elle s'était rendue sans délai.

Cologne, le 16 mai 1556

Cher Richard,

J'espère que la vie vous sourit à Venise et que la cité-république et son grouillement cosmopolite vous auront permis de suivre publiquement le chemin véritable du protestantisme sans éveiller les soupçons.

Il semblerait que la situation que vous décriviez dans votre pays n'a pas changé, car ses effets se font sentir à l'étranger. J'ai entendu dire ce matin que deux Anglais, sir Peter Carew et sir John Cheke, ont été arrêtés à Anvers le 15 mai par des hommes sous les ordres d'un autre Anglais, lord Paget, sur une injonction du Saint Empire romain.

Les deux hommes ont été vus pour la dernière fois les yeux bandés, alors qu'on les embarquait de force dans un petit navire de pêche à destination de l'Angleterre. Ils étaient vivants, mais on dit que le plus vieux des deux, Cheke, n'allait pas bien et qu'il souffrait grandement de sa détention. Les deux semblaient craindre pour leur vie.

Si vous avez l'intention de rentrer en Angleterre, je vous conseille d'être prudent. De même, vous ne pouvez vous considérer en sécurité dans aucun pays où règne l'empereur, lui qui soutient Philippe, son fils, que l'on appelle souvent ici « roi d'Espagne et d'Angleterre ».

Prenez soin de vous et ayez foi en Dieu. Si vous décidez de revenir, que vous passez par ici et que vous avez le temps, je serais très heureux de vous revoir.

Votre ami sincère,

Eckhardt Danner

Je repliai la lettre. Et nous venions de parler d'un changement d'attitude et de politique de la part de la reine Marie... Voilà ce que valaient les oracles de Courtenay! Si on lui en donnait l'occasion, il nous mènerait tous à la perdition. Mais c'étaient là d'importantes nouvelles, et je devais rédiger une lettre codée à l'intention de Walsingham sitôt que je me serais débarrassé du comte.

— Quelque chose d'intéressant?

Comme toujours, le comte ne montrait aucune considération pour la vie privée des autres.

J'enfouis la lettre dans ma poche pour lui faire comprendre.

— Rien que des histoires de famille. Ma vie ne présente pas tout l'intérêt stratégique de celle d'un comte.

Il eut un sourire de mépris, comme pour confirmer que ma position était aussi insignifiante que je le laissais entendre. Il y eut un long silence embarrassé.

Je me retournai, prêt à partir.

— Transmettez mes salutations à la dame.

— Je n'y manquerai pas, Richard.

Chapitre 57

Thomas et moi étions debout côte à côte derrière la foule, suivant des yeux le cortège funèbre du doge Francesco Venier que l'on transportait au lieu de son repos éternel. Le comte avait décidé de se séparer de nous et s'était faufilé devant tout le monde dans l'espoir d'en apprendre davantage sur la succession du doge.

Je me rappelai la dernière fois que j'avais vu Francesco Venier, le jour de la fête de Saint-Marc. Le corps souffrait, mais les yeux reflétaient encore la volonté d'acier de l'esprit. Enfin, le corps avait perdu la force d'emboîter le pas à l'esprit, et le doge était mort quelques jours auparavant. Bien qu'il fût en poste depuis moins de deux ans (le second anniversaire aurait eu lieu la semaine suivante), Venise pleura son départ. La fonction ducale symbolisait la pérennité de la cité-république, et tout ce qui contribuait à miner son sentiment de force était reçu comme une mauvaise nouvelle, en particulier à une époque où l'accroissement de la compétition diminuait son influence.

L'atmosphère qui régnait dans l'église m'étourdissait. Le chœur, les couleurs, l'encens, la cérémonie, les fresques, les sculptures, l'architecture même de l'église m'agressaient. J'avais du mal à respirer et je ressentais le besoin de parler, de crainte de devenir fou.

— Thomas ? murmurai-je dans la grande nef de l'église.

Il promena le regard autour de lui d'un air préoccupé, se penchant vers moi pour mieux entendre.

— T'arrive-t-il de songer à la mort ?

Son visage demeura impassible, hormis un pétillement de malice dans ses yeux, et je sus qu'il s'apprêtait à abuser de ma candeur. Il porta sa main à mon oreille et me chuchota sa réponse.

— Je n'ai aucun projet de ce genre dans l'immédiat. Pourquoi cette question ?

La mâchoire m'en tomba et il comprit que j'étais sérieux. Il poursuivit sur un ton différent.

— Oui, cela m'arrive, Richard.

Il regarda de tout côté afin de s'assurer que nos chuchotements ne dérangeaient pas les gens autour de nous, venus rendre hommage au défunt ; mais ceux-ci discutaient également entre eux, comme s'il s'agissait d'une réunion mondaine. Thomas poursuivit, non plus en chuchotant, mais tout de même à voix basse :

— D'abord il nous faut considérer le *fait* de mourir, qui, en un sens, est le même pour nous tous, s'agissant simplement d'un changement d'état de vivant à mort, irréversible et, en cela, tout à fait remarquable.

Il promena de nouveau les yeux alentour, mais personne ne portait attention à nous.

— Ensuite, et cet aspect intéresse particulièrement les médecins, vient le *processus* de la mort, lequel est infiniment varié dans ses manifestations : attendu ou inattendu, combattu ou bienvenu, long ou court, souffrant ou même – cela arrive – paisible. Béni est l'homme qui meurt sans souffrance, qui dispose du temps pour s'y préparer, sans plus, avec l'assurance d'avoir fait la plupart des choses qu'il souhaitait accomplir dans sa vie ; car en vérité, je crois qu'aucun d'entre nous ne réussit vraiment à réaliser toutes ses ambitions.

— Et qui meurt entouré de ses amis?

Je voulais lui montrer que je comprenais. Thomas songea longuement à ma question.

— Étrangement, je ne crois pas que cela soit vrai. D'après mon expérience, l'instant même de la mort est souvent un moment d'intimité avec soi-même, et la plupart des gens partent discrètement, lorsqu'on ne fait pas attention à eux ou que leurs parents et amis ont quitté la pièce. Il est étrange de constater à quel point cela arrive souvent. Même les yeux fermés, on dirait qu'ils sont en mesure de savoir qu'on les observe, et au moment ultime, ils semblent trouver une certaine dignité dans le fait d'être seul. Peut-être est-ce le sentiment de se savoir enfin en paix avec soi-même, ou du moins de savoir que le combat est terminé et qu'on peut quitter le champ de bataille avec honneur.

Je me mordis la lèvre et soupesai ce qu'il venait de dire. Au début, je trouvai ses paroles dures et insensibles, bien trop rationnelles. Mais je compris ensuite qu'il avait renoncé à toute sensiblerie pour me dire honnêtement ce que son expérience de médecin lui avait appris, et je me sentis privilégié d'avoir reçu son témoignage.

La liturgie catholique me mettait mal à l'aise, mais Thomas paraissait regarder la cérémonie avec un certain détachement, et ne semblait pas gêné de devoir me répondre pendant qu'elle se déroulait. C'était comme si la lourde présence des prêtres entre Dieu et les membres de la congrégation déchargeait ces derniers de certaines de leurs responsabilités, et leur permettait de se comporter en spectateurs plutôt qu'en participants. Lady Jane eût trouvé cela révoltant, mais Thomas ne semblait pas s'en formaliser.

— Et qu'est-ce que la vieillesse? En l'absence d'un meurtre ou d'un accident, qu'est-ce qui donne lieu à ce qu'on appelle une mort naturelle? Qu'est-ce qui fait défaut en premier, le corps ou l'esprit?

— Je crois que le corps humain est fait pour endurer des années et des années d'usure. Ceux qui font attention à lui se donnent bien souvent une plus longue vie, tandis que ceux qui le punissent raccourcissent leurs jours. Certaines gens sacrifient bien souvent une partie de leur corps en particulier et c'est peut-être la raison pour laquelle elle fait défaut en premier. Le glouton soumet sa panse à des années d'excès; pour le buveur, c'est le foie. Le laboureur perd son dos; le tisserand, ses doigts; la dentellière, sa vue; et pour ceux qui sont sujets au tourment moral, il y a bien des chances de perdre la tête avant tout le reste.

— Crois-tu donc que tous les êtres humains soient égaux à la naissance?

Encore une fois, comme il arrivait si souvent dans de telles conversations, je dus attendre que Thomas réfléchisse à sa réponse et pèse bien ses mots.

— Si tu poses la question en tant que moraliste, je crois bien qu'il faille le concevoir ainsi, et il est certain que chaque être humain, en toute justice, devrait bénéficier des mêmes chances à sa naissance. Cependant, si tu poses la question au médecin, je te dirai que d'après mon expérience, il n'en va pas ainsi. Certains bébés voient le jour forts et en santé alors que d'autres naissent malingres. Les riches sont peut-être mieux nourris et mieux logés, les gens de la campagne respirent un air plus sain; et certaines maladies sont certainement héréditaires, comme par exemple la consomption pulmonaire chez les Tudor.

Il s'arrêta pendant que nous regardions le cercueil transporté le long de la nef.

— Ce n'est peut-être pas juste, poursuivit-il, mais c'est comme ça. Je crois que la matière première qui compose la vie est variable, et les tourments auxquels on soumet cette matière le sont également.

Je secouai la tête en direction de Courtenay, debout cinq rangées devant nous et hors de portée de voix.

— Comment jugerais-tu le comte ?

— Quand je pense à lui, je considère deux choses. Premièrement, il est né de bonne souche, son sang est fort. Sa mère est bâtie comme un cheval de bataille, ce qui plaide en sa faveur. Son père fut décapité pour trahison, et même si sa culpabilité est discutable, il n'en est pas moins mort, ainsi nous ne savons rien de sa longévité. Deuxièmement, j'examine les influences qui ont joué dans la vie d'un homme. Dans son cas, on peut affirmer sans l'ombre d'un doute que pendant son enfance, il fut bien nourri et protégé, qu'il a grandi dans une maison susceptible d'édifier sa confiance. Voilà un bon début. Mais il faut se demander quelles furent les répercussions de l'exécution de son père, sans parler de ce que son incarcération prolongée aura fait subir à son corps et à son esprit. Et depuis ? Il montre tous les signes d'un homme malade, cette maladie que l'on appelle la vérole de Naples, et si tel est le cas, les mois qui ont suivi sa libération de prison en sont probablement la source.

Je regardai mon ami avec étonnement. Il avait déjà laissé entendre par le passé qu'il croyait Courtenay malade, et non simplement mauvais, mais n'avait pas voulu discuter ouvertement de cette maladie. J'avais supposé qu'il faisait référence à un certain désordre mental, résultat de sa longue détention, et je n'avais pas insisté sur le sujet. Mais sitôt que mon ami avança ce diagnostic, bon nombre de mes réflexions passées me semblèrent prendre tout leur sens, et je ne pus m'empêcher de croire que Thomas avait probablement raison. Une chose ne faisait aucun doute : Courtenay s'était fréquemment exposé au risque de la maladie à l'époque de sa libération. C'était d'ailleurs l'une des raisons qui, au dire de plusieurs, l'avaient disqualifié comme prétendant aux yeux de la reine Marie.

Thomas poursuivit.

— Quant à ses perspectives d'avenir, et pour ce qui est de savoir laquelle de ses faiblesses aura raison de lui en premier, cela dépend surtout du genre de vie qu'il choisira de mener. S'il épousait une femme forte et riche, une femme qui le libérerait de ses soucis et continuerait de le materner comme le faisait sa mère, cela pourrait jouer en sa faveur. Mais si mon diagnostic est juste, l'infection qu'il est susceptible de lui transmettre ne cédera en rien devant toutes les faveurs qu'elle pourrait lui consentir.

Malgré l'amertume grandissante que je nourrissais à l'égard de Son Excellence, la situation que Thomas me décrivait, même hypothétique, montrait à quel point la vie pouvait être impitoyable. Les yeux rivés sur le cercueil du vieux doge, à présent installé devant l'autel, je commençai à me demander combien de temps il nous restait à vivre – au comte, à Thomas, et bien sûr à moi-même. La réponse, je le savais, était le don de Dieu – elle ne nous appartenait pas ; mais je me demandai – ce n'était pas la première fois – comment un Dieu bienveillant avait pu nous enlever si brutalement quelqu'un comme Lady Jane, laquelle, à ma connaissance, n'avait jamais rien fait de mal à quiconque. Elle étudiait longuement, mangeait délicatement, ne buvait presque aucun alcool et priait régulièrement et en toute sincérité. Et pour cela, on lui avait fait sauter la tête d'un coup de hache à l'âge de seize ans.

J'écoutai l'oraison funèbre du doge Venier, préparée et récitée par les membres du Conseil. L'un après l'autre, ils évoquèrent son parcours, louant son érudition et citant les nombreuses fonctions officielles qu'il avait occupées au cours des soixante-sept années de sa vie : premier magistrat à Brescia alors qu'il était jeune homme, député à Udine, premier magistrat à Padoue, ambassadeur vénitien du pape Paul III, ministre, conseiller et premier magistrat à Vérone, et enfin, à l'âge de soixante-cinq ans, doge.

Durant cette longue oraison, je remarquai qu'aucun d'entre eux ne parlait des réalisations spécifiques qu'il avait menées à bien dans chacune de ces fonctions prestigieuses, et je commençai à me construire une image de lui qui évoquait ce que le duc de Northumberland avait l'habitude d'appeler « de bonnes mains fiables et sûres » : un administrateur compétent, progressant dans la vie sans commettre d'erreurs, mais sans changer le monde pour autant. Bref, cette suite de discours me parlait de ce qu'il avait été, non de ce qu'il avait fait.

En écoutant le cardinal venu clore la cérémonie, j'eus soudainement l'impression d'avoir perdu la foi. Peut-être était-ce le cadre catholique, toute cette couleur, toute cette pompe, l'odeur suffocante de l'encens. Je levai les yeux vers l'une des grandes voûtes de cette magnifique église et me demandai de nouveau si le Ciel existait bel et bien, ou s'il s'agissait seulement d'une promesse de politicien dont la fausseté serait découverte trop tard, si mes espoirs ne se matérialisaient pas.

Mais en fin de compte, je finis par me dire que cela ne changeait rien, que le jugement porté sur ma vie pouvait se dérouler tout aussi bien aux portes du paradis que sur mon lit de mort. Le fait demeurait : la vie était courte et la mort certaine, sauf en ce qu'elle venait à l'improviste. Tout ce qu'il y avait à faire était de profiter de la vie au maximum, et de veiller à ne pas la gaspiller, ni la gâcher par trop de méchanceté au fil des ans.

La cérémonie prit fin, et pendant un instant je sentis le besoin d'être seul, afin de réfléchir. Je m'excusai et me dirigeai vers les portes de la grandiose église. Deux vieillards se glissèrent devant moi d'un pas traînant, chacun s'accrochant à l'autre pour ne pas tomber, tous deux visiblement bouleversés par la mort de celui qui, je le supposais, avait été leur ami. Ils s'arrêtèrent tout près de moi et l'un d'entre eux parla d'une voix forte, quoique ravagée par l'émotion :

— C'était un homme de forte trempe, un homme d'acier, même ; mais en dernière analyse, un homme bon.

L'autre hocha la tête.

— Ainsi soit-il. Puisse aucun doge ne plus jamais être accablé de tant de problèmes à l'avenir.

Je les observai marcher dans l'allée, sans jamais regarder à droite ou à gauche, apparemment perdus dans leurs pensées, soutenus par leurs réminiscences et leur présence mutuelle.

J'avais besoin d'air. Je me dirigeai vers la porte latérale. Traversant la place, je me retournai et contemplai l'église. Quel était le plus grand hommage à la mémoire d'un homme : l'église pour l'architecte qui l'a bâtie, les tableaux pour les artistes qui les ont peints, les sculptures et les statues pour leurs sculpteurs, les vitres et les vitraux pour leurs artisans, ou les paroles de deux vieillards disant simplement qu'ils se souviennent de leur ami avec respect ?

Je songeai aux nonnes de Sant' Alvise, aux pêcheurs raccommodant leurs filets dans le port de Chioggia, aux quatre larbins qui s'affairaient à cet instant même devant l'église, balayant poussières et saletés laissées par la foule endeuillée ; et je méditai la remarque de Thomas voulant qu'en matière de santé, chacun ne dispose pas des mêmes atouts, arbitrairement, peut-être même injustement.

M'éloignant de l'église, je m'arrêtai devant un grand coude à la rencontre de deux canaux. J'eus l'impression d'être placé devant un choix : devais-je prendre tel chemin ou tel autre ? Les conclusions auxquelles j'étais parvenu semblaient élémentaires : tirer profit de mes forces, compenser mes faiblesses, et, par-dessus tout, rester fidèle à celui que j'étais. Et un peu comme Thomas l'avait laissé entendre, la modération pourrait prolonger mes jours, et adhérer à des principes moraux pourrait, je l'espérais ardemment, contribuer au bonheur et à l'accomplissement de ma vie. Là, au bord du canal, je résolus de connaître mes forces et mes faiblesses, et de ne pas passer mes heures à essayer vainement de devenir quelqu'un d'autre.

Sans personne vers qui me tourner, mais ressentant le besoin de parler, pour l'aspect théâtral mais aussi pour affirmer mon engagement, je m'adressai aux eaux du canal.

— Je ne suis pas diplomate, et je ne serai jamais courtisan ou politicien. Je crois qu'avec beaucoup d'efforts, je pourrais devenir un artiste compétent, capable de produire des œuvres agréables que les gens apprécieraient et voudraient accrocher aux murs de leurs demeures. Je crois aussi que j'ai en moi ce qu'il faut pour devenir docteur en médecine, pour aller dans le monde en faisant plus de bien que de mal à mon prochain.

Je savais qu'il me fallait choisir entre ces deux voies.

Le canal ne répondit pas, pas même avec l'écho de ma propre voix. Les deux pigeons juchés sur le pont d'en face, et dont j'avais interrompu les roucoulements, reprirent leur conversation comme si rien ne s'était passé.

Mais si je n'avais pas surpris les pigeons, je m'étonnais certainement moi-même. Cela faisait des mois que Thomas essayait de m'orienter vers la médecine; pourtant je lui avais résisté de toutes mes forces, allant même jusqu'à négliger de visiter l'université de Padoue, située à seulement quelques pas de notre auberge. C'était comme s'il fallait que je choisisse moi-même, et maintenant qu'il avait cessé de me pousser vers cette vie de médecin qu'il souhaitait pour moi, je tendais les bras pour l'atteindre. La vie semblait devenue si tortueuse!

Je supputai mes choix. Si je devenais médecin, cela ne m'empêcherait pas de peindre ou de dessiner, même si je risquais d'être sérieusement limité dans mes temps libres. Dans certaines circonstances, les deux pouvaient même coexister, car ainsi que Vesalius, Galen et le professeur Fuchs l'avaient montré, la capacité d'observer avec justesse et de reproduire ce que l'on voit sert tout autant aux études médicales qu'à l'enseignement.

L'inverse, cependant, n'était pas vrai. Si je devenais un artiste, tout espoir de pratiquer un jour la médecine s'évanouirait très rapidement et il deviendrait de plus en plus difficile de le retrouver.

Il restait une dernière considération: si j'étais médecin, je pourrais aider quiconque: un roi – si seulement j'avais pu aider le roi Édouard! – ou un prince, ou encore un indigent. Cela ne faisait aucune différence. Une vie restait une vie. Mais si je devenais artiste? Qui recevrait alors les fruits de mon travail? Assurément, tous ceux qui verraient mon œuvre et pourraient en retirer du plaisir, mais de façon objective, j'aurais comme client... qui? Courtenay, désireux de se mirer dans un portrait par amour-propre, et pour prendre femme? Une église déjà somptueuse souhaitant attirer plus de fidèles? Ou un gros cardinal salivant devant le portrait d'une jeune femme nue pendant qu'il rêve à sa «sœur»?

Je décidai à ce moment-là que si l'université de Padoue m'acceptait comme l'un des siens, mon avenir serait tourné vers la médecine.

Chapitre 58

6 juin 1556
Fondamenta della Sensa

Je ne m'attendais à rien d'exceptionnel, mais un petit geste de reconnaissance ne m'aurait pas déplu.

M'étant levé tôt, je trouvai la maison déserte. Je dus avouer que, dans mes vagues prévisions de la veille, j'avais envisagé la présence de quelques personnes – quelqu'un avec qui partager cette journée ; mais en l'occurrence, je dus déjeuner seul.

Je n'avais pas encore terminé lorsqu'ils firent irruption dans la pièce.

— Joyeux anniversaire, Richard ! s'exclama le comte. Aujourd'hui, vous êtes un homme.

Ayant revêtu des costumes de fête, ils arrivaient les bras chargés de paquets, de nourriture et de vin. À n'en pas douter, les festivités ne faisaient que commencer. J'avais pensé, peut-être, fêter mon anniversaire avec Thomas ; et la présence de Veronica, une agréable surprise néanmoins, n'était pas totalement inattendue. Mais de voir le comte ainsi endimanché, et ce, semblait-il, rien que pour moi, c'était bien au-delà de ce que j'avais pu imaginer la veille.

Ma surprise n'en fut que plus vive lorsqu'il retira du creux de son bras un paquet bien enveloppé et m'invita à l'ouvrir. Je déballai maladroitement le présent, encore stupéfait de constater que le comte était au courant de mon anniversaire, sans parler du fait qu'il s'était donné la peine de m'acheter un cadeau. À l'intérieur se trouvait un livre, relié de cuir. C'était *Les Vies des artistes* de Giorgio Vasari, publié par Torrentino seulement six ans auparavant. J'en feuilletai les pages. Neuves et fraîches, elles portaient encore l'odeur de l'atelier d'imprimerie. Les personnages défilaient, les grands noms dont on m'avait parlé si souvent dans mes leçons quotidiennes : Cimabue, Giotto, Donatello, Léonard, Raphaël, Michel-Ange (dont la vie et les œuvres occupaient toute la dernière partie du livre) et enfin, en un chapitre décidément plus court, le Titien. Il ne semblait y avoir aucun chapitre consacré à Véronèse ou au Tintoret, mais je pouvais voir leurs œuvres de mes propres yeux et même leur parler de vive voix si je le désirais. Cela représentait l'expérience d'une vie dans le monde de la peinture, et constituait le plus merveilleux des présents.

Comme je me tournais vers lui, bouche bée, attendant de trouver les mots adéquats pour le remercier, Edward Courtenay posa la main devant sa bouche et rit.

— Garçon, il était impossible de le faire taire ; maintenant, le voilà homme et il reste muet !

Je hochai la tête avec un large sourire.

— Votre Grâce a tout à fait raison. Je suis en effet sans voix. Je ne sais comment vous remercier pour ce merveilleux cadeau. Serait-il indiscret de demander comment vous l'avez obtenu ?

Il sourit, écartant ma question d'un geste de la main.

— Je l'ai fait envoyer de Florence pendant que Thomas et moi étions à Ferrare, dit-il, l'air de rien. Je suis vraiment ravi qu'il vous plaise.

Je lui serrai la main, ce que je ne me rappelais pas avoir fait depuis que je l'avais tiré des eaux glaciales de la lagune, plusieurs mois auparavant.

— Vous ne pouvez pas savoir à quel point. Merci encore.

Les autres se contentèrent de sourire devant cet épanchement de remerciements, mais je crus déceler de la gêne sur leurs visages tandis qu'ils produisaient à leur tour les cadeaux qu'ils m'avaient préparés. Le comte avait surpassé tout le monde (comme il en avait sans doute l'intention) et ils semblaient en être très conscients.

Veronica fut la première à trouver le courage de succéder à Courtenay, et elle me remit un paquet qui ressemblait également à un livre. Je ne m'étais pas trompé : il s'agissait d'un carnet à dessin, avec une couverture en cuir dur pour en protéger les pages et les garder des intempéries lorsqu'on dessinait à l'extérieur. Il était de la même facture que ceux que Jacopo et Gentile utilisaient, et mes remerciements étaient sincères lorsque je l'embrassai sur la joue.

Thomas emboîta le pas avec un long paquet de forme cylindrique, contenant un rouleau de toile dans lequel il avait placé un assortiment de pinceaux et d'instruments à dessin.

— Je ne suis pas sûr de bien faire, dit-il en me remettant le paquet.

Je ne compris pas bien sa remarque, même après avoir déballé le cadeau et remercié mon ami. Je me décidai à lui demander ce qu'il avait voulu dire.

— Tous nos cadeaux semblent te pousser vers le monde de l'art. J'aurais peut-être dû te ramener vers la médecine avant qu'il ne soit trop tard.

Ses paroles me placèrent devant un dilemme. Dans mon esprit, j'avais décidé que la médecine aurait la priorité dans mes projets d'avenir, mais après tous ces cadeaux, comment pouvais-je négliger ma vocation d'artiste ?

— Tout n'est pas perdu, Thomas, mais je dois avouer que vos nombreux et généreux présents rendent ma décision plus difficile.

Cette réponse parut satisfaisante, car personne ne sembla contrarié. Thomas se pencha pour prendre un autre paquet posé sur la table.

— Et maintenant, une surprise.

Je saisis le paquet entre mes mains et examinai l'écriture soignée de la lettre qui l'accompagnait. Elle m'était familière, mais pour l'instant, sa provenance m'échappait.

— Quand ce colis m'est parvenu, il était enveloppé d'une couche de papier supplémentaire, portant une adresse écrite de la même main, et accompagné d'une note me demandant de te le remettre le jour de ton anniversaire. Le colis avait été envoyé à la faculté de médecine de l'université de Padoue, et adressé à mon nom.

J'examinai de nouveau l'écriture de la lettre.

— Pas ma mère?...

Thomas rit de ma surprise.

— Si, en effet. C'est bien l'écriture de ta mère. Tu vois quel mal elle s'est donné pour bien former les lettres? Comme elle l'écrit dans son message, la faculté de médecine de l'université était la seule adresse connue de ta mère que nous étions susceptibles de visiter, ou du moins, le seul endroit où quelqu'un pourrait savoir où nous nous trouvions. Cela doit faire quelque temps que tu n'as pas écrit à tes parents, Richard.

Je me mordis la lèvre, embarrassé, tout en ouvrant le paquet. Il y avait effectivement fort longtemps que je leur avais écrit. J'avais été très près de le faire à de nombreuses reprises, mais chaque fois, les divers problèmes qui m'assaillaient dans mon quotidien m'avaient servi d'excuse pour remettre la lettre à plus tard. Le colis était enveloppé dans de la toile de marin soigneusement cousue et je dus en défaire les points avec ma dague avant de pouvoir l'ouvrir. Mes amis me regardèrent longuement tripoter cette chose, mais je finis par la mettre au jour.

— Qu'est-ce que c'est ?

Veronica ne put contenir sa curiosité.

Je déroulai soigneusement la toile. Il s'agissait d'une trousse de correspondance, avec un bloc de papier relié par de la colle d'un côté, des plumes, de l'encre, et un petit couteau très aiguisé pour tailler les tuyaux de plume. Écrits soigneusement sur la première page du bloc de papier se trouvaient les mots :

N'OUBLIE PAS D'ÉCRIRE

TA MÈRE ET TON PÈRE

Je sentis ma gorge se serrer. L'écriture de ma mère, claire et soignée, et celle de mon père essayant d'écrire « ton père », sans doute aidé par ma mère après de nombreux essais plus ou moins réussis. Je pris le cadeau dans mes mains.

— Il s'agit d'une trousse de correspondance. Pour les voyageurs.

Ce fut tout juste si j'arrivai à prononcer ces mots, tandis que je soulevais l'objet à la vue de tous. Que d'efforts ils avaient dû faire pour en arriver là : décider quoi envoyer, puis dénicher un tel objet (ils avaient dû voyager jusqu'à Exeter pour l'acheter), et enfin, préparer le colis et l'envoyer à l'autre bout du monde, du moins à leurs yeux. J'étais navré à l'idée d'avoir été si absorbé par mon propre univers et ses tribulations qu'il ne me fût même pas venu à l'esprit d'en faire part à mes parents, probablement inquiets d'être sans nouvelles.

— Vous devrez vous y mettre dès cet après-midi, Richard.

Elle me donna un coup de coude.

— Une fois que nous aurons mangé, acheva-t-elle.

— Nous avons pensé retourner à l'Albergo *di Leon Bianco* aujourd'hui, pour dîner. Quelle bonne idée, n'est-ce pas ?

Le comte, assurément au mieux de sa forme, continuait de sourire.

— Entre-temps, vous êtes demandé à l'atelier du Tintoret.

Veronica me sourit. C'était un sourire qui ne signifiait rien pour ceux qui ne le connaissaient pas, mais qui autrement disait tout. La journée s'annonçait palpitante.

Chapitre 59

7 juin 1556
Fondamenta della Sensa

— Dites-moi ce qu'ils sont allés raconter à la dame !

Le comte fulminait, hors de ses gonds, et je savais qu'il était dangereux dans cet état. J'attendais cette explosion de colère depuis la fin de la matinée du jour de mon anniversaire.

~~~

Après avoir pris congé de mes amis, je m'étais rendu à l'atelier du Tintoret non loin, où une autre fête d'anniversaire m'attendait.

Les uns après les autres, mes confrères apprentis m'avaient remis leurs présents : pour la plupart, des dessins qu'ils avaient réalisés et que j'admirais.

Yasmine ne s'y trouvait pas, cependant.

— Elle est trop timide pour se présenter, Richard. Elle dit que les anniversaires importants doivent être célébrés en famille et avec les amis proches. Elle m'a demandé de te dire qu'elle n'estime pas te connaître suffisamment pour prétendre à l'une ou l'autre de ces distinctions, mais elle veut aussi que je te remette ce petit cadeau.

Il s'agissait d'un panier de fruits et d'épices exotiques provenant du marché byzantin. Sans doute les connaissances de son père le lui avaient-elles procuré. Les couleurs et les parfums qui s'en dégageaient étaient irrésistibles, et je demandai à Jacopo de lui transmettre mes plus sincères remerciements. Tandis que je déposais le panier sur une table, l'écho de ses paroles résonnait dans mon esprit. Je pouvais comprendre que Yasmine ne se sente pas l'une des mes amies proches (même si je lui avais dit que j'espérais qu'elle le devienne) ; mais ma famille ? Pourquoi mentionner qu'elle n'en faisait pas partie ?

— Jacopo ? Pouvez-vous répéter ce que Yasmine vous a dit ? Ses mots exacts, si possible.

Le Tintoret sourit lentement.

— Elle a dit qu'elle ne saurait se considérer comme une amie proche ou un membre de votre famille… – il sourit largement – *pour l'instant.*

Il me fit un clin d'œil.

Plongeant la main dans un carton, il en retira une feuille de papier.

— Voici le cadeau que je vous offre, Richard. J'espère que vous le reconnaîtrez.

C'était un dessin de Yasmine, vue de trois quarts, telle qu'elle apparaissait lorsqu'elle passait devant la porte de la cour pour regagner son bureau. Le Tintoret avait reproduit l'instant même où je l'avais vue pour la première fois, dans le même angle, sous le même éclairage.

— Merci, Jacopo. Il est parfait. La ressemblance est extraordinaire. Pourquoi vous demandiez-vous si j'allais la reconnaître ?

Il haussa les épaules.

— C'était une façon de parler.

J'avais emporté les dessins dans la cour pour mieux les examiner, quand Veronica arriva.

— Je croyais que tu devais demeurer avec le comte pour le restant de la matinée ?

Elle hocha la tête, le regard hanté.

— Il fallait que je m'en sauve. Il me convoite et il devient de plus en plus difficile pour moi de trouver des excuses. Comme je te l'ai dit il y a déjà plusieurs semaines, mes connaissances m'ont conseillé de me distancer de lui le plus possible. Les apparitions publiques, parmi une foule d'autres personnes lors d'événements spécifiques, me sont permises ; mais si l'on apprenait que je le fréquente en privé, les choses iraient mal pour moi. Je ne m'étais pas imaginé une seconde qu'il serait avec vous ce matin. Je l'ai entendu dire qu'il devait sortir plus tard aujourd'hui, alors j'ai cru que je ne courais pas de risque. J'espère que ça ne se voyait pas ?

Je hochai négativement la tête. Veronica était maître de ce genre de situations, même lorsqu'elle se faisait démasquer. Elle avait réussi à garder tout son aplomb, mais à présent, dans l'intimité, son agitation transpirait.

— Le problème, c'est qu'il montre un tel manque de sensibilité qu'il n'arrive pas à comprendre les signes. Il m'a dit qu'il voulait m'offrir un cadeau au dîner de cet après-midi. Je devine ce que c'est : le médaillon qu'il s'est procuré à Ferrare. Je ne puis l'accepter, car cela équivaudrait à des fiançailles à ses yeux ; mais il continue à me faire des avances avec un zèle déconcertant.

— C'est peut-être le résultat de sa maladie.

C'était sans doute méchant de ma part, mais ma loyauté allait d'abord à Veronica, et non au comte.

Elle se tourna vivement vers moi.

— Quelle maladie ?

Je répondis à contrecœur, comme si les mots m'étaient arrachés de force.

— Je me suis laissé dire qu'il est peut-être vérolé, et que la maladie aurait atteint le cerveau.

Elle me regarda instamment.

— Tu le détestes vraiment, n'est-ce pas ? Mais merci de m'en avertir. Je t'assure que je n'avais aucunement l'intention de le laisser m'approcher. Il s'est mis dans la tête que je viens d'une famille de noble lignée, et refuse de reconnaître les réalités du métier que j'exerce, même lorsqu'elles lui sautent au visage. Plus je joue les saintes nitouches, plus il se convainc de ma virginité. Je puis faire accroire bien des choses à bien des hommes, mais le rôle de vierge innocente ne me vient pas des plus aisément.

Beaucoup de choses me plaisaient chez Veronica, et son humour grivois était l'une de celles qui me procuraient le plus de plaisir.

— Comment vas-tu faire pour l'éviter ?

Elle plissa le nez.

— Quand je sentirai venir son beau discours, je n'aurai qu'à l'interrompre en disant que c'est aujourd'hui ta journée, non la sienne ou la mienne, et qu'il devra attendre une autre fois.

Nous lâchâmes ensemble un soupir, connaissant trop bien notre sujet et ses sautes d'humeur. La tâche qui l'attendait serait loin d'être agréable, sans parler des répercussions qu'elle comporterait pour moi et pour l'entourage du comte.

— Il faudra que je lui dise bientôt. Il s'estimera trompé : il menacera probablement de me dénoncer aux autorités, et ainsi de suite. Je serai contente quand ce sera fini. Crois-moi, Richard, je vais faire mon possible pour ne pas gâcher ta journée, mais tu sais à quel point il peut être irascible.

J'étais d'accord, et je voulus changer de sujet.

— Oui, et à propos des caractères et de l'incapacité à reconnaître les signes, as-tu idée de ce que Yasmine pouvait bien vouloir laisser entendre en disant au Tintoret qu'elle ne se considère pas comme une amie proche ou un membre de ma famille – pour l'instant ?

Elle sourit.

— Oh oui ! Je sais exactement ce qu'elle voulait dire.

J'attendis. Elle fit de même. Enfin, je cédai.

— Allons, Veronica ! Qu'a-t-elle voulu dire ?

Elle secoua la tête.

— *Caro*, tu as peut-être vingt-et-un ans aujourd'hui, mais il te reste encore beaucoup de chemin à faire avant de pouvoir comprendre les femmes. Elle veut que tu l'épouses. Comment pourrait-elle faire partie de ta famille autrement ?

À ces mots, elle se tourna vers moi en écartant les mains dans les airs. Toujours aussi déconcerté, je continuai à m'empêtrer.

— Et pourquoi Jacopo m'a-t-il offert un portrait de Yasmine tout à fait ressemblant, en disant espérer que je la reconnaîtrais ?

Je la vis serrer les poings, la sentant de plus en plus contrariée. Elle monta le ton.

— La même chose. Il te faisait savoir que Yasmine est amoureuse de toi, qu'il le reconnaît et qu'il l'accepte. En fait, on peut même dire qu'il l'encourage.

Je ne comprenais pas.

— Comment cela ?

Elle mit les poings sur la table, exaspérée.

— Tu as rencontré Yasmine, non ?

— Bien sûr que je l'ai rencontrée.

— Est-elle timide, réservée, modeste ?

— Extrêmement.

Elle planta son index sur ma poitrine à chaque mot, pour être sûre de bien se faire comprendre, même – par – quelqu'un – d'aussi – stupide – que – moi.

— Dans ce cas, quel courage crois-tu que cela lui a pris pour permettre à son employeur, maestro Jacopo Tintoretto, de faire son portrait et d'accepter de poser pour lui dans ce but, son regard scrutant le moindre de ses traits et lisant chacun des sentiments qui paraissaient dans son expression ? Seul l'amour lui a permis de rassembler ce courage. *Es-tu aveugle ?*

Elle criait presque. Je posai une main sur la sienne pour la calmer.

— Chut, Veronica ! Tout le monde va t'entendre !

Elle se leva et s'agrippa les cheveux. À présent, elle criait pour vrai.

— Richard ! Tout le monde le *sait* !

À ce moment-là, de grandes acclamations s'élevèrent dans l'atelier, et je compris enfin pourquoi Yasmine s'était absentée ce jour-là.

—⁓—

— Qu'est-ce qu'ils sont allés raconter à la dame ? s'écria de nouveau Courtenay.

C'était comme si les rôles avaient été renversés. Au lieu de Veronica m'ouvrant les yeux aux réalités du monde, c'était moi qui devais les expliquer à Courtenay. Comme elle l'avait fait avec moi, je décidai de le travailler un peu.

— Qui sont-*ils* et qu'est-ce qui vous fait croire qu'*ils* aient raconté quoi que ce soit à la dame ?

— J'ai essayé de l'aborder à l'auberge mais elle m'a coupé la parole. Mais j'ai pu lui parler plus tard, en gondole, comme je la ramenais chez elle. Elle a refusé tout net le médaillon que je lui offrais, et m'a dit qu'un mariage serait impensable. Elle a même osé dire qu'elle était engagée ailleurs. C'est tout à fait grotesque ! Si elle voyait quelqu'un d'autre, je l'aurais su immédiatement.

Il marcha jusqu'au fond de la pièce, se retourna avec fureur et revint vers moi.

— Quelqu'un est allé lui parler. Quelqu'un l'a avertie. C'est une affaire de politique. Je l'ai senti même avant la mort du doge, mais maintenant, alors que tout le monde se rue pour une meilleure place, on cherche à me tenir à l'écart.

C'était un bon point de départ et je hochai la tête, me mettant à marcher moi-même, pour mieux me concentrer et donner plus de poids à mes dires.

— Je crois que Votre Grâce a raison. On sent un changement d'atmosphère ici, à Venise, qui pourrait bien jouer contre vous. Je vous ai déjà exprimé ma méfiance à l'égard de Peter Vannes. Je crois qu'il se cache derrière cette histoire, et que la reine Marie en fait autant derrière lui.

Il se tourna vivement dans ma direction.

— Vous croyez qu'on me considère encore comme un danger ? À la cour d'Angleterre ?

Je hochai la tête.

— C'est mon avis, Votre Grâce. Je crains que Philippe ait une influence pernicieuse sur notre reine. De manière différente et pour des raisons complètement autres, il l'a liguée contre nous deux. L'emprise de l'Espagne s'étend peu à peu. Déjà, elle domine les Pays-Bas. Cheke et Carew ont été arrêtés à Anvers. La situation est grave, quelle que soit l'offense. La mienne est d'être protestant. La vôtre, d'être un Plantagenêt. Nous sommes tous deux perçus comme un danger, ce qui nous vaut à notre tour d'être menacés.

Pour une fois, mes arguments semblèrent capter son attention et le convaincre. Il cessa d'arpenter la pièce, prit une chaise et m'en désigna une autre en face de lui.

— Oui, John Neville m'a parlé de l'arrestation de Cheke et Carew.

Il hocha pensivement la tête.

— Vous faites des progrès, Richard. Vous êtes futé. Votre compréhension des choses et des personnes s'est grandement améliorée au cours des six derniers mois. Qui vous a appris tout cela ?

Je me savais en terrain glissant.

— Bien des choses et bien des gens, Votre Grâce. Vous-même avez joué un rôle déterminant dans mon éducation, ainsi que Thomas. Et d'autres, des Vénitiens, hommes ou femmes...

Par souci d'exactitude, j'étais allé trop loin. Il me regarda d'un œil perçant.

— Vous voulez parler de cette femme, n'est-ce pas ? Cette intrigante, la Franco. Eh bien, méfiez-vous si vous vous initiez à la sorcellerie avec de telles gens, Richard, car on ne peut pas leur faire confiance. Et ne me parlez plus d'elle. Le nom de Veronica Franco n'est pas le bienvenu dans cette maison et je vous interdis de le mentionner.

Je me levai pour prendre congé. J'étais sur le point de me fâcher et il valait mieux m'éclipser. Comme je partais, il cria après moi :

— Et il n'y aura pas de portrait ! Dites à l'artisan d'oublier cela.

Pourquoi n'étais-je pas surpris ? Je hochai la tête et sortis.

Chapitre 60

Yasmine entra dans l'atelier et se fraya un chemin vers l'endroit où j'étais assis. L'apercevant, je déposai mon fusain et m'adossai contre ma chaise. Elle s'approcha de moi et s'appuya sur mon épaule pour mieux voir mon travail, un peu plus qu'il lui était nécessaire. Instinctivement, je passai un bras autour de sa taille et elle ne me résista pas.

— Ah, *bellissimo*!

Partout dans l'atelier, les apprentis levèrent les yeux de leurs planches et firent mine de roucouler comme des amoureux. Je ris, et Yasmine regarda tout autour d'elle, souriant timidement.

— Retournez au travail ou je pourrais oublier de vous remettre votre paie.

Elle était peut-être jeune, timide et minuscule, mais elle savait discipliner ses gens quand il le fallait.

— Vous avez dit que vous vouliez me voir quand j'arriverais? demanda-t-elle.

Je regardai ses yeux sombres. Comme toujours, j'avais l'impression d'un grand creux à l'intérieur de moi, comme si je n'avais pas mangé depuis des jours.

— Je veux toujours vous voir. Vous le savez bien.

Elle donna un coup de hanche et vint se cogner contre moi, avec un sourire aguicheur.

— Mais s'agit-il de quelque chose de précis ? Venez dans mon bureau. Nous y serons plus intimes.

— Ouuuh !

Les apprentis continuèrent de nous taquiner tandis que je la suivais à l'extérieur. Elle tendit un bras de réprimande en direction des jeunes artistes, mais ne semblait pas fâchée. Car même s'ils se moquaient souvent d'elle derrière les murs de l'atelier, j'avais remarqué que ce n'était jamais outrancier, jamais méchant, et leurs quolibets cessaient immédiatement sitôt qu'ils sortaient du studio. Quand Yasmine discutait avec un client dans la cour intérieure ou qu'elle travaillait dans son bureau, tous se montraient discrets, sérieux et respectueux.

Nous prîmes place à la table installée dans la petite cour et elle me regarda avec une curiosité enjouée. La nouvelle serait plus difficile à annoncer que je l'avais cru.

— Le comte de Devon vient d'essuyer un dur revers. Ses avances ont été rejetées par celle qu'il convoitait, et il a décidé de ne pas faire peindre son portrait. Il me demande de transmettre ses excuses les plus sincères à la maison du Tintoret et espère que vous saurez trouver d'autres commandes pour vous garder occupés.

Je croyais que Yasmine serait déçue, peut-être même fâchée. Au contraire, elle prit la nouvelle avec aplomb.

— Je dois en informer le maestro. Voulez-vous m'attendre ?

Ils revinrent au bout de quelques minutes.

— Le portrait est annulé ? demanda Jacopo en levant les bras d'un air nonchalant.

Je hochai la tête.

— En effet, je le crains. Je suis désolé.

Jacopo s'assit en face de moi, à côté de Yasmine.

— Ne vous inquiétez pas, Richard. Je savais à quoi m'attendre. Veronica m'en a parlé il y a des lustres. Vous voyez à quel point nous sommes occupés : pour tout vous dire, j'attendais seulement votre confirmation. Si vous m'aviez dit qu'il voulait commencer bientôt, j'aurais vraiment été dans le pétrin.

Une fois encore, on me rappelait que je n'étais pas au centre de toutes les conversations, que les membres de cette petite communauté discutaient entre eux jour après jour, peu importe si j'étais présent ou absent. Évidemment, Veronica savait que le portrait lui était destiné. Évidemment, elle savait qu'elle ne pourrait pas l'accepter. Le reste n'était qu'une question de temps.

— Vous savez qu'on se méfie de lui, ici à Venise ?

Jacopo ne sentait pas le besoin de parler à voix basse dans sa propre boutique. Je hochai la tête.

— Et j'imagine que la désignation d'un nouveau doge, quelle que soit son identité, n'y changera absolument rien ?

Jacopo fit non de la tête.

— Les chances sont minces. Venise est gouvernée par la tradition et n'évolue que très lentement dans de telles affaires. Aucun doge nouvellement élu n'oserait changer de politique aussi subitement. De toute manière, Veronica dit que sa réputation est ruinée, s'il en a jamais été autrement. Car si le doge Venier a décidé de lui offrir sa protection, c'est seulement qu'il ressentait l'ingérence des Anglais dans les affaires vénitiennes comme un affront. Il ne pouvait permettre que des *bravi* agissant sous les ordres de Vannes assassinent quelqu'un sur son propre seuil : c'était lui manquer de respect. Mais ce sont tous des politiciens aguerris qui comprennent le pouvoir, et qui s'arrangent pour le conserver en dépit des conséquences. Aucun roi (ni aucune reine) ne va laisser un usurpateur potentiel tisser sa trame en secret.

Je hochai de nouveau la tête. Nous nous disions des choses que nous savions déjà, comme pour les poser à plat entre nous.

— Qu'allez-vous faire si le comte décide de s'établir ailleurs ?

Jacopo semblait réellement inquiet.

— Si possible, je choisirais de rester à Venise, pour l'instant. Puis-je continuer mon étude ici ? Dans les circons-tances ?

Jacopo fit la grimace et se tourna vers Yasmine.

— Eh bien, c'est vous la gérante de l'entreprise. Qu'en pensez-vous ? Peut-on se le permettre ? Est-ce qu'il en vaut la peine ?

Yasmine voulut garder un air sérieux, mais elle y réussit moins bien.

— Je pense que nous avons les ressources nécessaires, *maestro*. Il ne gaspille pas beaucoup de fusain, n'utilise pas trop de papier et ne se fait pas prier pour payer la peinture qu'il nous prend.

Jacopo tourna la tête d'un côté et de l'autre comme s'il se trouvait devant un important dilemme.

— Mais est-ce qu'il fait des progrès ?

Cette fois, elle ne pouvait pas mentir, même pour plai-santer. Elle posa un instant les yeux sur moi et les ramena vers son maître.

— Oh oui, maestro ! Son dessin s'est considérablement amélioré. Tout compte fait, je crois que je continuerais à le soutenir. Je suis sûre que vous réussirez à en tirer quelque chose.

Jacopo hocha lentement la tête, affectant un air grave.

— Et vous, Yasmine ?

Elle posa les yeux sur lui, désarçonnée par cette question imprévue.

— Pensez-vous réussir à en tirer quelque chose ?

Je la regardai en attendant sa réponse. Elle rougit et baissa la tête.

— Je pense bien, si on m'en donne la chance.

Elle leva les yeux et me regarda fixement.

— En fait, j'en suis certaine. (Elle fit une pause.) Si on m'en donne la chance.

Le Tintoret nous regarda tour à tour et se leva.

— Eh bien, vous deux, il semble que ma présence ne soit pas nécessaire. Je ferais mieux d'y aller. J'ai un studio à gérer.

Yasmine se tourna vers moi. Un doute parut dans ses yeux.

— Ça vous a dérangé ? Que je dise ça ?

Tendant le bras vers elle, je pris sa main dans la mienne et la regardai dans les yeux pour la prier de me croire.

— Je serais mort si vous aviez dit autre chose.

Chapitre 61

14 juin 1556
Piazza San Marco

— Il n'y aura aucun changement de politique.

Edward Courtenay nous rejoignit, Thomas et moi, alors que nous nous tenions en retrait de la place Saint-Marc, prêtant l'oreille au son des cloches. Toutes les églises vénitiennes semblaient s'être donné le mot, produisant une joyeuse cacophonie.

— Je viens de parler à John Neville, poursuivit Courtenay ; il dit que le doge Lorenzo Pauli ne changera rien. Venise se cherche par les temps qui courent, minée par la famine et la peste dans ses classes inférieures, incertaine de la direction à prendre pour assurer sa pérennité. Les routes commerciales se déplacent et l'on dit que la santé financière des Fugger est en péril à cause de plusieurs mauvaises décisions, ce qui fait qu'ils ne peuvent plus consentir de nouveaux prêts dans l'immédiat. Et pendant que la moitié du Conseil se concentre sur Lisbonne et les nouvelles routes commerciales contournant l'Afrique, l'autre moitié se préoccupe de Byzance et du risque d'une nouvelle guerre contre Constantinople. Alors Venise fait comme elle fait souvent : elle s'accroche aux traditions et attend.

— Et quelle action pensez-vous entreprendre, Votre Grâce ?

Je sentais qu'il était temps de mettre cartes sur table. Il y avait dans ma vie trop d'affaires en suspens qu'il me fallait résoudre, et je ne pouvais me laisser aller à la dérive plus longtemps, suivant les caprices de quelqu'un d'autre – surtout ceux d'une personne que je considérais comme égoïste, imprévisible et, en définitive, extérieure à ma vie.

— J'agirai comme le font les Vénitiens. Il y a trop d'incertitudes qui demandent à être éclaircies, aussi je vais tenir bon : je vais attendre, pour voir, du moins jusqu'à la fin de l'été.

Il s'adressait à nous deux, car même si Thomas n'avait rien demandé, la réponse du comte le concernait tout autant que moi.

— Je sais bien que vous devez chacun prendre une décision quant à votre avenir. Vous avez été de bons compagnons pour moi et je vous en suis reconnaissant.

Il se tourna vers Thomas.

— Je sais que vous avez l'intention de rentrer en Angleterre au plus tard cet automne, avant que les plus grosses tempêtes ne se déclarent sur la Manche.

Thomas hocha la tête.

— Richard, vous m'avez fait savoir que vous ne retournerez pas au pays tant que la reine Marie détiendra la couronne. Je le comprends. Si votre intention est d'entreprendre une carrière en médecine, vous devriez vous inscrire à l'université de Padoue en septembre, afin de vous joindre après la saison des récoltes aux étudiants de cette année.

Il se tint face à nous, écartant les bras d'un geste chaleureux.

— Je prends cet engagement avec vous, Messieurs. Je resterai ici à Venise, à moins d'être physiquement contraint de partir, jusqu'en septembre. Je n'ai pas encore décidé à quel endroit je me rendrai alors, mais en tous les cas, je vous dispense dès maintenant de tout engagement futur à mon égard. Jusqu'en septembre, je continuerai de louer la maison à mes dépens et vous aurez le loisir d'y rester selon les dispositions présentes, allant et venant comme il vous plaira. Si vous choisissiez de partir avant, je comprendrais parfaitement, et vous aurez mon entière approbation dans cette décision.

Nous marmonnâmes quelques mots de reconnaissance, le remerciant de nous avoir exposé ses intentions aussi clairement. Bizarrement, Courtenay saisit chacune de nos deux mains et les serra tour à tour.

— La liberté, Messieurs. Je vous donne la liberté.

Il nous serra de nouveau la main, puis il aperçut de l'autre côté de la place quelqu'un à qui il désirait parler, et s'empressa de nous dire au revoir.

Thomas me regarda d'un air interrogateur.

— À quoi tout cela rime-t-il, selon toi?

Je secouai la tête.

— Je n'en ai aucune idée. C'est comme s'il avait eu une attaque subite de lucidité.

Nous décidâmes de rentrer, réconfortés à l'idée que chacun de nous pourrait désormais mettre ses projets à exécution sans craindre de manquer à ses engagements. Tandis que nous marchions, j'entendis Thomas chuchoter pour lui-même:

— Étrange maladie que cette syphilis. L'esprit est confus et d'un instant à l'autre, il redevient clair.

Je me demandai à quel moment la prochaine saute d'humeur allait s'abattre sur nous et quelles en seraient les conséquences. En attendant, j'avais reçu ma liberté et je n'avais aucunement l'intention de me la laisser reprendre. Trop de décisions en dépendaient et trop de vies en ressentiraient les effets: la mienne, mais aussi celles de Yasmine et de Faustina.

Chapitre 62

16 juin 1556
Fondamenta dei Mori

Veronica s'étira et bâilla. Le peintre, la voyant bouger, s'adressa à ses élèves :

— Il est temps de faire une pause.

Elle remarqua mon regard et, alors que chacun déposait son pinceau, vint me trouver.

— Tu voulais me parler ?

— Si tu as le temps, oui, s'il te plaît.

Ensemble, nous nous dirigeâmes d'un pas nonchalant vers la cour intérieure, où tout était tranquille.

— S'agit-il d'une conversation privée ?

Je hochai la tête.

— Dans la mesure où cela concerne Yasmine, j'aimerais connaître ton avis.

Veronica était désormais habituée à mes petites questions. Elle rajusta son ample vêtement autour de ses épaules et s'installa sur sa chaise. Je lui fis le récit des récents événements, jusqu'au moment où Courtenay nous avait fait connaître ses intentions.

— Donc, en somme, j'ai jusqu'à septembre pour prendre les décisions qui s'imposent. Je crois savoir ce que je veux faire dans la plupart des cas ; la seule difficulté reste sœur Faustina. Je me suis engagé à la sauver du sort qui l'attend, mais le temps file, et bien que j'aie désormais les idées claires par rapport aux autres enjeux auxquels je fais face, je ne sais toujours pas ce que je peux faire pour elle.

Veronica sourit d'un air maternel.

— *Caro*, tu parles comme s'il s'agissait d'une question d'argent ou de pouvoir, comme si tu allais parvenir à une décision en te servant de ta tête. Tu es un jeune homme fringant. Du sang chaud coule dans tes veines. Je le vois bien.

Elle se pencha vers moi d'un air complice.

— Et je l'ai senti.

Je jetai un regard vers le bureau de Yasmine et le treillis de bois recouvrant la fenêtre, mais Veronica rejeta cette préoccupation d'un geste de la main.

— Ta décision ne viendra pas de la tête, mais bien du cœur.

Comme toujours, j'étais surpris de la vitesse à laquelle Veronica semblait tirer ses conclusions. Doucement elle me prit la main et la caressa, comme pour calmer un petit garçon qui pleurniche.

— Tu veux tout avoir : tu veux que le soleil brille toute la journée et que la pluie se contente de tomber la nuit.

Je secouai la tête. J'étais incapable de la suivre.

— La nonne, la musulmane et la catin. Dans ton esprit, tu nous envisages comme trois personnes distinctes, comme autant d'*occasions* qui s'offrent à toi – ou peut-être autant de problèmes, te dis-tu maintenant ! Mais tu ne comprends pas. Nous ne sommes pas distinctes : nos vies sont reliées, régies par les mêmes personnes et les mêmes influences. Nous sommes toutes les filles du doge, Richard, chacune d'entre nous trouvant notre subsistance dans les lois et les règlements de la Sérénissime, tout en étant prisonnières de ces mêmes lois. Regarde un peu chacune de nos positions. Sœur Faustina est enfermée dans un couvent par conséquence directe du *Libro d'Oro*. Et Yasmine... Crois-tu qu'elle est libre de choisir la vocation qui lui plaît ? Demande-toi ce qui arriverait si elle essayait de devenir médecin. Demande-toi quels sont les débouchés pour une femme musulmane dans l'administration de la ville, ou dans les compagnies et les entreprises commerciales dirigées par des hommes de religion chrétienne. Et si tu peux faire abstraction de ta propre situation avec elle un instant, demande-toi quelles sont les véritables perspectives de mariage pour une femme comme elle dans une ville où les musulmans n'ont pas droit à toutes ces libertés qui paraissent fondamentales aux autres. Puis, enfin, nous parvenons à la troisième femme importante dans ta vie, la catin. N'est-elle pas elle aussi, étant de bonne famille, soumise à des contraintes dans sa vie maritale ? Ne lui est-il pas interdit comme à l'autre de devenir poète, peintre, chef d'entreprise ? Est-ce purement une coïncidence si elle est obligée de se servir de son corps comme d'une marchandise ?

J'étais dérouté. Où voulait-elle en venir avec cette tirade ?

— Tu n'es pas une catin !

— Je sais…

De nouveau elle me caressa la main, comme pour garder mon attention, puis elle se pencha lentement en avant et vint frotter son nez contre le mien. Désormais, elle avait toute mon attention. Elle parla, presque en un murmure, en me faisant considérer chaque mot.

— C'est une blague – une blague que je suis la seule à pouvoir faire à mes dépens. De toute façon, tu comprends maintenant que je n'ai jamais été disponible pour toi, sauf à titre d'amie et de confidente. Alors il ne te reste plus que deux femmes. Et tu dois te résoudre à faire un choix entre Faustina la nonne et Yasmine la musulmane.

— C'est là ma difficulté. Je sais que j'aime Yasmine, et

si elle veut de moi, je veux l'épouser. Mais je pense que j'ai déjà pris un engagement envers Faustina.

Elle haussa les épaules.

— Peut-être, en quelque sorte. Mais tu n'as pas besoin de l'épouser pour répondre aux attentes qu'elle nourrit envers toi. Au contraire. Ce ne serait probablement pas possible de toute manière.

Encore une fois, j'étais dérouté.

— Pourquoi pas?

— Richard, elle a déjà offert son amour à quelqu'un d'autre.

Cette fois, j'étais vraiment secoué. Offusqué, même.

— Elle en aime un autre? Qui donc?

Elle secoua la tête en esquissant un sourire.

— Pas un autre, *une* autre. Je parle de Felicità.

Ce nom m'était familier et je fouillai dans ma mémoire.

— La jeune converse aux grands yeux bruns? Je l'ai vue. Elle ne peut pas avoir plus de seize ans. Tu veux dire qu'elle… Les deux… ensemble? Comment le sais-tu?

— Il y a des choses qu'une femme confie aux hommes, mais d'autres ne peuvent se dire qu'aux femmes. Tu peux me croire.

Immédiatement, je sentis la colère monter en moi. J'avais placé toute ma confiance dans le jugement de Veronica, et voilà qu'elle se contredisait complètement.

— Mais tu m'as dit qu'elle était amoureuse de moi.

Veronica secoua la tête.

— J'ai dit que tous les ingrédients se trouvaient réunis, et il est vrai qu'elle t'est très reconnaissante. Mais cette fois-ci, je dois t'avouer que je me suis trompée.

Felicità se trouvait avec nous la dernière fois que nous nous étions vus, mais je n'avais perçu aucun signe de sa liaison avec Faustina.

— Cela m'a échappé.

Cette fois, ce fut Veronica qui regarda par-dessus son épaule afin de s'assurer que nous étions bien seuls.

— Il y a beaucoup de choses qui t'échappent, jeune homme. Prends Yasmine, par exemple.

Je fus soudainement sur la défensive.

— Qu'est-ce qu'il y a ? Qu'est-ce qui m'échappe à propos de Yasmine ?

— Qu'elle n'est pas seulement amoureuse de toi, mais qu'elle n'en peut plus d'attendre ta demande en mariage.

Cela n'avait pas de sens.

— Mais nous nous sommes à peine parlé – de choses personnelles, je veux dire. Nous nous sommes montré de l'affection, oui, c'est vrai, mais nous n'avons jamais vraiment eu de conversation intime.

Elle me regarda de ses grands yeux expressifs et attendit avant de répondre.

— Cela n'a aucune importance, je le sens. Une femme *sait* ces choses-là. Elle t'a aimé presque dès la première fois qu'elle t'a vu. Je l'ai surprise à ramasser des esquisses que tu avais abandonnées, à les examiner soigneusement et à les presser contre son cœur.

— Alors que devrais-je faire ?

Elle se cala sur sa chaise, comme pour se distancier de moi.

— Je ne puis te dire comment vivre ta vie, ce que tu dois ou ne dois pas faire, mais je puis te dire ce qui saura plaire aux femmes.

Je m'avançai sur mon siège, tout oreilles. Si elle pouvait imaginer une solution qui me permettrait d'épouser Yasmine tout en remplissant mes promesses envers Faustina, que de complications disparaîtraient enfin de ma vie !

Chapitre 63

25 juin 1556
Fondamenta dei Mori

Le Tintoret s'inclina légèrement et prit la main de Thomas, l'accueillant avec un large sourire.

— Ah, *dottore* Thomas Marwood. Quel plaisir de vous rencontrer enfin. Richard m'a beaucoup parlé de vous. Je crois que vous êtes celui qu'il faut blâmer ?

Thomas, loin d'être décontenancé par le trait d'humour du peintre, rendit son sourire au maestro.

— Probablement. C'est habituellement moi qu'on blâme. Puis-je savoir laquelle de ses faiblesses vous préoccupe aujourd'hui ?

Un éclair parut dans l'œil de Jacopo.

— Eh bien, je crois qu'il vient nous importuner dans nos cours de dessin à cause de l'enthousiasme que vous lui avez communiqué pour cette discipline. Ne lui avez-vous pas dit, il y a de cela bien des années, qu'il fallait « observer, inter-préter, dessiner et annoter » ? Ce sont, je crois, les mots que vous avez utilisés ?

— Non, je ne me souviens pas du tout d'avoir dit cela. Vous êtes bien sûr qu'il s'agit des mots exacts ?

Le Tintoret me regarda de côté, une lueur de méfiance dans les yeux. Il savait que nous le faisions marcher, et s'était laissé prendre au jeu avec l'assurance d'en sortir vainqueur ; mais les choses n'avaient pas pris la tournure escomptée. Il se tourna vers moi.

— Ce sont bien les mots que vous m'avez dits, n'est-ce pas, les mots exacts ?

Je décidai de me ranger du côté de Thomas, puisque celui-ci était l'invité et que Jacopo se trouvait sur son propre terrain.

— Non, pas tout à fait. Presque, mais pas exactement.

Thomas vint à sa rescousse.

— Les mots auxquels vous faites référence nous ont été énoncés, si je ne m'abuse, le jour de Noël passé, ou à peu près, à l'université de Tubingue, par la bouche d'un professeur du nom de Leonhard Fuchs. C'est bien cela, Richard ?

Je hochai la tête, prenant un air sérieux. Nous étions démasqués, et il restait à Jacopo à s'extirper de ce mauvais pas du mieux qu'il le pouvait.

— Je vois. Et les mots qui furent les vôtres à l'origine, docteur Marwood, étaient disons *semblables*, si j'ai bien compris ?

Thomas s'inclina.

— En effet, Monsieur, mais ils étaient plus simples : « observer, dessiner, annoter ». Je suis un homme de peu de mots, Monsieur.

Jacopo, sachant que la partie était perdue, éclata de rire.

— Bien dit, docteur Marwood. Puis-je vous appeler Thomas ? Vous avez l'avantage sur nous, pas de doute.

Thomas inclina la tête en signe d'approbation.

— Vous aviez saisi l'essence, Signor Tintoretto. Les mots que j'utilisais à l'origine ont été bonifiés par le professeur Fuchs lors d'une discussion que nous avons eue. Peut-être pourrais-je un jour vous apporter un exemplaire de son livre, qui comprend des gravures de nombreux spécimens de plantes finement observés. Je crois que votre *bottega* est allée encore plus loin, cependant, car ne dites-vous pas : « observer, *analyser*, dessiner, interpréter et annoter » ?

Jacopo haussa les épaules de façon ostentatoire, exagérant la manière italienne.

— Vous connaissez notre réputation ? Nous, les Italiens et les Vénitiens ? Nous sommes verbeux. Pourquoi se servir d'un seul mot quand on peut en trouver trois ?

Nous sourîmes tous les trois et Jacopo nous emmena à l'autre extrémité du studio.

— En fait, nous avons choisi ces mots supplémentaires avec soin, et non sans raison. Gentile ! Veux-tu leur faire la démonstration pendant que j'explique ? Richard nous servira de modèle.

Je m'assis dans le grand fauteuil réservé aux modèles et me tournai vers Gentile. Déjà, ses yeux me scrutaient d'un air appréciateur. Il me demanda de tourner un peu la tête, pour que la lumière tombe comme il voulait, puis il se mit à m'examiner avec soin. Je vis la courbure de son poignet et sus immédiatement ce qu'il était en train de faire. Jacopo expliqua la signification de ce geste.

— Vous venez d'assister à la première observation: Avec Gentile, c'est très rapide, mais certains sont beaucoup plus lents. Puis, il y a eu ce léger froncement de sourcils, n'est-ce pas ? Il analysait la tête. Pas le contour, vous comprenez, mais la forme, la rondeur, la masse. Dès les premiers traits, nous essayons de jauger la masse de l'objet et de la rendre.

Gentile recommença le même geste, cette fois en esquissant un trait sur le papier. Puis il leva le poignet et eut un mouvement similaire, mais à l'horizontale. Adroitement, il détermina la forme de ma tête autour de ces premiers traits.

— Les lignes croisées suivent les formes de la tête verticalement et horizontalement. De là, nous en déduisons la masse. Ces lignes nous fournissent également un bon instrument de mesure. Remarquez, par exemple, que Richard a la tête légèrement penchée vers la droite, ce qui se traduit par une hausse de la ligne des sourcils que Gentile a tracée. Puis il faut s'occuper des orbites. À ce stade, on ne dessine pas l'œil lui-même, seulement l'orbite, qui consiste en une cavité remplie d'ombre.

Gentile traça quelques lignes et les frotta du bout de son index afin d'étendre les ombres.

— De cet angle, le nez n'est pas vertical dans un plan ou dans l'autre.

Je vis Gentile faire un trait en forme de coude, puis il se servit de nouveau du bout de son index.

— Il vient d'en tracer le contour, mais comment exprimer le fait que la partie inférieure du nez se trouve plus proche de nous que l'arête ? Ici, il nous faut interpréter le dessin, observer la manière dont les formes et les nuances s'éloignent ou s'approchent de nous, et les corriger en ajoutant de nouveaux traits et en affinant les nuances d'ombre et de lumière.

Gentile accentua le crochet du nez, puis il prit un morceau de craie blanche et en éclaircit le bout, prenant soin d'amalgamer ces traits avec les ombres noires situées juste au-dessus. Quand ce fut fait, le visage de Thomas s'éclaira immédiatement. Il hocha la tête avec enthousiasme.

— Oui, je vois. C'est comme si vous parliez au dessin. Vous entrez en conversation avec lui.

Gentile hocha la tête et se tourna vers Thomas.

— Je regarde ce que je dessine tout en essayant de cerner les différences entre le vrai visage et le souvenir que j'en garde ; puis je tâche de les éliminer. Voulez-vous essayer ?

Thomas eut un mouvement de recul.

— Non, Gentile. Je reconnais un maître quand j'en vois un. Je ne demande pas mieux que de vous regarder : cela me suffit. C'est fascinant, et j'en ai déjà appris beaucoup. Pas surprenant que Richard passe le plus clair de son temps ici.

À ces mots, une porte s'ouvrit derrière lui et une silhouette familière se glissa discrètement dans la pièce.

Jacopo l'interrompit.

— N'allez pas croire que c'est l'amour du dessin qui l'amène ici jour après jour. Si cette jeune femme n'était pas parmi nous, tout l'intérêt de Richard pour les arts disparaîtrait comme la brume au soleil du matin. Docteur Thomas Marwood, laissez-moi vous présenter Yasmine Ahmed, par qui nos tâtonnants efforts dans le domaine pictural se voient transformés en une entreprise lucrative.

Yasmine pencha la tête vers Thomas avec sa réserve habituelle, puis elle me salua à mon tour.

— Ce n'est pas vrai. Richard est un très bon étudiant.

Thomas s'avança pour lui prendre la main, s'inclina et déposa un baiser sur ses jointures.

— C'est un plaisir de vous rencontrer. Je me disais que Richard devait exagérer votre beauté, mais je vois que non.

Yasmine se tortilla de gêne et s'adressa à Jacopo.

— Maestro, j'ai reçu l'argent que nous attendions. Je dois le ranger dans un endroit sûr.

Elle se tourna pour prendre congé, puis me lança un dernier regard en signe d'au revoir.

Thomas me regarda tandis qu'elle quittait la pièce. Il resta muet, mais son regard approbateur me dit tout ce que je devais savoir.

Quand la démonstration fut terminée, Thomas s'avança vers Gentile pour le remercier en lui donnant une tape sur l'épaule. Laissant sa main sur l'épaule de l'apprenti, il se tourna vers le Tintoret.

— Outre le simple plaisir de voir une telle maîtrise de l'art, votre démonstration a grandement éclairé ma perception des dessins que je connaissais déjà, en particulier les études d'anatomie de Léonard de Vinci. Bon nombre d'entre elles figurent désormais dans la collection de la faculté de médecine de l'université de Padoue.

Gentile se tourna de nouveau vers moi.

— Évidemment, le modèle n'avait rien d'idéal : formes disgracieuses, mauvaises proportions, et impossible de le faire tenir en place ; mais pouvait-on vraiment s'attendre à mieux ?

Ces mots me réchauffèrent le cœur. Dans ce cercle d'artistes, il n'y avait pas plus grande manifestation d'amitié que de se faire injurier ouvertement en présence d'un important visiteur.

Chapitre 64

30 juin 1556
Île de Murano

— Premier rendez-vous galant?

Le gondolier me fit un clin d'œil tandis que j'aidais Yasmine à embarquer. Elle procédait craintivement, mais je ne pouvais dire si c'était par peur des embarcations ou bien parce qu'elle avait revêtu sa plus belle toilette.

— Les jeunes gens aiment beaucoup les pique-niques: c'est souvent l'occasion d'avoir de longues conversations intimes.

Je posai les yeux sur lui, puis regardai la petite gondole, avant de revenir au gondolier. J'avais du mal à trouver notre intimité dans un espace aussi restreint. Il cligna de l'œil derechef.

— Je suis sourd et aveugle. Cela fait partie de notre formation. C'est miracle que nous soyons capables de retrouver notre chemin à travers la ville et dans la lagune. Murano?

Je hochai la tête. C'était assez loin pour que nous y passions la soirée, et même si les déchets des souffleurs de verre souillaient certaines parties de l'île, tous les gondoliers savaient s'assurer que les arrivées et départs soient des plus agréables pour leurs passagers, et que ceux-ci rapportent quelque coûteux objet en verre fabriqué par un de leurs « cousins ».

Yasmine s'installa sur le grand banc et je m'assis à côté d'elle. Elle semblait aussi nerveuse que moi, et tandis que l'embarcation nous emportait sur la lagune, je remarquai que nous avions laissé le plus d'espace possible entre nos deux corps. Je me penchai vers elle.

— Nous devrions peut-être nous rapprocher un peu ? Si nous restons ainsi, il faudra crier pour nous entendre ; et si l'un de nous décide de bouger, il se peut que le gondolier tombe à la mer, et aucun de nous deux n'est habillé convenablement pour prendre les rames.

Elle ricana doucement, et nous nous approchâmes l'un de l'autre. Ce faisant, j'en profitai pour étendre mon bras au-dessus du banc, et voyant qu'elle ne protestait pas, je le passai autour d'elle. Elle frissonna un instant et se pelotonna contre moi.

— L'air est parfois un peu frais sur la lagune. Les couvertures sont devant vous.

Ce gondolier connaissait son programme par cœur. Retirant mon bras, je me penchai pour ramasser la grande couverture imperméable et nous enveloppai tous les deux dans sa chaleur ; puis je ramenai discrètement mon bras autour de son épaule. C'était une parfaite soirée de juin, tranquille et paisible. Le soleil continuait de flotter au-dessus de l'horizon, chaud et rouge, mais nous restâmes blottis sous la couverture, comme le faisaient sans doute tous les amoureux.

Le mouvement du bateau portait à la détente et nous eûmes tôt fait d'oublier la présence du gondolier derrière nous.

— J'ai dit à mon père que j'allais en visite chez une amie. C'est difficile de s'échapper : il est très protecteur, me confia-t-elle. Vous allez souvent pique-niquer là-bas ?

Je sentis l'insécurité dans sa voix.

— Vous voulez dire, avec d'autres filles ? Non.

Je la sentis plus détendue.

— C'est la première fois pour moi aussi.

Je baissai les yeux vers elle. Le Tintoret m'avait dit que sa mère était morte quelques années auparavant et que son père se montrait très protecteur à son endroit. Le maestro avait été un voisin de la famille depuis qu'il s'était installé sur la Fondamenta dei Mori, et il avait fourni à Yasmine du travail à temps partiel alors qu'elle avait seulement quatorze ans. Il l'avait prise sous son aile, s'assurant qu'elle demeure en sécurité et que les apprentis n'abusent jamais d'elle, et elle avait grandi au sein de l'entreprise, devenant à la longue un élément essentiel à son bon fonctionnement.

Fidèle à son nom, elle portait ce soir-là des fleurs de jasmin dans les cheveux, dont le parfum enivrait les sens. Dans les reflets du soleil sur sa chevelure, je pouvais déceler une douzaine des tons dont nous nous servions à l'atelier : des ombres, qui chatoyaient alors d'un lustre terre d'ombre brûlée, et des touches claires, allant de l'ocre jaune au rouge vénitien, brillant comme la plus fraîche des noisettes au moment où elle apparaît sur l'arbre. C'était sans aucun doute la plus belle créature que j'avais jamais vue de ma vie.

— À quoi ressemblait votre vie avant de venir ici ?

Sa voix flotta doucement jusqu'à moi, mêlée de son odeur.

— J'ai été élevé dans une ferme, comme deuxième fils, et j'ai une sœur cadette également. J'ai toujours su que John, mon frère aîné, hériterait de la ferme un jour, alors j'ai quitté la maison à l'âge de quatorze ans pour trouver un emploi. J'ai travaillé dans un petit manoir de campagne appelé Shute House, l'une des nombreuses propriétés d'un riche et puissant seigneur. Un jour, lui et ses trois filles ont visité notre manoir et il y eut une énorme tempête. J'ai pu sauver les filles de la noyade et le marquis m'a offert une position dans sa maison. Ce marquis devint bientôt le duc de Suffolk, et moi son secrétaire particulier ; et j'ai pu voyager avec lui à la cour d'Angleterre.

— Pourquoi êtes-vous parti ? demanda la voix, vaporeuse.

— Quand le roi Édouard est mort, bon nombre de seigneurs du royaume ont voulu porter la fille aînée du duc, Lady Jane Grey, sur le trône, parce qu'elle était protestante. Mais la révolte soulevée contre elle a réussi, et elle fut emprisonnée. Je suis restée avec elle dans cette prison pendant sept mois, jusqu'à son exécution. Deux semaines plus tard, son père, mon employeur, fut exécuté lui aussi. À partir de ce moment, je n'avais plus grand-chose à faire à la cour et je suis rentré chez moi, dans la campagne du Devon, où j'ai étudié la médecine avec le docteur Marwood.

— Combien de temps allez-vous rester ici ?

— Dans une certaine mesure, cela dépend du comte. Jusqu'en septembre, je me sens son obligé, mais à partir de là, je prendrai mes propres décisions.

Elle me regarda avec insistance.

— Nous sommes semblables. Moi aussi, ma vie est sous l'autorité d'un autre. Mon père, qui a perdu ma mère quand la maladie l'a emportée, fait tout pour me protéger et s'accroche à moi, parce que je suis son unique fille et sa seule amie proche. C'est compréhensible. Sa vie n'a pas été facile – son grand-père a dû quitter Grenade quand notre peuple a été chassé d'Espagne il y a soixante-cinq ans de cela. Mes ancêtres vivaient au Palais de l'Alhambra même, mais ils ont dû tout laisser. Depuis, la famille n'a cessé de se déplacer, chacun essayant de gagner sa vie dans le commerce des épices, d'abord à Lisbonne, puis en Sicile et maintenant ici, à Venise. Mon père aime plaisanter en disant que la famille est arrivée ici de Lisbonne au moment même où le centre du commerce des épices se déplaçait dans la direction opposée. Il travaille dur, mais il vieillit et la fatigue le rattrape.

J'essayai de la rassurer.

— Mais vous avez la liberté. Vous travaillez maintenant pour Jacopo Tintoret et vous jouez un rôle important dans la gestion de ses affaires. Sans vous, il n'irait nulle part.

Elle posa de nouveau la tête sur mon épaule avant de répondre.

— Mais comme je suis l'unique enfant d'un père veuf, j'ai les mains liées. Mon père voudrait que j'épouse un garçon musulman et que je continue à vivre avec lui pour en prendre soin dans ses vieux jours. Mais les musulmans sont à l'étroit dans cette société, surtout avec la menace de la guerre, qui plane sans cesse, contre les Turcs et l'Empire byzantin. Il y a peu de garçons musulmans pour moi ici. Et comme il ne voudrait pas que je parte à l'étranger, je demeure dans les limbes. Je vis dans deux mondes différents, celui des peintres et celui de mon père, mais je n'ai aucun monde à moi.

Cette question me remuait particulièrement.

— Il faut que vous vous *fassiez* un monde à vous.

Je la sentis secouer la tête.

— Mais si je suis contrainte à un mariage arrangé, je vais simplement passer du monde d'un homme à celui d'un autre.

C'était un sujet dont j'avais souvent débattu avec Lady Jane.

— La question est de savoir si le fait de se marier implique nécessairement d'entrer dans le monde d'un autre, ou s'il peut s'agir de se créer un monde à soi *avec* quelqu'un d'autre. Or, ma vision est la suivante : une femme n'est pas un bien, mais une personne à part entière. Le contrat qui se trouve à la base du mariage devrait avant tout reconnaître que chacune des parties est en droit de se créer un monde à elle.

Elle se redressa.

— C'est une position éclairée, Richard, mais qu'arrive-t-il la première fois qu'il y a désaccord ? L'homme impose son autorité à la femme. C'est ainsi que ça fonctionne, n'est-ce pas ?

Je secouai la tête.

— Les choses ne doivent pas forcément se passer ainsi. Quand surviennent des difficultés qui amènent un conflit entre les deux mondes des époux, les décisions sur ces questions devraient être prises conjointement.

— De quelles difficultés parlez-vous ?

Ses membres se raidirent, peut-être par appréhension, et je portai les yeux au loin sur l'eau afin d'adoucir ma réponse.

— Par exemple, si j'avais à choisir entre la peinture ici à Venise ou bien la médecine à Padoue.

Elle demeura immobile, écoutant avec attention.

— Pas en Angleterre ?

Je perçus à présent la raison de son appréhension et cela m'encouragea.

— Pour l'instant, non, pas en Angleterre. Je n'y serais pas en sécurité en ce moment. C'est un peu comme votre peuple lorsqu'il fut chassé d'Espagne. La religion a dressé une barrière entre les Anglais, et ceux qui, comme moi, croient en l'Église protestante n'ont plus la confiance des autres et sont persécutés par les catholiques. Je n'ai aucunement l'intention de rentrer en Angleterre dans l'immédiat.

Je la sentis se détendre, et pendant quelques instants elle resta silencieuse. Je n'osais espérer qu'elle pensât la même chose que moi, mais si c'était le cas, je ne voulais en aucun cas perturber ses réflexions. Enfin, après plusieurs minutes de silence, elle me posa la question que j'espérais entendre.

— Le mariage figure-t-il parmi les considérations qui peuvent influencer la décision concernant votre avenir ?

Je voulus répondre d'un ton léger.

— Oui, j'aimerais me marier, avec la bonne personne, si elle veut de moi, et je voudrais aborder cette relation en appliquant les principes d'égalité que je viens de décrire. Mais en un sens, il semble injuste de songer au mariage avant d'avoir décidé quel avenir je choisirai pour moi-même.

Je la sentis s'éloigner de moi, comme si mes paroles avaient créé une distance entre nous.

— Quand déciderez-vous de vos conditions ? demanda-t-elle avec un hochement de tête appuyé. Pour conclure ce marché ?

Je secouai la tête.

— Ce n'est pas ce que je voulais dire. J'essaie seulement de me montrer juste.

Nous étions arrivés à une petite plage sur un îlot désert, non loin de Murano. L'endroit était sans arbres mais à l'abri du vent, et la plage exceptionnellement propre. Je me demandai combien d'autres couples étaient venus ici avant nous, conduits par le gondolier, et combien d'autres nous suivraient. La gondole aborda doucement la plage et j'aidai Yasmine à descendre. Le gondolier nous fit signe d'avancer.

— Je vous en prie, allez-y. La soirée est à vous. Je vais vous apporter vos choses pour le pique-nique, puis je conduirai l'embarcation dans la baie d'à côté. Quand vous aurez besoin de moi, vous n'aurez qu'à suivre le chemin qui commence là-bas.

Yasmine me prit la main et nous remontâmes la plage jusqu'à un endroit abrité. Je la sentis serrer ma main.

— Veronica m'a dit que vous êtes un homme très compliqué. Mais je sais de Jacopo et Gentile que vous êtes aussi quelqu'un de très honnête.

Sans trop savoir pourquoi, tandis que nous arrivions à notre petit abri, j'eus l'impression de ne pas avoir été, en fin de compte, l'artisan de cette soirée. D'autres influences avaient joué. Contemplant Venise de l'autre côté de la lagune, je les remerciai, quelles qu'elles fussent.

~

Était-ce parce que nous étions arrivés sur les lieux de notre pique-nique, ou bien parce que le gondolier s'était gentiment éclipsé ? Je n'aurais su le dire, mais notre humeur avait changé. Nous avions tous les deux commencé la soirée avec des questions, et il nous avait été difficile de nous détendre avant d'avoir partagé nos inquiétudes. À présent, notre discussion se changea en bavardage à propos des apprentis de l'atelier du Tintoret, de nos parents, de notre enfance, de nos espoirs et de nos craintes.

Ne sachant trop quelle sorte de nourriture elle consommait, j'avais apporté du poulet, du poisson et du pain, des fruits et différents jus. Je semblai avoir bien choisi, car malgré sa petite stature, elle mangea avec appétit.

Nous parlâmes de la vie à Venise. Yasmine m'expliqua que son enfance, bien qu'heureuse, avait toujours été assombrie par l'impression que, d'une certaine façon, elle et ses rares amis musulmans étaient différents des autres enfants autour d'eux : elle n'avait jamais vraiment compris pourquoi, et son père avait simplement évité ses questions.

Au fur et à mesure qu'elle grandissait, son père avait commencé à lui raconter des histoires du temps de son grand-père, qui était médecin, et tenu en haute estime à la cour musulmane de l'émir Boabdil, le dernier de la dynastie nasride à régner sur l'émirat de Grenade. La vie en al-Andalus était toute différente. Juifs, Maures et chrétiens y vivaient en harmonie : non contents de simplement se tolérer entre eux, ils savaient reconnaître ce qu'il y avait de meilleur dans chacune de leurs cultures et n'hésitaient pas à emprunter à leurs rivaux, partageant techniques, lois, architecture, cuisine et poésie. C'était un monde où les hommes étaient jugés selon leurs habiletés, un monde où chacun était libre d'apporter sa contribution à la société dans son ensemble.

M'allongeant dans l'herbe des sables, je l'écoutai redonner vie à ces histoires du passé, voyant ses yeux briller de plaisir en évoquant le souvenir d'un temps plus heureux pour sa famille, et goûtant la poésie de sa langue maternelle en l'entendant prononcer les noms arabes de gens, de lieux, d'animaux, de plantes et d'aliments. C'était comme si elle-même avait vécu là-bas, et je me surpris à me demander pourquoi la grande cité cosmopolite de Venise ne pouvait pas traiter les gens dans la même égalité.

Chaque minute passée en la compagnie de Yasmine ne faisait qu'augmenter mon estime pour elle. En l'écoutant parler de son peuple et du passé de ces gens, je commençai à comprendre qu'elle faisait partie d'un autre monde, plus vaste, encore mystérieux à mes yeux.

Quand elle s'arrêta pour manger, je lui parlai à mon tour de mon enfance dans le Devon, des jours où nous pêchions dans la mer et dans les rivières, où nous chassions dans les collines autour de notre vallée, et du changement radical survenu dans ma vie lorsque j'avais rencontré la famille Grey. Je lui parlai sans détour de la grande estime que j'avais pour Lady Jane, tout en évitant d'insister sur mon histoire d'amour avec Lady Catherine. Elle s'aperçut de mon hésitation et se mit à me poser des questions toujours plus pénétrantes.

— Aimiez-vous Lady Jane ?

C'était une question que je m'étais souvent posée, et je trouvais encore difficile d'y répondre.

— Si vous me demandez : est-ce que j'espérais l'épouser un jour ? La réponse est non, jamais. Mais est-ce que j'aurais fait n'importe quoi pour elle ? Certainement. Elle était profondément religieuse, aimante, à sa manière ; mais elle ne pardonnait pas à ceux qu'elle considérait comme des imbéciles ou des menteurs, et son esprit était plus vif que tous ceux que j'ai jamais connus. Elle pouvait se montrer entêtée et difficile, mais elle était également capable d'une patience infinie envers quelqu'un comme moi qui tentait de suivre son raisonnement, mais qui n'avait tout simplement pas les mêmes capacités. Oui, je l'aimais, mais comme une amie, et ce serait malhonnête de le nier maintenant.

Elle sembla satisfaite de ma réponse, mais continua de me presser de questions :

— Et Lady Catherine ? Quand vous parlez d'elle, votre voix s'anime de façon étrange ; pourtant, vous ne vous attardez jamais à elle, comme pour diminuer son importance à vos yeux. Que lui est-il arrivé ? L'a-t-on tuée, elle aussi ?

Je m'étais promis d'éviter de parler de ma chère Catherine si la chose était possible, car j'étais incapable de nier l'amour que je lui portais autrefois. Je l'avais aimée jusqu'à m'en déchirer le cœur.

Yasmine me fixait d'un regard calme et posé, mais je savais que ma réponse à sa question pouvait tout gâcher si je ne faisais pas attention.

— C'était la sœur cadette de Lady Jane mais elle était différente de sa sœur à bien des égards, sinon en tout : frivole, amusante, rarement capable de s'intéresser à une même chose pendant plus d'une minute ou deux. Nous avons toujours su que nous n'avions aucun avenir ensemble, qu'un jour nous serions séparés par son mariage à quelqu'un d'autre, mariage arrangé à coup sûr sans son consentement. Cela finit un jour par arriver, et la vie me l'a enlevée.

— Et vous ne l'avez plus jamais revue ?

— Seulement pour un bref instant. Le vent a tourné dans l'arène politique et son mariage a dû être annulé. On l'a littéralement jetée à la rue, et elle est rentrée à la maison alors que j'étais en visite. Nous sommes restés ensemble seulement quelques jours.

— Et pendant ce temps-là, vous étiez amants ?

Inexorablement, elle m'avait conduit à cet aveu, sachant comme moi qu'elle posait la question que je souhaitais éviter.

— Pourquoi dites-vous cela ?

— Je le sens dans vos yeux et dans votre voix. Je puis entendre son écho, et voir sa beauté.

— Ce fut bref. La tristesse nous a rapprochés, après la mort de sa sœur. Il n'y avait personne d'autre avec qui partager notre deuil, et pendant quelques jours, oui, nous nous sommes accrochés l'un à l'autre. Puis elle est partie.

— Elle est partie ?

— On l'a rappelée à la cour, pour y être choisie par son futur époux, comme à la foire aux bestiaux. Il n'y a pas de *Libro d'Oro* en Angleterre, mais des règles semblables s'appliquent : les gens des grandes familles se marient rarement en dehors de leur sphère.

— Elle est retournée à la cour ? Alors que sa sœur et son père venaient d'être exécutés pour trahison ?

— La cour anglaise est froide et calculatrice. La reine a peut-être décidé qu'il valait mieux garder son ennemie à vue. Catherine était, et demeure, une héritière potentielle de la couronne. Elle évolue dans un monde difficile : une sorte d'emprisonnement imposé par les lois du pays. Mais elle va s'y faire. Elle aime la richesse et les belles toilettes. C'est son univers.

Yasmine me fixait désormais intensément, comme si elle venait de découvrir quelque chose d'important à mon sujet qui pourrait tout changer.

— Vous parlez d'elle au présent. Vous arrive-t-il encore de penser à elle ?

J'avais craint que notre conversation n'en vienne à cela et j'avais tout fait pour l'éviter. Si je répondais oui, elle se sentirait menacée ; si je disais non, je lui semblerais froid et détaché.

— Je devais accepter le fait que je ne la reverrais plus jamais, et que même si je la rencontrais, ce ne serait pas à mes conditions ou même aux siennes, mais à celles de la reine.

À présent, elle m'observait avec méfiance, plus vulnérable qu'elle ne l'avait paru de toute la soirée.

— La reine catholique ? Celle qui vous menace ?

Je me contentai de hocher la tête, pour ne pas exagérer mon importance.

— Comment avez-vous fait pour la chasser de vos pensées et de votre cœur ?

— Je ne l'ai pas perdue, puisqu'elle n'a jamais été à moi. Je me suis plongé dans un autre univers. J'ai quitté Londres et la cour, et je suis rentré dans le Devon. Le docteur Marwood m'a beaucoup aidé durant les premières semaines. Puis la chance s'est présentée de voyager jusqu'ici, et je l'ai saisie.

— Pensez-vous encore à elle ? demanda-t-elle de nouveau.

— Pour être bien franc, pas très souvent depuis quelque temps. J'ai quitté ce monde-là et j'en ai trouvé un autre, où j'ai rencontré quelqu'un de bien plus important pour moi.

Je fus blessé de voir l'incertitude qui apparut sur son visage.

— Est-elle comparable ?

— Non.

Ses yeux s'agrandirent.

— Elle est infiniment meilleure.

Elle paraissait nerveuse.

— Est-elle aussi jolie ?

Je hochai la tête.

— Bien plus jolie.

— Est-elle aussi intelligente, aussi intéressante ?

Je me mis à rire et lui pris la main.

— Elle ne se compare même pas !

Je passai mon bras autour de son épaule.

— Yasmine, vous avez deux fois la beauté, trois fois l'intelligence et dix fois la personnalité d'une princesse anglaise. À mes yeux, vous êtes incomparable et face à vous, la flamme vacillante des autres femmes disparaît en fumée.

Elle me serra désespérément, s'accrochant à moi de ses mains exsangues. Puis, voyant que j'étais sincère, elle se mit à pleurer. Je l'enserrai entre mes bras et la tins très fort. Voyant qu'elle ne me résistait pas, je l'embrassai aussi délicatement que je le pus, puis je lui caressai les cheveux jusqu'à ce que ses pleurs cessent.

Elle leva les yeux vers moi.

— Vous le pensez vraiment ?

Je déposai un baiser sur le bout de son nez.

— J'en pense chaque mot. Maintenant et à jamais. Je vous prie de me croire.

Sur le chemin du retour, nous échangeâmes à peine quelques mots, savourant l'instant comme par peur de le perdre. Au lieu de cela, nous communiquions par le toucher, comme pour nous assurer que nous étions encore là l'un pour l'autre. Le gondolier nous observait d'un air paternel, songeant au temps de sa jeunesse, ou bien à d'autres de ses passagers lors de semblables soirées. Une telle réussite lui laissait certainement entrevoir un plus gros pourboire.

Quand nous revînmes sur la Fondamenta dei Mori, il faisait presque nuit et Yasmine commençait à s'inquiéter au sujet de son père. Nous descendîmes devant l'atelier du Tintoret, à moins d'une centaine de pas de sa maison, et je l'embrassai de nouveau.

— Je dois rentrer seule. Mon père m'attend, et il doit s'inquiéter. Quand vous reverrai-je ?

Je lui pris la main et la serrai très fort.

— Demain. Ici, à la *bottega*.

Chapitre 65

4 juillet 1556
Couvent de Sant' Alvise

Je vis Yasmine chaque jour pendant trois jours. Notre relation était bien acceptée à l'atelier, et la gentillesse de la « famille » du Tintoret put se mesurer au fait que Jacopo, Gentile et Veronica prirent chacun le temps de me parler discrètement des difficultés que Yasmine et moi rencontrerions avec son père. Veronica, comme toujours, se montra plus compréhensive, et je savais que s'il y avait quelqu'un pour me donner des conseils pratiques, c'était elle.

— Tu lui es vraiment dévoué ? Sincèrement, de tout ton cœur ?

Je l'assurai que mes intentions étaient tout à fait honorables et que la seule chose qui m'empêchait de demander la main de Yasmine était la crainte d'essuyer un refus, soit à cause de difficultés avec son père, soit parce que mon avenir s'annonçait trop incertain.

Veronica hocha la tête d'un air grave.

— Cela vaut mieux, car Yasmine ne manque pas d'amis capables de te découper en pièces.

J'étais stupéfait de lui trouver une telle méfiance à mon égard. Elle me rassura, comme toujours.

— Écoute, *caro*. Tu dois effacer toutes ces complications dans ta vie et faciliter les choses pour elle et pour toi. Cette histoire avec sœur Faustina, il faut que ça se règle.

Je commençai à fulminer, mais elle secoua la tête.

— Tu dois aller la voir dès aujourd'hui. Reprends le rôle de l'avocat s'il le faut. En ce moment, elle te tient en haleine ; mais sa famille est à l'origine de son emprisonnement, et elle l'empêche encore aujourd'hui de reprendre sa liberté. Toi, tu n'y peux rien : il faut qu'ils règlent cette question entre eux.

Je lui répondis qu'elle se montrait injuste, mais elle se contenta de hausser les épaules et de sourire, comme pour dire : « C'est ta décision. » Au bout de quelques minutes, je finis par être d'accord. Je me rendrais directement au couvent dans l'après-midi, je frapperais aux portes et demanderais à voir sœur Faustina. Puis nous discuterions face à face.

Comme je m'apprêtais à la quitter, encouragé par ses conseils, elle ajouta ceci :

— Oh, *caro* ! Une dernière chose : arrange-toi pour qu'elle clarifie sa situation en ce qui a trait à la jeune converse, Felicità. Il n'est pas possible de défaire tout ce gâchis sans savoir combien de nonnes il s'agit de sauver : une ou deux.

Sans trop réfléchir, j'acquiesçai à sa demande, et pris le chemin du couvent de Sant' Alvise.

La religieuse qui m'ouvrit la porte me reconnut et, malgré ma tenue de ville, décida de jouer le jeu ; mais les vieilles *discrete* qui devaient agir à titre d'*ascoltatrici* ce jour-là doutaient visiblement que je fusse l'avocat de sœur Faustina et refusèrent de s'en aller jusqu'à ce que Faustina, furieuse, appelât l'abbesse elle-même, laquelle donna ses ordres aux *discrete*.

Ce n'était pas un bon début, et je trouvais que Faustina compliquait les choses en insistant pour que Felicità se joigne à notre conversation. Elles s'assirent côte à côte, face à moi, et déjà je sentais que nous étions dans deux camps opposés.

— Cela fait longtemps que nous vous avons vu.

Le ton était presque accusateur, loin de celui d'une prisonnière appelant une aide extérieure. Froissé, je répondis plus sèchement que je ne le voulais.

— Il y a eu des complications.

— Des complications ?

Son long cou s'arqua lorsqu'elle leva la tête.

— Disons des développements.

— Des développements ?

Je lançai un regard vers Felicità, puis me posai sur Faustina. Elle me fixa de ses grands yeux bleus, sans ciller. C'était comme si nous venions de commencer une partie de bras de fer. Je tentai de sauver la situation et d'expliquer ma confusion.

— Je n'avais pas connaissance de…

Je hochai la tête en direction de Felicità, qui remuait nerveusement sur son siège.

— Je pensais agir pour une seule personne. Je ne m'étais pas rendu compte qu'il fallait que je trouve une solution pour vous deux.

La présence de Felicità me frustrait, et le ton de ma réponse devait laisser entendre que j'avais été floué.

Faustina s'empourpra et son cou s'étira encore plus. Elle se leva à moitié de sa chaise et se pencha sur moi qui restais assis en face d'elle.

— Felicità est ma compagne et elle le sera encore lorsque nous partirons d'ici. Cela est entendu depuis notre première conversation.

Elle avait sifflé ces mots d'un ton agressif.

J'étais à présent sur la défensive. Il était évident que Faustina voudrait emmener Felicità avec elle ; je n'avais tout simplement pas réussi à le comprendre. Mais en même temps, c'était moi qui lui faisais une faveur et je n'appréciais pas du tout sa manière de m'attaquer. Avant que je pusse m'excuser et me rétracter, Faustina poursuivit.

— Aviez-vous les mêmes idées que ces autres garçons qui rôdent à l'extérieur ? Pensiez-vous que le fait de sauver une nonne vous vaudrait sa gratitude, exprimée à la façon traditionnelle, c'est-à-dire couchée sur le dos, les jambes écartées ? Je vous accordais plus de mérite.

C'était une insinuation scandaleuse. Je n'avais jamais pensé une telle chose.

— Alors, elle et vous, vous êtes ?...

Je voulais simplement confirmer que les deux religieuses quitteraient le couvent ensemble et qu'elles resteraient ensemble par la suite, sachant que tous les arrangements auxquels je tenterais d'arriver devraient tenir compte de cet état de choses. Mais Faustina se leva et se mit à crier contre moi avant que j'aie pu trouver les mots pour m'exprimer.

— Nous sommes quoi ? Je suis une religieuse de bonne naissance. Felicità est une converse et est devenue mon amie. Que voulez-vous que je vous dise ? Qu'elle dort dans ma cellule ? Et alors ? Que je la trouve belle ? Qu'elle me réconforte ? Pourquoi n'aurais-je pas le droit ? Qui êtes-vous pour nous juger ? Vous qui vous teniez dehors avec les autres, à ricaner, l'œil concupiscent ?

À ce moment-là, je me dis que j'avais commis une erreur. Veronica avait bien résumé mes options et la meilleure chose à faire était désormais d'oublier Faustina et de la laisser croupir ici dans sa propre misère.

Je me levai, prêt à partir.

— Je suis désolé. Il semble que nous ne nous comprenions pas. Il apparaît que je vous ai trompée autant que vous m'avez trompé. Pour cela, je suis désolé. Mais avant de vous quitter, je veux qu'une chose soit claire : je n'ai jamais eu d'intentions à votre égard qui pourraient ou devraient être interprétées comme moins qu'honorables. Maintenant, je ferais mieux de partir.

Comme je me retournais, Felicità poussa un petit cri et agrippa le bras de Faustina. Celle-ci, à son tour, tendit le bras vers moi et me tint par la manche pour me retenir. Son visage s'était complètement transformé.

— En toute franchise, Monsieur, je n'ai jamais voulu vous duper de quelque façon que ce soit. Je vous ai parlé de ma situation et j'ai accepté l'offre généreuse que vous m'avez présentée. J'ai répondu à vos questions en toute sincérité. Je n'ai jamais cru, jamais, je vous le dis, que vous aviez des intentions moins qu'honorables. Mais Felicità dépend de moi, et je la défendrai contre tout ce que je perçois comme une agression.

Je retirai mon bras dans un geste de colère, mais elle m'agrippa de nouveau par la manche. Ses yeux m'imploraient, à présent.

— Richard, je ne vous ai pas berné. Dieu m'en soit témoin, je ne l'ai pas fait. Demandez à Veronica, elle sait tout.

Elle se signa et se rassit, au bord des larmes.

Sa dernière phrase résonnait dans ma tête. Soudainement, pris d'un haut-le-cœur, je compris que j'étais sur le point de commettre une terrible faute, poussé par la colère et l'orgueil. Je pris quelques grandes respirations, regardant tantôt l'une, tantôt l'autre. Leurs visages n'accusaient aucune duplicité, seulement la peur et le trouble.

Si j'avais cherché à les dominer, j'étais désormais servi. Je m'avançai vers elles, me penchai, et m'assis sur le plancher devant elles, les jambes croisées. Peut-être était-ce l'invocation de Dieu par Faustina, ou l'atmosphère qui régnait au couvent, je ne sais ; mais quelque chose me fit poser la main sur le pied de Faustina, et l'autre main sur celui de Felicità. Elles baissèrent vers moi de grands yeux ronds.

— Je vous présente mes excuses, et je retire tout ce que j'ai dit qui vous a blessées ou offensées. J'ai eu tort, et j'en suis vraiment désolé. Pouvons-nous recommencer ?

Elles se regardèrent, puis me dévisagèrent. Felicità eut un petit hochement de tête et Faustina répondit par la pareille. Comme elle baissait les yeux vers moi, son expression se fit plus douce. Hésitante, elle tendit la main vers moi, et la laissa flotter entre nous deux tandis qu'elle parlait.

— Nous sommes très semblables, vous et moi. Nous sommes tous deux capables du péché de la colère quand nous nous croyons victimes d'injustice. Mais vous venez de m'apprendre une leçon d'humilité. Laissez-moi vous rendre le compliment en disant que j'ai eu tort moi aussi, que je suis tout aussi désolée et que j'aimerais moi aussi retirer tout ce que j'ai dit de fallacieux ou de blessant.

Je lui pris la main. Nous nous levâmes tous les trois pour nous faire l'accolade, puis nous nous rassîmes, quelque peu gênés. Je tentai prudemment de reprendre la conversation.

— Selon ma vision des choses, il n'y a que deux façons pour moi de vous sortir d'ici. La première fait appel au mariage, mais ce ne serait pas... disons, approprié.

Faustina hocha la tête.

— Si j'arrive à quitter cet endroit, ce ne sera pas pour épouser un homme. Je reste fidèle à mon engagement envers Felicità. Elle va partout où je vais, et j'irai partout où elle ira.

Je hochai la tête : là-dessus, au moins, nous savions à quoi nous en tenir.

— La seule solution qui s'offre à moi est donc de vous racheter à la congrégation, toutes les deux, et de vous trouver du travail, ou la protection d'une famille qui ne rencontrerait pas l'opposition des vôtres.

Faustina se raidit le dos avant de répondre.

— La position dans laquelle ma famille m'a placée est tout simplement intenable. J'ai retourné cette question dans ma tête soir après soir depuis la dernière fois que nous nous sommes parlé, et suis parvenue à une décision. Ils peuvent bien désapprouver ce qu'ils veulent. C'est terminé. Ils m'ont rejetée deux fois : je ne leur donnerai plus cette chance. Trouvez-moi une situation – une qui nous convienne à nous deux – et je... ou plutôt, *nous* l'accepterons. Nous n'avons guère le choix : nous sommes désespérées et le temps nous manque.

Je hochai de nouveau la tête, sentant que j'étais en train de retrouver le rôle de l'avocat que je prétendais être.

— Je dois vous poser une question personnelle, si vous voulez que je vous aide. Quelle est... quelle était la somme exacte de votre rente, ici au couvent ? Ils ne manqueront pas de s'en servir comme argument de négociation.

Elle répondit sur-le-champ, sans gêne aucune.

— De l'ordre de vingt-deux ducats par an, l'une des plus élevées du chapitre ; mais elle prend fin le mois prochain.

Elle se tourna à demi vers Felicità, arborant un sourire maternel.

— C'est notre seule consolation : ma compagne, qui est converse, ne jouit d'aucune rente, puisque sa famille n'est pas en mesure d'en verser une.

Felicità me regarda d'un air contrit, comme si elle avait l'impression d'être un fardeau.

La situation était embarrassante et je sentis le besoin de dissiper ce malaise avant qu'il ne devienne trop gênant. De toute façon, je savais bien que le temps ne jouerait pas en ma faveur, que leur monde serait bouleversé aussitôt que la rente de Faustina se tarirait, et qu'elle perdrait son statut privilégié à titre de religieuse de bonne naissance, protection dont bénéficiait également sa compagne. Il ne semblait pas manquer de vieilles religieuses pleines de ressentiment pour profiter de leur déchéance, en leur infligeant des châtiments inspirés par une jalousie réprimée depuis longtemps. Si je ne faisais pas attention, deux vies risquaient d'être détruites.

— Je dois donc agir rapidement. La question du paiement à verser au couvent ne devrait pas causer de difficultés. Je vais prendre rendez-vous pour parler à l'abbesse. Ensuite, nous devrons vous trouver un endroit où vous serez en sécurité, heureuses, et capables de voir à vos propres affaires.

Faustina me regarda d'un air méfiant.

— Un endroit pour nous deux ?

Je tendis une main à chacune.

— Pour vous deux. Je vous donne ma parole.

Chapitre 66

7 juillet 1556
Calle del Fonte, Fondamenta dei Mori

— Père, voici Richard. Il est anglais et a voyagé jusqu'à Venise avec le comte de Devon, pour un long séjour. Je vous ai parlé de lui, lorsqu'il s'est joint à nos cours du matin pour dessiner avec le maestro.

Yasmine se tourna vers moi.

— Richard, voici mon père, Ayham.

Elle prononça son nom avec soin, un peu comme si elle l'épelait pour être sûre que je comprenne.

J'avais été invité à rencontrer le père de Yasmine dans la demeure qu'ils partageaient, au fond d'une ruelle étroite, à seulement quelques pas de l'atelier du Tintoret. C'était une toute petite maison. De l'extérieur, on eût dit simplement trois petites pièces empilées les unes sur les autres, et dont les fenêtres étroites ne laissaient filtrer que très peu de lumière. Mais contrairement à bien des constructions vénitiennes, celle-ci était peu humide, chaleureuse et accueillante.

Le père de Yasmine me serra la main et me désigna un grand divan installé contre le mur. Comme le plancher et le mur situé derrière, il était couvert d'un riche tapis. Devant moi sur une table basse se trouvaient des sucreries, du jus d'orange et trois petites tasses d'argent incrustés de verre coloré.

— Prendriez-vous du thé ? demanda Yasmine.

Je bus à petites gorgées. L'infusion était très chaude, mais rafraîchissante.

— C'est très bon, Ayham. Merci. Où avez-vous déniché cela ?

Il sourit, content de voir que le malaise initial était terminé et que nous avions de quoi parler.

— J'ai découvert cela à Constantinople, lors de ma dernière visite. Cette herbe vient de Chine. Là-bas, on l'appelle *cha*. Je voyage partout autour de la Méditerranée et parfois au-delà, en quête d'épices que je rapporte à Venise pour les vendre. Jadis, je faisais de bonnes affaires, mais cela devient plus difficile.

Je penchai la tête pour signaler mon intérêt.

— Il y a cinquante ans, Vasco de Gama a établi un comptoir commercial sur la côte de Malabar, et a inauguré la route des Indes par la mer. Vous imaginez l'impact que cela a causé sur les voies terrestres que nous empruntions traditionnellement, sur la route de la Soie. La capacité de chargement d'un convoi de mulets et celle d'un navire rempli jusqu'à la passerelle ne sont absolument pas comparables. Il n'y a alors rien d'étonnant à ce que les routes commerciales se déplacent. Les Portugais ont pris possession du Mozambique sur la côte est de l'Afrique, et en 1509 ils ont vaincu la flotte arabe, obtenant la maîtrise de nos anciennes routes maritimes. La route de la Soie s'en trouva donc encore appauvrie, étant privée des marchandises fournies par les commerçants arabes. Puis, en 1513, les Portugais atteignirent Canton, en Chine, et ce fut une autre part importante du commerce oriental qui commença à prendre la route maritime du sud. Mais ils n'ont pas toujours eu le vent dans les voiles, eux non plus.

Il me lança un clin d'œil afin d'être certain que j'aie bien compris sa plaisanterie, et je lui souris.

— Ils ont ouvert des comptoirs en Chine, mais ont été expulsés par les Chinois quelques années plus tard, à Canton et à Ning-Po. Cela leur a appris une leçon. Ils étaient devenus si cupides qu'ils commençaient à menacer les propres affaires des Chinois. Ils s'y rendent encore souvent, et y font beaucoup de commerce. Au moment où l'on se parle, ils ont une délégation à Macao et essaient d'y négocier une colonie permanente et un comptoir commercial. Ce n'est qu'une question de temps. Bien sûr, Venise elle-même est menacée par tous ces changements. À l'époque où toutes les marchandises parvenaient à l'ouest par la route de la Soie, et où Venise entretenait de bons échanges commerciaux avec l'Empire ottoman, elle devint la pierre angulaire du commerce méditerranéen, l'endroit où les marchandises commençaient leur voyage sur la route terrestre des Fugger vers Augsbourg et au-delà.

Je hochai la tête.

— J'ai voyagé sur cette route. Il y circule encore beaucoup de marchandises.

Ayham me fixa d'un regard insistant. Ses yeux injectés de sang paraissaient fatigués.

— Vous ne l'avez pas connue autrefois. Cela ne se compare pas. Maintenant, Venise est à deux doigts de faire la guerre aux Turcs, faute d'approvisionnement suffisant. Au même moment, les Ottomans s'aperçoivent que leurs propres ressources sont détournées au sud par les navires portugais, et cherchent de nouvelles sources de richesse. Regardez Soliman le Magnifique. Au cours des quarante dernières années, il a fait main basse sur la Hongrie, Rhodes, Tunis, Tabriz, une partie de la Perse et sur les puissantes villes de Bagdad et de Tripoli en Afrique du Nord. Pourquoi ? Parce que les vieilles sources de ravitaillement se tarissent. Cette guerre de compétition n'aura jamais de fin. Désormais, tout le commerce retourne vers Lisbonne, et de là, il est distribué par mer. La famille de mon grand-père s'est enfuie à Lisbonne lorsqu'elle a été chassée d'al-Andalus. Nous avons tout perdu, sauf ce que nous avons pu emporter avec nous. C'est pourquoi nous sommes devenus des marchands d'épices. On peut transporter plus de richesses en épices qu'on le peut en lingots d'or.

Je sentais qu'il avait dû raconter cette histoire maintes et maintes fois, mais l'amertume transparaissait encore dans ses paroles et ses expressions. Pourtant il semblait considérer ces choses avec philosophie, et sa compréhension des grands enjeux était remarquablement limpide. Je savais déjà que Venise se heurtait à de grandes difficultés dans l'immédiat, avec l'épidémie de rougeole (que les voyageurs qualifiaient de peste) et la famine (résultat de deux mauvaises récoltes de suite mais aussi du déclin du commerce). Mais à présent, son avenir à long terme ne semblait guère plus prometteur.

Ayham se tourna vers sa fille.

— Ne te laisse pas tourmenter par les histoires d'un vieil homme, ma douce. Je ne parle que du tableau d'ensemble, de la tendance à long terme. Il appartient aux commerçants d'y réfléchir : nous avons tant de temps à consacrer à cela, pendant nos voyages. Mais nos affaires vont continuer, et prospérer assez pour nous nourrir tous les deux, aussi longtemps que ce sera nécessaire.

Elle sourit et tapota la main de son père. Je me demandais si elle allait profiter de l'occasion pour lui parler de son avenir – de *notre* avenir – mais elle n'en fit rien, et un regard furtif en ma direction me dit de m'en tenir au même silence. La conversation était devenue lugubre et je m'efforçai de la rendre plus gaie.

— Il semble que le commerce des épices ressemble beaucoup à celui qui consiste à importer des pigments pour l'usage des artistes. Vos marchands pourraient peut-être vous rapporter de tels produits lors de leurs voyages ? Une once de lapis-lazuli, par exemple, vaut plus que n'importe quelle épice, même le safran.

Il me regarda d'un air étonné.

— D'où vient cette marchandise ? Je n'en ai pas entendu parler.

Yasmine en profita pour faire étalage de ses connaissances.

— Allons, père, le nom lui-même est à moitié arabe. Elle se tourna vers moi pour m'expliquer.

— *Lapis* signifie « pierre » en latin, et *azul* veut dire…

Ayham poursuivit :

— « Bleu », en arabe. Mais où trouve-t-on cette pierre bleue ?

— En Afghanistan, répondit-elle. Sur la route de la Soie. Ici, on l'appelle « outremer », mais en vérité, elle nous parvient par voie terrestre principalement, et non par mer.

C'était un plaisir de les voir ensemble. Yasmine se montrait respectueuse, tout en sachant user discrètement de ses connaissances pour informer son père, dont la curiosité professionnelle avait désormais atteint son paroxysme.

— Quel est son prix sur le marché vénitien ?

Encore une fois, comme elle était responsable d'acheter ces pigments pour la boutique du Tintoret, Yasmine put lui donner non seulement le prix, mais aussi le nom des principaux fournisseurs. Ayham se tourna vers moi, tout sourire.

— Vous avez un bon sens des affaires, jeune homme. Merci pour cette suggestion. Je demanderai à mes gens ce qu'ils peuvent faire. Qu'est-ce qu'un chargement de plus porté à dos d'âne, entre amis ?

Nous discutâmes encore pendant deux heures, buvant du thé et mangeant des sucreries ; puis Ayham dut s'excuser, expliquant qu'il devait rencontrer un client au Rialto.

Je n'étais évidemment pas autorisé à rester seul à la maison avec Yasmine, aussi je me levai moi aussi pour prendre congé. Nous échangeâmes une chaleureuse poignée de main et je partis avec le sentiment que ma première rencontre avec celui que j'espérais voir devenir un jour mon beau-père s'était très bien déroulée. Au moins, nous avions trouvé matière à discussion, nous n'étions tombés en désaccord à aucun moment, et j'avais eu la chance de lui présenter une suggestion d'affaires. Tout cela était très prometteur.

Chapitre 67

8 juillet 1556
Fondamenta dei Mori

Le jour suivant, j'arrivai au studio de bonne heure, impatient de discuter des événements de la veille avec Yasmine. J'attendis son arrivée, à l'heure normale, mais les minutes s'écoulèrent sans aucun signe d'elle. Continuant à dessiner, je commençai à m'inquiéter. Enfin, en milieu de matinée, l'un des plus jeunes apprentis m'appela.

— Yasmine demande à vous voir dans son bureau.

Il semblait inquiet, comme si j'allais le blâmer d'être porteur de mauvaises nouvelles.

— Elle n'a pas l'air bien.

Je me précipitai dans la cour et pénétrai dans son bureau. Elle était assise face au mur, incapable de réprimer ses sanglots.

— Yasmine ! Qu'y a-t-il ? Qu'est-ce qui ne va pas ?

Elle se retourna sur sa chaise et plongea son visage dans ma poitrine, me serrant par la taille, s'accrochant à moi.

— C'est mon père.

J'essuyai les larmes sur son visage et m'assis face à elle.

— Qu'est-ce qu'il y a ? Est-il malade ?

Elle secoua la tête.

— Il est descendu très tôt ce matin, disant qu'il n'avait pas pu dormir de la nuit parce qu'il s'inquiétait. Il voulait tout savoir à ton sujet et je lui ai dit. Ta rencontre avec lui, hier, s'était si bien déroulée que j'ai cru pouvoir tout lui confier. Je lui ai dit que je t'aimais et je lui ai même parlé de notre pique-nique à Murano.

Elle tomba à genoux, plongeant son visage entre mes jambes, en pleurs. Je la caressai jusqu'à ce qu'elle se calmât, puis elle leva la tête.

— Il m'a interdit de te voir à l'extérieur de l'atelier.

— Mais pourquoi ? Quelle erreur ai-je donc commise ?

— Tu n'as rien fait de mal. Tu ne fais jamais rien de mal. Mais je suis tout ce qu'il possède. Il croit que tu veux m'enlever à lui. Il n'est pas convaincu que tes intentions soient honorables.

Je m'agenouillai face à elle, presque nez à nez, et lui dis, avec toute la sincérité dont j'étais capable :

— Yasmine, je t'en donne ma parole : jamais je n'agirai de façon déshonorante avec toi, de quelque façon que ce soit. Je t'aime.

Elle renifla.

— Je le sais, mais il me l'a interdit, et je ne puis désobéir à mon père.

— Mais si tu lui dis la vérité ? Que je veux t'épouser. Convenablement. Honorablement. Que j'ai les ressources financières pour te soutenir comme il le souhaiterait.

Elle renifla de nouveau.

— Cela empirerait les choses. C'est ce qu'il craint le plus, que tu m'emmènes loin de lui. Ce n'est pas pour moi qu'il s'inquiète, mais pour lui-même.

Je n'arrivais plus à suivre. Mon rêve se changeait en cauchemar, en une prison aux multiples portes, dont chacune disparaissait quand on essayait de l'ouvrir.

— Et si j'essayais de lui parler encore ? Nous avons eu une bonne discussion hier.

Elle secoua la tête.

— Il m'a dit qu'il ne voulait pas t'adresser la parole. Il a peur que tu réussisses à le convaincre.

— Mais il doit y avoir un moyen…

Elle secoua de nouveau la tête.

— Il n'en démord pas.

Je commençais à être frustré par l'absurdité de la situation.

— Mais c'est ridicule!

Son visage se décomposa.

— S'il te plaît, Richard, ne crie pas. J'ai essayé de le raisonner, sans succès.

Elle resta assise à sangloter pendant quelques minutes, et je demeurai assis face à elle avec un sentiment d'impuissance. Enfin, elle releva la tête, le visage empourpré et souillé de larmes.

— S'il te plaît, Richard. Laisse-moi seule. Je n'ai plus la force d'en discuter pour le moment.

Je la laissai donc à elle-même, sentant dans mon ventre un grand vide. C'était la première fois qu'elle me demandait de la quitter, ce qui me blessait tout autant que les mauvaises nouvelles qu'elle m'avait annoncées. L'égoïsme et la stupidité de son père étaient une chose; mais si elle ne voulait pas que je reste avec elle, je ne voyais pas ce que je pouvais y faire.

Je quittai l'atelier et me promenai dehors. Je marchai toute la journée, jusqu'à en avoir mal aux pieds, mais aucune solution ne me vint. Je ne connaissais qu'une seule personne qui pût me sortir d'une telle confusion.

Chapitre 68

9 juillet 1556
Piazza San Marco

— Je me demande pourquoi les hommes ont la préten-
tion de régner sur nos vies, alors que leurs yeux ne voient
pas, que leurs oreilles sont sourdes et qu'ils refusent d'accepter ce qui se trouve directement sous leur nez.

Je croyais que Veronica serait touchée par mon malheur
et qu'il lui faudrait du temps pour réfléchir, mais sa réaction
fut étonnamment sévère.

Nous étions assis au soleil, devant une petite trattoria de
la place.

— Écoute, *caro*. Tu n'as pas à m'en dire plus. J'ai passé
tout l'après-midi avec Yasmine hier. C'est Jacopo qui me l'a
demandé. Elle était tout à fait incapable de s'occuper de ses
affaires et toute la boutique était perturbée de la voir ainsi
bouleversée.

J'étais déjà plus détendu. Veronica semblait toujours bien
au fait de ce qui se produisait et ne tarissait jamais de
réponses. Parfois je me disais que si l'Armageddon devait
survenir, Veronica trouverait un moyen de s'en sortir, et
qu'elle saurait négocier en même temps une échappatoire
pour ses amis. C'était une pensée réconfortante.

— Tu ne dois pas en vouloir à son père. Il n'a personne
d'autre qu'elle, et n'hésiterait pas à mourir pour elle s'il était
convaincu que cela servirait les intérêts de sa fille.

J'étais surpris de l'entendre parler avec une telle certitude.

— L'as-tu rencontré ?

Elle leva les sourcils devant une telle naïveté.

— Si je l'ai rencontré ? Ayham ? Bien sûr que je l'ai rencontré, depuis le temps que je connais sa fille. Je lui ai servi de mère à partir du moment où elle s'est présentée chez Jacopo, une gamine de quatorze ans en quête de petites besognes qui lui permettraient de faire un peu d'argent.

J'étais sidéré.

— Je ne savais pas que tu connaissais Yasmine aussi bien.

Elle s'esclaffa d'un grand rire jovial qui fit tourner les têtes.

— La vie existait à Venise avant ton arrivée, tu sais…

Je levai les mains en signe de capitulation, secoué d'un rire.

— C'est bon ! Nul besoin d'insister, j'ai compris ! Je suis ignorant, stupide, inconscient, égocentrique et simple d'esprit. C'est entendu. Maintenant, dis-moi ce que je dois faire.

Elle secoua la tête.

— Non, *caro*. Tu as fait du chemin depuis ton arrivée. Sauf qu'en effet, il te reste encore une ou deux choses à comprendre. Ça viendra. Tu apprends vite.

Le garçon nous apporta à déjeuner et nous attendîmes qu'il ait terminé son service avant de poursuivre.

— Yasmine t'aime à en perdre la tête. Sois-en sûr. Le problème est qu'elle a montré trop d'audace en parlant à son père. Elle en a trop dit, trop vite. Il s'accroche à elle, pas par égoïsme, mais par amour. Je lui ai parlé de cela, et il est d'accord avec moi ; mais il dit que c'est plus fort que lui.

Elle prit son morceau de pain et le tartina soigneusement avec de la confiture.

— Ce que tu ne sais pas, c'est que sa femme, la mère de Yasmine, est morte d'une fièvre pendant que Ayham était en voyage, pour affaires. Cela se passait pendant une canicule, et quand il est revenu chez lui, on l'avait déjà enterrée. Il n'a pas eu la chance de lui dire adieu. Malheureusement, ils lui ont dit qu'elle était morte dans de grandes souffrances, appelant constamment son mari. Depuis ce temps, il se reproche d'avoir été absent, de ne pas avoir pu la sauver, ou du moins la réconforter dans ses heures difficiles. Il a juré de ne plus jamais laisser une telle chose se produire, et se ronge les sangs chaque fois qu'il part en voyage.

Je secouai la tête.

— Je ne m'en étais pas rendu compte. Comment s'appelait-elle ?

— Jamilah. Je crois que cela signifie « gracieuse », ou « belle ». Ayham dit que Yasmine a hérité de ses traits et de sa démarche. As-tu remarqué à quel point elle se déplace le dos droit à partir des hanches, un peu comme si ses pieds glissaient sur le sol ?

J'écartai les bras d'un geste expressif, à la manière italienne.

— Veronica ! Si je l'ai remarqué ? Ai-je mangé, bu ou dormi depuis que je l'ai remarqué ?

Nous eûmes le même rire jovial et de semblables curieux tournèrent la tête. Si l'on souhaitait rester discret à Venise, Veronica Franco n'était certainement pas une compagne de choix. Continuant de ricaner, elle poursuivit :

— Je suppose qu'il s'est dit que, puisque tu es anglais, tu dois aussi être chrétien ; et le mariage entre chrétien et musulman doit lui sembler impossible. Yasmine ne lui a pas dit que tu envisageais de vivre soit à Venise, soit à Padoue, de crainte de lui laisser croire que vous aviez arrangé tous les détails avant de le consulter. Je devine que Ayham a dû aller au lit avec l'idée que sa fille avait l'intention de s'enfuir en Angleterre avec un chrétien, sans être mariée ; et quand elle lui a avoué ses sentiments à ton égard, le lendemain, il a réagi en conséquence.

Je secouai la tête.

— Que pouvons-nous faire ? J'aime Yasmine et elle m'aime aussi. Je veux l'épouser. Même si nous devions vivre à Padoue, elle pourrait voir son père régulièrement. Quel est le problème là-dedans ?

— Je parlerai à Ayham pour lui dire la vérité. Il me croira. Premièrement, tu dois éliminer toute incertitude quant à ton avenir. Il faut donc décider si ce sera l'art à Venise ou la médecine à Padoue.

Je hochai la tête. Veronica avait le don d'exprimer les choses franchement et simplement.

— Ensuite, tu dois bien comprendre ce que cela signifie d'épouser une femme musulmane. As-tu l'intention de devenir musulman ? Comptes-tu la convertir au protestantisme ? Ou bien crois-tu qu'il y ait une troisième façon ?

Je la regardai fixement, espérant trouver quelque inspiration en elle.

— Je ne peux pas, de bonne foi, devenir musulman simplement pour des raisons de convenance, de même que je ne puis demander à Yasmine de renier sa foi.

Elle garda les yeux sur moi et attendit.

— Alors, que vas-tu faire ?

Je poursuivis avec hésitation, tout en voulant paraître sûr de ce que j'avançais.

— J'ai pensé que nous pourrions célébrer deux mariages, l'un dans mon Église et l'autre dans la sienne. De cette façon, nous pourrions continuer à pratiquer notre propre religion, notre mariage étant reconnu par les deux.

Elle hocha la tête, impassible, et je sus qu'elle avait une longueur d'avance sur moi.

— Ce devrait être l'inverse : d'abord dans son Église, puis dans la tienne. Cela faciliterait les choses pour elle. Et les enfants ? Quelle religion embrasseront-ils ? La question mérite d'être posée.

Je trouvais qu'elle commençait à me mettre des bâtons dans les roues.

— S'il n'en tenait qu'à moi, nous leur inculquerions les deux religions, puis, quand ils seraient assez vieux, nous les laisserions choisir.

Elle hocha la tête.

— C'est une bonne solution si vous y arrivez. J'espère que Yasmine a la même idée. Il faudra que vous en discutiez.

Je donnai mon assentiment d'un signe de tête. Nous faisions des progrès.

— Enfin… (Elle comptait les problèmes à aborder sur ses doigts.) Enfin, tu dois voir à mener à terme ton engagement envers Faustina et Felicità.

J'essayai de parler avec assurance.

— Les choses sont désormais en place. Je sais combien il me faudra débourser pour les libérer et j'entends négocier cet arrangement avec l'abbesse. Faustina m'a dit qu'elle ne se sent plus liée par les exigences de sa famille. Tout ce qu'il me reste à faire est de lui trouver une situation convenable.

— Et où trouveras-tu – toi, un étranger dans cette ville – un emploi qui puisse convenir à une femme de bonne naissance, à une religieuse défroquée, contre la volonté de la famille Contarini ?

Elle écarta les bras en signe de défi. Mon visage se décomposa.

— Je ne sais pas.

Veronica se pencha en avant, s'appuyant sur ses coudes, et me regarda fixement.

— Voilà encore un obstacle à surmonter.

Mon cœur se serra. La situation devenait trop difficile. J'attendis.

— Quand tu épouseras Yasmine, en supposant un instant que tu décides d'aller vivre à Padoue pour étudier la médecine, comment Jacopo s'y prendra-t-il pour la remplacer ?

Mes yeux demeurèrent fixés sur elle. Quelque chose dans son expression me disait que je ne comprenais pas tout.

— Réfléchis. Cherche l'ordre. Pense à l'architecture. Cherche la symétrie.

Je la considérai d'un air perplexe. Veronica rassembla ses mains et me les présenta en offrande. Elle leva la main droite et la laissa tomber, comme pour soupeser quelque chose.

— D'un côté, nous avons une femme éduquée cherchant du travail. Une femme qui s'est employée toute sa vie à négocier avec des fournisseurs, une femme qui comprend l'Église et qui sait tenir les comptes.

Levant la main gauche, elle esquissa le même geste.

— Et de l'autre, nous avons un pauvre artiste sur le point de perdre sa gérante de boutique, et qui doit trouver quelqu'un pour la remplacer, quelqu'un qui sache parler à ses clients, soit des nobles ou des ecclésiastiques, quelqu'un qui puisse négocier avec les fournisseurs et tenir les comptes.

Elle me regarda, jonglant avec ses deux mains.

— Alors ?… demanda-t-elle.

Je la regardai avec stupéfaction, et elle me sourit.

— Ce que Dieu donne d'une main, il le reprend de l'autre. Élégant, n'est-ce pas ? Belle symétrie.

C'était simple comme bonjour. Pourquoi n'y avais-je pas songé ? Je me penchai en avant : à mon tour de lui poser une question.

— Et Felicità ?

Son sourire imperturbable me dit qu'elle avait déjà la réponse.

— La femme de Jacopo, Fausbina, vient de donner naissance à une fille, Marietta, plus tôt cette année, et Dieu merci, il semble que l'enfant survivra. Ils ont l'intention d'en avoir d'autres, avec la grâce de Dieu, et il leur faut quelqu'un pour s'occuper de la petite Marietta et pour aider Fausbina dans ses tâches domestiques.

Elle arborait le sourire de celui qui s'apprête à dire « échec et mat ».

— *Ecco! Che bello, ehi?*

Rien à redire. Tout cela était bien joli. À présent, je n'avais plus qu'à m'assurer de mettre les choses en place.

Je rentrai chez moi, rempli d'allégresse. Arrivé en haut d'un pont enjambant un canal, je m'arrêtai, transporté de joie. Tandis que j'observais la trajectoire de ce canal étroit, mon esprit courait à travers les dédales du labyrinthe dont nous essayions de nous extirper. J'étais assez lucide pour me rendre compte que je n'avais pas été le seul à ramener tous nos moutons à l'enclos. Je poursuivis ma marche avant de m'arrêter de nouveau. Yasmine s'était-elle servie de Veronica comme intermédiaire ? M'imaginant son visage couvert de larmes, je ne pus me convaincre que c'était le cas. Parvenu à un nouveau pont, je m'arrêtai une troisième fois. Peut-être que Veronica nous manipulait, pendant que j'essayais de bâtir un avenir pour Yasmine et moi ? De toute manière, je ne m'en souciais plus. Je lui étais simplement reconnaissant de l'aide qu'elle nous apportait.

Chapitre 69

10 juillet 1556
Couvent de Sant' Alvise

— Chère abbesse, comme c'est aimable à vous de me recevoir, et ce, dans un délai aussi court.

— Ah, vous devez être l'«avocat de la famille». Comme c'est curieux. Nos grandes familles ne requièrent pas souvent les services d'avocats anglais, par les temps qui courent.

Elle se moquait de la fausse identité que j'avais essayé d'endosser par le passé, mais je m'y attendais : cela faisait partie des négociations, et elle essayait d'affaiblir ma position avant même que j'aie commencé. Je gardai mon calme et poursuivis.

— Je me présente à vous avec les meilleures intentions du monde. Sœur Faustina se trouve dans une position délicate, par suite des déboires financiers de sa famille immédiate. Cette situation vous cause également un problème : elle est de haute naissance mais bientôt vous ne toucherez plus ses rentes. J'ai donc une proposition à vous faire. Je suis prêt à vous verser son allocation, ainsi que celle de la converse Felicità, à mes frais – à condition que vous vous engagiez, dès le 1er octobre ou avant, à leur rendre leur liberté en les plaçant toutes les deux sous ma garde, sur remise d'un montant de cinquante ducats, moins les acomptes déjà versés.

Une lueur parut dans les yeux de l'abbesse à la mention de cette somme ; mais elle voulait davantage. L'offre était dérisoire, me dit-elle : la famille serait insultée. En vérité, je savais qu'elle n'était pas en position de négocier.

— Je ne puis même pas considérer une offre aussi médiocre.

Je me levai et me dirigeai vers la porte.

— Ce sont mes conditions : si vous les rejetez, vous n'obtiendrez rien d'autre de moi. Je ne négocierai pas.

Ce fut plus facile que je m'y attendais. Craignant de tout perdre, l'abbesse me fit signe de me rasseoir. Nous palabrâmes pendant quinze minutes, mais elle finit par être d'accord et demanda que des documents soient rédigés pour recevoir notre signature. Ce fut donc avec un plaisir considérable que je plongeai la main dans ma bourse, sortant les deux copies d'un arrangement que j'avais pris la peine de rédiger avant ma visite. Elle me regarda avec de gros yeux mais prit connaissance du document, et, sans plus rouspéter, en signa les deux exemplaires. Je signai moi aussi les deux copies et lui remit l'une d'entre elles, avec les six ducats qui lui étaient dus. J'avais conclu un marché, mais je m'étais aussi donné trois mois pour honorer ma part de l'engagement.

L'abbesse n'était pas stupide. Une fois le document signé, son humeur s'embellit, et elle se montra remarquablement amicale. Elle me demanda comment j'étais arrivé à Venise et de quelle manière j'avais eu connaissance des problèmes de sœur Faustina. Je lui répondis qu'un ami vénitien m'en avait parlé. J'étais certain qu'elle ne me croyait pas, mais elle ne posa plus de questions. Il restait bien peu de choses à dire. Comme elle me reconduisait à la porte, je me tournai vers elle.

— Révérende mère, une dernière chose. Pouvez-vous me garantir que, jusqu'à leur dernier jour à l'intérieur de ces murs, sœur Faustina et la converse Felicità continueront d'être traitées avec le respect qu'elles ont toujours reçu, et ce, par l'ensemble de votre congrégation ? Je chercherai à m'en assurer avant de vous remettre la somme finale.

Elle me donna son accord.

— Je vous en donne ma parole, Signor Stocker. Je vais donner les ordres qui s'imposent. Nous sommes une communauté disciplinée.

Je pouvais imaginer comment fonctionnait cette discipline, et comment elle était maintenue. Je quittai l'immeuble moins d'une demi-heure après être arrivé. Il me restait jusqu'au 1er octobre pour mener mon plan à bien.

Chapitre 70

28 juillet 1556
Fondamenta dei Mori

Au cours des deux dernières semaines, j'avais assisté chaque jour à mes cours, aux côtés des apprentis du Tintoret; mais Yasmine demeurait réservée et distante. Nous avions échangé des civilités, mais elle avait évité toutes les occasions de me parler longuement et en privé, et je commençais à avoir l'impression que nous nous éloignions. La souffrance qui paraissait sur son visage était mon seul espoir: je pouvais seulement en déduire qu'elle m'aimait encore, mais qu'elle jugeait les obstacles insurmontables.

Veronica avait encore une fois tenu parole. Ayant discuté avec Ayham, elle m'avait confirmé qu'il ne s'opposait plus complètement, en principe, à ce que je devienne son gendre. Mais il se faisait encore du souci à propos de mes perspectives d'avenir et des risques que cela représentait pour le bonheur de sa fille. Je décidai qu'il fallait que je parle à Yasmine. Quand le cours fut terminé, je la rencontrai dans son bureau et lui demandai de venir avec moi en promenade.

— On ne peut plus continuer comme ça, Yasmine. Je vois que cela te fait du mal, et je puis te dire que, pour moi, chaque jour qui passe est devenu un enfer.

Elle hocha la tête et chuchota quelque chose, mais elle demeura si réservée que je ne pus comprendre ce qu'elle disait. Arrivés au coin de la Fondamenta dei

Mori, nous nous arrêtâmes. Je décidai de mettre cartes sur table.

— Yasmine, il faut se dire la vérité. Je dois savoir si, en principe, tu es prête à envisager d'épouser un Anglais, si celui-ci décidait de demeurer dans la république – soit à Venise, soit à Padoue. Il ne s'agit pas d'une demande en mariage, tu comprends. Tu sais que je ne suis pas en mesure de demander ta main; je veux simplement connaître ta position.

Elle répondit évasivement, marmonnant à voix basse, comme si elle ne voulait pas que les mots sortent de sa bouche.

— C'est difficile, Richard. J'ai des engagements – non seulement envers mon père, mais aussi envers mon employeur, qui m'a donné ma chance au moment où personne n'aurait osé engager une jeune musulmane pour un travail qui comporte autant de responsabilités, d'autant moins maintenant que la république connaît tous ces problèmes avec les Turcs. La menace d'une guerre contre la Turquie est loin d'avoir amélioré le sort des gens de mon peuple, ces trois dernières années…

Je hochai la tête, ne voulant pas l'interrompre dès lors qu'elle commençait à parler.

— Je m'inquiète également pour ma religion. J'ai beaucoup réfléchi à cela et je serais malheureuse si je devais me convertir au christianisme, ou me contenter d'un mariage chrétien. Ce ne serait pas honnête et je ne crois pas que tu exigerais cela de moi.

Elle s'interrompit, choisissant ses mots avec soin.

— Il y a aussi mon père. Il se méfie de l'Angleterre, où l'on ne tolère ni les musulmans ni les juifs, et se ferait du souci pour moi si j'allais vivre là-bas. Je suis désolée : j'aimerais que les choses puissent se passer comme au temps d'al-Andalus. Mais mon père me l'a expliqué à plusieurs reprises : le monde dans lequel nous vivons maintenant ne fonctionne pas de cette manière.

Elle leva les yeux vers moi, une expression de douleur sur le visage.

— Je t'en prie, Richard, ne te méprends pas sur mes paroles. Ces choses-là sont pour moi difficiles à admettre.

Lentement, la nature du problème commença à se préciser dans mon esprit. Elle se servait de son père comme excuse. Sans doute ce vieillard solitaire, n'ayant personne d'autre en ce monde que sa fille bien-aimée, avait-il peur de la perdre. Mais il y avait autre chose. Les craintes de son père avaient fait germer un doute dans son propre esprit : en réalité, bien que son père demeurât un obstacle, elle se heurtait à des inquiétudes dont elle n'arrivait pas à se libérer elle-même, des inquiétudes qu'elle n'avait pas complètement ou franchement admises. Je ne pouvais pas la contraindre à le faire. Ma seule option était d'attendre.

Elle s'arrêta de nouveau, ravalant sa salive et se grattant les ongles. Je savais que ce qu'elle voulait dire ne lui viendrait pas facilement. Elle me fixa intensément du regard, et prit une grande respiration.

— J'ai beaucoup d'incertitudes : nombre d'entre elles me viennent sûrement des inquiétudes de mon père quant à mon avenir et au sien. Je me suis peut-être servie des soucis de mon père comme faux-fuyant pour bloquer nos conversations. Si tel est le cas, je m'en excuse, car je n'ai jamais eu l'intention de te tromper. À vrai dire, je ressens moi aussi une crainte qui me tourmente, et qui n'a rien à voir avec mon père. Cette crainte, Richard, la voici : je ne veux pas me sentir diminuée en t'épousant.

Elle avait enfin lâché son secret, précipitamment, comme si elle craignait que je me fâche en l'entendant. Pourtant, cela me semblait tout à fait logique.

— Je ressens exactement la même chose. Je ne voudrais vraiment pas que notre mariage te diminue d'une quelconque manière. Bien au contraire, je veux qu'il t'enrichisse. Et je veux que mon amour soit à la source de cet enrichissement. Je sais que Venise vaut mieux que l'Angleterre à cet égard, mais même ici, on se méfie des musulmans. Entre nous, ce problème n'existera pas. Tu pourras m'apprendre l'arabe et je vais essayer de comprendre et de respecter ta culture.

Elle me regarda comme un prisonnier regarde un geôlier, jonglant avec son trousseau de clefs. Oserait-elle espérer que je sois sincère ?

Je poursuivis.

— Rappelle-toi, s'il te plaît, Yasmine : cela joue dans les deux sens. Moi aussi, j'ai ma religion et je me sens le devoir de l'honorer. Je ne puis l'abandonner, pas plus que tu te sens capable de te convertir au christianisme. Personne ne peut nous dire en quoi croire, et voici ce en quoi je crois fermement : nous pouvons chacun rester fidèle à notre foi tout en nous aimant et en nous respectant l'un l'autre.

Elle leva les yeux vers moi, hochant la tête ; mais le doute ne la lâchait pas.

— Ce n'est pas toi, Richard, c'est... l'incertitude. Il y a trop de difficultés potentielles et trop de choses nébuleuses à mes yeux pour que je sois en mesure de prendre moi-même une décision, sans parler de réussir à convaincre mon père. Donne-moi du temps. Donne-lui du temps. Je t'aime vraiment, mais tu n'es certainement pas celui qui me demandera d'être malhonnête envers moi-même. J'ai trop de questions et pas suffisamment de réponses. Tu comprends, sûrement ?

Son visage m'implorait autant que sa voix, et les deux me rendirent profondément malheureux. Veronica avait raison. Il n'était pas raisonnable de lui demander d'accepter toutes ces choses sur ma seule parole, et de me rejoindre dans un avenir que je n'avais même pas décidé moi-même. Si je devais la convaincre de m'épouser, il fallait d'abord que je prenne mes propres décisions et que je les lui communique. Alors, elle pourrait apprécier pleinement les chances qui s'offraient à elle, et comprendre les choix auxquels elle faisait face.

CINQUIÈME PARTIE

À la croisée des chemins

Chapitre 71

12 août 1556
Fondamenta della Sensa

J'étais soulagé. Au terme d'une nuit de sommeil agité, cherchant désespérément un moyen de contourner tous les problèmes qui m'assaillaient, je m'étais éveillé à l'aube avec les idées claires, et, devant moi, un ciel sans nuages. Certes, les enjeux étaient nombreux, et tous étaient liés; mais il fallait que quelqu'un transforme ces incertitudes en certitudes, en prenant une décision; et dans la froide lumière du matin, je compris que j'étais cette personne. Il fallait commencer par savoir si la faculté de médecine de l'université était disposé à m'accepter dans ses rangs. Si tel était le cas, bien d'autres incertitudes, y compris celles qui semblaient tourmenter Ayham, pourraient être levées. Soulagé, je m'étais armé d'un bout de papier et d'une plume pour mettre mon plan par écrit, non plus comme une liste d'obstacles formant un cercle vicieux, mais comme un simple inventaire des tâches à accomplir. Celle qui figurait en tête de liste était d'entrer en rapport avec l'université, et je demandai à Thomas de m'accompagner à Padoue pour qu'il plaide en ma faveur.

Thomas déposa le bout de papier sur la table et s'avança à la fenêtre. Le temps s'était réchauffé et le brouillard devenait déjà plus dense. L'air lourd annonçait la tempête. Thomas se tint devant la fenêtre ouverte et aspira quelques bouffées. Le sang du fermier coulait encore dans ses veines.

— L'ennui, c'est que l'université ne reprendra pas avant la fin de la récolte, soit vers la fin d'octobre. La plupart des hommes influents qui sont susceptibles de rendre une décision risquent fort d'être absents à ce temps de l'année.

Je savais qu'il avait raison, mais l'oisiveté me démangeait le corps.

— Réfléchis bien, Richard. Rien n'a changé en ce qui nous concerne. Le comte prendra une décision d'ici fin septembre. Entre-temps, je te promets que je ne rentrerai pas en Angleterre avant d'avoir parlé à tous mes amis padouans, et fait tout ce qui est en mon pouvoir pour t'assurer une place à l'université. En fait, les discussions préliminaires, fort prometteuses, ont déjà eu lieu.

Il se détourna de la fenêtre pour me faire face. Un sourire légèrement embarrassé flottait sur son visage.

— Je l'ai fait pour ton bien, Richard, en étant sûr que tu finirais par choisir la médecine. De toute façon, le fin mot de l'histoire, c'est que tu as toutes les chances d'être accepté, et pour les besoins du plan que tu as en tête, je crois que tu peux déjà en être assuré.

Malgré l'impression d'avoir été manipulé, j'étais absolument ravi. L'opinion de Thomas avait de quoi rassurer. Mais était-ce suffisant pour étayer une demande en mariage ?

— Voilà le nœud, Richard. Je ne pourrais pas être plus sûr de ce que j'avance, mais est-ce que mon avis pèse autant ? Il n'y a que toi qui puisses en juger.

La discussion tomba à plat pendant quelques instants, mais bientôt nous bavardâmes de nouveau, et Thomas se mit à parler de ses propres projets d'avenir.

— Il reste à savoir ce que Courtenay entend faire. Il lui est désormais impossible de rentrer en Angleterre, et il le sait très bien. Quant à moi, je pense m'arrêter un peu à Padoue afin d'y glaner de nouvelles connaissances, mais je suis bien décidé à retrouver ma famille avant la saison de Noël.

Je posai une main sur son épaule.

— Je suis content que tu sois parvenu à cette décision. L'année a dû être longue pour ta chère Dorothy. Ton retour lui fera le plus grand bien.

Thomas hocha la tête.

— Tu as raison. Pour moi, la décision n'était pas si difficile à prendre. Ma femme et mes deux enfants m'attendent à la maison. Ils m'ont beaucoup manqué, particulièrement au cours des dernières semaines. Et même si j'ai pu aider les miséreux à traverser l'épidémie de rougeole qui sévit ici, je pense de plus en plus à ceux qui souffrent chez nous et qui auraient tout autant besoin de moi.

Il se tourna brusquement, faisant tomber ma main posée sur son épaule.

— Au fait, as-tu eu vent des dernières nouvelles qui sont venues d'Angleterre ? On dit que la peste se répand vers l'ouest dans les ports côtiers.

Je secouai la tête.

— Nous avons maintes fois évité de tels ravages dans notre coin du Devon.

Il hocha la tête, l'air distant, et je sus qu'il pensait à sa famille.

— J'espère que tu as raison, Richard. Je l'espère. Mais on ne sait jamais ce que la vie nous réserve, et si l'on tarde, qui sait ce qui peut arriver ?

Il s'arrêta, jetant par la fenêtre un regard mélancolique. Je savais qu'il se préparait déjà mentalement au long voyage du retour. Un premier craquement de tonnerre stria le ciel et il fit un bond en arrière, surpris ; puis il me regarda, comme galvanisé. Ses yeux avaient retrouvé leur acuité.

— J'ai changé d'idée, Richard. Je me rendrai à Padoue, j'irai m'adresser à ceux qui s'y trouvent et je ferai de mon mieux afin de te garantir une place. Tu es sûr que c'est ce que tu veux ?

Hochant la tête, je lui serrai la main.

— J'en suis sûr, Thomas, et je te remercie.

Il sourit, tandis que la foudre éclairait de nouveau le ciel.

— Alors je partirai demain, sitôt que l'orage se sera essoufflé.

Chapitre 72

15 août 1556
Au Palais des Doges

Nous gravîmes en courant les marches du palais, le comte en ayant cinq d'avance sur moi, mû qu'il était par un débordement d'enthousiasme. Le message était arrivé la veille au soir, sollicitant la présence du comte pour une rencontre avec le nouveau doge et son Conseil des Dix à midi le lendemain. Thomas avait demandé à être excusé, en raison de son départ imminent pour Padoue, et le comte lui avait donné son accord, sans aucun commentaire.

Courtenay avait immédiatement supposé que son statut de noble était sur le point d'être reconnu par l'aristocratie vénitienne, et que, enfin, il était susceptible de se voir confier une position d'autorité. Il en avait discuté avec moi toute la soirée durant, mais comme nous n'avions pas la moindre idée du véritable motif de l'entretien, cet exercice m'avait paru d'une grande futilité.

Le comte ralentit lorsque nous passâmes de la cour intérieure à l'escalier menant au premier étage, et s'approcha du haut représentant. Il lui remit la lettre de convocation et un valet nous conduisit au haut d'un autre escalier et à travers un corridor jusque dans la Sala del Maggior Consiglio, une salle immense où se tenaient les réunions du Conseil. Aucun d'entre nous n'avait été invité jusqu'alors en ce lieu, et même le comte fut impressionné quand les grandes portes s'ouvrirent devant nous.

C'était une salle énorme, qui s'étendait sur toute la façade du palais. Partout décorée d'immenses fresques et de grands tableaux, elle était dominée par une fresque monumentale du *Couronnement de la Vierge* qui recouvrait le mur est, et qui avait été réalisée par Guariento en 1365 (d'après les indications du valet). Elle retint toute mon attention, et je dus fournir un effort pour la quitter des yeux lorsque le valet nous fit signe d'avancer et que nous nous tînmes devant le doge Lorenzo Priuli lui-même avec, à nos côtés, des membres du Conseil accompagnés de leurs représentants.

Il n'y eut aucune invitation à s'asseoir ; d'ailleurs, aucune chaise n'avait été installée, et tous sauf le doge se tenaient debout. Nous attendîmes sa déclaration.

À en juger par les portraits des doges précédents, les trois ou quatre derniers se ressemblaient beaucoup. Peut-être était-ce le traditionnel bonnet de cérémonie, en forme de corne, ou les habits ducaux qui leur conféraient cette ressemblance, mais même leurs barbes étaient de forme et de longueur semblables. Bien que le doge Priuli fût loin d'être un jeune homme, son visage dégageait une impression de force et de robustesse, comparativement à ceux de ses prédécesseurs. Sa barbe était presque toute blanche comme neige, avec seulement quelques taches de gris, rehaussant ses yeux noirs et pénétrants. Je l'observai avec autant d'attention que le permettait sa position surélevée, en haut de l'estrade.

« Il ne faut pas compter sur la générosité ou la clémence de cet homme, me dis-je ; il ne songe qu'à se protéger lui-même. »

Le doge Priuli leva la main et le murmure des conversations s'éteignit.

— Vous êtes Edward Courtenay, comte de Devon en Angleterre ?

D'un ample geste du bras, Courtenay retira le grand couvre-chef plutôt chargé qu'il avait choisi pour l'occasion, et s'inclina profondément.

— Lui-même. Si je puis me permettre, c'est pour moi un grand plaisir de rencontrer Votre Altesse Ducale.

Le doge Priuli le considéra avec le regard ennuyé de celui qui vient de perdre trois précieuses secondes de sa vie.

— Mes ambassadeurs à l'étranger et mes conseillers ici présents m'ont beaucoup parlé de vous.

Courtenay devint visiblement tendu. Il eût été protocolaire d'employer « Votre Grâce » à l'adresse d'un comte anglais, mais Priuli semblait faire fi de tout protocole.

— Votre présence dans cette ville et dans cet État a été remarquée. Nous sommes d'avis qu'elle ne favorise ni le bien commun, ni la paix de cette ville. Nous avons demandé conseil à l'ambassadeur anglais, qui ne nous a fait part d'aucune demande venant du gouvernement anglais pour que nous continuions de vous accorder l'hospitalité, à vous et à vos compagnons.

Courtenay s'avança comme pour protester, mais le doge le fit taire en lui présentant la paume de sa main.

— Vous n'avez pas été convoqué ici pour parler, mais pour écouter. Nous avons été informés des dépenses considérables encourues par le Conseil de mon prédécesseur, pour votre protection au cours des six derniers mois. De tels débours n'ont plus aucune raison d'être et toute protection de ce genre vous est d'ores et déjà retirée.

Courtenay promena les yeux tout autour de la pièce, atterré, comme si ce qu'il entendait était le fruit d'une terrible méprise. Le doge poursuivit.

— Vous n'êtes plus le bienvenu en la ville et l'État de Venise, et recevez aujourd'hui l'ordre de quitter les lieux.

Toutefois, au vu de la position que vous occupiez naguère dans votre pays, vous disposerez d'un mois calendaire à partir d'aujourd'hui pour organiser votre départ, et quitter cet endroit de façon distinguée. Ce décret s'applique à tout le territoire de la Sérénissime, incluant les îles et la *terra firma*. Vous aurez le loisir de voyager en d'autres pays de notre empire, mais votre statut sera celui d'une personne sans identité juridique et vous ne bénéficierez d'aucune protection. Tel est notre décret, prononcé ce quinzième jour du mois d'août 1556. Vous pouvez disposer.

Edward Courtenay, seul descendant de la lignée royale des Plantagenêt et comte de Devon, regarda autour de lui l'air hébété. Il ne lui restait plus une parcelle de cette position et de cette autorité qui avaient été si importantes pour lui. Il était devenu *persona non grata*, son identité désormais non reconnue dans toute la république, sans droits, ni privilèges, ni autorité ou protection – plus bas que les *popolani* qui, eux, bénéficiaient au moins de cette dernière.

Debout devant les trois marches qui menaient au trône du doge, Courtenay chancela. On eût dit qu'il était sur le point de s'effondrer, mais un représentant appela deux soldats de la garde ducale et on le reconduisit au bas de l'escalier jusque dans la cour. Je le suivis, demeurant à quelque distance derrière les gardes, au cas où une bagarre éclaterait ; mais le comte, un homme désormais brisé, ne montra aucune résistance.

L'air frais sembla lui redonner sa dignité, et il se défit des gardes, qui me firent signe de le rejoindre puis restèrent derrière nous jusqu'à ce que nous eussions quitté les lieux.

La tête haute, mais sans mot dire, Courtenay me conduisit sur la place Saint-Marc et partit vers le nord, se pressant à travers les foules, complètement muet, jusqu'au

Rialto. Là, il perdit enfin la maîtrise de lui-même et nous nous assîmes près du pont croulant tandis qu'il essayait de comprendre ce qui venait de lui arriver, hochant la tête d'un côté et de l'autre, et frappant du poing contre la pierre.

— Vous avez entendu ce qu'il a dit ?

Je ne répondis pas.

— « Au vu de la position que vous occupiez *naguère* dans votre pays… » Cela ne peut vouloir dire qu'une chose : la reine Marie m'a retiré mon titre !

Je tentai vainement de lui donner espoir.

— Peut-être voulait-il simplement dire : « la position que vous occupiez avant votre voyage ici » ?

Il secoua la tête.

— Non, je suis sûr que le doge ne s'exprimerait pas de façon aussi imprécise. Tout est perdu, je le sens.

Il saisit sa bourse et la secoua.

— Avez-vous quelque argent sur vous, Richard ? J'ai oublié de remplir ma bourse avant de quitter la maison.

J'ouvris la mienne et en retirai la moitié des pièces qu'elle contenait. Je savais où finirait cet argent : d'abord dans les tavernes, puis dans les bordels. Ce ne serait pas la première fois, mais s'il ne faisait pas attention, dans la situation où il se trouvait, ce pourrait bien être la dernière. Je lui donnai l'argent. Il était quand même bien difficile de le voir aussi abattu mais, de toute manière, je n'avais aucune envie de l'entendre s'apitoyer sur son sort pendant toute la soirée, ce qui ne manquerait pas d'arriver. Qu'il aille pleurer sur l'épaule de quelqu'un d'autre, pour une fois.

Je marchai jusqu'à la trattoria *Sensazione* afin d'y prendre une bouchée. Au moins je n'y serais pas seul. Pietro, le pêcheur, m'y tiendrait compagnie et il était toujours de bonne humeur.

Chapitre 73

On frappa à la porte de si grands coups que je crus que la garde ducale était venue pour arrêter le comte. C'eût été bien inutile, car il n'était pas rentré chez lui depuis notre visite au palais ducal trois jours auparavant. Le reste de la maison était silencieux : Thomas se trouvait encore à Padoue et les domestiques étaient sortis. J'ouvris avec prudence, prêt à me défendre.

Le petit Augustino, le plus jeune des apprentis du Tintoret, s'accrochait encore au heurtoir, à bout de souffle.

— Richard ! Le docteur anglais doit venir vite ! Le père de Yasmine a eu un terrible accident !

— Où est-il ?

Sans attendre sa réponse, je cherchai la sacoche de Thomas, qu'il avait l'habitude de laisser près de la porte. Elle était là : Dieu merci, il ne l'avait pas emportée à Padoue !

— Il est chez lui, avec Yasmine.

Quand nous parvînmes à la maison, la porte était ouverte. Ayham se trouvait étendu au pied des escaliers, le visage blême. À côté de lui, et lui tenant la main, se trouvait Yasmine, tout aussi livide. Elle m'implora du regard.

— Le docteur est-il avec toi ?

Je baissai les yeux vers Ayham, puis j'aperçus un homme qui se tenait au-dessus d'eux, se tordant les mains de désespoir.

— Je suis chirurgien-barbier, Monsieur. Je leur ai dit : la jambe est tuméfiée et on doit l'amputer, sinon le sang s'infectera et il mourra. Je suis prêt à l'amputer si vous êtes capable de le garder en place.

Ayham demeura silencieux, mais Yasmine poussa un petit cri de détresse.

J'examinai la jambe. Je reconnus tout de suite la grosse bosse blanche sous l'articulation ; le creux qui apparaissait à la hauteur du genou confirma mon diagnostic. Je pris une grande respiration. C'était le moment où jamais, l'épreuve que Dieu m'envoyait. Si je la surmontais, j'étais destiné à devenir médecin. De plus, je sentais que mon avenir avec Yasmine serait déterminé par les actions que j'entreprendrais au cours des prochaines minutes.

Je tentai de détourner l'attention de Yasmine vers quelque chose d'utile. Sa détresse n'aidait en rien son père.

— Prépare-lui du thé. Cela le calmera. Et bois-en un peu aussi, cela te fera du bien.

Elle se leva, lâchant la main de son père.

— Le docteur viendra-t-il ?

Je secouai la tête.

— Le docteur Marwood est à Padoue, mais ne t'inquiète pas, Yasmine. Je sais quoi faire. Va donc préparer ce thé.

Elle se retira dans la pièce arrière, à contrecœur. Elle craignait peut-être que je profite de son absence pour amputer la jambe. Aussi, elle revint peu après.

— L'eau est sur le feu. Cela prendra du temps.

Je posai une main sur son épaule, tout en m'adressant à Ayham.

— Me ferez-vous confiance ? Cela peut faire mal.

Ayham me regarda avec crainte.

— Allez-vous m'amputer ? Me scier les os ?

Je secouai la tête.

— Il n'y aura pas d'amputation, pas d'os sciés. Il n'y a ni tumeur, ni abcès, ni infection. L'articulation s'est disloquée. Je crois pouvoir la remettre en place, mais pour ce faire, vous devez absolument rester détendu malgré la douleur.

Les yeux de Yasmine n'avaient jamais été aussi écarquillés, mais la confiance qui paraissait sur son visage me donna de l'assurance.

— *Ayham* veut dire «courageux». Il ne te résistera pas, et saura endurer la douleur qu'il faut.

Elle le regarda, hochant la tête, et celui-ci répondit du même geste, mais avec moins d'assurance.

Je me tournai vers le chirurgien-barbier.

— Veuillez vous asseoir derrière lui et lui tenir les épaules. Je vais redresser sa jambe mais il ne faut pas que son corps se déplace.

L'homme s'empressa d'obéir et s'accroupit derrière Ayham en lui tenant fermement les épaules. Très lentement, je redressai sa jambe jusqu'à ce que le genou soit libéré du poids du corps. M'accroupissant à mon tour, je posai son talon sur mon épaule.

— Maintenant, Ayham, détendez votre jambe. Relâchez-la autant que possible.

Ses épaules tombèrent tandis qu'il fournissait l'effort requis. Son front se couvrit de sueur, mais ses muscles se relâchèrent et n'opposèrent aucune résistance. Retenant sa jambe contre mon épaule à l'aide de ma main droite, j'appuyai le creux de ma main gauche contre la bosse blanche sur sa jambe et exerçai une pression.

Rien ne se produisit.

J'essayai encore. Cette fois, j'appuyai plus fort et un peu plus bas. La bosse se mit à glisser le long de sa jambe, puis le résultat escompté se produisit.

Le claquement fut si bruyant que Yasmine lâcha un cri de surprise. Je passai doucement la main au-dessus de la rotule.

— Avez-vous mal?

Ayham me regarda d'un air hésitant, considérant sa réponse.

— Non, aucune douleur. Seulement un profond élancement.

— Bien. Alors, c'est fait.

Je jetai un œil du côté du chirurgien-barbier, qui regardait fixement la jambe, médusé.

— Aidez-moi à le remettre sur ses pieds.

Doucement, tout en nous assurant que le genou ne subissait aucune pression, nous l'aidâmes à se relever. Ayham se tint debout, évitant de s'appuyer au début sur sa jambe endolorie.

— Vais-je remarcher un jour?

Il s'appuya contre le mur. Je reculai, afin de lui donner un peu d'espace.

— Oui, Ayham, vous pouvez marcher. Allez-y lentement et arrêtez-vous si vous ressentez de la douleur.

Il s'avança vers moi, d'abord hésitant, puis avec plus d'assurance. Il se tourna vers le chirurgien-barbier.

— Merci, Monsieur, vous pouvez partir.

L'homme s'inclina devant Yasmine et Ayham, puis en ma direction, et s'en fut sans dire un mot. Ayham se tourna vers moi et tendit le bras pour me serrer la main.

Yasmine me regarda avec stupéfaction, son visage prenant mille et une expressions à la fois. Je donnai de la tête en direction de la cuisine.

— Il est prêt bientôt, ce thé?

Chapitre 74

28 août 1556
Île de Lio, dans Castello

— Le voilà qui descend ! Quel plongeon !

Pour la première fois depuis plus d'une semaine, Edward Courtenay semblait revivre. Il leva sa main gantée et siffla, sur quoi le pèlerin remonta dans les airs, tenant un pigeon mort entre ses griffes, et tourna la tête afin de détecter la provenance du son. Il nous vit au sommet de sa remontée et roula sur lui-même, faisant tournoyer sa proie, qui fut libérée de son étreinte après un tour complet.

— Il l'a lâché !

Je n'arrivais pas à croire que ces fauconniers pouvaient tolérer chez leurs oiseaux un tel manque d'entraînement. Faucons et fauconniers, il est vrai, avaient été généreusement prêtés au comte par le duc de Ferrare ; mais tout de même, en matière d'affaitement, on n'exigeait pas moins que l'excellence, et je crus que le comte serait furieux. Mais ce jour-là, c'était un homme nouveau, et il se contenta de rire avec excitation.

— Ne vous y trompez pas, Richard. Regardez-le. Il joue avec sa prise pour nous divertir.

Le pigeon se mit à tomber lentement, laissant derrière lui une traînée de plumes. Le pèlerin se tourna de nouveau et l'observa, tout en effectuant une remontée, jusqu'à ce que le pigeon fût descendu à moins d'une centaine de pieds de la surface de l'eau. Ayant atteint un nouveau sommet, le pèlerin roula sur lui-même pour la seconde fois – peut-être la plus élégante prouesse de tous les sports – et replia ses ailes. Il ne semblait pas regarder le pigeon mort, mais fendait l'air à toute allure, ailes repliées et pattes rentrées, vers un endroit situé bien en deçà de sa proie, juste au-dessus de la surface de l'eau. Tandis que le pigeon tombait du ciel et atteignait les embruns à la crête des vagues, le pèlerin plongea sous lui, plus rapide qu'une flèche et tout aussi précis. À la toute dernière minute, il leva la tête, déploya ses ailes, étendit ses pattes vers l'avant, et vint heurter le pigeon de plein fouet avec ses deux serres. L'oiseau explosa en une profusion de plumes et le pèlerin, volant à deux pieds au-dessus de l'eau et toujours plus rapidement qu'un cheval au galop, s'élança vers le ciel en décrivant un arc au-dessus de nos têtes, poussant un cri.

Courtenay leva de nouveau la main et cette fois l'oiseau vint à terre, posant l'une de ses serres sur son gant et tenant dans l'autre le pigeon presque entièrement dénudé.

— Trois fois bravo !

Le visage de Courtenay était rouge d'excitation.

Le pèlerin nous regarda tour à tour, ses yeux jaunes impassibles mais impérieux, et commença à déchiqueter méthodiquement sa proie.

L'oiseau fut remis au fauconnier qui le plaça sur son perchoir à côté des trois autres rapaces, et l'y attacha avec les liens de cuir. Après l'avoir nourri, il le coiffa du chaperon à aigrette destiné à le calmer. Courtenay enleva son gant et massa son épaule endolorie. C'était la première fois que je le voyais sourire depuis qu'il était rentré.

Pendant trois jours et trois nuits, le comte s'était absenté. Il avait reparu le matin du quatrième jour, l'air moribond.

Sa barbe était sale ; son visage, recouvert d'ecchymoses ; ses vêtements avaient été réduits en lambeaux. Quant à sa bourse, elle était complètement vide.

— Il fallait que je revienne. Je n'ai plus d'argent, avait-il dit d'une voix triste, dépourvue de toute dignité.

Il empestait la vinasse et les filles. Tutto avait eu le douteux privilège de lui donner un bain et de le mettre au lit, où il était resté pendant deux jours encore. Enfin, il était revenu parmi nous, comme je m'y attendais, larmoyant et centré sur lui-même, rejetant ses problèmes sur l'injustice du monde.

Thomas, entre-temps, m'avait écrit de Padoue pour m'informer des progrès encourageants dont il avait été témoin. Deux de ses vieux amis, tous deux professeurs, avaient promis de soutenir ma cause, suggérant que je me rende à Padoue aussitôt que possible, dans un délai de quatre semaines, pour être reçu en entrevue. Il m'avait expliqué dans sa lettre que le comité d'admission comprendrait trois professeurs et que son président était aussi l'un de ses bons amis : ainsi, il devait rester encore quelques jours pour essayer de s'entretenir avec lui.

À moins que Thomas me revînt avec de mauvaises nouvelles, mon obligation envers Courtenay tirait à sa fin et je partirais pour Padoue, en m'arrêtant seulement chez Yasmine pour lui dire où j'allais et pour quelle raison.

Je contemplai les eaux de la lagune vers les quais de Venise, à six milles de là, songeant à quel point les derniers sept mois passés dans cette ville avaient changé ma vie. J'avais décidé d'une nouvelle carrière, et dans mon esprit je m'étais déjà libéré de toute l'influence que le comte de Devon avait pu exercer sur moi. Je me retournai pour le regarder. Son expression mélancolique était revenue. Le pauvre homme ! Sans mot dire, enfermé dans un cocon d'égocentrisme, il me laissa en compagnie des bêtes et des deux serviteurs, et s'éloigna de nous, marchant sur le rivage. Il ne me restait plus assez de compassion pour le suivre et tenter de l'égayer un peu. J'avais essayé, maintes et maintes fois, mais j'étais en dehors de la prison qu'il s'était construite pour lui-même et jamais il ne me laissait y entrer. Mais quelle importance? Demain, avec un peu de chance, Thomas reviendrait et je pourrais partir pour Padoue et me défaire de lui.

Mon odorat sentit soudain un changement dans la direction du vent et je me retournai pour voir ce qui se tramait au large. À n'en pas douter, les conditions climatiques se gâtaient. Nous n'avions pas beaucoup de temps. Un grand vent soufflait sur la mer. Je me retournai vers la gondole qui nous avait emmenés jusqu'à l'île. Le gondolier, affolé, montrait le ciel du doigt et nous faisait signe de monter. Courtenay se trouvait à quelque distance sur la plage et s'éloignait de nous rapidement, apparemment inconscient du danger.

J'incitai les fauconniers à s'embarquer dans la gondole et à ranger les faucons dans leur petite cabine. C'étaient des oiseaux arabes qui avaient l'habitude du soleil; s'ils attrapaient la pluie et qu'ils n'étaient pas promptement mis au chaud, ils prendraient froid et mourraient en l'espace d'une heure, et Courtenay se trouverait fâcheusement endetté auprès du duc. Le batelier fit monter les fauconniers à son bord et se mit à pousser l'embarcation vers le large. Je désignai Courtenay et fis signe au gondolier de suivre le rivage le temps que j'aille rejoindre le comte, mais il ne voulut rien entendre.

— Mon embarcation ne peut survivre à une pareille tempête en plein milieu de la lagune. Il faut partir. Je vais envoyer un plus gros bateau pour venir vous chercher. Je ne peux pas prendre de risque.

Il s'éloigna, les serviteurs et les faucons bien à l'abri sous une toile tendue par un cerceau ; mais le gondolier lui-même s'était déjà résigné à prendre un bain, et ramait pour sauver sa vie et son embarcation.

Le temps se détériora rapidement, les vagues se gonflant davantage à chaque instant. Je courus pour rejoindre Courtenay, me demandant comment il faisait pour ne pas s'aviser de la tempête qui se levait contre nous. Je finis par le rattraper à l'extrémité de la baie sablonneuse et lui tapai l'épaule, criant dans le hurlement du vent.

— Il nous faut rentrer ! La tempête va nous submerger et il n'y a aucun abri sur cette île !

Je n'exagérais pas. L'île de Lio s'étendait sur quelque dix milles de long et peut-être un mille de large : en aucun endroit elle ne s'élevait à plus de deux pieds au-dessus du niveau de la lagune, et la seule végétation qui y poussait était de l'herbe des sables. Si le vent continuait de fouetter ainsi les eaux, l'île disparaîtrait et nous risquions d'être non seulement trempés, mais noyés.

Courtenay regarda autour de lui avec stupeur.

— Mon Dieu ! D'où vient cette tempête ? dit-il comme si c'était ma faute. Où sont mes faucons ?

C'était la première fois que je l'entendais se préoccuper d'une créature vivante autre que lui-même.

— Ils sont déjà partis. Avec les serviteurs. Le gondolier ne voulait plus attendre.

Déjà la pluie se déversait à torrents et le vent se levait avec encore plus de violence. Le comte et moi étions vêtus en manches de chemise et fûmes vite trempés jusqu'aux os ; ainsi nous fûmes au moins dispensés de gaspiller nos énergies à éviter la pluie. Le froid commençait néanmoins à nous atteindre.

— Comment allons-nous rentrer ?

On eût dit qu'il venait soudainement de comprendre la gravité de notre situation.

— Le gondolier a dit qu'il enverrait un plus gros bateau pour nous sauver.

Je dus placer mes mains contre son oreille et crier pour me faire entendre.

Nous rejoignîmes un promontoire qui semblait représenter le point le plus élevé de l'île, et qui se trouvait sous le vent: ce serait peut-être le dernier endroit à être submergé par les flots. La gondole avait disparu depuis longtemps et même la surface de la lagune était devenue invisible: rien ne séparait plus les rideaux de pluie de la fureur des vagues.

Je commençais à craindre le pire, quand j'entendis un cri. Un lourd bateau de pêche naviguait contre le vent, un seul foc à son mât, lequel commençait à se déchirer sous l'assaut du vent. À son bord, des pêcheurs gesticulaient frénétiquement.

— Avancez-vous dans l'eau, sur notre trajectoire! Impossible de virer! Votre île disparaîtra dans quelques minutes – c'est votre seule chance!

Courtenay resta en arrière, secouant la tête, mais je ne perdis pas de temps à discuter. Ce n'était pas le moment de se préoccuper des convenances, du statut ou de la préséance, ni d'aucune de ces courtoisies qui formaient le noyau de l'existence de mon compagnon. Nous luttions pour notre survie. Je saisis le col de sa chemise et l'entraînai dans l'eau jusqu'à mi-corps. Le navire de pêche avançait désormais à notre hauteur, et en passant, ces pêcheurs alertes lancèrent à la mer un grand filet qui nous recouvrit.

Nous le saisîmes entre nos doigts, cherchant notre souffle.

Les pêcheurs tirèrent avec effort, poussant de grands cris.

Lentement, nous nous approchâmes du bateau, jusqu'à ce que les pêcheurs pussent enfin attacher le filet à l'embarcation et nous hisser à son bord, l'un après l'autre, pendant que deux des leurs se penchaient de l'autre côté pour éviter que le bateau chavire.

Nous nous retrouvâmes ainsi dans les dalots, côtoyant ce qui restait de la pêche de la journée et n'avait pas été emporté par-dessus bord. Les pêcheurs mirent le cap sur la ville et nous nous abritâmes au fond du bateau, à la poupe ; car bien que plus solide qu'une gondole, celui-ci n'était pas très grand et n'avait pas de cabine.

Sous le vent, à la Riva degli Schiavoni, les vagues s'écrasaient sur le rivage dans un bouillonnement d'écume. La seule manière de s'en tirer indemne était de prendre directement par le Grand Canal jusqu'à passer le coude près de San Samuele. Là, au moins, la fureur du vent et des vagues s'était quelque peu amoindrie et les pêcheurs retrouvèrent une certaine maîtrise de leur fragile embarcation. Pour la première fois depuis que la tempête s'était déclarée, la chance fut de notre côté, car le bateau mouillait dans la Sacca di Misericordia, du côté nord de Venise, et devait y retourner. Nous quittâmes le Grand Canal juste après la Ca' d'Oro, empruntant le petit Rio di San Felice non loin de l'atelier du Tintoret, et parcourûmes le reste du trajet à pied. Cuoca avait deviné que nous reviendrions dans un tel état et avait préparé des tonnes d'eau chaude, ainsi que de la soupe et du pain frais, pendant que Bimbo s'était occupé de nous trouver des vêtements de rechange. Jamais un bain, des habits secs et une bonne soupe ne nous avaient paru si réconfortants.

Courtenay se mit au lit, et j'eus peut-être suivi son exemple si Thomas n'était pas rentré peu après nous, ayant survécu à une traversée tout aussi terrifiante depuis le continent, en revenant de Padoue. Nous partageâmes l'eau du bain, la soupe, le pain, ainsi qu'une bouteille de vin rouge. Puis il me fit part de ses nouvelles.

Des rumeurs troublantes couraient à Padoue. Avec son emprise grandissante sur les Pays-Bas, on disait que Philippe II gagnait en audace. Les amis de Thomas l'avaient averti que ses espions étaient déjà à Padoue, posant des questions au sujet de Courtenay. Pis encore, Neville avait entendu dire qu'ils recrutaient des *bravi*, avec des instructions spécifiques pour éliminer le comte.

— On dit que sa tête est mise à prix pour quinze ducats.

Thomas venait tout juste de prononcer ces mots quand le comte nous rejoignit, complètement fourbu et défraîchi. Il était étendu dans son lit, nous dit-il, pour récupérer, et avait entendu Thomas.

— Quinze ducats? Pourquoi une somme aussi insignifiante?

Il paraissait vexé, mais Thomas tenta de l'apaiser en lui expliquant que, vu la famine qui sévissait cette année-là, les prix avaient beaucoup baissé et que « ceux qui ont faim sont capables des pires actes en échange d'une très petite somme ». Il me lança un clin d'œil en disant cela, laissant sous-entendre que sa réaction avait été semblable à la mienne, à savoir que quinze ducats (soit trois mois de salaire pour un maçon expérimenté) représentaient une somme prodigieuse pour n'importe quel *bravo* traînant dans les caniveaux, et un prix tout à fait honnête pour un comte anglais dans ses mauvais jours.

L'explication de Thomas parut le satisfaire. Déclarant qu'il était épuisé, il retourna se coucher. Thomas et moi nous installâmes confortablement afin de partager notre expérience des derniers jours.

Les autres nouvelles de Padoue ne pouvaient être meilleures. Thomas avait finalement réussi à voir le troisième professeur et leur conversation avait laissé planer d'excellents signes. Je lui parlai de Ayham et de mon intervention réussie lors de son accident. Thomas en fut ravi, et s'enthousiasma encore davantage quand je lui confirmai que cette expérience avait enfin levé les doutes qui subsistaient chez moi quant à mon avenir. Baissant la voix afin que Courtenay ne m'entende, je lui confiai que j'étais prêt à rompre mes obligations et à partir pour Padoue sitôt que j'aurais parlé à Yasmine. Thomas fut d'accord.

— Je suis sûr que le comte sera complètement rétabli dès demain matin et que tu pourras lui demander congé.

Encouragé par ces nouvelles prometteuses qui laissaient entrevoir une réussite pour cette partie de mon plan, je songeai à Faustina. J'en étais à expliquer à Thomas les grandes lignes de ce que je proposais pour elle et Felicità, quand le courage me manqua, sentant malgré tout qu'il restait trop d'incertitudes. Tout bien considéré, me dis-je, il était plus sage de parler de ses réalisations que de partager ses rêves.

L'expression qui parut sur le visage de Thomas me dit qu'il s'était rendu compte de cette volte-face et en avait deviné la cause; mais fidèle à lui-même il se contenta de rester silencieux et ne chercha pas à en savoir davantage. Ma prudence lui paraissait sans doute judicieuse.

Chapitre 75

29 août 1556
Fondamenta della Sensa, dans Cannaregio

La tempête s'essouffla, laissant place à de fortes pluies incessantes. Le niveau des eaux s'abaissa et les inondations se résorbèrent.

À l'étage, inconscient des ravages du mauvais temps, Courtenay était étendu dans son lit, tourmenté par la fièvre. Sur son front se voyait une grande ecchymose, pâle et brunâtre.

— Je ne sais pas où il a reçu cette meurtrissure, avais-je dit à Thomas. Nous avons tous deux été brassés dans l'eau, surtout quand ils ont hissé le filet à bord. C'est probablement arrivé à ce moment-là. Je te promets en tout cas une chose : ce n'est pas moi qui lui ai fait cela, même si la tentation m'est venue une ou deux fois hier.

Thomas me fit signe de parler moins fort, au cas où le comte nous entendrait.

— Tu vas bientôt retrouver la liberté qui t'est chère, Richard. Il n'y a qu'à attendre qu'il se soit suffisamment rétabli pour voyager, et nous l'emmènerons à l'hôpital de Padoue ensemble. Je serai plus en mesure de le soigner avec l'aide de mes confrères.

Le comte trouvait encore le moyen de contrecarrer mes projets. Cela me faisait l'effet d'une douche froide. J'en fis la réflexion à Thomas, mais il se contenta de rire, hochant la tête en observant le déluge par la fenêtre.

— Allons, Richard. N'exagère pas la situation. Regarde un peu dehors : si nous sommes sous la douche, ce n'est certainement pas la faute d'un seul homme. Montons à l'étage pour voir comment il se porte. Je resterai avec lui et tu pourras braver les intempéries en allant te promener le long du canal. Qui sait ? Tu tomberas peut-être sur quelqu'un que tu connais ?

Il me lança un clin d'œil et je lui souris. Il savait bien que je mourais d'envie de rendre visite à Ayham pour voir comment il se portait. Et s'il m'arrivait de rencontrer sa ravissante fille ? Ce ne serait qu'une satisfaction supplémentaire. Nous gravîmes sans grand enthousiasme les marches glissantes conduisant à l'étage.

Le comte semblait exténué, moulu et meurtri. Son visage était livide et il se plaignait de frissons, bien qu'il fût bouillant au toucher. Thomas prit un air grave.

— Je serais plus tranquille, Votre Grâce, s'il était possible de vous emmener à Padoue, où mes savants amis pourraient m'aider à vous guérir.

Courtenay grogna.

— Dans quelques jours, Thomas. Le temps que la tempête se calme ; puis nous irons où vous voudrez. Pour le moment, je préférerais me reposer ici et tenter de me réchauffer un peu. Un froid mortel me glace le corps.

C'étaient des mots sinistres, venant d'un malade ruisselant de sueur. Nous échangeâmes des regards inquiets.

— Tu peux rendre visite à ton patient, murmura Thomas. Je vais rester ici avec celui-ci. Mais si possible, reviens avant la nuit, car il faudra peut-être que tu me remplaces à son chevet. Cette fièvre ne me dit rien qui vaille.

Comme je prenais congé, il me retint par la manche.

— Ne t'inquiète pas au sujet du voyage à Padoue. Nous y verrons bientôt. Il n'y a pas d'urgence et tu es attendu.

Malgré mon lourd manteau et mes épaisses bottes, j'étais complètement trempé lorsque j'arrivai à la maison de Yasmine et Ayham, non loin de chez moi. Ils m'accueillirent et m'attirèrent près du feu qui brûlait dans l'âtre.

Je ne m'étais pas vraiment attardé aux détails de leur logis. À ma première visite, j'étais trop nerveux; à ma deuxième, trop préoccupé. À présent, tout en me faisant sécher, je portai le regard alentour. C'était une petite maison, modestement meublée – sous bien des aspects, elle me rappelait mon propre foyer, dans le Devon. Tout comme ma mère, Yasmine voyait à ce que chaque objet soit étincelant de propreté; et bien que sombre, l'endroit était accueillant.

Ayham l'était tout autant, lui qui ne cessait de me taper sur l'épaule en me disant à quel point sa jambe guérissait bien.

— Elle est comme neuve, et c'est grâce à vous, jeune homme.

Se tournant vers Yasmine, il lui souffla d'un air complice :

— Il est futé, ce garçon-là.

Yasmine me regarda et sourit. Je reconnus le sourire si particulier qu'elle partageait secrètement avec moi lorsque notre relation lui inspirait confiance.

— Je le sais, père. Et il est honnête. Et courageux.

Le regard qu'elle me lança, à l'insu de son père, contenait des épithètes encore plus flatteuses. Ma confiance s'exalta. Quelque chose, peut-être le simple passage du temps, semblait avoir atténué les doutes qu'elle m'avait exprimés à peine un mois auparavant.

— Quelles nouvelles du comte? J'ai entendu dire que vous avez été surpris par la tempête, évitant la noyade de justesse?

Yasmine parut inquiète, mais quelque chose me disait que je devais formuler ma réponse à l'intention de son père également.

— Il demeure souffrant. Il s'est blessé lorsque le bateau de pêche nous a sauvés, en plus d'être atteint d'une grave fièvre. Le docteur Marwood souhaite le faire soigner à Padoue, mais le comte ne s'estime pas en état d'effectuer le voyage pour l'instant.

— Et vous irez avec lui ? demanda Ayham à brûle-pourpoint.

— S'il part dans les prochains jours, oui. Sinon, il se peut que je m'y rende seul, car j'ai été convoqué pour une entrevue à l'université, où je souhaite étudier la médecine.

Le visage d'Ayham resta impassible.

— Et si une place vous est offerte, qu'allez-vous faire ?

Lançant un regard vers Yasmine, je décidai de risquer le tout pour le tout.

— Je l'accepterai et j'étudierai la médecine. J'ai assez d'argent pour m'acheter une bonne ferme dans les environs et pour en faire ma maison. Le reste de mes projets demeure… incertain.

— Incertain ?

Je le regardai droit dans les yeux.

— C'est-à-dire qu'ils dépendent de vous, Monsieur.

J'aperçus Yasmine du coin de l'œil, rayonnante de joie, et sus que ma réponse avait été la bonne.

— En quoi dépendent-ils de moi ?

Ayham restait de marbre, tel un commerçant derrière son étal, mais je savais ce qu'il pensait. C'était comme s'il s'efforçait de me cacher son jeu pendant que Yasmine se tenait derrière lui, tendant un miroir pour me le montrer.

— Il me faudrait votre accord, Monsieur.

— Mon accord ?

Peut-être les choses se passaient-elles ainsi dans les souks des médinas. Peut-être était-ce un rituel obligatoire, qu'il ne fallait pas chercher à précipiter. Peut-être était-ce la manière arabe. Cela m'était égal. Je connaissais mon objectif et je mettrais le temps qu'il faudrait pour y parvenir.

— Votre autorisation.

Ses yeux brillèrent. L'esprit compétitif et la pugnacité du négociateur prenaient le dessus.

— Que dois-je vous autoriser ?

Je demeurai calme.

— Ma demande à votre fille.

À présent, nous savions tous deux où ces négociations allaient nous mener, mais demeurions prisonniers de cet affrontement de paroles et de gestes. Ses yeux noirs me fixèrent avec attention.

— Vous ne manquez pas d'aplomb. Qu'entendez-vous demander à ma fille ?

Nous y étions. Je pouvais exprimer ce que je voulais dire depuis des lustres.

— Avec votre permission, Monsieur, je demanderais humblement à votre fille de m'épouser.

Il voulut répondre, mais je levai la main et poursuivis.

— Je sais très bien que les difficultés sont grandes et je ne les sous-estime pas, pas plus que je ne les prends à la légère. Je perçois un différend de religion ainsi qu'un différend familial ; mais aucun obstacle, si considérable soit-il, ne saurait nous résister, tant la récompense sera grande.

La trace d'un sourire flotta sur ses lèvres et je sus que ma réponse lui plaisait. Mais au même moment, une ombre passa sur son visage et je compris qu'un problème subsistait.

— Vous m'avez dit ce que vous comptez faire si votre voyage à Padoue se trouve couronné de succès. Mais qu'arrivera-t-il si vous échouez?

Son regard m'avertit qu'il s'agissait du véritable enjeu.

— Premièrement, je n'échouerai pas, car s'ils décident de rejeter ma candidature, j'en conclurai que le destin n'a pas voulu que j'étudie la médecine et souhaite me guider vers une vocation différente. Dans ce cas, cette vocation m'apparaîtra clairement: j'étudierai la peinture, ici même à Venise.

Je le regardai fixement.

— Quoi qu'il arrive, peu importe ce que le sort décidera, je m'assurerai de demeurer dans les frontières de la république, et à moins de trente milles de l'endroit où nous nous trouvons en ce moment.

Il ne broncha pas.

— Pas en Angleterre?

Je secouai vivement la tête.

— En aucun cas je ne retournerai en Angleterre.

— Et si je vous donne la permission, l'autorisation de demander ma fille en mariage, et qu'elle refuse?

C'était une question piège, mais la réponse allait de soi.

— Dans ce cas, je resterai dans la république, étudiant malheureux à Padoue ou peintre infortuné à Venise.

Ayham se tourna vers Yasmine et la prit dans ses bras.

— Tu avais raison. Il est fort, très fort.

Il me tendit la main.

— Vous avez mon assentiment, ma permission et mon autorisation. Maintenant, il vous faudra raffiner encore votre discours, j'en ai peur, car elle est beaucoup plus difficile que moi.

Il se tourna vers sa fille bien-aimée, tout sourire, mais la larme à l'œil.

— Beaucoup plus difficile.

Chapitre 76

30 août 1556
Fondamenta dei Mori

Ma discussion avec Ayham aurait dû me redonner confiance ; pourtant, je me sentais fébrile lorsque je franchis le seuil de l'atelier du Tintoret, le lendemain.

Courtenay demeurait trop malade pour se déplacer, mais Thomas croyait qu'il prendrait du mieux dans un jour ou deux et me demanda d'attendre encore. Je décidai de passer à l'étape suivante, soit de chercher à savoir si Jacopo, dans l'éventualité où j'épouserais Yasmine et l'emmènerais avec moi à Padoue, était disposé à prendre une remplaçante en la personne de Faustina.

Sitôt qu'il arriva à l'atelier, je lui demandai s'il était possible de discuter en privé plus tard dans la matinée, ce à quoi il s'empressa de consentir. De fait, son empressement fut tel que je me demandai bientôt s'il n'avait pas prévu le coup. Nous nous rencontrâmes à onze heures : le soleil n'éclairait plus directement les fenêtres du studio et le modèle avait déjà quitté l'atelier. Je suivis Jacopo dans la cour intérieure et ne pus m'empêcher de jeter un regard en direction du bureau de Yasmine.

— Elle est sortie avec un client. J'ai fait en sorte qu'elle ne revienne pas de sitôt.

Sa remarque acheva de me convaincre : j'avais été devancé. Je lui confessai mon désir d'épouser Yasmine et il hocha la tête sagement, sans montrer aucun signe de surprise. Je lui dis que j'avais dû choisir entre la peinture et la médecine, que mon choix s'était arrêté sur cette dernière et que j'irais étudier à Padoue si l'université acceptait ma candidature. Cette nouvelle fut reçue avec le même détachement.

— Voilà ce qui m'inquiète, Jacopo : si Yasmine et l'université décidaient toutes deux d'acquiescer à mes demandes, et que mon épouse venait s'établir avec moi à Padoue, vous risqueriez d'être pris au dépourvu.

Il remua pensivement la tête. Il se mordilla la lèvre, se gratta la tête. Il alla même jusqu'à se ronger les ongles.

— Bon, suffit. Qui vous a mis au courant ? lui demandai-je.

Le peintre s'esclaffa comme un écolier.

— À peu près tout le monde sauf vous ! Et maintenant, vous voulez que je m'accommode d'une religieuse à tête blonde, fière comme une reine, jolie comme une princesse, qui sait tenir les comptes et connaît tous les patriciens et les ecclésiastiques de cette ville depuis sa plus tendre enfance ?

Je secouai la tête.

— Quelque chose comme cela.

Il sourit.

— Parfois la vie fait si bien les choses qu'elle paraît irréelle. La semaine dernière, j'ai été invité au couvent de Sant' Alvise afin d'établir un devis pour un nouveau retable. L'invitation venait d'une certaine jeune femme de la famille Contarini, la dépensière du couvent. Les Contarini sont de bons clients à moi. Elle m'a indiqué que j'étais peut-être l'homme qu'il lui fallait et nous avons négocié un prix. Soixante ducats. J'en voulais quatre-vingt-dix, mais elle m'a fait baisser. Elle sait en tout cas négocier. Elle m'a présenté à l'abbesse, qui m'a dit que le couvent toucherait bientôt un peu d'argent, pas beaucoup ; mais pour cette raison, elle pensait que le couvent avait les moyens de remplacer son retable endommagé.

Il me lança un regard de côté.

— Laissez-moi deviner un peu la rançon que vous avez offerte pour délivrer cette jeune personne. Ne s'élève-t-elle pas, par le plus grand des hasards, aux environs de soixante ducats ?

J'agitai la tête avec stupéfaction.

— Comment se fait-il que cette dépensière vous ait choisi, Jacopo ? Pour faire ce travail, je veux dire ?

Il haussa les épaules.

— Il semble qu'elle ait commerce avec une certaine dame aux mœurs douteuses. Vous l'avez peut-être vue : elle pose même assez souvent dans cet atelier. Apparemment, Yasmine lui a appris qu'elle devrait peut-être quitter son poste de gérante dans ma boutique. Rien de certain, vous comprendrez. Bref, cette fille de joie a cru qu'il serait dans l'ordre des choses que vos soixante ducats se retrouvent dans nos coffres, et que si la dépensière était d'accord, eh bien, ce serait... comment dire ?...

La voix de Veronica résonnait dans ma tête.

— Une belle symétrie, peut-être ?

Il écarta les bras.

— *Ecco ! Architettura pura !* Une vraie architecte que cette femme.

— Et à votre avis, cette architecture est-elle solide ? L'édifice est-il seulement beau, ou saura-t-il résister aux intempéries ?

— Je crois que ce sera un merveilleux édifice – une cathédrale.

Je le dévisageai avec surprise.

— Ainsi, vous êtes d'accord ?

Il écarta les deux mains et haussa de nouveau les épaules, comme s'il n'était responsable de rien.

— Oui, je suis d'accord, mais la décision ne m'appartient pas.

Je le regardai, perplexe.

— Ah non ? Dans ce cas, à qui donc ?

Il se tourna sur sa chaise et montra la porte qui se trouvait derrière lui.

— Vous et moi, Richard, sommes désormais des observateurs. La décision revient à Yasmine. Si elle vous rejette, tout l'édifice, toute la cathédrale s'écroule.

Il me lança un regard entendu et ajouta, chuchotant :

— Et de toute manière, il faut d'abord s'assurer que la nonne soit d'accord. J'ai entendu dire qu'elle avait parlé au Titien…

Chapitre 77

1er septembre 1556
Couvent de Sant' Alvise

Nous arrivâmes ensemble au couvent, Jacopo et moi, demandant à voir la dépensière. Les vieilles *discrete*, l'œil mauvais, nous firent entrer au parloir, où l'abbesse elle-même nous rejoignit. Elle me gratifia du sourire prudent que j'attendais, mais semblait en de bien meilleurs termes avec mon compagnon. Ainsi, l'abbesse avait participé aux discussions de la semaine précédente ? Comme toujours, Venise s'occupait d'abord des siens ; l'étranger que j'étais devrait encore essayer de se rattraper du mieux qu'il le pouvait.

— Bon après-midi, Messieurs. Comme c'est gentil d'être revenus nous voir. Sœur Faustina vous rejoindra dans quelques instants : je lui ai demandé de préparer des comptes pour la visite du patriarche, ce qu'elle est sur le point de terminer. En attendant, quelques biscottis et un peu de vin sucré, peut-être ?

Nous déclinâmes son hospitalité tout en l'assurant que nous n'étions pas pressés et que cela nous ferait plaisir d'attendre que la sœur termine ses comptes.

Le vif claquement de ses chaussures sur les dalles du corridor m'avertit de son arrivée, accompagné d'un bruit de pas plus doux et plus rapide, celui des chaussons de Felicità. Elles entrèrent ensemble au parloir, d'un air assuré. L'abbesse eut un large sourire, s'excusa et sortit.

— Signor Tintoretto! Richard!

Faustina se tourna vers sa jeune compagne et nous présenta.

— Felicità, voici le célèbre peintre Jacopo Robusti, dit le Tintoret, et Richard Stocker que vous connaissez déjà. Ces messieurs sont notre salut. Ou du moins, je l'espère. Nous n'allons sans doute pas tarder à le savoir.

C'était tout à fait caractéristique de celle que j'apprenais à connaître. Pas de tergiversations : elle fonçait droit au but et avait établi l'objet de notre rencontre en quelques secondes. Elle ne faisait également aucun mystère des attentes qui étaient siennes.

La poignée de main de Faustina ressemblait à ses présentations : ferme et assurée. Celle de Felicità, à l'inverse, était lâche et détendue, plus hésitante. Elle nous regarda comme une écolière (ce qu'elle était encore sous bien des aspects) et s'assit discrètement dans un fauteuil en retrait. Ses grands yeux marron se promenaient de tout côté tandis que nous parlions, mais restaient fixés la plupart du temps sur sa compagne.

— Jacopo, voulez-vous commencer ?

Il me regarda, surpris.

— Non, Richard. Il s'agit de votre proposition, je pense ; je n'y joue qu'un très petit rôle. Allez-y, je vous en prie.

Faustina nous regarda tour à tour rapidement. Elle semblait se demander si nous touchions déjà un point de dissension.

— Sœur Faustina, commençai-je. Nous nous sommes rencontrés il y a quelque temps et vous m'avez raconté votre histoire. J'ai accepté d'agir pour vous faire sortir de cet endroit...

— Pour *nous* faire sortir de cet endroit, fit-elle en m'interrompant.

— En effet, pour vous sortir toutes les deux de cet endroit, et vous aider à trouver une nouvelle vie dans la société.

— Une nouvelle vie *ensemble* dans la société.

Faustina ne laissait rien au hasard.

— Oui, exactement.

Je regardai autour de moi. Tout le monde hochait la tête. Jusque-là, tout allait bien ; Faustina arborait un sourire encourageant. Elle n'en faisait qu'à sa tête et cela lui plaisait.

— Je suis parvenu à un arrangement avec l'abbesse, en vertu duquel certaines sommes seront versées lorsque vous serez libérées, pourvu que vous le soyez d'ici le 1er octobre. Entre-temps, j'ai effectué un plus petit versement en acompte, qui servira à payer vos allocations d'ici la fin septembre.

Faustina sourit et eut un hochement de tête encourageant pour Felicità. Je poursuivis :

— Ma plus grande inquiétude est que votre famille continue de s'opposer de toutes ses forces à votre libération et réintégration…

Elle avait levé la main et je m'arrêtai. Elle secoua légèrement la tête, comme frustrée de devoir réitérer des faits connus au profit des ignorants.

— Ce n'est plus un problème. J'ai parlé à mon père et à mon grand-père. Ils étaient tous deux malheureux de me voir entrer ici dès le départ. Mon père m'a dit que j'avais toujours été sa préférée et que cela lui avait brisé le cœur de me voir placée ainsi. C'est pourquoi il m'avait dotée d'une rente si généreuse : il voulait expier ce qu'il savait être un péché, en son for intérieur. Il se dit peiné d'être descendu si bas qu'il ne puisse me libérer lui-même ; mais il vous jure une reconnaissance éternelle, Richard, et m'a dit que si un jour vous deviez vous prévaloir de sa réputation pour vous recommander, vous n'auriez qu'à demander. Il était pénible de le voir admettre, lui, un homme si fier, que sa réputation est maintenant la seule chose qu'il lui reste. Un jour, il retrouvera sa dignité et son rang, j'en suis certaine.

La nouvelle ne manqua pas de m'encourager. Stimulé par la disparition d'un obstacle si important, je passai immédiatement à la seconde partie de notre entente. Je décidai de me fier aux assurances de Thomas selon lesquelles ma place à l'université de Padoue était garantie.

— J'ai l'intention de demander la main de Yasmine Ahmed et de l'inviter à venir vivre avec moi à Padoue. Si elle accepte, elle ne pourra plus tenir son poste de gérante à la *bottega* du Tintoret. Le but de la discussion d'aujourd'hui est de déterminer si une telle place saurait répondre à vos besoins, Faustina, et si vous feriez l'affaire du maestro.

Le visage de Faustina se durcit, et je compris avec un frisson dans le dos que la dernière question était déjà réglée dans son esprit. Jacopo s'en avisa également et vint à notre rescousse.

— En ce qui concerne le dernier point, Richard, sœur Faustina et moi sommes déjà parvenus à une entente, et je lui ai fait une offre.

Faustina se détendit, mais le peintre poursuivit.

— Une offre conditionnelle. Cela dépend bien sûr de Yasmine, si elle décide de me quitter ou non.

Il regarda Faustina.

— Je n'ai besoin que d'une seule gérante.

Faustina se redressa sur son siège et j'attendis sa contre-proposition. Il semblait qu'elle n'avait pas abordé la question de Felicità aussi franchement avec lui qu'elle l'avait fait avec moi. J'avais du mal à croire qu'elle ne se fût pas avisée de lui en parler ; de toute manière, Veronica n'aurait pas manqué de lui en glisser un mot. À l'évidence, quelque chose se tramait ici à mon insu. Les yeux de Faustina lancèrent un éclair lorsqu'elle me répondit, d'un ton parfaitement égal.

— Signor Tintoretto m'a effectivement présenté une offre que je suis en train d'évaluer. Cependant, je dois aussi considérer la position de Felicità.

Elle interrogea le peintre du regard.

Jacopo demeura tout à fait stoïque et je sus désormais que lui et Veronica avaient été à l'œuvre dans une machination clandestine. Ignorant Faustina, il regarda directement Felicità, qui sembla fondre sous ses yeux, jusqu'à ce qu'il la rassurât d'un sourire paternel.

— Il y a quelques mois, mon épouse, Fausbina, a donné naissance à une adorable petite fille. Elle s'appelle Marietta. Sa santé est bonne et elle survivra. Nous aimerions avoir plus d'enfants, beaucoup d'enfants, y compris des garçons à qui je pourrais apprendre la peinture ; mais Fausbina aura besoin d'aide, dans la maison et avec les enfants. Vous plairait-il de nous assister, Felicità ?

Elle leva les yeux vers Faustina, ne sachant que répondre. Le peintre comprit son hésitation.

— Vous travailleriez ensemble, dans la même maison. Ma famille habite à l'étage, au-dessus du studio.

Faustina eut un léger hochement de tête et Felicità s'empourpra, autant de plaisir que de gêne.

— Oui, de grâce, Monsieur. Rien ne me ferait plus plaisir. J'adore les enfants.

Le Tintoret se retourna vers Faustina.

— Alors, c'est entendu ?

Faustina se leva et se tint derrière sa compagne, posant une main rassurante sur son épaule.

— C'est entendu.

Pendant un instant, j'eus l'impression que ma vie – et, plus important, celle de Yasmine – était régie par d'autres. Je m'éclaircis la gorge pour ajouter quelque chose, mais Jacopo me devança.

— Dans ce cas, nous avons un accord. À condition, cependant, que Yasmine décide d'épouser cet homme que vous voyez là et d'aller vivre avec lui à Padoue.

Il lança un clin d'œil à Felicità, mit la main sur la bouche et feignit de réprimer un rire, comme pour dire qu'elle serait folle de me donner sa main.

Cette fois, même Felicità éclata de rire.

Chapitre 78

3 septembre 1556
Fondamenta dei Mori

— Richard !

Yasmine se tenait devant la porte de notre maison.

— Mon père demande à te voir.

Ayham m'accueillit avec cérémonie et nous pria de nous asseoir sur l'un des somptueux tapis.

— Vous avez été très occupé – visiblement, vous avez le cerveau d'un entrepreneur, et le courage et la persévérance pour venir à bout des difficultés. J'ai discuté de votre proposition de double mariage avec notre mollah. Il m'a rendu sa décision.

J'essayai d'avaler, mais ma gorge était nouée. Ayham poursuivit : manifestement, son discours était déjà tout préparé.

— Pendant des siècles, des communautés musulmanes ont survécu en al-Andalus, à Salerne et à Venise, en travaillant la main dans la main avec des gens de religions différentes. Tout en demeurant fidèles à notre foi, il nous est permis, en affaires, de nous associer à des gens qui ne partagent pas nos croyances.

Mon cœur se fit plus léger.

— Pour le mariage, c'est plus difficile. Le Coran interdit qu'un homme épouse une femme qui ne fait pas partie des « gens du livre ». Ainsi, bien que ce ne soit pas dit explicitement, il doit être permis d'épouser une femme juive ou chrétienne, dont la religion reconnaît ce que vous appelez l'Ancien Testament. Il existe cependant des opinions contraires et il n'est pas du tout sûr que ce qui est écrit pour un homme s'applique à une femme. Notre mollah a fait des recherches et a décrété qu'il serait possible pour moi d'accepter une telle proposition faite à ma fille par un prétendant de religion chrétienne, si cet homme était également mon associé.

Pendant un instant, tout mon univers chavira. Était-il en train de me dire qu'il avait conclu un mariage arrangé pour Yasmine avec l'un de ses associés, un chrétien ? Prêt à exploser, je contins ma colère, car il continuait de parler.

— C'est pourquoi j'ai décidé de vous offrir à mon tour une proposition d'affaires : vous, Yasmine et moi pourrions devenir associés afin que vous m'aidiez à développer mon entreprise et que vous en assuriez la succession après ma mort ; car, comme vous le savez, je n'ai jamais eu de fils. Ensemble, je crois que nous pourrons élargir nos activités en important non seulement des épices, mais aussi des pigments d'artiste, des herbes médicinales et d'autres remèdes. Ce faisant, nous pourrons compenser les effets du détournement vers Lisbonne.

Je le regardai d'un air ébahi.

— Êtes-vous en train de me dire que si j'accepte d'être votre associé, vous et votre mollah allez m'autoriser à épouser Yasmine comme je l'ai proposé : deux cérémonies, une musulmane, une protestante ?

Il hocha la tête.

— C'est exactement ce que je dis.

Je voulais me précipiter vers lui pour lui faire l'accolade, à lui et à sa fille, mais j'avais appris à contenir mon impétuosité naturelle.

— C'est une offre merveilleuse, d'une grande générosité, mais avant d'accepter, je dois être honnête avec vous. Comme vous le savez, j'ai l'intention d'aller étudier la médecine à Padoue. Et bien que mes chances soient bonnes, je ne suis pas encore assuré d'y avoir une place.

Ayham sourit. C'était le sourire tranquille de celui qui a considéré la situation sous tous les angles et qui s'est déjà libéré de toute inquiétude.

— Ça n'est pas un problème. Pensez-y. Ma très chère fille a une connaissance approfondie du monde des peintres, et des matériaux qu'ils emploient pour obtenir leurs couleurs. Je connais les épices, et nombre d'entre elles sont aussi des teintures. Vous allez étudier la médecine et apprendre comment guérir les gens avec des plantes médicinales. Ce sont des marchandises semblables qui, bien souvent, proviennent des mêmes régions et s'achètent auprès des mêmes fournisseurs. Je crois que mon plan a du mérite. Je le trouve bien équilibré, bien structuré : aussi élégant que celui que vous avez concocté, celui d'épouser ma fille et de libérer cette religieuse en faisant d'une pierre deux coups. Oui, elle m'a tout expliqué ; et j'en ai parlé à mon voisin et ami, le Tintoret, qui est d'accord.

Je ressentis une sensation étrange. Pendant si longtemps, j'avais été accablé de contraintes, de difficultés, d'obstacles, de pressions. Yasmine observait chacun de mes mouvements. Il était temps de trancher.

— Ayham, je vous donne mon accord. Je deviendrai votre associé, en apportant ma contribution financière pour le développement de notre entreprise. Je vais commencer des études en médecine, si l'université me le permet ; et j'épouserai votre fille, je la chérirai, je la respecterai, comme je respecterai sa foi, et je l'aimerai de tout mon cœur. Serrons-nous la main.

Nous échangeâmes une longue poignée de main, pleine d'émotion, dans laquelle se trouvait une tonne d'engagements non écrits.

Yasmine embrassa son père, et moi ensuite. Puis elle fondit en larmes, folle de joie, et sortit de la pièce en courant.

Chapitre 79

4 septembre 1556
Fondamenta dei Mori

— Ayham m'a félicité pour l'élégante symétrie de ma solution. Si seulement j'en avais été le véritable architecte...

Veronica sourit.

— Oui, elle est... claire et ordonnée. Tu as bien travaillé. Car tu t'es aventuré en des eaux traîtresses, mais au final, tu as su naviguer.

— *J'ai* su naviguer ! Dis plutôt que je ramais et que tu naviguais. C'est seulement lorsque je suis venu rencontrer Jacopo pour tenter de le persuader d'accepter Faustina comme remplaçante que j'ai découvert que tu les avais déjà présentés et qu'ils avaient conclu une entente.

Elle posa une main maternelle sur ma joue.

— Richard, je te demande pardon ; mais il fallait que j'agisse. Tu te rendais la tâche si difficile que j'ai pensé qu'il te fallait un peu d'aide. Ce n'était rien – tous tes amis auraient fait la même chose à ma place. Et puis, tu as été le plus grand instigateur – en proposant à Ayham de diversifier son entreprise, par exemple. Je me suis contenté d'apporter ma pierre à l'édifice et d'en parler à quelques-unes de mes relations. J'ai l'avantage de connaître plus de gens que toi à Venise, tu le sais. De toute façon, je trouvais cela amusant.

«Amusant» n'était pas le mot que j'avais en tête. Elle pouvait bien parler comme si tout était réglé. Mais dans les faits, rien n'était définitivement conclu.

Je me penchai vers elle et lui murmurai à voix basse :

— Il me reste encore une chose à régler : ma rencontre avec les professeurs de l'université. Si le comte ne peut toujours pas voyager demain, j'irai quand même. L'avenir de plusieurs personnes est en jeu, après tout. En ce qui me concerne, Courtenay ne fait plus partie de ma vie, et j'ai bien hâte de le voir déguerpir. Le plus tôt sera le mieux.

Elle hocha la tête.

— Tu as passé assez de temps au service des autres, ici ou ailleurs. Maintenant, tu as tes propres responsabilités. Il est temps de te libérer, de passer à autre chose et de vivre ta vie.

Comme toujours, Veronica avait raison. Demain, je me rendrais à Padoue, accompagné ou non.

Chapitre 80

5 septembre 1556
Fondamenta della Sensa

C'était encore pire qu'avant. Des torrents de pluie et un grand vent de l'est, accompagnés de hautes marées. La place Saint-Marc était recouverte d'un pied d'eau et notre petite maison n'avait pas été épargnée. Il pleuvait depuis une bonne semaine, et les dalles du rez-de-chaussée étaient encore trempées du fait des trois dernières marées qui avaient tout inondé. Il y avait partout de la boue et des algues, mais personne ne songeait à nettoyer ce gâchis, puisque la marée haute risquait de tout ramener sur son passage.

Comme si cela ne suffisait pas, le vent avait délogé quelques tuiles de la toiture, qui laissait filtrer de l'eau, tombant goutte à goutte dans l'escalier glissant et maculé de boue. Toute la maison empestait la fange, les algues et le poisson, et la santé du comte ne s'améliorait pas. Je fis part de ma décision à Thomas.

— Oui. Tu ferais mieux de partir, Richard. Notre grabataire est parfaitement capable de voyager. Il ne fait que se vautrer dans son malheur.

Je venais de terminer mon déjeuner et me trouvais au rez-de-chaussée, préparant mes bagages, quand le comte décida soudain qu'il se sentait mieux et n'avait plus besoin de rester au lit. Thomas m'appela en haut et me demanda de l'aider à le faire descendre. J'étais sur le point de monter à l'étage quand j'entendis de grands cris.

— Je n'ai pas besoin d'aide, Thomas! Je descendrai à la rencontre du monde comme un gentilhomme.

Ces mots étaient à peine prononcés que j'entendis son pied glisser sur la surface poisseuse, et le comte dégringola tout le long de l'escalier de pierre, se heurtant à chaque marche et criant de douleur jusqu'à ce qu'il fût en bas.

Le corps que nous examinâmes au pied des escaliers était pénible à voir. Sa hanche semblait meurtrie et Thomas avait la certitude qu'il s'était cassé au moins deux côtes. Nous tentâmes de l'installer confortablement sur le plancher mouillé, mais il se mit à tousser et, sous nos yeux horrifiés, cracha du sang.

Subitement, tout avait changé. Courtenay nous suppliait de l'emmener immédiatement à l'hôpital de Padoue, et Thomas accepta à contrecœur.

— Son état est trop grave pour que j'essaie de le soigner ici. Il lui faut une attention médicale soutenue, dans un hôpital. Padoue se trouve à quelque distance d'ici, mais c'est la meilleure institution qui soit et je pense qu'il vaut la peine que l'on s'y rende, tout bien considéré ; mais il faudra être prudent.

Il n'était pas question de le faire voyager à cheval ou en voiture : il faudrait lui fabriquer une civière et l'emmener par barge jusqu'à notre destination. Le voyage s'annonçait tout de même difficile. On fit venir une barge à l'avant de la maison, mais sitôt qu'il la vit, Courtenay renâcla.

— Je prendrai une voiture, comme un gentilhomme. Je suis arrivé ici en voiture et, Dieu m'en soit témoin, j'en repartirai de même.

Nous tentâmes de le raisonner, mais il ne voulut pas en démordre et nous dûmes nous plier à son désir. Thomas prit une voiture avec le comte, et la barge fut envoyée au bout de l'île afin de les faire traverser du Canale Colambola jusqu'à Mestre.

Quant à moi, je vis à informer Yasmine et Jacopo de ce qui se passait, en leur demandant d'envoyer des messages à Faustina et à l'Oratorio, où Thomas était attendu. Je prendrais ensuite le bac jusqu'à la terre ferme et les rejoindrais là-bas, soit en chemin, soit à Padoue même.

J'avais soudain repris du service. La journée s'annonçait mouvementée.

Chapitre 81

6 septembre 1556
Padoue

Ma très chère Yasmine,

Nous sommes arrivés sains et saufs à Padoue, le comte dans un état d'épuisement extrême, et très malade. Sa respiration est difficile et il continue à cracher du sang. On craint pour sa vie, mais il est désormais en de bonnes mains. Nous l'avons placé à l'hôpital adjacent à l'université, et tous les meilleurs médecins l'examinent et le surveillent.

Thomas et moi avons survécu à nos voyages respectifs et demeurons ensemble à l'Albergo Il Bo. Je compte me présenter pour l'entrevue à l'université sitôt que la décence le permettra, mais pour l'instant, la santé du comte passe avant tout le reste.

J'ai demandé au cocher d'apporter avec lui ce petit mot lors de son retour à Venise. Ne t'en fais pas, ma douce, nous finirons par l'emporter. Dorénavant, les choses ne peuvent que s'améliorer.

Je pense à toi, ainsi qu'à ton père. Je te prie de transmettre mes salutations à Jacopo et à Veronica.

Ton Richard qui t'aime

Chapitre 82

16 septembre 1556
Université de Padoue

Nous venions de passer dix jours d'inconfort. Dix jours au cours desquels Peter Vannes, l'ambassadeur anglais, avait tenté de s'ingérer dans nos affaires. Thomas avait cherché à user de son amitié avec les médecins de Padoue pour rester auprès de notre malade, mais les autorités vénitiennes avaient fait savoir que Vannes bénéficiait de tout leur soutien, et il n'avait pas hésité à s'en prévaloir.

L'ambassadeur avait interrogé le comte peu après son arrivée. Son but, nous en avions la certitude, était de jeter le blâme sur Thomas et moi-même pour le piètre état de santé du comte, et de nous accuser de négligence. Pourquoi le comte avait-il insisté pour se rendre à Padoue alors qu'il était si malade ? Voilà ce que Vannes lui avait demandé.

Le comte avait répondu avec véhémence, disant que lors de ses précédentes visites à Padoue, on avait laissé entendre qu'il était plus français qu'anglais, et qu'aussitôt qu'il se remettrait, il en profiterait pour demander réparation à ces gens, prêt à défendre son honneur avec son glaive.

Mais Vannes avait persisté. Pourquoi dans ce cas avoir insisté pour prendre une voiture, alors qu'il eût été beaucoup plus confortable de s'y rendre par barge ? Ses compagnons cherchaient-ils à économiser de l'argent ? Cette insinuation calomnieuse n'avait manifestement d'autre but que d'accréditer des accusations de négligence, mais encore une fois, Courtenay s'en était défendu.

— Au contraire, ce sont eux qui ont insisté pour que je prenne une barge. Ils en ont même fait venir une devant ma porte. Non, en vérité, seule la fierté d'être un Anglais a décidé de mon choix : je ne voulais pas avoir l'air de quitter la ville la queue entre les jambes.

Tout cela nous paraissait inutile et harassant, mais concordait avec ce que nous savions déjà au sujet de l'ambassadeur. Je décidai d'écrire une lettre codée à Walsingham afin de lui raconter nos expériences sitôt que j'en aurais l'occasion.

— Aucune amélioration.

Thomas revenait de sa visite à l'hôpital, les traits tirés, l'air abattu.

— Ça n'augure rien de bon. Notre premier diagnostic est maintenant confirmé. Une hémorragie interne s'est déclarée à l'extrémité des côtes cassées. Qui plus est, la vase dans laquelle il est tombé a infecté ses blessures et il est atteint d'une forte fièvre. Il ne mange rien et son état se détériore rapidement.

Je me rappelai les derniers jours du roi Édouard – une terrible expérience pour nous, mais combien plus souffrante pour lui ! Malgré toute l'antipathie que j'éprouvais pour Edward Courtenay, jamais je ne lui aurais souhaité une telle fin.

— Quelles sont ses chances d'en réchapper ?

Je connaissais la réponse avant de poser la question. Thomas soupira et s'essuya le front avec lassitude.

— Il a perdu la volonté de vivre et commence à délirer. Parfois, il s'imagine roi de Hongrie, avec Veronica Franco comme reine à ses côtés. Au moins, dans son délire, il semble heureux, et je crois qu'il ne ressent plus la douleur.

Nous fîmes tous deux un signe de croix.

— Dieu ait son âme, dis-je, en espérant que mes paroles ne semblent pas prématurées.

— *Amen*. Il partira bientôt.

Nous allâmes manger. Nous n'en retirâmes aucun plaisir, malgré la qualité des victuailles ; mais ceux qui s'occupent des malades savent mieux que quiconque qu'il faut se sustenter.

Chapitre 83

18 septembre 1556
Hôpital de l'université, Padoue

Nous restâmes à son chevet pendant les deux jours qui suivirent, nous relayant constamment afin de pouvoir manger et dormir. À midi, Thomas le quitta pour prendre un repas et consulta l'un des professeurs. Au cours de la dernière semaine, ils avaient discuté de plusieurs traitements possibles. L'un d'entre eux consistait en une intervention directe afin de contenir l'hémorragie interne, mais la blessure étant déjà infectée, les risques étaient trop grands. Il leur était difficile de simplement ne rien faire : les médecins sont entraînés pour agir quand c'est possible ; mais comme disait l'un des professeurs : «Nous ne sommes pas des dieux, mais seulement des hommes au savoir limité, et parfois il faut savoir reconnaître que le remède risque d'être pire que le mal.»

Edward Courtenay, comte de Devon et dernier de la lignée des Plantagenêt, était étendu dans son lit, hâve et insignifiant. Au moins, sa chambre était propre, assez chaude, et ses draps d'un blanc immaculé.

J'étais assis en retrait dans un coin, impuissant et déçu. Il m'apparaissait disgracieux qu'un comte dût ainsi terminer ses jours. Il ne m'avait jamais été sympathique, mais il méritait une fin plus heureuse que celle-ci, seul en pays étranger, sans amis, rejeté par sa propre patrie.

La pièce était silencieuse. Un son faible parvint à mes oreilles et je levai les yeux vers lui. Il s'humectait les lèvres, essayait de dire quelque chose. Une prière, peut-être.

— Mère...

Ce fut le seul mot que j'arrivai à entendre.

Il laissa échapper un long râle, venu du fond de la gorge. Puis il rendit l'âme.

J'allai trouver un médecin dans le corridor et le fis venir avec moi dans la chambre. Il tâta le pouls, tendit l'oreille près de la bouche afin d'y chercher un souffle. Puis il hocha la tête.

— S'il vous plaît, dites-le à votre ami : il n'est plus parmi nous.

J'allai trouver Thomas et le ramenai jusqu'à la petite chambre. Ensemble, nous restâmes debout en silence.

Une vie gaspillée. Il avait été défini, formé, contraint et enfin détruit par son propre rang : un produit de son héritage. Je ne lui gardais pas rancune, mais je savais qu'il ne me manquerait pas.

Chapitre 84

Vannes et sa bande de sympathisants se précipitèrent comme des vautours afin d'examiner ses documents, brandissant leurs lettres d'autorité et insistant pour qu'on leur remette les clefs de ses coffres.

— Mais ses affaires sont restées chez nous, à Venise, leur avait répondu Thomas, ce qui lui avait valu un rire méprisant.

— Vous faites erreur, docteur. La maison a été fouillée et tous vos effets personnels ont été apportés ici sous mes ordres. Mais les coffres sont verrouillés. Veuillez nous remettre les clefs.

Thomas, dégoûté, lui remit les clefs de Courtenay, mais nous leur refusâmes l'accès à nos propres affaires. Thomas craignait que l'on abîme ses précieux livres, et je me demandais si quelque missive de Walsingham ne traînait pas encore dans mes paperasses.

Vannes avait écrit en Angleterre pour informer la reine Marie qu'il avait fait venir un prêtre catholique auprès de Courtenay et que celui-ci avait reçu les derniers sacrements de son plein gré, malgré son extrême affaiblissement. C'était un mensonge éhonté, mais je comprenais que Vannes n'ait pas voulu avouer à sa reine que Courtenay avait rendu son dernier souffle en compagnie d'un protestant.

Vannes insista ensuite pour qu'un inventaire complet des effets du comte soit établi, incluant ce qui avait été transféré depuis ses appartements à Venise, mais aussi les choses que nous avions apportées avec nous. Nous doutions de la moralité de ses actions, mais lorsqu'il s'aperçut que les domestiques de Courtenay n'avaient pas été payés et que celui-ci nous devait également de l'argent, il écrivit immédiatement à la reine, demandant des fonds afin de rectifier la situation. Je décidai donc de réviser mon jugement à l'égard de cet homme. Je l'avais pris pour un salaud, mais je devais lui reconnaître une certaine droiture.

Dans le but de parer à d'inévitables accusations d'empoisonnement, Vannes avait insisté pour que quatre éminents docteurs de Padoue apposent leur signature à un certificat médical, énumérant les causes de la mort. Thomas, chagriné mais non entièrement surpris, n'avait pas été invité à le signer, bien que tous les médecins lui eussent demandé tour à tour son approbation quant au contenu du document avant de le signer eux-mêmes.

Vannes avait adressé une pétition au conseil municipal de Padoue pour que la dépouille du comte soit inhumée en la basilique de Saint-Antoine. Son autorité était telle que cette pétition avait immédiatement été acceptée, et les funérailles s'étaient déroulées le lendemain matin. Pour des raisons qu'aucun d'entre nous ne parvint à élucider, l'oraison fut prononcée par un dénommé Thomas Wilson, un quelconque Anglais, mais qui au moins s'était donné la peine de faire des recherches, rappelant la vie du comte avec moult détails, tout en donnant à son discours des allures de sermon.

Nous pensions qu'il y aurait procession dehors et que le corps serait enterré au cimetière, mais le conseil municipal avait donné l'ordre de faire planter deux grandes barres de fer dans les murs de la chapelle de San Felice afin d'y placer le cercueil. Le tout donnait l'impression d'un repos temporaire, ce qui nous troubla considérablement; mais nous savions pertinemment que Vannes et les autorités avaient des intentions précises, qu'ils entendaient faire respecter, et auxquelles Thomas et moi ne pouvions rien changer. Même dans la mort, la position de Courtenay pouvait encore exacerber la méchanceté et la bassesse des hommes et des gouvernements. J'étais révolté.

À la fin du jour, quand je m'installai pour écrire à Yasmine, j'étais à bout de forces.

Ma très chère Yasmine,

Courtenay nous a enfin quittés, mais nous n'avons pas encore droit à la paix. C'est comme si tout ce qui se rapporte à cet homme attisait la jalousie, la méfiance, la mesquinerie et la malhonnêteté.

Il n'y a rien de plus que nous puissions faire et je rentrerai bientôt. Thomas te dit adieu, ainsi qu'à tous nos amis, car ses affaires ayant déjà été emportées à Padoue, il repartira promptement et rentrera en Angleterre en espérant que le beau temps que nous connaissons l'accompagnera une partie du voyage.

Voici au moins une bonne nouvelle : mon entrevue aura lieu demain à l'université de Padoue. Prie pour que je réussisse. Thomas attendra que nous en connaissions le résultat avant de partir.

Ton Richard qui t'aime

Chapitre 85

22 septembre 1556
Faculté de médecine, université de Padoue

C'était chose faite. J'étais accepté.

Le soir précédent, ayant terminé ma lettre à Yasmine, j'étais resté assis seul, perdu dans mes réflexions, pendant que Thomas dînait de son côté avec ses vieux amis. Cela faisait des années que je ne m'étais pas senti aussi nerveux. Et au beau milieu de la soirée, une pensée m'avait frappé : la rencontre de demain représentait le moment décisif de ma vie.

Le lendemain matin, après mon lever, j'étais en train de me préparer lorsque, étrangement, toutes mes craintes disparurent; et je sentis mon courage se gonfler en songeant aux défis qui m'attendaient ce jour-là. Thomas avait dû les préparer longuement, car ils savaient tout de mon parcours et demandèrent immédiatement à voir mes calepins. Les habiletés que j'avais acquises à l'atelier du Tintoret avaient ajouté à ce que Thomas m'avait enseigné, et je ne pus m'empêcher d'être impressionné moi-même par certaines images, tandis qu'ils feuilletaient mes carnets et lisaient ce que j'y avais noté.

Signor Stocker,

Il me fait plaisir de vous annoncer que le département de médecine de l'université de Padoue a décidé d'accepter votre

candidature et vous invite à venir étudier parmi nous, ce qui,
nous l'espérons, vous conduira un jour à recevoir votre doctorat
en médecine.

Je tremblai de soulagement en lisant ces mots. Je courus
sur-le-champ pour en informer Thomas. Ses bagages
étaient déjà prêts. Il attendait simplement ma confirmation
avant de partir.

Chapitre 86

Comme la vie vous surprend parfois! Pressé de retrouver Yasmine, j'avais quitté Padoue tôt dans la matinée, peu après mon entrevue, en promettant de revenir à temps pour le début du nouveau trimestre à la fin d'octobre.

Le loyer de la maison que j'avais partagé avec Thomas et le comte était payé jusqu'à la fin du mois, et le mobilier, si modeste fût-il, s'y trouvait encore, de sorte qu'il paraissait naturel que je retourne vivre là-bas. Mais à présent, assis seul dans cette maison, avec peu de nourriture ou de commodités, Tutto, Cuoca et Bimbo étant partis ensemble à Padoue pour tenter de récupérer les gages qui leur étaient dus, Thomas ayant pris le chemin de l'Angleterre et Courtenay gisant mort et enterré, je me sentais complètement esseulé. Les souvenirs de la dernière année résonnaient tout autour de moi.

Peter Vannes et les diplomates se querellaient encore lorsque j'avais quitté Padoue. La cité de Venise avait, disait-on, réquisitionné les documents de Courtenay, tout comme le gouvernement anglais; mais Piero Morosini, l'huissier de Padoue, s'y opposait farouchement. J'étais bien content d'avoir laissé tout cela derrière moi, espérant qu'il n'en resterait rien lorsque viendrait le temps de retourner à Padoue comme étudiant. J'étais sur le point de commencer une nouvelle vie et je voulais partir de zéro, et non vivre dans l'ombre de quelqu'un d'autre.

J'étais assis seul à la maison, occupé à écrire à Walsingham au sujet de Peter Vannes et à coder ma lettre. Pourrais-je continuer à lui écrire après avoir épousé Yasmine ? Je n'avais aucunement l'intention de lui cacher des choses, mais plus je songeais au lien que j'entretenais avec Walsingham, plus je devenais inquiet et indécis. Certes, je voulais que la princesse Élizabeth accède au trône, et j'étais évidemment prêt à faire tout ce qui était moralement et légalement acceptable pour que cet espoir se réalise. Mais les machinations de Walsingham n'allaient pas sans risques. Les tentatives d'assassinat contre Carew et les menaces à l'endroit de Courtenay prouvaient bien qu'il ne s'agissait pas d'un jeu.

Ma plus grande inquiétude ne résidait pas dans la menace qui planait sur moi, mais dans ce qui pourrait arriver si Yasmine s'y trouvait mêlée de quelque façon. Le seul fait de lui révéler l'existence des Fils d'Angleterre pourrait mettre sa vie en danger. Mais derrière toute cette inquiétude se cachait mon véritable souci, à moitié inconscient jusqu'à ce que je me force à l'admettre : si j'avouais à Yasmine que je m'étais enrôlé dans une organisation dont le but était de destituer la reine Marie et de placer Élizabeth sur le trône, quelles conclusions pourrait-elle en tirer ?

Je tentai d'évaluer la situation de son point de vue, de me voir à travers ses yeux. J'en conçus une image tout à fait noire : celle d'un homme prêt à risquer sa vie et ses os, ainsi que l'avenir de sa nouvelle famille, dans une entreprise dont les objectifs étaient uniquement centrés sur l'Angleterre. Si elle échouait, sa vie pourrait être ruinée, sa famille mise en danger et son mari assassiné ou exécuté. Mais si elle réussissait, son mari voudrait certainement rentrer au pays et l'attirer dans un monde inconnu, loin de son père.

Pendant ce qui parut une éternité, mes yeux restèrent fixés sur le message codé ; et je ne savais plus si je devais le déchirer ou continuer à rédiger ma lettre de couverture. En fin de compte, sacrifiant mes principes, je décidai qu'il fallait essayer de nager entre deux eaux : rester fidèle à Walsingham, et lui venir en aide s'il m'en faisait la demande, tout en me gardant d'en parler à Yasmine. Mais c'était une position encombrante qui ne me plaisait pas. Enfin, je décidai de concéder encore plus de terrain à Yasmine. Je signifiai clairement à Walsingham en quoi consistaient mes priorités : jamais je n'accepterais que mon mariage soit compromis.

Une fois cette question délicate abordée dans un message chiffré, je pouvais lui parler de ma vie personnelle dans ma missive de couverture. J'écrivais librement, en toutes lettres, sans me préoccuper de codes, informant Walsingham de mes projets de mariage, d'études et d'affaires, lui disant aussi que je restais fidèle à l'Église protestante, mais que j'avais la ferme intention de demeurer en Italie.

C'était une sensation étrange que de voir ces mots écrits devant moi noir sur blanc – catégoriques, définitifs, irrévocables. Mais en même temps, c'était rassurant, un moment marquant de ma vie.

J'avais été invité à dîner avec Veronica, à rester chez le Tintoret, à passer la soirée avec Ayham et Yasmine, mais j'avais choisi de décliner toutes ces invitations : quelque chose m'avait décidé à demeurer seul ce soir-là. C'était comme s'il fallait que je prenne le temps de dire adieu à mon ancienne vie avant d'entreprendre la nouvelle.

Chapitre 87

26 septembre 1556
Maison du Tintoret, Fondamenta dei Mori

— *Ehi*, maestro ! C'est si gentil de vous être donné toute cette peine pour nous.

Fausbina Robusti, l'épouse du Tintoret, s'appuya contre le mur en laissant échapper un petit rire.

— Ne vous imaginez pas qu'il a fait tout cela juste pour vous, Richard. Même si vous êtes toujours apprécié dans cette maison, Jacopo adore les fêtes, et les fiançailles de Yasmine représentaient l'excuse parfaite.

Elle agita le bras tout autour du studio, attirant mon attention sur une série d'invendus accrochés aux murs, et quelques autres ayant déjà trouvé preneur, mais non encore livrés.

— Vous aurez sans doute remarqué dans les préparatifs un certain souci commercial. Jacopo sera déçu si tous ces tableaux ne se sont pas vendus quand la fête sera terminée.

Je me tournai vers le peintre qui me lança un clin d'œil entendu.

— Vous auriez dû exposer quelques-uns de vos dessins, Richard. Vous en auriez peut-être vendu un ou deux : ils sont assez bons.

Il donna un coup de coude à sa femme.

— Mais je suppose qu'il ne se préoccupe plus de telles choses, vu son importance. Bientôt il faudra l'appeler *dottore* et s'incliner devant l'homme de sciences.

Fausbina se pencha pour me saluer, arborant un large sourire.

— Souvenez-vous de nous quand vous serez riche et célèbre, Richard. Le pauvre peintre et sa marmaille...

Jacopo se tourna brusquement vers elle.

— Quoi ? Ne me dis pas que tu...

Fausbina rit.

— Certainement pas ! Marietta est encore nourrie au sein. Mais l'année prochaine, peut-être ? Et puis l'année qui suivra. Avec Felicità à mes côtés, c'est tellement plus facile.

Cela faisait plaisir à entendre.

— Faustina s'adapte-t-elle bien ? Je suis vraiment désolé de vous voler votre gérante. Ce n'est pas une façon de vous remercier, vous qui avez été si bon pour moi.

Jacopo remplit nos verres et replaça la bouteille sur la petite table.

— Tout fonctionnera très bien. Elle est très intelligente et elle apprend vite. L'idée de les placer temporairement chez Ayham et Yasmine semble porter fruit. Faustina aura amplement le temps d'apprendre le travail de Yasmine avant que vous nous l'enleviez ; de plus, Felicità se trouve à quelques pas de la maison quand Fausbina a besoin d'elle, et je me suis trouvé un nouveau modèle.

J'étais surpris.

— Felicità a accepté de poser pour vous ?

Il répondit dans un signe de tête.

— Oui, c'est exact. Veronica est très jalouse : elle est si jeune et innocente, belle comme une madone.

— Yasmine vous manquera-t-elle ?

Je m'inquiétais encore du fait que, en épousant Yasmine, je nuisais à la bonne marche de son entreprise.

— Bien sûr. Mais je suis ravi qu'elle progresse de cette façon. Vous auriez dû la voir la première fois qu'elle est venue frapper à notre porte. Elle avait à peine quatorze ans, mince comme une pelure d'oignon. Les garçons l'appelaient *scricciolo*.

Je fronçai les sourcils : le mot m'était inconnu. Jacopo s'en avisa immédiatement.

— Comment dit-on cela en anglais ?

Il ramassa un bout de fusain qui était resté sur la table et dessina rapidement un petit passereau sautillant de-ci de-là, ramassant des miettes. Je hochai la tête.

— C'est un troglodyte, une sorte de passereau. Oui, ça lui va bien. J'espère qu'elle en a fini avec les miettes, cependant. Je vais m'occuper d'elle.

Le Tintoret acquiesça de la tête.

— Je n'en doute pas. Elle le mérite.

Je devais clore la discussion et aller parler aux autres, mais il me restait une question à lui poser.

— Dites-moi, Jacopo, est-il vrai que Faustina s'est adressée au Titien ?

Il regarda sa femme, qui éclata de rire et s'en fut à l'autre bout de la pièce pour parler à quelqu'un d'autre.

— Non. C'était un mensonge. Veronica m'a dit cela pour que je manifeste de l'intérêt. Elle savait que je voudrais lui chiper. Mais évidemment, je l'aurais choisie de toute façon.

À l'autre extrémité du studio, Veronica entendit son nom et nous fit signe de la main. Nous la saluâmes en retour.

— Je n'ai aucun regret. Elle fera une excellente gérante… d'ici quelques années.

Il sourit à Faustina qui se joignait à nous à cet instant et s'amusait de cette petite boutade. Elle passa un bras autour du mien.

— Pouvez-vous vous défaire de ce jeune homme un instant? C'est qu'il est très demandé.

Nous nous dirigeâmes dans la cour, rejoints par Felicità. Lançant un clin d'œil à sa compagne, qui, comme elle, semblait avoir avalé quelques verres de vin et montrait des signes d'excitation fort inhabituels, Faustina me posa sa question.

— M'avez-vous pardonnée, Richard?

— Pour quelle offense?

La présence insistante de Felicità me disait que cette discussion était préparée d'avance.

— Pour n'avoir pas été à la hauteur de vos attentes, c'est-à-dire, *disponible*.

Jetant un regard vers Felicità, elle eut un sourire complice.

Je les regardai l'une après l'autre. Elles me taquinaient, tout en se taquinant entre elles.

— Je n'ai jamais pensé que vous m'aviez trompé...

Faustina étira son long cou et pinça les lèvres, faisant fi de ma réponse.

— Ce n'était pas nécessaire: vous vous trompiez vous-même. J'ai vu cet air sur votre visage avant même que nous nous parlions. Vous étiez si confiant. «Je vais prendre la grande blonde», voilà ce qui se lisait sur vos traits. Je sentais votre désir à travers les barreaux de la fenêtre.

Je jetai un regard autour pour m'assurer que Yasmine n'écoutait pas, et Felicità s'avança vers moi, posant une main sur mon bras. C'était la première fois qu'elle osait me toucher: soit le vin lui faisait effet, soit elle devenait plus confiante.

— De toute manière, vous êtes déjà pris, Richard.

Elle se saisit du bras de Faustina avec l'autre main, établissant un lien entre nous, momentanément.

— Et elle aussi.

Il était attendrissant de les voir si heureuses ensemble. Je les embrassai toutes les deux sur la joue et les saluai. C'était une belle fête. Je m'en fus retrouver Yasmine.

Chapitre 88

24 octobre 1556
Fattoria Costante, près de Treponti,
dans les monts euganéens

— Crois-tu qu'il vendra ?

Yasmine s'accrochait à mon bras tandis que nous admirions la vue de la terrasse de la ferme, derrière sa maison de pierre jaune. Les feux dorés de l'automne rougeoyaient sur la colline et dans la vallée en contrebas. La profondeur du coloris eût enchanté le Titien. Derrière nous, au-dessus de l'escarpement, s'élevait le Monte Grande, ses flancs couverts de châtaigniers. À l'endroit où nous nous tenions, les terres ne s'inclinaient plus qu'en pente douce, profitant du soleil toute la journée. Un affluent du Scolo Degora fournissait un approvisionnement constant en eau, ce qui donnait son nom à la ferme.

Devant, nous apercevions la plaine qui s'étendait jusqu'à Padoue – une longue chevauchée, surtout si je devais l'effectuer quotidiennement. Mais si je trouvais l'énergie nécessaire, l'air frais qui enveloppait ces hautes terres en vaudrait la peine. La ferme était pour Yasmine un endroit idéal où vivre et, avec l'aide de Dieu, élever nos enfants, pendant que je terminerais mes études en médecine.

Je passai mon bras autour de son épaule.

— Je suis sûr qu'il est prêt à vendre – il lui faut l'argent. Et comme il est veuf et sans enfants, il ne peut continuer seul. Le notaire a dit que c'était certain, et nous avons offert le **prix** demandé. Seule la fierté l'empêche de conclure l'affaire. Regarde-le parler à ses vignes : il est en train de faire ses adieux.

C'était l'œuvre de sa vie, et sans doute celle de son père et de son grand-père. Partout, on en voyait les fruits. De l'autre côté de la vallée, sur son versant broussailleux, les oliviers soigneusement émondés nous fourniraient plus d'huile qu'il nous en fallait, avec une bonne quantité à vendre au marché. En bas, les vignes de fleur d'oranger, au feuillage doré, produiraient un excellent muscat issu du riche cépage jaune propre à la région. Au fond de la vallée, à l'abri du vent, des abricotiers et des amandiers rayonnaient au soleil.

C'était un endroit magique.

La maison d'habitation était vaste et sans humidité. De l'eau fraîche descendait du ruisseau en abondance et une conduite avait été aménagée afin de pourvoir la maison. Des bûches sèches étaient déjà empilées jusqu'au toit derrière la grange, qui abritait une bonne réserve de foin pour l'hiver. Je savais que nous pourrions vivre heureux dans cette ferme.

Yasmine et moi discutions de nos projets de mariage. Naturellement, elle avait voulu que la cérémonie musulmane se tienne en premier, et son mollah avait suggéré le jour de leur Nouvel An, le premier jour de Mouharram, en l'an 946 de l'hégire dans le calendrier musulman. Elle m'avait expliqué que l'année musulmane comptait onze jours de moins que l'année chrétienne, ce qui voulait dire que leurs célébrations se déplaçaient dans nos saisons, au fil des ans. Cette année-là, le Nouvel An musulman tombait un mercredi, le 4 novembre 1556 dans le calendrier chrétien, ce qui permettrait de nous remarier devant un prêtre de mon Église bien avant la saison des fêtes. Tout le monde semblait satisfait de cet arrangement, en particulier Yasmine, rayonnante de plaisir dans l'attente de ce double événement, qui pourtant lui avait paru si étrange au début.

— Ton père est-il vraiment heureux de ce qui nous arrive ?

Même s'il avait consenti à ce que j'épouse Yasmine, je m'inquiétais toujours des effets que ce mariage produirait sur lui, dans son for intérieur ; car à bien des égards, c'était un homme solitaire qui n'avait pas l'habitude de faire étalage de ses sentiments.

— Ne t'inquiète pas, Richard. Tu n'as pas idée à quel point il est heureux d'avoir enfin trouvé un fils pour reprendre le flambeau. Ne t'y trompe pas : il te fera travailler dur, car il a de grands projets de développement et ne craint plus les effets du déclin de la Sérénissime sur ses perspectives d'affaires.

— Et Jacopo ? Il s'est toujours montré généreux à mon égard, et la nouvelle de ton départ et de ton remplacement par Faustina n'a pas semblé l'ébranler une seule minute. Mais crois-tu qu'il s'est senti obligé de donner son accord ?

— Jacopo est plus que satisfait. Je faisais de mon mieux pour gérer l'atelier, mais je sais que ma religion commençait à lui causer des problèmes lorsque nous avions affaire à des gens de l'Église. Il ne m'en a jamais parlé, mais je le savais. Maintenant, il est représenté par une dévote, la fille d'un Contarini. Avec sa beauté et son intelligence, elle obtiendra tout ce qu'elle voudra. Non, à mon avis, ce changement est tout à l'avantage de notre artiste.

Elle sourit, comme si elle se rappelait quelque chose : c'était le sourire d'une femme qui songe à ses enfants.

— Et Felicità n'est qu'un avantage supplémentaire. Elle adore la petite Marietta, et l'enfant l'aime aussi.

Elle embrassa toute la vallée de son sourire, puis se tourna lentement vers moi.

— Tu ne m'as jamais raconté toute l'histoire. Comment Faustina et toi vous êtes-vous rencontrés ? Que s'est-il passé lors de vos rendez-vous ? Avez-vous déjà ?… Tu sais.

Elle me donna un léger coup de coude dans les côtes. Je secouai la tête avec véhémence.

— Je te l'ai déjà dit : elle n'est pas comme ça. C'était une religieuse. De toute manière, Felicità est sa compagne. Je ne l'ai jamais touchée.

— Mais si, elle me l'a dit.

Je la dévisageai d'un air incrédule, et elle secoua la tête.

— Pas physiquement, je le sais bien ; mais tu l'as touchée dans son cœur, tu as transformé sa vie.

Une onde de soulagement déferla sur moi, mais en même temps, une inquiétude.

— Mais ai-je péché ? Ai-je détourné ses pas de la voie de Dieu ?

Visiblement, elles en avaient déjà discuté.

— Non. Au contraire. Tu lui as permis de redécouvrir son Dieu et de l'accepter de son plein gré. Son indépendance d'esprit est telle qu'elle aurait continué à se battre contre un Dieu qu'on lui imposait. Mais maintenant qu'elle est en mesure de choisir, elle peut avancer vers Dieu et l'accueillir en elle, pour elle-même. Et pour cela, je crois qu'elle te sera toujours sincèrement reconnaissante.

« Sincèrement reconnaissante. » J'étais incapable d'avouer à Yasmine que la solution était venue de quelqu'un d'autre. Mais elle n'avait pas terminé :

— Tout de même, en voyant l'injustice de son sort, en voyant cette beauté, cet esprit, emprisonnés là, ne l'aimais-tu pas un peu, dans ton cœur, même si elle t'était inaccessible ?

Je serrai mon étreinte autour de son épaule. Nous étions amoureux et sur le point de nous marier; pourtant, il me restait encore bien des choses à découvrir chez elle, et je ne voulais surtout pas empoisonner notre relation.

— Peut-être un peu, comme on aimerait un jeune poulain aux longues jambes noueuses, mais avec une étincelle dans les yeux et la vie devant lui...

Je fus incapable de la regarder dans les yeux en lui donnant cette réponse, pleine de délicatesse. Peut-être était-ce aussi désormais une réponse honnête : je devais reconnaître que mes sentiments à l'égard de Faustina avaient pu changer au fur et à mesure que j'avais appris à la connaître.

Yasmine me regarda d'un air circonspect. Je savais qu'elle pensait la même chose que moi, qu'elle avait le sentiment de ne pas me connaître encore complètement. Nous nous rapprochions l'un de l'autre à tâtons, tous deux dans la crainte de perdre ce bonheur que nous venions de trouver.

Puis elle sourit et, pendant un instant, contempla la vallée.

— Je vais lui dire ce que tu penses de ses jambes.

Elle se retourna vers moi, étudiant ma réaction, et je perçus quelque chose dans son regard, comme si une inquiétude venait de disparaître pour de bon. Nous nous appuyâmes contre le mur pour admirer la vallée qui s'étendait sous nos pieds. Yasmine resta silencieuse et je sus qu'elle était encore en train de réfléchir.

— Et Veronica ? Tu l'aimes ?

Ces mots me parvinrent comme étouffés, mais la question ne me surprenait pas. Je regardai au loin.

— Non, bien sûr que non. Je n'ai jamais été amoureux d'elle, pas plus qu'elle ne s'est intéressée à moi.

Une fois encore, Yasmine me fit reculer quelque peu devant elle et me regarda aussi droit dans les yeux que cela lui était possible, compte tenu de sa taille.

— Allons, je le sens chaque fois que vous êtes ensemble – la légèreté avec laquelle elle te touche lorsque vous vous croisez. Ces choses-là ne m'échappent jamais. Je conçois que vous ne couchiez plus ensemble, mais c'est bien arrivé une fois au moins ? Tu ne dois pas t'y laisser prendre. Cela ne signifie rien pour elle, c'est sa façon de dire bonjour à quelqu'un qui lui plaît. C'est aussi un moyen efficace de manipuler les hommes lorsqu'elle pense pouvoir se servir d'eux.

Je grommelai quelque chose entre mes dents, et Yasmine sourit.

— Je ne suis pas aussi simplette que tu le penses, Richard. J'ai peut-être été élevée dans la discipline et j'ai toujours vécu dans la chasteté la plus totale ; mais pendant des années j'ai travaillé dans le monde de l'art, où la sexualité est une chose aussi courante et aussi banale que le manger et le boire. Surtout en ce qui concerne Veronica. Crois-tu que le Tintoret ne s'est jamais laissé tenter ? Et le Titien ? Sa réputation le précède. Tout le monde dans le métier connaît son dicton : « Je ne peux pas peindre une femme à moins de pouvoir la goûter. » Mais ce qu'il veut dire, c'est plutôt : « Je ne peux pas peindre une femme *avant* de l'avoir goûtée. » C'est un vieux cochon.

J'étais surpris de l'entendre parler avec une telle licence. Cela ne lui ressemblait pas : elle était d'ordinaire si sage.

— Cela te fâche, à propos de Veronica ? lui demandai-je, examinant son visage avec attention.

— Étonnamment, non. J'en ai parlé avec d'autres femmes. Veronica est si aimable et nous veut tant de bien qu'il est impossible de la considérer comme une menace.

Je l'embrassai sur les lèvres. Parler de ces choses ouvertement me soulageait intérieurement.

— Viens, dis-je. Allons trouver Niccolò, et voyons s'il est enfin prêt à signer ce fameux contrat de vente !

Chapitre 89

30 octobre 1556
Fattoria Costante, près de Treponti

C'était l'un des rares moments de tranquillité de ma nouvelle vie. Yasmine était retournée à Venise et j'étais seul à la ferme, occupé à écrire à mes parents en Angleterre. L'automne était désormais bien installé, les feuilles couleur brun roux lançant des reflets dorés. Les premières gelées avaient frappé, et je les avais accueillies comme autant de signes de la progression des saisons. Après les chaleurs de l'été, il était réconfortant de pouvoir s'asseoir à la maison devant un bon feu.

Quelque part, le fait d'écrire à ma famille (pour la première fois, cela ne voulait plus dire «chez moi») me permettait de rassembler mes idées.

Chers parents,

Cela fait un an aujourd'hui que j'ai pris congé de vous, en prévision de mon voyage avec le docteur Marwood et le comte de Devon. Bien des choses se sont produites depuis ce temps, et je ferai de mon mieux pour vous conter mes plus récentes aventures dans le temps et l'espace dont je dispose. Vous serez, j'en suis certain, fiers et heureux d'apprendre que j'ai fini par suivre les traces du docteur Marwood en m'inscrivant à l'université de Padoue pour y étudier la médecine.

Le comte est décédé à la fin de septembre, des suites d'une fièvre et de complications liées à des blessures subies lors d'une chute.

Nous l'avons emmené de Venise à Padoue, et les meilleurs méde-cins étaient à son chevet, mais ils n'ont pas pu sauver sa vie. Ses dernières semaines ont été funestes : il se sentait rejeté et trahi par les autorités vénitiennes, et, comprenant enfin qu'il ne pouvait rentrer en Angleterre, son avenir lui paraissait bloqué. Son existence affligeante s'est terminée dans le malheur.

Vous vous souviendrez combien il m'est arrivé, depuis ma rencontre avec Lady Jane, de prôner la tolérance en matière de religion. Au cours des derniers mois, mon engagement envers cette cause a été mis à l'épreuve de belle façon, puisque j'ai rencontré et demandé la main d'une femme merveilleuse, de confession musulmane. Elle s'appelle Yasmine et est aussi ravissante que son nom l'indique. Nous sommes follement amoureux et avons décidé que, même si nos croyances resteront toujours différentes, elles ne doivent pas se dresser entre nous. Il se peut que nos deux Églises nous causent des difficultés, ou que certaines gens de notre entou-rage s'opposent à notre union, mais nous avons décidé de faire face à l'adversité ensemble…

Je levai les yeux de la table. Mon amour pour Yasmine. Si impossible à décrire en mots. C'était comme d'évaluer un tableau du Tintoret au poids.

Des années durant, je m'étais demandé à quoi ressem-blait le véritable amour. Pendant un instant, je m'évertuai à chercher les bons termes pour l'exprimer. Quelque chose manquait.

Puis je trouvai : il n'était pas parfait. La clef se trouvait là : cet amour n'était pas doux, il était fort, presque dur. Pas plus qu'il n'était généreux ou servile ; car avec le temps, il prenait autant qu'il donnait.

À mon sens, c'était tout compte fait une question de valeur : le fait de reconnaître que celle que j'aimais valait plus que ce que je valais moi-même à mes yeux ; et si un jour nos vies étaient en jeu, je savais que je serais capable de me sacrifier pour elle, non par générosité ou par gentillesse, non pour accomplir un acte de bravoure qui resterait gravé dans les mémoires, mais simplement dans l'intime conviction que le monde serait plus beau si elle survivait à ma place. Cette pensée, lorsqu'elle se fit jour dans mon esprit, m'étonna et me consuma à tel point que j'en fus presque effrayé.

Un vent soupira à travers la fenêtre ouverte et ma chandelle vacilla et crachota. La feuille de papier s'envola un instant et je la retins avec ma main. Puis je continuai à rédiger ma lettre.

Le père de Yasmine est un importateur d'épices et je me suis associé à lui dans cette entreprise. Nous avons l'intention d'élargir notre domaine d'activité en important des pigments d'artiste et des plantes médicinales. Au moment où je vous écris, Ayham, car c'est ainsi qu'il s'appelle, parcourt Venise afin de s'entendre avec des fournisseurs. Nous avons déjà décroché une licence pour l'importation de lapis-lazuli d'Afghanistan. Une de nos connaissances nous a aidés à acheter cette licence de l'artiste le Titien, qui en était le détenteur. Cette affaire nous rapportera beaucoup, surtout que nous avons déjà une liste de clients établis.

Vous vous souviendrez de cette religieuse du nom de Faustina dont je vous avais parlé, et qui vivait enfermée dans un couvent. Pour ma plus grande joie, mes plans ont très bien fonctionné et elle gère maintenant les affaires du Tintoret. Sa bonne amie Felicità a également rejoint l'atelier du peintre, et les deux s'y tiennent compagnie.

Père, vous serez content d'apprendre enfin que j'ai fait l'acquisition d'une ferme. Elle se trouve dans une région très semblable à notre coin du Devon, mais plus chaude et plus sèche en été. Yasmine et moi y habiterons lorsque nous serons mariés, même si nous devrons souvent nous rendre à Venise afin de seconder Ayham dans notre entreprise d'importation. On y cultive les olives, les raisins, les châtaignes, les abricots et les amandes. Nous avons quelques vaches à lait, une douzaine de cochons et de nombreux poulets, mais aucun mouton : la terre est trop aride pour leur permettre d'y vivre. Nous pourrions en revanche essayer d'élever des chèvres sur nos hautes terres. Je vis déjà ici et Yasmine me rejoindra après notre mariage.

Quand vous recevrez cette lettre, votre fils sera presque certainement un homme marié. Je ne pourrais être plus heureux, sauf si vous étiez avec nous pour assister à l'événement. Je me rends à Padoue chaque jour de semaine pour y étudier. La chevauchée est longue, mais peu exigeante. Niccolò, qui nous a vendu la ferme, n'a plus de famille à lui : nous nous sommes donc entendus pour qu'il reste avec nous et nous aide aux travaux, pour au moins un an, et nous lui verserons des gages. Il s'est entiché de Yasmine, qui lui rappelle la fille qu'il a perdue il y a de cela des années, et il lui est tout à fait dévoué.

Le docteur Marwood a décidé de rentrer à la maison et nous a quittés le 22 septembre. Avec l'aide de Dieu, il doit approcher des Pays-Bas et rentrera sûrement bien avant Noël. Il aura probablement l'occasion de vous rendre visite avant que cette lettre vous parvienne ; ainsi, j'ai bien peur de ne pas vous apprendre grand-chose ici. Mais Thomas a continué d'exercer une grande influence sur mon travail et dans ma vie, et je lui en serai éternellement reconnaissant. Il m'a offert un merveilleux cadeau d'adieu, un exemplaire du livre du docteur Fuchs sur les plantes et les herbes médicinales, et j'espère élargir mes connaissances dans ce domaine. J'ai développé un intérêt singulier pour l'étude des poisons.

Je considérai la lettre devant moi, m'apercevant soudain que j'avais oublié de mentionner Veronica. Pendant un instant, je m'interrogeai, ne sachant trop comment présenter quelqu'un comme elle à mes parents, issus d'un monde si lointain et si différent. Je finis par conclure que c'était impossible. Mes amis et moi savions, à Venise, quel avait été son rôle, et sa valeur ne serait en rien diminuée si je décidais de maintenir mes parents dans l'ignorance. J'en avais assez dit. Il était temps de conclure.

Je vous transmets mon amour indéfectible, à vous et à ma tendre petite sœur Kate, qui doit sans doute être une femme faite au moment où je vous écris. Je souhaite ardemment que vous puissiez faire un jour le long voyage jusqu'ici et partager notre bonheur. Yasmine et moi espérons également gagner un jour l'Angleterre et vous rendre visite.

Merci, mon père ; merci, ma mère, pour tout ce que vous avez fait. J'ai tenté de remplir la promesse que vous voyiez en moi et de profiter pleinement des chances que vous m'avez offertes.

Maintenant, je suis grand. Désormais, ma vie sera celle que je viens de décrire. Je serai, à l'avenir, responsable devant d'autres : en ce sens, je dois vous dire adieu. Je vous lève mon chapeau pour toute l'aide que vous m'avez apportée, puisque j'ai pu grâce à cela me rendre où je suis, je vous remercie encore une fois tous les deux. Prenez bien soin de vous. Au revoir et à la prochaine, que ce soit dans cette vie ou dans l'autre : Dieu vous bénisse.

Avec tout mon amour,

Richard

Je déposai ma plume, sirotai quelques gorgées du bon vin de Niccolò, et relus ce que je venais d'écrire. Durant toute mon enfance, j'avais voulu devenir un « grand », gagner mon indépendance et quitter le nid. Maintenant que j'y étais, que le moment était venu, ces adieux me bouleversaient.

Mais il était temps. Mon enfance derrière moi, personne n'était plus là pour me soutenir. Je deviendrais bientôt un mari, peut-être un jour un père, et d'autres trouveraient leur soutien auprès de moi. Et ces nouvelles responsabilités qui m'attendaient, et que j'entrevoyais, ne me semblaient pas un fardeau, mais plutôt l'occasion rêvée de laisser mon empreinte sur le monde.

La gorge nouée par l'émotion, mais saisi d'une curieuse impression de liberté, je déposai la lettre, regardant le feu danser dans l'âtre.

Remerciements

Tout d'abord, un merveilleux hasard. J'étais assis à mon bureau, dans le cabinet de médecin où je travaillais alors comme administrateur, et je ne cessais de méditer *Les Filles du doge*, me demandant de quelle manière je pourrais commencer le premier chapitre et réintroduire deux de mes personnages principaux, connus de ceux qui avaient lu mon premier roman, *Dans l'ombre de Lady Jane*. Ce bureau servait également de bibliothèque médicale et mes yeux tombèrent par hasard sur un ouvrage du docteur James Willis, *The Paradox of Progress* (1995), où l'auteur nous livre ses impressions sur la vocation de médecin généraliste, et nous parle de ces moments de réussite qui donnent un sens à toutes les frustrations vécues par ceux qui l'exercent. Le livre débute par une histoire appelée «Mon nouveau truc», récit authentique qui raconte une visite du médecin, la nuit, chez un chef cuisinier qui a fait une chute dans les escaliers et s'est disloqué le genou, incident douloureux s'il en est. Merci, docteur Willis.

Sorrowful Captives : The Tudor Earls of Devon, de Horatia Durant (1960), se termine avec un récit de cinq pages racontant brièvement le dernier voyage de Edward Courtenay, de Louvain à Venise, puis jusqu'à Padoue. Des ouvrages portant sur l'histoire locale du Devon rattachaient déjà le docteur Thomas Marwood à ce voyage, me fournissant ainsi le squelette de cette histoire essentiellement véridique.

Au cours des dernières années, il semble que la tâche de l'auteur de roman historique ait été facilitée par l'accessibilité grandissante des ouvrages de recherche. Du temps où j'étais sur les bancs d'école, l'analyse historique me paraissait ennuyeuse comme la pluie ; de nos jours, certains historiens adoptent un style autrement plus rafraîchissant pour raconter leurs « histoires », ce qui les rend d'autant plus intéressantes. Deux d'entre elles ont particulièrement contribué aux *Filles du doge*. *Virgins of Venice : Broken Vows and Cloistered Lives in the Renaissance Convent*, de Mary Laven (2003), m'a amené au couvent de Sant' Alvise et a fait germer en moi l'idée d'un personnage intrigant, Faustina Contarini. *The Honest Courtesan : Veronica Franco, Citizen and Writer in Sixteenth-century Venice*, de Margaret F. Rosenthal (1992), m'a fait découvrir la personnalité et reconnaître l'importance d'une femme fascinante. Je l'ai trouvée si passionnante que j'ai dû devancer sa vie de quelques années pour la faire cadrer dans mon histoire. Le fait qu'elle ait vraiment posé pour le Tintoret m'a d'autant plus encouragé.

Je serai toujours redevable à Mike Barnard et à son équipe chez Macmillan New Writing, qui ont eu l'idée de cette maison d'édition et ont accepté *Dans l'ombre de Lady Jane* parmi l'un des quatorze livres retenus pour la publication au cours de sa première année d'existence. Les efforts de Sophie Portas pour la mise en marché de l'édition reliée ont été récompensés un an plus tard avec la parution de l'édition de poche, et je l'en remercie. Il semble que la « Ryanair[1] de l'édition » soit finalement un succès.

Avec *Les Filles du doge*, je suis le premier auteur à publier un second roman aux éditions Macmillan New Writing, et

---

1. Compagnie d'aviation anglaise offrant des vols au rabais (*N. D. T.*).

je tiens à remercier Will Atkins et Maria Rejt de m'avoir renouvelé leur confiance. Je dois encore des remerciements à mon éditeur, Will Atkins, qui a su guider l'auteur et son manuscrit vers ce qu'ils sont devenus aujourd'hui, les deux ayant été, je pense, grandement améliorés par sa contribution.

Ce livre est dédié à Sheila, encore ma Yasmine après trente-huit ans.

ACHEVÉ D'IMPRIMER EN JANVIER 2009
SUR LES PRESSES DE TRANSCONTINENTAL-GAGNÉ
À LOUISEVILLE, QUÉBEC